Aus Freude am Lesen

La Hague im Nordwesten der Normandie: Nur wenige wohnen hier, am Ende der Welt, am Meer, dort, wo die Menschen ebenso schroff sind wie die Natur und das Leben vom Wind, vom Wetter, von den Gezeiten bestimmt wird – bis eines Tages Lambert auftaucht.

Fremde, die hier länger bleiben, gibt es selten; sie werden von den Einheimischen argwöhnisch beäugt, aber Lambert ist nicht wirklich fremd; irgendwie gehört er dazu. Vor vierzig Jahren starben seine Eltern und sein Bruder bei einem Bootsunglück. Nun ist er zurückgekommen, um das dramatische Unglück von damals aufzuklären. Und allmählich bröckelt die Wand des Schweigens, hinter der jeder Dorfbewohner ein Geheimnis zu verbergen scheint …

 CLAUDIE GALLAY, 1961 im Département Isère geboren, gilt als eine der populärsten Schriftstellerinnen Frankreichs. »Die Brandungswelle« stand monatelang auf der französischen Bestsellerliste, wurde mehrfach ausgezeichnet, verkaufte sich allein in Frankreich über 260 000 Mal und erscheint in weiteren elf Ländern.

Claudie Gallay

Die Brandungswelle

Roman

Aus dem Französischen
von Claudia Steinitz

btb

Für Lucile,

»Ihr werdet mich erkennen,
ich bin der, der vorübergeht.«

RENÉ-PAUL ENTREMONT

Zum ersten Mal sah ich Lambert am Tag des großen Sturms. Der Himmel war schwarz und niedrig, auf dem Meer toste es schon kräftig.

Er war kurz nach mir gekommen und hatte sich auf die Terrasse gesetzt, an einen Tisch mitten im Wind. Die Sonne ließ ihn das Gesicht verziehen, es sah aus, als würde er weinen.

Ich beobachtete ihn, nicht weil er den schlechtesten Tisch gewählt hatte, und auch nicht wegen seiner Grimassen. Ich beobachtete ihn, weil er genauso rauchte wie du, den Blick ins Leere gerichtet, mit dem Daumen über die Lippen streichend. Trockene Lippen, vielleicht trockener als deine.

Ich vermutete, er sei Journalist – so ein Sturm zur Tagundnachtgleiche konnte ein paar schöne Fotos geben. Hinter der Mole grub der Wind bereits tiefe Wellentäler und vertrieb den Gezeitenstrom *Raz Blanchard* – die schwarzen Flüsse aus den Nordmeeren oder den Tiefen des Atlantiks.

Morgane kam aus dem Gasthof. Sie bemerkte Lambert.

»Sie sind nicht von hier«, sagte sie und fragte, was er wolle.

Ihr Tonfall war mürrisch, wie immer, wenn sie bei schlechtem Wetter Gäste bedienen musste.

»Sind Sie wegen dem Sturm hier?«

Er schüttelte den Kopf.

»Dann wohl wegen Prévert? Alle kommen wegen Pré-vert …«

»Ich suche ein Bett für die Nacht«, sagte er schließlich.

Sie zuckte mit den Schultern.

»Wir sind kein Hotel.«

»Und wo finde ich eins?«

»Im Dorf gibt's eins, gegenüber der Kirche … Oder in La Rogue. Landeinwärts. Da wohnt eine Freundin vom Wirt, eine Irin, sie hat eine Pension … Wollen Sie ihre Nummer?«

Er nickte.

»Kann ich noch etwas zu essen bestellen?«

»Es ist drei …«

»Na und?«

»Um drei gibt's nur Schinkensandwich.«

Sie zeigte auf den Himmel und die herannahende Wolken-wand. Die Sonne blitzte dahinter hervor. In zehn Minuten wür-de es stockdunkel sein.

»Das wird eine Sintflut!«

»Sintflut oder nicht, sechs Austern und ein Glas Wein, bitte.«

Morgane lächelte. Lambert war ein ziemlich hübscher Kerl. Sie hatte Lust, ihn zappeln zu lassen.

»Auf der Terrasse servieren wir nur Getränke.«

Ich trank zwei Tische hinter ihm einen Kaffee. Andere Gäste gab es nicht. Sogar drinnen war es leer.

Aus den Fugen in der Wand wuchsen graublättrige Pflänz-chen. Durch den Wind sah es aus, als würden sie klettern.

Morgane seufzte.

»Ich muss erst den Wirt fragen.«

An meinem Tisch blieb sie stehen und trommelte mit ihren roten Fingernägeln auf das Holz.

»Alle kommen wegen Prévert … Warum sollte man wohl sonst kommen?«

Sie verschwand im Lokal, nachdem sie noch einen kurzen Blick über die Schulter geworfen hatte. Ich dachte, sie würde nicht mehr zurückkommen, aber kurz darauf war sie mit einem Glas Wein, Brot auf einer Untertasse und den Austern auf einem Algenbett wieder da und stellte alles vor ihn hin. Auch die Nummer der Irin gab sie ihm.

»Der Wirt hat gesagt, Austern sind okay, aber draußen ohne Tischtuch … Und Sie sollen sich beeilen, gleich geht's los.«

Ich bestellte mir noch einen Kaffee.

Er trank den Wein. Sein Glas hielt er nicht richtig, aber er war ein Austernkenner.

Morgane stapelte die Stühle auf, lehnte sie alle gegen die Wand und machte sie mit einer Kette fest. Sie winkte mir zu.

Von da, wo ich saß, sah ich den ganzen Hafen und die *Griffue*, das Haus, in dem wir wohnten – sie mit ihrem Bruder Raphaël im Erdgeschoss, ich allein in der Wohnung darüber. Das Haus stand hundert Meter vom Lokal entfernt, am Ende der Straße, fast schon im Meer. Ohne Schutz. An Sturmtagen nur die Sintflut. Die Leute hier sagen, man müsse verrückt sein, um an so einem Ort zu leben. Sie hatten dem Haus den Namen *La Griffue* gegeben, die Zerkratzte, wegen der Tamariskenäste, die wie Fingernägel klangen, wenn sie über die Fensterläden kratzten.

Früher war es ein Hotel gewesen.

Früher, wann war das?

In den Siebzigern.

Es war kein sehr großer Hafen. Ein gottverlassenes Nest, eine Handvoll Männer und ein paar Boote.

La Hague.

Westlich von Cherbourg.

Östlich oder westlich, ich verwechselte es immer.

Ich war im Herbst gekommen, mit den Wildgänsen, vor gut

sechs Monaten. Ich arbeitete für das Ornithologische Zentrum von Caen, beobachtete Vögel, zählte sie. Die beiden Wintermonate hatte ich damit verbracht, das Verhalten von Kormoranen bei großer Kälte zu studieren. Ihren Geruchssinn, ihr Sehvermögen … Stundenlang draußen, im Wind. Jetzt, im Frühling, beobachtete ich Zugvögel, zählte die Eier, die Nester. Es war eine monotone Arbeit, genau das, was ich brauchte. Und ich suchte nach Gründen für den Rückgang der Zugvögel in der Gegend von La Hague.

Ich wurde schlecht bezahlt.

Aber ich hatte ein Dach über dem Kopf. Und noch nie einen großen Sturm erlebt.

Zwei große Silbermöwen flogen schimpfend über die Boote, den Hals gereckt, die Flügel ausgebreitet, den ganzen Körper dem Himmel entgegengestreckt. Mit einem Mal verstummten sie. Es zog weiter zu, wurde finster, obwohl es noch nicht Nacht war.

Es war etwas anderes.

Eine Drohung.

Etwas, das die Vögel zum Schweigen gebracht hatte.

Man hatte mich gewarnt: Sobald es anfängt, darf man nicht mehr draußen sein.

Die Fischer kontrollierten ein letztes Mal die Vertäuung ihrer Boote, dann gingen sie fort, alle, einer nach dem anderen. Ein kurzer Blick in unsere Richtung.

Wenn das Meer steigt, sagt man hier, sind die Männer stärker. Die Frauen nutzen die Gelegenheit, um sich an ihnen festzuklammern, egal wo sie sind, in den Ställen oder in den Laderäumen der Boote. Sie lassen sich nehmen.

Der Wind pfiff bereits gewaltig. Seine Kraft war noch eindrucksvoller als die der Wellen. Dieser Wind, der die Männer vertrieb.

Es blieben unsere beiden Tische auf der Terrasse, und niemand mehr ringsum.

Lambert drehte sich zu mir um. Er sah mich an.

»Mistwetter!«

Morgane kam raus. »Sind Sie fertig?«, fragte sie.

Sie sammelte seinen Teller, das Brot und meine Tasse ein.

Der Wirt hatte die Latten gebracht und verrammelte schon die Tür.

»Das wird ein Tanz!«, sagte er.

Morgane sah mich an.

»Bleibst du?«

»Noch zwei Minuten, ja.«

Ich wollte zusehen, solange es möglich war. Sehen, hören, spüren.

Sie zuckte die Schultern. Ein erster Tropfen zerplatzte auf der Tischplatte.

»Schiebt eure Stühle ran, wenn ihr geht!«

Ich nickte. Lambert antwortete nicht. Dann rannte sie mit verschränkten Armen los, über die freie Fläche vom Gasthof bis zur *Griffue*, erreichte die Tür und verschwand schließlich im Haus.

Ein erster Blitz zuckte irgendwo über der Insel Aurigny, ein weiterer schon etwas näher. Und dann schlug der Wind die erste Böe gegen die Mole, fast wie an einen Prellbock. Am Schuppen, in dem Max immer sein Boot repariert, klapperten die Bretter. Irgendwo schepperte ein loser Fensterladen.

Das Meer wurde härter, es wurde so schwarz, als würde etwas Unheilvolles es von innen zusammenziehen. Der betäubende Lärm des Windes mischte sich mit dem der Wellen. Beängstigend. Ich schlug den Kragen hoch und stellte meinen Stuhl weg.

Lambert rührte sich nicht. Er zog eine Schachtel Zigaretten aus der Tasche. Er wirkte ruhig, gleichgültig.

»Gehen Sie?«

Ich nickte.

Es heißt, die Windböen an Sturmtagen seien die Toten, die keine Ruhe finden. Verdammte Seelen, die sich ins Innere der Häuser stürzen, um dort zu nehmen, was man ihnen schuldet. ›Man‹, das sind die, die zurückgeblieben sind, die Lebenden.

»Sieht man hier manchmal die Sterne?«, fragte er und zeigte auf den Himmel über uns.

»Manchmal, ja.«

»In der Stadt sieht man sie nämlich nicht mehr.«

Der Wind zerfetzte seine Worte.

Er hatte eine ruhige Stimme.

»Wegen der Laternen«, erklärte er.

Er hielt seine Zigarettenschachtel in der Hand. Drehte sie hin und her, eine mechanische Bewegung. Seine Anwesenheit machte die bevorstehende Ankunft des Sturmes noch beklemmender.

»Aber es ist selten, oder?«

»Was ist selten?«

Er zögerte ein paar Sekunden, dann strich er sich mit dem Daumen über die Lippen.

Ich sah ihn an, ihn, sein Gesicht, seine Augen; diese Geste, die er gerade gemacht hatte.

Gleich darauf hörte ich es pfeifen. Ich hatte noch Zeit zurückzuweichen. Der Schatten, der mich ohrfeigte, war rot. Ich spürte, wie etwas meine Wange aufriss. Es war ein Stück Blech, vielleicht zwei Hände breit. Es flog noch zehn Meter weiter, dann drückte der Wind es auf den Boden und schleifte es mit sich fort. Ich hörte es auf dem Kies kratzen. Wie Zähne auf Sand.

Meine Hand befühlte die Wange. Ich hatte Blut an den Fingern.

»Was ist selten?«, hörte ich mich zum zweiten Mal fragen, während ich immer noch auf das Blech starrte.

Er zündete sich eine Zigarette an.

»Die Sterne. In der Stadt sind Sterne am Himmel selten«, wiederholte er.

Dann zeigte er auf meine Wange. »Sie müssen das verarzten.«

Später, in meinem Zimmer, am Fenster, betrachtete ich mein Gesicht, das rote Mal, das das Blech hinterlassen hatte.

Die Schwellung war warm. Man kann sterben, wenn man von herumfliegenden Blechen getroffen wird.

Bleche, Rost.

Er hatte von Städten gesprochen, davon, dass man dort keine Sterne mehr sieht.

Ich desinfizierte die Wunde mit etwas Alkohol und blieb am Fenster stehen. Meine nackten Füße auf den Dielen. Der Abdruck meiner Finger auf der Scheibe. Mein Zimmer mit Blick aufs Meer. Ein großes Bett mit Federdecke. Zwei abgenutzte Sessel. Auf dem Tisch die Kiste mit meinem Fernglas, meiner Stoppuhr und den Büchern über Vögel. Detaillierte Karten mit Fotokopien und Listen. Unten in der Kiste eine Handvoll Stifte. Ein Logbuch.

Sechs Monate führte ich dieses Buch schon. Ich wusste nicht, wie lange ich noch hierbleiben würde.

Früher war ich Biologiedozentin an der Universität in Avignon gewesen. Ich hatte Ornithologie gelehrt und mit meinen Studenten Vögel in der Camargue beobachtet. Ganze Nächte hatten wir dort in Pfahlhütten verbracht.

Nach dir habe ich mich zwei Jahre beurlauben lassen. Ich dachte, ich würde es nicht überleben. Und ich kam hierher.

Mein Vormieter war eines Morgens einfach verschwunden. Vermutlich hatte er die Einsamkeit nicht mehr ertragen. Er hinterließ Essen in den Schränken, Pakete mit Zwieback. Zucker in einer Dose. Auch Milchpulver und Kaffee in kleinen braunen Packungen aus Papier, auf das ein grüner Baum gedruckt war: *Fairer Handel.*

Bücher. Ein altes Radio. Ein Fernseher, ohne Bild, nur Ton.

Zwei Flaschen unter der Spüle. Untrinkbarer Wein, Plastikgeschmack. Ich habe ihn trotzdem getrunken, allein, an einem Tag bei schönem Wetter.

Ich lief von einem Fenster zum anderen. Noch nie hatte ich einen so schwarzen Himmel gesehen. Landeinwärts, über dem Hügel, türmten sich die Wolken zu einer Bleikappe. Die Boote schaukelten. Lambert saß nicht mehr auf der Terrasse, er stand am Kai. Die Jacke geschlossen, die Hände in den Taschen, ging er auf und ab.

Noch regnete es nicht, aber die Wolken hatten sich zusammengeballt, bildeten eine bedrohliche, von Blitzen durchzuckte Wand über dem Meer, die allmählich näher kam. Der Donner begann zu grollen. Lambert lief ein paar Schritte in Richtung Mole, aber der Wind war zu stark, er kam nicht voran. Ich nahm mein Fernglas zur Hand und richtete es auf sein Gesicht. Tropfen peitschten ihm über die Wangen.

Er blieb minutenlang stehen, dann blitzte es, und der Regen stürzte herab.

Am Hafen stand nur ein Auto, seins. Keine Menschenseele, nur wir drei in der *Griffue.*

Wir drei, und er draußen.

Er stand im Regen.

Eine erste Welle spritzte über die Mole. Andere folgten. Und gleichzeitig setzte Höllenlärm ein. Ein Vogel, wohl von der Wucht des Windes überrascht, prallte gegen mein Fenster. Es war eine große Silbermöwe. Sie blieb ein paar Sekunden mit erstauntem Blick kleben, dann ergriff der Wind sie wieder, riss sie weg und trug sie fort.

Das Gewitter explodierte. Die Brandung schlug gegen das Haus. Ich drückte das Gesicht ans Fenster und versuchte hinauszusehen. Die Laternen waren erloschen, es war stockfinster. Im Leuchten der Blitze schienen die Felsen, die den Leuchtturm umgaben, zu bersten. So etwas hatte ich noch nie erlebt.

Als ich zum Hafen schaute, sah ich, dass Lamberts Auto nicht mehr dastand. Es fuhr in Richtung Dorf. Die Rücklichter entfernten sich. Und dann nichts mehr.

Es dauerte Stunden, eine wahre Sintflut. Bis man nicht mehr sagen konnte, wo Land war und wo Wasser. Die *Griffue* schwankte. Ich wusste nicht mehr, ob der Regen gegen die Scheiben peitschte oder ob die Wogen so hoch schlugen. Mir wurde schlecht. Also blieb ich einfach stehen, die Wimpern an der Scheibe; mein Atem war heiß, ich hielt mich an den Wänden fest.

Unter der Gewalt des Sturms schlangen sich die schwarzen Wellen wie Leiber ineinander. Es waren schwer beladene Wasserwände, die vorwärtsgepeitscht wurden, ich sah sie kommen, mit Angst im Bauch, Wände, die an die Felsen prallten und unter meinem Fenster zusammenstürzten.

Diese Wellen, diese Brandung.

Ich fand sie großartig.

Sie machten mir Angst.

Es war stockdunkel. Mehrmals dachte ich, der Wind werde das Dach abreißen. Ich hörte die Balken knacken.

Ich zündete Kerzen an. Sie zerschmolzen, weißes Wachs floss auf das Holz des Tisches. Ein seltsamer heißer Film. Im Licht eines Blitzes sah ich den Kai, der völlig überschwemmt war, als sei das Meer über das Land getreten und habe alles verschlungen. Es hörte nicht auf zu blitzen. Blitze wie Eisenstangen. Raphaël war in seinem Atelier, dem großen Raum direkt unter meinem Zimmer. Ein Holzboden trennte uns. Ich hörte ihn, und ich konnte ihn auch sehen, ich musste mich nur auf den Boden legen und mein Auge gegen einen kleinen, nur ein paar Millimeter breiten Spalt zwischen den Dielen unter dem Teppich pressen.

Alle sagten, es sei unmöglich, hier zu leben, so nah am Meer. So nah, dass man dachte, man sei drin.

War es Tag? Nacht? Ich versuchte zu schlafen, doch es war zu warm unter der Decke. Zu kalt ohne. Ich schloss die Augen, sah das Blech vor mir. Seinen Schatten. Ich hörte Lamberts in die Dunkelheit getauchte Stimme, das unangenehme Schaben des Blechs. Das Ticken der Uhr an meinem Handgelenk, alles vermischte sich. Ich wachte auf, schwitzend.

Das Ofenrohr führte durch mein Zimmer, es wärmte die Luft und ging durchs Dach nach draußen. Das Rohr war aus Weißblech. Die Hitze ließ es vibrieren.

Raphaël lief umher, ich hörte seine Schritte wie die eines Raubtiers in seinem Käfig, er hatte wohl Angst um seine Skulpturen. Nichts als Gips und Lehm. Er sagte, es müsse nur eine Scheibe zerspringen, und alles sei hin.

Seinen Ofen stopfte er mit Holzscheiten voll, als könnte das Feuer das Meer zurückweichen lassen.

Ich hörte, wie er brüllte:

»Das Haus hat gehalten, es wird weiter halten!«

Ich drückte mein Gesicht an die Spalte. Er hatte die großen Kerzen angezündet. Mit den Statuen wirkte sein Atelier wie eine Kirche.

Dann sah ich mir meine Verletzung im Licht einer Kerze an. Die Wunde war dunkel geworden, beinah violett. Ich wärmte meine Handfläche an der Kerzenflamme, legte sie an die Wunde.

Ich steckte Streichhölzer ins Wachs und starrte weiter auf den rostigen Fensterrahmen. Am Ende erinnerte die Kerze an eine Voodoo-Puppe.

Die Leute hier nennen mich *La Griffue*, sie nennen mich auch *La Horsaine*, die Zugereiste, die, die nicht hier geboren ist. Alle, die hier vor mir gewohnt haben, bezeichneten sie so. Auch diejenigen, die nach mir kommen, werden sie so rufen. Und jemand wird kommen.

Raphaël nennt mich Prinzessin.

Für Lili bin ich Miss.

Für dich war ich *die Düstere*. Du sagtest, es sei wegen meiner Augen und wegen all dem, was sie bedrücke.

Seit Monaten bin ich ohne dich. Dein Fehlen besetzt alles. Es verschlingt sogar die Zeit. Sogar dein Bild.

Mit dem Morgen enthüllte das Tageslicht eine tote Heide. Noch immer regnete es, und der Wind pfiff. Er glitt über die Wasserfläche, riss lange Fetzen von fettem Schaum los und warf sie woanders wieder ab. Traurige Pakete. Im Hafen kämpften die Boote, um nicht zu sinken.

Ein Auto kam vom Dorf herunter und blieb dann stehen. Es machte kehrt, ehe es den Kai erreicht hatte.

Der Wind drehte, es war jener Augenblick der Stille, in der das Meer die Wellen hochhebt und wieder mit zurücknimmt.

Ich schlief, um ein paar Stunden von den langen schlaflosen Nächten nachzuholen. Vergangenen Nächten. Kommenden Nächten.

Später trank ich Kaffee, wühlte im Schrank in einem Stapel von *Paris Match*-Zeitschriften, alte Nummern, darunter die Hochzeit von Grace Kelly und der Tod von Jacques Brel. Schwarz-Weiß-Fotos. Alte Zeitungen. Ich förderte Staub zutage, Fetzen von Papier, das die Ratten angenagt hatten. Ein Vogelskelett. In einer Zeitschrift fand ich ein Foto von Demi Moore. Ich legte es beiseite, um es Raphaël zu geben.

Ich entdeckte eine Biographie über Teresa von Ávila und das

Tagebuch von Etty Hillesum. Eine Postkarte von Hopper zwischen den Seiten eines Buches, ein Mädchen an einem Tisch in einem Café. Die Wände grün gestrichen. Ich legte das Buch zurück und behielt die Karte.

Dann ging ich in den Flur. Die Nordwand war feucht. Entlang der Scheuerleisten und auf den Stufen sickerte Wasser ein. Die weißen Spuren an den Wänden kamen vom Salz.

Rechts befand sich der Lichtschalter. Die Wand bröckelte. Die Tapete hielt nicht. Sie löste sich in großen Bahnen, die wie Vorhänge herabhingen. Andere Türen führten zu leeren Zimmern. Ein altes Telefon mit grauer Wählscheibe war am unteren Ende der Treppe an der Wand befestigt – schon lange außer Betrieb. Wenn wir telefonieren mussten, benutzten wir die Zelle am Kai, dazu brauchte man eine Karte. Sonst konnte man auch zu Lili gehen oder zum Gasthof am Hafen.

Raphaël sagte, im Notfall müsste man auf die Knie fallen und beten. Darüber konnte er lachen.

In der Diele hing eine ganze Reihe hölzerner Briefkästen. Auf einem stand Raphaëls Name: R. Delmate, Bildhauer. Es gab noch andere Namen, aufgeklebte, halb abgelöste Etiketten. Und ein Schild aus Emaille: *Bitte die Tür schließen*. Das stammte von früher, als das Haus noch ein Hotel gewesen war.

Später wurden hier möblierte Zimmer vermietet.

Die Leute waren alle weggegangen. Die Etiketten waren geblieben.

Ein ausgestopfter Hund stand auf einem Regalbrett über der Tür. Raphaëls Hund. Er hieß Diogène. Angeblich war er vor langer Zeit in einer Gewitternacht gestorben – vor Angst. Die Panik hatte ihm den Magen umgedreht. Das kommt bei Hunden manchmal vor.

Ich ging mit vorsichtigem Schritt die Treppe herunter, die Hand um das Geländer geklammert.

Raphaël stand im Flur. Er hatte die Haustür einen Spalt geöffnet, versuchte hinauszusehen, vor die *Griffue*. Es war zu dunkel, zu viel Wind und einfach unmöglich, auch nur ein Stück vom Hof zu erkennen.

Er schloss die Tür wieder.

»Wir müssen warten.«

»Was ist denn da passiert?«, fragte er, als er meine Wange sah.

Ich legte die Hand drauf.

»Das war ein Stück Blech, das durch die Luft geflogen ist ...«

»War es verrostet?«

»Ein bisschen ...«

»Hast du es desinfiziert?«

»Ja.«

Er sah sich die Wunde an und verzog das Gesicht. Er hatte zwei Jahre in den Slums von Kalkutta verbracht. Ab und zu sprach er davon, was er dort gesehen hatte.

»Bist du geimpft?«

»Ich habe Alkohol draufgemacht.«

Er zuckte mit den Achseln.

Der Fernseher lief. Morgane schlief zusammengerollt auf dem Sofa, eine Hand geschlossen vor dem Mund. Mit ihren runden Hüften und den schweren Brüsten glich sie einer Skulptur von Botero. Die Ratte schlief bei ihr, versteckt zwischen den üppigen Bauchfalten.

Raphaël ging zu seiner Schwester.

»Ich frage mich, wie sie bei so einem Getöse schlafen kann.«

Er hob eine Haarsträhne hoch, die über ihrem Gesicht lag, und strich sie hinter ihr Ohr. Eine unendlich zärtliche Geste. Die Strähne fiel wieder nach vorn.

Er wandte sich ab.

Er kochte Kaffee.

Seine Bewegungen waren langsam. Er hatte Zeit, wie alle hier.

Morgane roch den Kaffee. Sie gähnte und schob die Decke weg, ohne wirklich die Augen zu öffnen. Dann schleppte sie sich bis zu uns.

»Morgen, ihr beiden.«

Ihr Haar war zerzaust, der Rock zu kurz über zu breiten Hüften. Sie schmiegte sich an ihren Bruder.

»Heut Nacht hat's ein bisschen geknallt«, sagte sie.

Raphaël lächelte.

»Ein bisschen, stimmt …«

Ich sah sie an. Ich war knapp über vierzig, Raphaël knapp darunter. Morgane war die Jüngste, dreißig im Juli. Ein Nachzügler, pflegte sie zu sagen, das sind die Schönsten!

Sie trank einen Schluck aus Raphaëls Tasse. Das machte sie oft. So wie ich bei dir. Früher. Morgens. Ich habe mich an dich gedrückt, weil ich deine Wärme brauchte. Danach war dir immer so kalt gewesen, bis du es nicht mehr ertragen hast.

Raphaël machte die Tür auf. Wir sahen uns an und gingen los, alle drei, seltsame Überlebende, die Füße in unseren Stiefeln. Überall lagen Äste. Riesige Pfützen. Der Wind pfiff immer noch, aber er hatte an Kraft verloren. Das Boot von Max hatte standgehalten, da lag es, geborgen unter seinem Schutzdach, gut verkeilt.

Wir liefen einmal ums Haus, dann in den Garten. Meerseite. Es roch nach Salz.

Ich fand den zerfetzten Körper der großen Möwe, die gegen meine Scheibe geprallt war. Halbe Balken, zerbrochene Kisten.

Die Wellen hatten nachgelassen. Das Ufer war mit einer dicken gelben Schaumschicht bedeckt, darin überall Algen in Büscheln wie kräftige Haarbälle, die jemand dort ausgespien hatte.

Die alte Nan stand auf der Mole, die Arme über dem Bauch gekreuzt. Dort, lange vor allen anderen, aufrecht, reglos, ihr Kruzifix in der Hand, stellte sie sich dem Meer entgegen. Sie trug ihr Sturmgewand, ein langes schwarzes Kleid, ein dicker Stoff; wer sie kannte, sagte, dass man darin mit schwarzem Faden gestickte Wörter lesen könne. Wortfäden. Und dass diese Wörter ihre Geschichte erzählten.

Nans Geschichte.

Man sagte auch, dass sie einst einen anderen Namen gehabt habe, dass aber die Ihren diesen Namen mitgenommen hätten. Ihre Toten, eine ganze Familie, im Meer verschwunden. Sie stand dort, weil sie glaubte, dass das Meer sie ihr eines Tages zurückgeben würde.

Die ersten Autos kamen zum Hafen. Leute aus dem Dorf. Ein Fischer erzählte, dass ein Frachtschiff auf dem Weg nach Norden eine Ladung Bretter verloren habe und dass der Wind sie nun hierhertreibe. Die Nachricht sprach sich schnell herum. Ein Traktor hielt am Straßenrand, so nah am Strand wie möglich. Ein paar Lieferwagen. Max kam. Er umarmte uns alle, weil sein Boot standgehalten hatte. Dann wartete er neben einer Gruppe von Männern auf die verlorene Fracht, die Hände in den Taschen, der Körper etwas verloren in der großen blauen Leinenjacke.

Die Männer sprachen miteinander, ohne das Meer aus den Augen zu lassen. Ich starrte in die Richtung, in die sie blickten. Das Licht tat meinen Augen weh. Früher lebte ich im Süden. Dort gab es zu viel Licht. Meine Augen sind zu blau. Meine Haut zu weiß. Ich verbrannte sogar im Winter.

Ich verbrenne immer noch. Man brennt immer. Jeder auf seine Art.

Sie kamen zu Dutzenden, Bretter wie Körper. Helle Schatten auf den fast schwarzen Wellen, und die Schatten schwankten. Getragen. Alle bewegten sich zu den Männern hin. Die alte Nan ging näher ans Wasser. Sie sah aufs Meer, in die Täler zwischen den Wellen. Sie kümmerte sich nicht um die Bretter.

Die Männer sprachen nicht mehr. Oder nur sehr wenig. Ein paar Worte, um das Wichtigste zu sagen. Es waren kaum Frauen dabei. Wenige Kinder.

Auch die Polizei war vor Ort, sie notierte Namen, Autokennzeichen.

Das Frachtschiff hatte die Anker ausgeworfen, man sah es weit draußen, genau dort, wo sich seine Ladung losgemacht hatte. Ein Polizeischnellboot war von Cherbourg gekommen. Lambert stand am Hafen. Allein, etwas abseits, in seiner Lederjacke. Ich fragte mich, was er dort tat, und richtete das Fernglas auf sein Gesicht. Der kantige Kiefer, schlecht rasiert. Die dicke Haut von ein paar tiefen Falten durchzogen. Die Hose zerknittert. Schwer zu sagen, ob er bei der Irin oder in seinem Auto geschlafen hatte.

Am Strand machten sich die Männer weiter bei den angespülten Brettern zu schaffen. Der Geruch nach Schlamm mischte sich mit dem der Menschen und mit dem scharf riechenden Schweiß eines Pferdes.

Ich folgte den Männern.

Ein Auto fuhr auf uns zu. Einen Moment lang standen wir alle im gelben Licht der Scheinwerfer. Lambert trat näher, das Gesicht vom Lichtkegel erhellt. Dann entfernte sich das Auto, und sein Gesicht wurde von der Dunkelheit verschluckt.

Ich hörte ihn sagen: »So muss das Ende der Welt sein.« Vielleicht wegen des Lärms und dieser Männer fast im Meer.

»So, ja … Nur schlimmer«, antwortete ich.

Die alte Nan hatte sich von den Brettern abgewandt. Sie ging von einem Mann zum anderen, sah forschend in jedes Gesicht. Selbst in die Gesichter der Kinder, die sie mit gierigem, verzweifelten Blick zwischen den Händen hielt und die sie gleich wieder zurückstieß, um sich einem anderen zuzuwenden – sogar dem Gesicht von Max. Die Kinder ließen es geschehen, man hatte es ihnen erklärt. Ihr braucht keine Angst zu haben, sie sucht jemanden. Die meisten hier hatten Angst vor ihr. Und auch wer keine Angst hatte, ging ihr aus dem Weg.

Der Saum ihres Kleides war durchs Wasser geschleift, jetzt streifte er durch den Sand. Als sie Lambert sah, vergaß sie alle anderen. Sie krallte ihre Hand in den schweren Stoff des Kleides und ging auf ihn zu, bis sie vor ihm stand. Sie sah ihn an, ihre Augen plötzlich verstört unter der weißen Mähne. Mit der Hand berührte sie sein Gesicht, blitzschnell, er hatte keine Zeit zurückzuweichen. Sie hatte Warzen an den Händen. Sie hätte sie verätzen können, es gibt tausend Arten, allen hier sind sie bekannt, Äpfel, Spucke, Pisse … Ich glaube, sie hatte sich an ihre Warzen gewöhnt. Manchmal streichelte sie sie. Ich hatte sie schon daran lecken sehen.

Lambert schubste sie weg.

»Die Fische essen die Augen«, sagte sie mit ihrer Grabesstimme und legte den Kopf zur Seite.

»In Mondnächten steigt das Blut an die Oberfläche. Man hört die Schreie …«

Sie lächelte seltsam. Schließlich wandte sie sich von ihm ab, wie zuvor bei den anderen, kehrte aber wieder zurück, mehr verwirrt als verrückt. Erneut erforschte sie sein Gesicht ganz genau, die Stirn, die Augen …

Sie öffnete den Mund.

»Michel …«

Ihr Lächeln war ebenso kurz wie wild.

»Du bist zurückgekommen …«

Ringsum arbeiteten die Männer unbeeindruckt weiter.

»Ich heiße Lambert.«

Wieder dieses schreckliche Lächeln, sie schüttelte den Kopf, mehrmals, mit heftigen Bewegungen.

»Du bist Michel …«

Sie wiederholte es, zwischen den kreidigen Falten ihrer Lippen.

Normalerweise klammerte sie sich an ein Gesicht und ging zum nächsten weiter. Bei Lambert aber war es anders, sie hatte Lust, ihn zu berühren, es war wie ein Zwang. Sie fuhr ihm immer wieder über die Wange – für einen Moment war ihr Lächeln beinahe friedlich.

Es war zum Schaudern, ihre Hand auf seinem Gesicht zu sehen, diese sicherlich kalte Berührung einer unbekannten Haut.

Lambert stieß sie weg, zu brutal, die Männer drehten sich nach ihm um. Nan sagte nichts, sie nickte, als gehe es um ein Geheimnis zwischen ihnen beiden, und wandte sich schließlich ab.

Ihr zerknittertes Kleid, der Saum nass und voller Sand.

Lambert schämte sich seines Verhaltens und auch, weil die Männer stehen geblieben waren und leise miteinander sprachen.

Nan ging fort, die Zipfel ihres großen Tuchs um die Schultern zusammengezogen. Sie lief ans Wasser, blieb stehen und drehte sich dann um. Es kam mir so vor, als lächelte sie noch immer.

»Manchmal ist sie so«, sagte ich zu ihm.

»Wie, so?«

»Ein bisschen verrückt.«

Lambert ließ sie nicht aus den Augen.

»Ihre ganze Familie ist im Meer ertrunken, ein Bootsunglück, am Tag einer Hochzeit. Sie war sieben Jahre alt. Bei Sturm glaubt sie, jedes unbekannte Gesicht sei ein vom Meer Zurückgegebener.«

Er nickte.

Er sah immer noch zu Nan.

»Ich glaube, ich kenne ihre Geschichte …«

Er sah mich an.

»Ich war damals in den Ferien hier, das ist sehr lange her … Erzählen Sie mir mehr darüber.«

»Die beiden Familien sind in ein Boot gestiegen, um eine Fahrt aufs Meer zu unternehmen. Das Wetter war schön. Nan war zu klein, um sie zu begleiten. Als das Boot zu schaukeln begann, dachten die Spaziergänger am Ufer, es sei nur Spaß. Plötzlich fiel eine Frau ins Wasser, dann eine zweite. Dabei kannten sie alle das Meer so gut. Das Boot ist schließlich untergegangen. Nan hat am Hafen gestanden, sie hat alles gesehen, alles gehört. Ihre Haare sind in einer Nacht weiß geworden.«

»War nicht auch ein Hund an Bord?«

»Ein Hund? Ja, da war einer.«

»Meine Mutter hat mir die Geschichte erzählt.«

Er sah aufs Meer hinaus.

Ich beobachtete ihn. Sein Gesicht war wie vom Zufall gezeichnet, wie eine rasch hingeworfene Skizze.

Unregelmäßige Züge in dicker Haut.

»Es war ein kleiner Hund«, bemerkte ich. »Er ist bis zu einem Felsen geschwommen und hat sich an ihm festgeklammert …
Man erzählt sich, dass der Körper des Bräutigams gefunden wurde. Der seiner Frau jedoch nicht. Andere sagen, es war genau andersrum.«

Wir liefen ein paar Schritte am Ufer entlang. Er wollte das Ende der Geschichte hören. Ich erzählte ihm, dass sich der Hund so lange festgehalten hatte, wie er nur konnte, dass ihn das Meer aber schließlich mitgerissen habe.

Er nickte wieder und sagte, dass er sich an das Glockenläuten erinnere.

»Die Glocken läuten jedes Mal, wenn es Tote gibt.«

Sein Gesichtsausdruck war sehr eigenartig, als er das sagte.

»Das Meer hat sie alle verschluckt, wie es das Boot und den Hund verschluckt hat. Es hat Wochen gedauert, bis es den einen oder anderen wieder zurückgegeben hat. Manche Körper jedoch hat es behalten, es waren weder die schönsten noch die jüngsten.«

Wir liefen weiter. Der Wind war kalt, feucht von der Gischt. Max kam dicht an uns vorbei. Er trug ein langes Brett mit sich.

Lambert blickte ihm lange nach, dann schaute er wieder zum Ufer, dorthin, wo Nan stand. Das Schwarz ihres Kleides verschmolz mit dem Schwarz des Meeres. Von weitem sah man nur ihr dichtes, langes weißes Haar.

»Warum hat sie mich Michel genannt?«

»Sie hat Sie verwechselt. Ein Onkel, ein Bruder, wer weiß.«

Er nickte, blieb stehen und zog eine Schachtel Zigaretten aus der Tasche.

»Kommen Sie von hier?«

»Nein, aber diese Geschichte hört man schnell, man muss sich nur eine Weile hier aufhalten.«

Er riss ein Streichholz zwischen den Fingern an und entzündete seine Zigarette.

»Die weißen Haare, das kommt vom Melanin«, sagte er und atmete den ersten Zug aus. »Wenn man Angst hat, verschwindet mit dem Melanin die Farbe.«

Ich nickte.

Seine Haare wurden an den Schläfen grau, ich fragte mich, ob er Angst gehabt hatte.

Mittags nahm ich wie üblich meinen Tisch am Aquarium ein. Hummerhüterin!, hatte der Wirt gesagt, als ich zum ersten Mal kam. Er hatte mir diesen Platz gegeben. Der Tisch für Einzelgänger. Nicht der beste, nicht der schlechteste. Mit Blick auf den Saal und auf den Hafen.

Wegen des Sturms gab es kein Menü. Der Wirt hatte es ausgehängt: *Heute Minimalservice.*

Er zeigte mir das Fleisch, Lammkoteletts, die auf dem Rost im Kamin brutzelten.

Die Polizisten standen an der Bar.

»Ein Schiffbruch ist für die Leute von hier wie eine Vorsehung!«, sagte der Wirt.

Die Polizisten antworteten nicht. Sie waren daran gewöhnt, außerdem waren sie hier geboren, irgendwo zwischen Cherbourg und Beaumont. Sie kannten alle hier.

Der Wirt brachte mir fürs Erste ein paar Krabben und ein Glas Wein.

Ich sah aus dem Fenster zu den Brettern, die immer noch angeschwemmt wurden, und zu den Männern, die sie erwarteten.

Lambert stand am Hafen.

Die alte Nan war verschwunden.

Am Abend nahm das Meer die Bretter wieder mit, und wir versammelten uns alle bei Lili. Für ein paar Stunden drängten sich die Männer, die gerade ankamen, am Tresen und stellten sich zu denen, die schon da waren. Die Kinder kauften Erdnüsse, die sie im hinteren Saal, mit dem Rücken am Flipper lehnend, aßen. Es roch nach Wolle, nach feuchter Kleidung, die zu dampfen anfing, wenn sie mit dem Körper in Berührung kam.

Max stand am Tresen, Lili hinter ihrer Theke. Sie hatte ihr Nylonkleid angezogen, rosa und weiße Rauten, darüber eine Schürze.

Als sie mich reinkommen sah, winkte sie mir zu:

»Geht's gut?«

Ich nickte und schlängelte mich zwischen den Tischen durch. Es war überall viel los, nur nicht hinten bei der Mutter. Ich ging zu ihr.

Lili hatte mich schon immer geduzt, auch als sie erfahren hatte, dass ich die aus der *Griffue* bin und dass ich gekommen war, um anstelle ihres Vaters Vögel zu beobachten. Von ihrem Vater sprach sie nie.

Als sie vom Schiffbruch erfahren hatte, hatte sie Gemüse gekocht, einen großen Eintopf mit Speckwürfeln und Würsten.

Sie genoss die Gesellschaft der Männer in ihrem Bistro. Diese Gemeinschaft; diese Atmosphäre besonderer Wärme, wenn die Müdigkeit sich breitmachte, die Männer dösten oder weiterredeten, um nicht einzuschlafen.

»Guten Tag, Mutter.«

Wir nannten sie alle so: *Die Mutter*. Sie sah mich nicht an, sondern schlürfte ihre Suppe weiter wie ein durstiges Tier, vorgebeugt, die Augen auf den Teller gerichtet. Sie war so alt, dass ich sie für alterslos hielt.

Von Lili durfte man nichts Kompliziertes verlangen, wenn das Bistro voll war. Von der Suppe schenkte sie zwei Kellen für zwei Euro pro Schale aus. Für alle, die keine Suppe mochten, hatte sie Glühwein oder einen grünen Likör, den sie in Gläsern ohne Fuß servierte. Denen, die gar nichts mochten, wies sie die Tür.

Es war voll. Es war warm. Ich zog den Pullover aus.

Als Lambert hereinkam, drehten die Männer die Köpfe. Ein Unbekannter im Café! Auch Lili schaute auf. Ich beobachtete den Moment, in dem sie sich ansahen. Ein paar Sekunden dauerte er, dann wandten sie sich fast gleichzeitig ab. Ich spürte, dass sie sich kannten.

Lambert ging zwischen den Tischen hindurch, er fand einen Platz, und Lili servierte weiter.

Ringsum wurden die Gespräche wieder aufgenommen. Alle sprachen vom Schiffbruch, von diesem und von anderen Schiffbrüchen, denen der Vergangenheit. Von Frauen, die nachts auf die Steilküste kletterten, Feuer entzündeten, um sie herumtanzten und ihre Röcke fliegen ließen. Es waren alte Geschichten mit seltsamen Namen, Mylène, die schöne Béatrix, Namen, die sich mit anderen mischten. Ich hörte ihnen zu, von Hexen war die Rede und von Kröten. Im allgemeinen Lärm übertönten sich die Stimmen, ich hörte sie über *Goublins* und *Milloraines* sprechen, über Rohrweihen, Waldmolche, alte Eichen und Rotahorn …

Die Männer erzählten auch Geschichten, in denen die Röcke der Frauen schuld am Untergang der Boote waren.

Die Kinder schliefen schließlich eines nach dem anderen ein, sie dösten, die Köpfe auf den Armen oder zusammengerollt auf dem Schoß ihrer Mütter. Selbst im Schlaf zuckten ihre Lider. Sie träumten von Feuern und Schätzen.

Die Mutter steckte den Löffel in ihre Schale. Sie sah mich von unten an, den Mund halb geöffnet.

»Und der Alte?«, knirschte sie.

Lili hatte gesagt, man dürfe ihr nie antworten, wenn sie von Théo sprach.

Ich blieb stumm.

Sie ließ nicht ab: »Der Alte, wo ist er?«

»Es ist dunkel …«, sagte ich, drehte mich um und zeigte aufs Fenster.

»Im Dunkeln gehen die Alten nicht raus, das sind doch keine Katzen.«

Sie schlürfte weiter.

Die kleine Bachstelze schlüpfte zwischen den Tischen hindurch. Sie schmiegte sich an mich. Sie war ein seltsames kleines Geschöpf, eine Wilde mit einem Fingerabdruck über der Lippe, einer schlecht operierten Hasenscharte. Sie lebte auf dem Bauernhof gleich nebenan. Sie sprach wenig. Ich hatte sie liebgewonnen.

»Müsstest du nicht im Bett sein?«

Sie wühlte in ihren Taschen und holte eine Handvoll kleiner gelber Münzen hervor, die sie mir zeigte. Dann legte sie sie vor Lilis Nase auf den Tresen. Lili sagte etwas zu ihr, und die Bachstelze nickte.

Man erzählte sich, der Abdruck auf ihrem Mund stamme von einem *Goublin*, der sie berührt und damit fürs Leben gezeichnet hatte, als sie erst ein paar Tage alt gewesen war. Man sagt, derjenige, dem die Bachstelze ihr Mal verdanke, sei eines Nachts aus dem Felsen von Câtet gekommen und habe die Abwesenheit ihrer Mutter ausgenutzt, um die Kleine in ihrer Wiege zu zeichnen.

Kinder mit einem solchen Mal sind hässlich, aber sie werden von Feen geschützt.

Ich sah mich um. Lambert rauchte und hörte zu, was die Männer erzählten. Er sprach mit niemandem, und niemand schien auf ihn zu achten. Außer Lili. Mehrmals ertappte ich sie dabei, dass sie ihn ansah. Ein Blick, der hängenblieb.

Hier kannten sich alle.

Sie sah Lambert nicht wie einen Fremden an.

Die Bachstelze kam wieder zu mir, sie schob sich zwischen Stuhl und Wand, machte ihre Hand auf und zeigte mir, was sie gekauft hatte – eine Zuckerstange, runde Bonbons und drei kleine Toffees in durchsichtigem Papier.

Es war fast Mitternacht, als die Männer einer nach dem anderen das Lokal verließen, mit langsamen Schritten verteilten sie sich im Dorf.

Der Vater der Bachstelze war einer der Letzten, der heimging. Seine Sohlen klangen schwer. Ich traf ihn unterwegs. Er führte ein Pferd am Zügel, ein riesiges Tier mit kräftigem Nacken, dick wie ein Ochse. Die Hufeisen schlurften über die Straße.

Die Stiefel des Vaters.

Der Hund, der ihm folgte.

Und noch dahinter die Kleine, mit einer Hand an den Wagen geklammert. Die Augen fast geschlossen. Schwankend. An den Füßen Wanderschuhe, deren zu kurze Schnürsenkel nicht durch alle Löcher gingen.

Auch Lambert verschwand, allein in seinem Auto. Er fuhr in Richtung Omonville.

Ich ging zur *Griffue* hinunter. Unterwegs traf ich einen Mann, der einen Karren vor sich herschob, dann ein Auto mit dem Kofferraum voller Bretter.

Die alte Nan war nicht mehr da.

Ich lief am Hafen entlang, sah das Blech, das zwischen den Booten auf dem Wasser schwamm. Ein gelbes Lichtquadrat leuchtete am Hügel, das war das Fenster der Küche, in der Théo lebte.

In Raphaëls Atelier brannte noch Licht. Ich musste nur die Tür öffnen. Er saß am Tisch, mit dem Rücken am Ofen. Fünf Gipsköpfe hingen direkt hinter ihm, mit großen Hanfseilen an den Balken gebunden.

»Du bist noch wach?«

Er drehte sich um und sah mich an, seine Augen waren gerötet vor Müdigkeit. Der Fußboden war übersät mit Abfällen, Gipsstücken, die er zertreten hatte, es sah aus wie Kreide.

Er zeigte mir die Skulptur, an der er gerade arbeitete. Eine entblößte Frau mit magerem Oberkörper, verletzlicher noch durch den kargen Lumpen, mit dem Raphaël ihre Schultern bedeckt hatte.

»Das ist erst ein Entwurf«, sagte er, als wollte er sich dafür entschuldigen, ihn gemacht zu haben.

Das Licht verlieh dem Ganzen eine Totenblässe. Ich wandte den Blick ab. Überall auf den Tischen lagen Fragmente von Händen, von Köpfen. Gesichter mit weit aufgerissenen Mündern und Hände mit gestreckten Fingern.

»Willst du Kaffee?«, fragte er.

Ich schüttelte den Kopf.

Er scherte sich nicht um den Sturm und das Leben da draußen. Für ihn zählte nur seine Arbeit.

»Was war heute los?«, fragte er trotzdem.

»Nichts … Die Polizei ist gekommen. Max hat Bretter aus dem Wasser gefischt. Die alte Nan war da.«

Ich erzählte ihm, dass sich ein Mann am Hafen herumtrieb und dass Nan in ihm einen der Ihren wiederzuerkennen meinte.

Es war ihm egal.

»Es gibt viele Männer, die hier rumlaufen. Das Meer will es so.«

»Was machst du mit diesen ganzen Blättern?«, fragte ich.

»Es sind Zeichnungen …«

»Für Hermann?«

»Ja.«

Er rieb sich die Augen.

»Er will sie bis zum Monatsende. Eine Serie in Schwarz-Weiß. Das schaffe ich nie.«

Er trank seinen Kaffee im Stehen und ging rauchend um seine Skulptur herum.

Die Nacht war noch nicht zu Ende. Er würde bestimmt weiterarbeiten.

»Ich gehe ins Bett«, sagte ich und sah ihn an.

»Das solltest du machen, ja. Schlaf für mich mit, Prinzessin …«

Er lächelte mir zu.

»Kannst du das?«

Für zwei schlafen, das konnte ich. Lange hatte ich für dich geschlafen. Für deine schlaflosen Nächte, deine langen Nächte voller Schmerzen.

Ich ging in mein Zimmer. Mir war kalt. Ich war zu lange draußen im Wind gewesen. Im Dunkeln stieg ich die Treppe hoch, eine Hand an der Wand. Insekten kamen unter den Scheuerleisten hervor, große schwarze Käfer. Ich hörte sie krabbeln, ohne sie zu sehen. Ich spürte das Krachen ihrer Panzer unter meinen Schuhen.

In der Nacht glaubte ich, ein Klopfen zu hören und Schritte, ich öffnete die Tür, aber niemand war da. Es war der Wind gewesen, sein eindringliches Klagen.

Ich schlief ein paar Stunden.

Am Morgen war der Himmel wieder weiß, fast ruhig.

Ich schaltete das Radio ein. *France Inter*, kein Empfang. Auch *RTL* nicht. Schließlich erwischte ich die knisternden Kurznachrichten eines lokalen Senders, doch sie berichteten nicht von der Ladung.

Max kam herein. Das hatte er sich so angewöhnt. Er kam jeden Morgen Punkt neun im Atelier vorbei, um mit Raphaël einen Kaffee zu trinken.

Als er mich sah, drückte er mich an sich, so wie immer, küsste mich und stieß seine Wangenknochen an meine.

Dann rieb er sich über dem Ofen die Hände. Er schob den Pullover hoch und ließ die Wärme an seiner Haut aufsteigen. Weiße Haut. Magere Haut.

»Die Polizisten haben gesagt, dass das Schiff eine zu große Ungeheuerlichkeit von Tonnen hatte und dass die Wasserklingen von der Seite dagegen gedrückt haben. Das sei die ganze Erklärung für die Umschwenkung der Bretter.«

Über dem Feuer färbte sich seine Haut rot.

»Sie haben auch an das Verbot erinnert, die Bretter zu transportieren, die immer noch dem Kapitän des Schiffes gehören.«

Er klatschte sich mit der flachen Hand auf den Bauch. Dann zog er seinen Pullover wieder runter und holte sich seine Tasse vom Regal. Es war eine Blechtasse. Drinnen klebte dicker, dunkler Kaffeesatz, geduldige Ablagerung der zahllosen Tassen, die er getrunken hatte, seit Raphaël da war.

Eine Tasse, die er nie abwusch.

Er pustete hinein, um den Staub zu entfernen.

»Irgendwann wird deine Tasse so widerlich sein, dass du keinen Tropfen mehr reingießen kannst«, sagte ich und zeigte auf den Satz.

Er runzelte die Stirn.

»Du musst sie abwaschen«, erklärte ich ihm.

Er kratzte mit dem Fingernagel im Innern der Tasse herum. Ein dunkler Film löste sich, eine Mischung aus Kalk und Koffein. Das Geräusch erinnerte mich an das Blech. Raphaël sah ihm zu.

»Und die Leute, was haben die geantwortet?«

Max schüttelte den Kopf, ohne aufzusehen.

»Sie haben gesagt, dass es kein Diebstahl ist, weil es keine Beweisernennung gibt.«

»Beweisernennung? Haben sie dieses Wort gebraucht?«

Max hob gleichgültig die Schultern. Er goss sich Kaffee ein und erzählte, dass auch er sich Bretter aus dem Meer genommen hatte.

»Ich werde sie über die Kabine nageln und auch für die Maximalverstärkung der Seiten verwenden. Und welche für die Verjüngung im Fall von Beschleunigungsnotwendigkeit.«

»Pass bloß auf! Deine Nussschale geht noch unter, wenn du sie zu schwer machst«, warnte Raphaël.

Max drehte sich um. Er blickte zur Tür. Er suchte Morgane. Wenn es regnete, borgte sie ihm immer ihr Wörterbuch. So lernte er Wörter. Er hätte das Wörterbuch gern mit nach Hause genommen, aber das wollte sie nicht, also blieb er da, saß im Flur auf dem Boden an die Wand gelehnt und las.

»Holz geht nicht unter«, murmelte er. »Holz hat die Schwimmfähigkeit.«

Er zog seine Uhr aus der Tasche, eine Stoppuhr mit dickem

Ziffernblatt, die mit einer Schnur an seiner Gürtelschlaufe befestigt war.

»Die Wörter sind die Erfindungsbegabung der Menschen.«

Raphaël und ich sahen uns an. Wir nickten. Wir fanden, dass Max nach der Beweisernennung für einen Morgen nach dem Sturm ganz schön loslegte.

»Das ist der Sau-Moment«, erklärte er schließlich und steckte die Uhr wieder unter sein Taschentuch.

Die Sau gehörte dem Vater der Bachstelze, aber Max versorgte sie. Damit verdiente er sich ein bisschen Geld, und mit dem Reinigen der Ställe.

Max fuhr sich mehrmals mit der Hand durchs Haar und trat dabei von einem Fuß auf den anderen. Dann drückte er uns beiden die Hand und ging in den Flur. Im Vorbeigehen warf er einen Blick in die Küche. Der Fernseher lief. Morganes nackte Füße sahen hinter der Sofalehne hervor. Er schielte auf ihren Bauch, auf die schweren Brüste, die den Stoff des Kleides spannten.

»…Morgen …'organ!«

Sie hob eine Hand, ohne den Kopf zu wenden.

»Hallo Tölpel!«

Max öffnete den Mund, sicher hätte er gern noch etwas gesagt, doch er senkte den Kopf wieder und ging hinaus. Er lief über den Hof, die Hände tief in den Taschen vergraben. Am Hafen sahen ihn die Fischer vorübergehen. Einer von ihnen war gerade dabei, das Blech aus dem Meer zu ziehen. Max blieb stehen. So ein Blech, auch wenn es rostig war, konnte er für sein Boot gut gebrauchen.

Max liebte alles, was schön war, deshalb liebte er Morgane. Er liebte es auch, sich mit Steinen und Bäumen zu beschäftigen. Er sagte, er spüre das Leben im Körper der Steine pulsieren. Er glaubte, dass die Leben, die das Meer nahm, zum Leben des Meeres wurden.

Seine Mutter hatte die Seeleute geliebt, die Fischer von Cherbourg, wenn sie nach Monaten auf See zurückkehrten. Den Durst, den sie dann jedes Mal hatten! Sie war eine Hure gewesen, sie hatte auch für ein Gestüt im Landesinneren gearbeitet, wo sie die Hengste angemacht hatte. All das hatte mir Monsieur Anselme gesagt. Auch im Hafen erzählte man es sich. Angeblich waren die Männer verrückt nach ihr gewesen. Sie hatte sich unter den Zug Cherbourg –Valognes geworfen, als Max zehn war.

Raphaël hatte sich wieder an seinen Tisch gesetzt.

»Das ist die Tiefenzuneigung«, sagte er und zeigte zur Tür.

Ich verstand nicht, deshalb erklärte er: »Max nennt es so, seine Liebe für Morgane ... die Tiefenzuneigung.«

Am späten Vormittag fuhr ich nach Cherbourg, um Einkäufe zu machen.

Raphaël borgte mir sein Auto, einen alten Ami 8, der wegen der Gischt immer auf dem Dorfplatz stand. Der Boden war durchgerostet, ein handgroßes Loch. Raphaël hatte Fußmatten darübergelegt, aber wenn man sie wegnahm, sah man die Straße. Die Fahrertür ließ sich nicht zuschließen. Raphaël machte sich nichts draus, er ließ den Schlüssel auf dem Sitz liegen. Er borgte sein Auto jedem, der ihn darum bat, man musste nur ein paar Liter tanken und Öl nachfüllen, wenn die Anzeige zu leuchten begann.

Auf den Dorfstraßen lag noch der Schlamm, den der Sturm hinterlassen hatte.

Als ich das Auto an seinen Platz stellte, wie üblich, sah ich Lambert. Er stand vor dem Friedhofstor und hatte einen Strauß in der Hand. Blumen, einen ganzen Armvoll Ranunkeln. Hier gab es keine Ranunkeln, man musste dafür nach Beaumont fahren oder nach Cherbourg.

Ich sah, wie er das Tor öffnete und den Friedhof betrat, er lief den Weg zwischen den Kreuzen entlang, wandte sich nach links und blieb schließlich nah bei der Mauer stehen, an einem Grab, das von einer Reihe flacher Steine begrenzt und mit Kies bedeckt war. Er beugte sich vor und legte den Strauß hin. Der Pfarrer stand vor der Kirche und sah ihm zu. Drei Frauen kamen die Straße hinauf. Sie hatten sich fest untergehakt, ganz eng, fast schwankend. Sie sahen sich ähnlich. Sie drehten sich nach Lambert um. Ein Unbekannter im Dorf, an einem Grab … Sie steckten die Köpfe zusammen. Eine von ihnen hatte leuchtende Augen, sie hörte zu, was die anderen ihr erzählten.

Lambert blieb noch ein paar Minuten. Schließlich holte er etwas aus seiner Tasche hervor und legte es neben den Strauß. Dann ging er fort. Er überquerte die Straße und betrat das Haus gegenüber von Lili.

Die Fensterläden dieses Hauses waren immer geschlossen. Ich hatte noch nie jemanden darin gesehen. Der Garten war von Unkraut überwuchert.

Mir fiel der seltsame Blick ein, den er mit Lili gewechselt hatte. Vermutlich hatte er früher dort seine Ferien verbracht. Ich wartete, bis er weg war, dann ging ich zum Friedhof.

Max kümmerte sich um die Gräber. Er harkte den Kies, sammelte die Blumentöpfe und Gießkannen ein. Jeden Tag, außer bei Regen. Er machte auch rings um Lilis Haus sauber. Er machte noch viel mehr für sie, ich hatte schon gesehen, wie er Gestrüpp verbrannte, Dachziegel austauschte und die Türangeln ölte, wenn sie quietschten. Lili hatte ihm im unteren Teil ihres Hauses eine Zweizimmerwohnung eingerichtet. Das tat sie, weil er ihr Cousin war.

Ich lief zwischen den Gräbern entlang. Die Sonne öffnete die Blumen in den Vasen. Sie trocknete die Steinplatten. Den Kies nur oberflächlich. Man musste nur ein bisschen mit dem Absatz kratzen, um wieder auf die Feuchtigkeit der Erde zu stoßen.

Im Winter würde der Schnee alles zudecken. Er würde die Toten isolieren. Ihnen eine Zeit der Stille gewähren.

Würde ich im Winter noch da sein?

Ich ging bis zu dem Grab mit den Ranunkeln. Es war ein sehr schlichtes Grab mit einem weißen Holzkreuz. Ein Rosenstrauch war in die Erde gepflanzt, die Zweige klammerten sich an die Friedhofsmauer.

Zwei Namen waren in das Kreuz graviert: *Béatrice* und *Bertrand Perack, 19. Oktober 1967*. Es gab auch eine kleine Tafel: *Für Paul, verschollen im Meer.* Darunter ein Foto in einem Medaillon unter Glas. Dieses Medaillon hatte Lambert aus der Tasche geholt. Das Foto zeigte ein kleines Kind, kaum zwei Jahre alt, es trug ein gestreiftes Poloshirt, auf das drei kleine Boote gestickt waren. Das Kind stand vor einem Haus, hinter ihm erkannte man den Haken eines Fensterladens. Es starrte ins Objektiv. Ein Schatten zeichnete sich auf dem Kies ab, wohl von der Person, die das Foto gemacht hatte.

Die letzten Bretter, die das Meer brachte, waren dick und vollgesogen mit Wasser, niemand wollte sie mehr. Sie blieben am Strand liegen.

Die Polizisten standen noch am Hafen. Ein Journalist war extra aus Saint-Lô gekommen. Er filmte Lili. Wir sahen sie abends in den Regionalnachrichten. Sie hatte ihre Schürze abgebunden, hielt sie aber noch in der Hand, zusammengerollt wie ein altes Tuch. Sie sah direkt in die Kamera und antwortete auf die Fragen.

Als der Journalist von den Männern sprach, die die Bretter mitgenommen hatten, verdüsterte sich ihr Gesicht.

»Das Meer gibt, für die vielen Male, die es nimmt!«, sagte sie.

Der Journalist ignorierte ihre Antwort.

»Aber diese Bretter gehören doch schließlich jemandem?«

»Sie gehören dem, der sie findet.«

»Nehmen, was man findet, heißt manchmal stehlen.«

Als Lili das hörte, sah sie nicht mehr in die Kamera, sondern blickte ihm direkt in die Augen.

»Was wollen Sie damit unterstellen?«

Der Journalist spürte die Spannung.

»Was im Meer ist, gehört dem Meer«, erklärte Lili. »Und was dem Meer gehört, gehört den Menschen!«

Sie warf ihre Schürze auf den Tresen, dann einen letzten Blick in die Kamera.

»Man wird den Leuten doch wohl nicht wegen einem Stapel Bretter Schwierigkeiten machen!«

Sie ließ den Journalisten stehen und ging aus dem Bild. Ein paar Sekunden lang sah man auf dem Bildschirm nur die Flaschen, den Spiegel und die kleine, mit Weihwasser gefüllte blaue Jungfrau.

Gleich danach zeigten sie den Leuchtturm mit den treibenden Brettern, dazu leise Musik aus dem Off, es war unverständlich, warum sie nicht das echte Wellenrauschen gelassen hatten.

Ich ging am Meer entlang zur Steilküste. Alles war voll dickem Schlick, einer Mischung aus nasser Erde und weichen Pflanzen. Der Sturm hatte die Algen in Bündeln vom Meeresboden losgerissen, angeschwemmt, zerfetzt und an den Strand gespült. Es würde Tage dauern, bis das alles trocknete.

Ich hatte es eilig. Es war der erste Tag nach dem Sturm, und ich wollte die Nester sehen, ob sie gehalten hatten und wie sich die Vögel verhielten. Es war ein wilder Ort, sicher einer der schönsten der Küste. Im Sommer, wenn die Erika blühte, würde die Heide die Farben Irlands annehmen. Ich hatte hier noch nie einen Sommer erlebt. An manchen Tagen, hieß es, könne man auf den Wiesen über dem Strand von Écalgrain Wildpferde sehen. Morgane meinte, es sei *ihr* Strand, dieser Strand gehöre ihr. Wenn sie Wanderer sah, warf sie von den Felsen mit Kies nach ihnen.

Ich folgte dem Weg weiter in Richtung Nez de Jobourg. Große Vogelkolonien nisteten hier in aller Freiheit. Der Zutritt zu diesem Uferabschnitt war verboten. Es gab Absperrungen und Schilder. Aber die Wanderer kletterten unter den Zäunen durch.

In sechs Monaten hatte ich schon mehrere verjagt.

Die Nester hatten gehalten, bis auf eins, das eines jungen Kormoranpärchens. Das Nest war schlecht und ohne Geduld gebaut worden, der Wind hatte es fortgerissen, mitsamt den drei Jungen, die darin saßen.

Ich setzte mich ganz oben auf einen großen Felsen über dem Meer.

Ein Webervogel postierte sich ein paar Meter von mir entfernt. Ich zeichnete ihn, hielt seine Farben fest. Dann legte ich mich mit dem Rücken auf den Felsen und schloss die Augen. Ich hatte zu lange in die Sonne gesehen. Farbflecken tanzten hinter meinen Lidern wie kleine Feuerseepferdchen.

Acht Jahre lebte Raphaël schon hier, Morgane etwas kürzer. Ihre Eltern wohnten in der Gegend von Rennes. Sie hatten einen Laden. Morgane hatte mir erzählt, dass sie Taschen und Schulmappen verkauften. Sie sahen sich ab und zu. Nicht oft.

Im Atelier lösten sich die Wände, die Ziegel auf. Das kam vom Salz. Es stieg höher. Es zerfraß den Stein, wie es die Bäume, die Knochen in den Körpern zerfrisst.

Ich machte die Tür auf.

»Darf ich?«

Raphaël arbeitete gerade an einer Skulptur. Eine Frau mit langem Haar aus Stein, ein Madonnengesicht. Die Blässe des Gipses legte eine geheime Stille über ihr Gesicht. Seit Wochen arbeitete er bereits daran. Jede seiner Skulpturen hatte eine Geschichte. Diese hier hatte mich berührt.

Begonnen hatte er mit den Worten: »Hör gut zu, denn ich werde nur einmal darüber sprechen.«

Die Geschichte stammte aus der Zeit, als er in Kalkutta lebte. Eines Morgens war er aus dem Haus gegangen, auf der Straße hatte er eine Frau getroffen, eine sehr schöne Frau. In ihren Armen trug sie ein totes Kind. Ein Baby, ein paar Tage alt, es war in Lumpen gehüllt. Sie sang und wiegte es, wie sie es mit einem lebenden Kind getan hätte. Und sie bettelte. Als sie Raphaël sah, entblößte sie eine Brust, ging auf ihn zu und streckte eine Hand aus. Sie lachte. Sie lachte so laut, wie sie schön war. Raphaël gab ihr ein paar Münzen, woraufhin sie in ein Geschäft ging und mit Milch wieder herauskam. Sie setzte sich auf einen Bordstein und gab dem Kind die Milch zu trinken. Ein unerträglicher Anblick. Am Abend, als sie schlief, nahmen ihr die Frauen das Kind weg. Als sie daran zogen, löste sich ein Arm vom Körper.

Ich trat einen Schritt zurück und sah die ausgemergelte Gestalt dieser Frau an, die zu lachen schien und dennoch zitterte.

Was wohl aus ihr geworden war?

Raphaël erzählte, dass er sie in den folgenden Tagen hatte durch die Straßen irren sehen, auf der Suche nach ihrem Kind. Sie versuchte immer wieder, eines zu stehlen, aber die Frauen aus dem Viertel schlugen sie. Lange war sie mit einem Lumpen an der Brust herumgelaufen, wie eine von Milch durchtränkte Puppe. Eines Tages hatte er sie vergeblich gesucht.

Ich wandte mich ab. Ich sah Raphaëls Hände an, die Gipssäcke an den Wänden. Diese geheimnisvolle Arbeit. Man sagt, dass eine Skulptur schon im Inneren des Marmorblocks existiere, den der Bildhauer bearbeitet. Welche werdenden Skulpturen waren in all diesen Säcken gefangen?

»Der Blick dieser Frau verfolgt mich ...«

Er sagte es mit dumpfer Stimme.

Ich hörte das dicke Leinen seines Hemdes, als es die Tischplatte berührte. Das Geräusch eines Zündholzes an der Reibefläche.

Er hat mir diese Geschichte nie wieder erzählt. Auch später nicht, als er *Die Herumirrende aus den Slums* in Bronze goss.

Die Luft war klar, dann stieg plötzlich Nebel auf, dicke Schwaden. Kompakt. Man konnte weder die Insel Aurigny erkennen noch etwas vom Dorf La Roche. Sogar das Semaphor war verschwunden. Fort auch die Steine am Strand, die Bäume am Wegrand. Alles war in Stille getaucht. Die Vögel hatten sich zusammengeschart.

Die Lichter des Leuchtturms blinkten, ein langer blauer Strahl, der den Nebel durchdrang und abwechselnd Ufer, Felsen und Meer anstrahlte.

Ich ging zur *Griffue* zurück.

Raphaël hatte den roten Stein vor seine Tür gelegt. Einen Stein umwickelt mit einer dicken Hanfschnur. Wenn der Stein da war, durfte niemand sein Atelier betreten. Nicht einmal Morgane.

Raphaël blieb manchmal tagelang eingeschlossen, ohne jemanden zu sehen.

Der Ranunkelstrauß stand auf dem Tresen. In einer Vase. Ich sah ihn beim Hereinkommen. Ich wusste, dass Max die Angewohnheit hatte, Blumen von den Gräbern zu nehmen, aber niemals ganze Sträuße. Die Ranunkeln waren schön, sie hatten ihn wohl dazu verlockt. Noch mehr als sonst. Und dann ein Grab, das keiner je aufsuchte. Lili hatte bestimmt geschimpft, sie schimpfte immer, wenn er ihr Blumen brachte, aber sie nahm sie trotzdem.

Wenn Max Rosen fand, entfernte er die Dornen und schenkte sie Morgane. Morgane wollte seine Blumen nicht. Sie sah sie nicht mal an. Max legte sie stets in den Flur, vor ihre Tür. Dort blieben die Rosen einen Tag oder zwei. Sie welkten. Mit der Zeit faulten sie oder vertrockneten, und der Wind trug sie fort.

Lamberts Audi stand etwas weiter unten in der Straße. Allen war das Auto aufgefallen und auch, dass die Fensterläden des Hauses geöffnet waren. Aber niemand sprach darüber, höchstens hinter vorgehaltener Hand.

Morgane rauchte, die Ellbogen auf der Theke. Die Hose auf der Hüfte, die Ratte auf der Schulter. Neben ihr zwei Straßenfeger in signalgrünen Latzhosen. Die Mutter döste, tief in ihrem Sessel versunken, die Hände über dem Bauch gefaltet. Ihr Kinn war im Hals verschwunden. Sie trug Wollpantoffeln und sehr dicke Strümpfe. Man hörte sie mit den Zähnen knirschen. Das kam wohl von den Medikamenten.

Im Saal roch es nach kaltem Tabak. Lili schimpfte, leerte die Aschenbecher, aber der Geruch war in die Mauern gezogen.

Die Fischer rollten sich ihre Zigaretten mit Maispapier. Das schwärzte natürlich die Decke. Es verbrannte ihre Lungen und färbte ihre Finger gelb.

Um diese Zeit war noch nichts los, Lili wischte die Tische ab, als Max kam.

»Die Kirchenfenster sind sauber, und es ist nicht der Sau-Moment«, sagte er, gab mir die Hand und setzte sich mir gegenüber. Es war ihm gelungen, das Steuer seines Bootes zu reparieren.

»Das ist die Reifung«, erklärte er und zeichnete mir auf, wie er es mit den Schweißnähten machen würde.

Er kratzte sich am Kopf, um seinen Erklärungen Nachdruck zu verleihen.

Sein Boot war pures Recycling. Alles vom Schrott gerettet. Seit zwei Jahren war er damit beschäftigt.

Am Tisch hinter uns spielten vier Alte Karten, eine Art Belote mit einer umgedrehten Karte. Sie nannten es *Die Umgedrehte* oder *Die Kuh*. Einer der Männer verließ alle zehn Minuten den Tisch. Ein Prostataproblem. Er pinkelte draußen an die Mauer. Die Nachbarn beschwerten sich. Lili streute Natriumkarbonat. »Ihr werdet schon sehen, wenn ihr so alt seid wie er!«, fluchte sie und schwenkte ihren Eimer.

Morgane stellte sich vor den Flipper. Ihre Augen verfolgten die Kugel. Mit ihren Hüften schlug sie gegen die Maschine, die Ratte klammerte sich an ihre Schulter. Die Alten legten kurz die Karten beiseite, um zuzusehen, wie sich Morganes Hüften bewegten.

Max fing an zu sabbern.

»Mach den Mund zu«, sagte ich leise zu ihm.

Ich legte meine Hand auf seine. »Dein Mund …«

Er wischte ihn mit dem Ärmel ab. Mechanisch kaute er ein paar Erdnüsse. Die Erdnüsse nahmen den Speichel auf, zwangen ihn zu schlucken. Er schnupperte an seinen Fingern, das tat er oft. Schließlich vergaß er Morgane und erzählte mir weiter von seinem Boot. Mit der Bleistiftspitze malte er eine weitere Skizze an den Rand der Zeitung. Die Umrisse von Mast und Rumpf. Er fügte ein paar Pfeile hinzu.

»Das ist die genaue Positionierung jedes Teils für die sichere Fahrtaugung des Bootes.«

Nachdem er das gesagt hatte, stand er auf. Es war stärker als er, er musste sich ihr nähern.

»Du stinkst, Tölpel!«, fluchte Morgane und stieß ihn weg.

Er lachte, fing an, sie zu berühren, sie zu streicheln. Er stank nach Schweinestall.

Lili bemerkte ihn.

»Weg da, Cousin.«

Max brummte.

Lili war es egal, sie war daran gewöhnt.

»Ende des Monats wird er vierzig«, sagte sie zu Morgane.

»Na und?«

»Wir feiern ein bisschen. Kommst du?«

»Ganz bestimmt nicht.«

»Du würdest Max eine Freude bereiten.«

»Hab keinen Grund, ihm eine Freude zu machen.«

Lili zerzauste ihre Haare.

»Spiel hier nicht die Garstige«, sagte sie und verzog das Gesicht, als sie die Ratte erblickte.

»Du weißt, dass ich es nicht mag, wenn du damit bei mir rumhängst!«

Morgane zuckte die Schultern. Sie hatte diese Ratte ausgehungert unter Blechen bei den Bootsschuppen gefunden und sie daraufhin in eine Kiste gesetzt, unverletzt zwar, aber in schlechter Verfassung. Zwei Tage lang hatte die Ratte weder gefressen noch getrunken. Morgane hatte befürchtet, sie würde krepieren. Doch dann, eines Abends, hatte sie ein Geräusch gehört und nachgesehen. Die Ratte war aus ihrer Kiste gekrochen und trank vom tropfenden Wasserhahn.

Lili ging zum Tresen zurück, öffnete die Kasse, holte einen Schein heraus und legte ihn auf den Tisch vor Morgane.

»Du solltest mal wieder zum Friseur gehen«, sagte sie. »Und außerdem solltest du hier oben wohnen, wenigstens im Winter. Es ist zu kalt auf eurer Insel.«

»Das ist keine Insel.«

Das Dorf lag oben auf einem Hügel. Eine etwas mehr als einen Kilometer lange, einsame Straße trennte es vom Hafen, und diese Entfernung glich einer Wüste, die zwei Welten voneinander abschnitt.

»Die *Griffue* ist kein Ort für ein junges Mädchen.«

»Was weißt du denn?«

Sie zuckte die Schultern.

Die Mutter versuchte sich aufzurichten. Sie presste die kleine Tasche aus falschem Krokodilleder an sich, die immer in ihrer Reichweite lag.

Sie wartete auf den Alten, falls er käme, um sie zu holen.

Es war seine Zeit.

Lili wusste es, sie versuchte, nicht mehr darauf zu achten. Sie sammelte die Gläser ein, die auf den Tischen standen.

»Wie geht's deinem Bruder?«

»Ganz gut.«

»Man sieht ihn nicht oft in letzter Zeit.«

»… arbeitet.«

»Sag ihm Bescheid wegen Max' Geburtstag, wenn er kommen will.«

Morgane drückte die Ratte an sich.

»Der kommt bestimmt!«, sagte sie und lehnte sich wieder an den Tresen.

»Hier treibt sich ein Typ rum.«

»Typen, die sich rumtreiben, hat es hier immer gegeben«, antwortete Lili.

»Er war am Hafen. Er hat mit mir gesprochen.«

»Was wollte er von dir?«

Morgane zuckte die Schultern. Sie gab der Ratte eine Erdnuss.

»Keine Ahnung. Er hat aufs Meer gestarrt.«

Mit dem Finger streichelte sie das kurze Fell zwischen den Augen.

»Ich hab ihn gefragt, was er hier macht. Ich hab ihm von deinem Vater erzählt.«

»Warum hast du von ihm erzählt?«

»Er hat sein Haus angestarrt.«

»Du hast gesagt, er hat aufs Meer gestarrt!«

»Ja, aber irgendwann hat er sich umgedreht und sein Haus angestarrt. Er wollte wissen, ob der Leuchtturmwärter immer noch da wohnt.«

»Und was hast du gesagt?«

»Ich hab Ja gesagt.«

Lili fing an, die Gläser zu polieren.

»Wenn es ein Rumtreiber ist, sollst du nicht ganz allein in der Heide spazieren gehen.«

»Das ist kein normaler Rumtreiber.«

»Woher willst du das wissen?«

»Ich weiß nicht. Er sieht sich um.«

»Sie sehen sich alle um, das ist wie eine Krankheit hier!«

Lili wandte den Kopf ab. Sie wollte nicht mehr darüber sprechen.

Morgane blieb hartnäckig.

»Bei dem ist es anders … Die Sachen, die er ansieht, man könnte denken, er sieht sie nicht zum ersten Mal.«

Die Alten hatten aufgehört zu spielen, sie hörten zu.

»Man könnte denken, er ist ein bisschen von hier«, sagte Morgane noch.

»Entweder ist man von hier oder nicht.«

»… heißt Lambert.«

Einen Moment starrte Lili reglos auf den Tresen.

»Was weißt du schon … Vielleicht ist er wegen Prévert hier?«, brachte sie nach einer Weile hervor. »Man muss es Anselme sagen.«

»MONSIEUR Anselme!«

Wir drehten uns alle um, denn Monsieur Anselme war gerade hereingekommen.

»Wenn man vom Teufel spricht …«, flüsterte Lili.

Monsieur Anselme bahnte sich einen Weg zwischen den Tischen zum Tresen. Mit seinem Ziertüchlein aus blauer Seide und der Fliege sah er aus wie ein Arzt auf Visite.

»Was muss man Monsieur Anselme sagen?«, fragte er und ließ seinen Blick über Morganes üppigen Körper gleiten.

»Da ist ein Tourist für Sie.«

»Der Kerl mit dem Audi?«

»Ja.«

Er zog die Jacke aus, hängte sie sorgfältig über die Stuhllehne.

»Er ist kein Tourist, er ist nicht wegen Prévert da.«

»Woher wollen Sie das wissen?«

»Ein Gefühl … Er betrachtet das Meer.«

Lili zuckte die Schultern.

»Alle sehen das Meer an.«

»Alle anderen vielleicht … Aber er ist nicht wie die anderen. Darf ich?«, fragte er und zeigte auf den freien Stuhl mir gegenüber.

Ich nickte.

Die Kirchenglocken begannen zu läuten. Max holte seine Uhr hervor und erklärte, dass es für ihn Zeit sei, sich um die Sau zu kümmern.

Morgane leerte die Untertasse mit den Erdnüssen. Sie leckte das Salz ab und steckte den Schein, den Lili ihr gegeben hatte, in ihre Tasche. Als sie sich umdrehte, stieß sie gegen Max.

»Was machst du denn noch hier, Tölpel?«

Max antwortete nicht.

Er starrte auf ihren Ausschnitt, auf das Rinnsal aus Schweiß, das zwischen ihre Brüste floss.

Es war Zeit für Monsieur Anselmes Tee mit Milch. Lili wusste es. Sie holte eine Tasse aus dem Regal.

»Es könnte der Sohn der Peracks sein«, sagte er, den Ellbogen auf die Armlehne gestützt.

Sie antwortete nicht.

»Und wer ist der Sohn der Peracks?«, fragte ich.

»Ein Kind, das seine Eltern verloren hat und dem Meer dafür zürnt.«

Er zog den Vorhang beiseite und deutete auf das Haus auf der anderen Straßenseite, auf das offene Gartentor.

»Heute Morgen war er da, wahrscheinlich ist er es immer noch. Der Fensterladen ist offen … Aber vielleicht ist er es auch nicht.«

Er berichtete, dass das Haus im Sommer immer vermietet sei, es sei zwar noch nicht Sommer, aber das müsse nichts bedeuten.

Er beugte sich vor, um besser sehen zu können.

»Seine Eltern sind ertrunken. Haben Sie gesehen, in welchem Zustand der Garten ist? Früher hat sich der Gärtner darum gekümmert, er hat auch das Haus geheizt. Aber er ist im letzten Jahr gestorben. Wenn sich niemand mehr um ein Haus kümmert, dann …«

Er ließ den Vorhang los.

Ich erzählte ihm, dass ich Lambert am Grab gesehen hatte,

und zeigte ihm den Ranunkelstrauß auf dem Tresen. Er wandte sich um und nickte.

»Wenn Sie ihn am Grab gesehen haben, ist er es. Seine Eltern sind dort begraben. Ich frage mich, was er hier will. Seit Jahren hat man ihn nicht mehr gesehen. Vielleicht steht das Haus zum Verkauf ... Die Pariser wiegen solche Hütten am Meer in Gold auf!«

Dann zog er eine Plastikhülle aus der Tasche.

»Ich habe Ihnen die Fotos von Prévert mitgebracht.«

Seit Tagen erzählte er mir davon. Er legte sie auf den Tisch. Es waren Schwarz-Weiß-Bilder mit gezackten Rändern. Eines war am Hafen aufgenommen worden, zu einer Zeit, als die *Griffue* noch ein Hotel gewesen war. Das andere zeigte Prévert mit Freunden auf der Terrasse des Restaurants oberhalb des Hafens von Port-Racine.

»Prévert liebte es, fotografiert zu werden, aber damals gab es hier nicht viele Fotografen, deshalb holte mein Vater ab und zu seinen Apparat heraus. Haben Sie bemerkt, wie gut ihm der Frack steht?«

Ich sah mir die Fotos an.

Lili brachte die Milch und den Tee, stellte alles auf den Tisch.

»Sie bekommen wirklich nie genug von ihm!«, sagte sie achselzuckend.

Monsieur Anselme antwortete mit einem Lächeln. Er trank einen Schluck Tee und stellte die Tasse sorgsam wieder auf die Untertasse. Er erzählte mir von dem Haus im Val, dem Haus, das Prévert am Ende seines Lebens gekauft hatte und in dem er hatte sterben wollen.

»Es steht ganz in der Nähe, in Omonville-la-Petite. Von meinem Haus aus geht man über einen entzückenden Weg zu Fuß dorthin.«

Er beugte sich zu mir herüber, als wolle er mir etwas Vertrauliches mitteilen.

»Wir könnten es zusammen besichtigen, ich würde Sie dorthin führen.«

Ich lächelte.

Jedes Mal, wenn ich Monsieur Anselme traf, erzählte er mir von Prévert. Allmählich begann er mich zu langweilen. Lili verspottete ihn gern deswegen. Heute hatte sie keine Lust zu lachen. Sie polierte die Gläser und beobachtete die Straße.

Monsieur Anselme sammelte seine Fotos wieder ein.

»Als er krank geworden ist, wollte Janine nicht mehr, dass man ihn besucht. Also haben wir von der Küche aus gefragt, wie es ihm geht, und dann, als wir nicht mehr in die Küche durften, informierten wir uns vom Garten aus über seinen Gesundheitszustand, und am Ende mussten wir draußen vorm Tor bleiben.«

Er zog einen braunen Papierumschlag aus der Tasche.

»Diese Collage hat er mir geschenkt.«

Er schob den Umschlag zu mir herüber.

Darin befand sich eine Postkarte, auf der ein kleines weißes Boot klebte.

»Als er diese Collage gemacht hat, war er schon sehr krank. Er konnte sie nicht signieren. Er hat mich gebeten, später wiederzukommen, wenn es ihm besser gehen würde.«

Er beugte sich zu mir vor.

»Aber er hatte schon angefangen, da, sehen Sie den kleinen Kugelschreiberstrich … Das ist das J von Jacques.«

Es gab wirklich einen kleinen Strich, vielleicht das J von Jacques, aber es hätte auch etwas anderes sein können.

Ich sagte nichts.

Er errötete.

»Seine Freunde waren sein Leben, verstehen Sie …«

Ich sagte, dass ich verstehe, und sah aus dem Fenster. Er sprach weiter.

Irgendwann spürte ich seine Hand auf meiner.

»Sie hören mir nicht zu ...«

Lili stand immer noch hinter der Theke. Sie hatte keine Gläser mehr zu polieren. Nun wartete sie, an die Bar gelehnt, die Arme verschränkt, mit leerem Blick. Man sah sie selten so reglos.

»Eines Morgens habe ich ein Auto vorbeifahren sehen, das ich nicht kannte. Das war der Notar, er kam aus Cherbourg. Es muss Februar gewesen sein, Prévert ist im April gestorben. Die Vorstellung zu sterben hat ihn sehr betrübt, vor allem wegen seiner Tochter Minette ... Wenn wir sein Haus im Val besuchen, können Sie sehr schöne Fotos von ihr sehen, im Garten, und auch Fotos von Prévert in Paris.«

Monsieur Anselme nahm noch einen Schluck Tee. Ich betrachtete seine Hände. Sie waren weiß, die Nägel perfekt gepflegt. Ein Goldkettchen hing um das Handgelenk.

»Fahren Sie nach Cherbourg?«, fragte ich.

»Nach Cherbourg?«

»Wegen Ihrer Hände ...«

»Ja ... Nein ... Das heißt, ich habe jemanden, der Hausbesuche macht. Ein reizendes junges Mädchen aus Beaumont. Jeden Dienstag. Hausbesuche sind sehr angenehm, wissen Sie? ... Früher war sie hübsch.«

»Von wem sprechen Sie?«

»Von Janine, Préverts Frau. Am Ende hat sich ihr Wesen natürlich verdüstert, was sie durchlebte, war sicher sehr schmerzhaft. Habe ich Ihnen erzählt, dass Minette anorektisch war? Janine musste ihr mit einem Teller hinterherrennen, um sie zum Essen zu bringen. Aber das war nicht hier, das war in Saint-Paul ... Saint-Paul-de-Vence ... Hören Sie mir zu?«

Er lächelte traurig.

»Natürlich nicht, Sie hören mir nicht zu.«

Er schob seine Tasse und die Teekanne in die Mitte des Tisches. Dann sah er mich an.

»Interessiert Sie dieser junge Mann?«

Ich antwortete nicht, sondern zog den Vorhang zurück.

»Dieses Haus, glauben Sie, dass es ihm gehört?«

»Wenn er der Sohn der Peracks ist, ganz bestimmt … Ich erinnere mich, die Mutter war sehr schön. Der Vater war uninteressant, aber sie …«

»Was ist passiert?«

»Ein Unfall, als sie von Aurigny zurückgekommen sind. Es war bereits dunkel, ihr Segelboot ist gekentert. Ein kleines Kind war auch bei ihnen. Eine sehr traurige Geschichte.«

»Und er, er war nicht auf dem Boot?«

»Nein. Was interessiert er Sie so sehr? Er ist doch ziemlich gewöhnlich.«

Darüber musste ich lachen.

Er erzählte mir, in dem Haus würde es spuken.

Lili ging zur Tür, das Geschirrtuch über der Schulter.

»Da drin gibt es mehr Ratten als Gespenster!«, schimpfte sie und schaute hinaus auf die Straße.

Monsieur Anselme zog die Brauen hoch.

»Was spukt?«, fragte ich.

»Wer, meinen Sie wohl? Ein schöner junger Kapitän, ein gewisser Sir John Kepper, sein Schiff soll vor dem Raz Blanchard untergegangen sein. Alles, was sich an Bord befand, wurde an den Strand geschwemmt, und einige Sachen haben sich in diesem Haus wiedergefunden.«

Er packte mich am Arm und zog mich näher zu sich heran.

»In Gewitternächten konnte man ein Licht hinter dem Fenster sehen, ein Licht wie eine Flamme. Manchmal war die Flamme in der oberen Etage. Dann wieder beim Dachfenster. Die, die nicht daran glauben, sagen, dass sich der Mond in den Scheiben gespiegelt hat, aber in Gewitternächten gibt es keinen Mond ...«

»Haben Sie denn das Licht schon mal gesehen?«, fragte Lili.

»Nein. Aber ich kenne Leute, die es gesehen haben.«

»Ich wohne nun seit zwanzig Jahren hier gegenüber, aber ich habe noch nie irgendwas gesehen.«

Monsieur Anselme wandte sich mir zu.

»Angeblich wurde der Dachstuhl aus dem Holz des Schiffes gebaut. Man erzählt sich auch, dass ein Geschirrschrank mit dem ganzen Geschirr von Sir John Kepper dort drin steht.«

»Das ganze Geschirr! Jetzt übertreib mal nicht«, rief Lili. »Und wieso sollte ein Kapitän ausgerechnet wegen einem Stapel Teller in einem Haus herumgeistern!«

Die Mutter hörte uns aus der Tiefe ihres Sessels zu. Sie wackelte leicht mit dem Kopf. Dann stützte sie sich mit einer Hand auf den Tisch.

»Ich habe das Licht gesehen ...«, sagte sie und versuchte sich aufzurichten.

»Mehrmals, nachts ... Das ist lange her ... In Gewitternächten hat es öfter gespukt.«

Ihre Stimme krächzte wie eine schartige Klinge.

»Ich habe den Schatten dahinter gesehen und die Hand, die das Licht hielt.«

Monsieur Anselme und ich sahen uns an.

Er deutete ein Lächeln an.

»Dorfgeschichten«, sagte er.

Lili ging hinter ihren Tresen zurück und faltete Geschirrtücher zusammen. Sie legte sie zu einem unregelmäßigen Stapel übereinander, dann glättete sie ihn mit der flachen Hand und verstaute ihn im Schrank unter der Kasse. Angeblich bewahrte sie darunter einen doppelläufigen Revolver auf. Bislang hatte diesen Revolver niemand je gesehen, aber Max wusste zu berichten, dass sie damit ein Wildschwein in die Flucht geschlagen hatte, das sich zu weit in den Garten gewagt hatte.

»Sagen Sie, Madame Lili, Sie müssten sich doch an den Unfall der Peracks erinnern?«

Sie schaute auf.

»Das ist lange her …«

»Aber trotzdem, so ein Unfall … Dieser Junge, der heute im Haus gegenüber war, könnte das der ältere Sohn sein?«

»Könnte sein, ja.«

»Sie hatten zwei Kinder. Eins ist umgekommen, aber das andere …«

»Das ist vierzig Jahre her, selbst wenn er es wäre, wie sollte ich ihn wiedererkennen?«

Monsieur Anselme nickte.

»Das war '67.«

»'67 war ich noch jung.«

Monsieur Anselme beugte sich zu mir.

»Damals ging das Gerücht um, es habe ein Problem mit dem Licht im Leuchtturm gegeben … Ihr Vater habe …«

Er sagte es ganz leise, kaum hörbar.

Théo betrat das Lokal.

»Guten Tag, Théo«, sagten die Alten.

Er antwortete nicht. Er antwortete nie. Die Alten begrüßten ihn trotzdem.

Als sie ihn sah, griff die Mutter nach ihrer Tasche.

»Der Alte …«, knirschte sie vor sich hin, den Bauch gegen den Tisch gedrückt. Sie musste es zehnmal wiederholen, ehe er sich kurz zu ihr umdrehte.

»… Tag, Alte.«

Théo quälte es aus sich raus, tief aus der Kehle, und die Alte verstummte.

Lili bediente ihn, wie sie die anderen bediente. Tasse auf den Tresen. Kaffee in die Tasse.

Stumm, der Vater und die Tochter.

Sie bereitete ihm seinen Proviantbeutel vor, eine Plastikschale, die sie mit Reis und Fleisch füllte; sie drückte alles mit einem Löffel zusammen – das sollte für zwei Tage reichen, und niemand würde sich aufregen können, falls er unterwegs jemandem zeigen sollte, was sie ihm gegeben hatte.

Sie packte alles mit schroffen Bewegungen zusammen, ein bisschen so, wie man einem Hund sein Futter gibt, den man nicht mehr mag.

Ich beobachtete sie verstohlen, unfähig zu verstehen, wie man sich so hassen kann. Zwischen den beiden wurde sogar das Schweigen zur Beleidigung.

Théo stellte seine Tasse ab, legte einen Geldschein daneben. Er nahm seinen Beutel und ging.

Monsieur Anselme blickte ihm nach.

»Man fragt sich, warum er noch herkommt ...«

Monsieur Anselme meinte, man könne das Geheimnis eines solchen Schweigens unmöglich nachvollziehen, wenn man nicht hier geboren sei.

Aus der Tiefe ihres Sessels klagte die Mutter weiter.

Théos Haus klebte am Hügel, ein großes Steinhaus außerhalb des Dorfes. Riesige Hortensien wuchsen am Straßenrand. Théo kümmerte sich nicht um sie, also wuchsen sie wild und trugen prächtige Blüten.

Das Gartentor stand immer offen. Im Hof hingen Katzen an den Näpfen. Auch im Schuppen saßen sie. Sie fauchten, wenn man ihnen zu nahe kam. Ganz oben, im Dach, gab es eine Luke, von der aus man das Meer sehen konnte.

Eine Dachrinne war undicht. Dort, wo das Wasser hindurchtropfte, breitete sich eine grüne Moosschicht bis zum Boden aus. Im Dorf erzählte man sich, in Häusern wie dem des alten Théo gebe es *Goublins*. Zwar seien es keineswegs böse Geschöpfe, doch sie besäßen merkwürdige Kräfte. Einige von ihnen erschienen in der Gestalt von Katzen, Kaninchen und manchmal sogar Igeln. Da, wo sich ein *Goublin* befinde, solle ein Schatz verborgen sein, von dem nur der Goublin wisse.

Als ich Théo zum ersten Mal sah, stand er draußen auf der Treppe bei seinen Katzen. Ich war stehen geblieben und hatte ihm erzählt, dass ich in der *Griffue* wohnte und dass ich diejenige sei, die an seiner Stelle die Vögel zählen kam. Er hatte gewusst, wer ich war, und mich hereingebeten. Graue Vorhänge hingen an den Fenstern. Ich hatte meine Hand unter die abgenutzten Gardinen geschoben. Der Saum war handgenäht. Zwischen den Nadelstichen bemerkte ich Mottenlöcher.

An jenem Tag hatten wir uns über Katzen unterhalten, nur über Katzen, über die, die draußen lebten, und auch über die, die im Haus waren. Als ich mich verabschiedete, hatte er mir die Hand gedrückt.

»Wenn Sie wiederkommen, sprechen wir über Vögel.«

Ich kam wieder.

Théo kannte meine Gewohnheiten. Er hatte sie durchschaut. Wenn meine Zeit für die Steilküste nahte, erwartete er mich vor der Tür.

Sobald er mich sah, packte er seinen Stock und stützte sich darauf. Er konnte nicht lange stehen, weil sich Knorpel von seinen Hüftknochen lösten. Man hätte ihn operieren müssen. Doch er wollte nicht.

»Wer kümmert sich denn um meine Katzen, wenn ich nach Cherbourg muss?«

Er sagte, dass alle Alten, die ins Krankenhaus gingen, zwischen vier Brettern zurückkämen.

Er ging neben mir her. Er begleitete mich bis nach La Roche. Wir sprachen von La Hague, von der Heide, diesem rauen und starken Landstrich, dem sich die Menschen beugen mussten.

Früher hatte er für das Zentrum in Caen gearbeitet. Alles, was ich tat, hatte er getan – Listen erstellen, Eier zählen, Vögel beobachten. Alles, was ich sah, hatte er gesehen.

Er war mehr als zehn Jahre lang einsam an der Steilküste herumgewandert.

Die Steinmäuerchen, die den Weg säumten, waren mit Moos bedeckt. Hier und da wuchsen auf einer hauchdünnen Erdschicht kleine Farnbüschel.

Wir bogen zwischen den Häusern nach rechts ab und gingen bei Nan vorbei. Das machten wir immer, um zum Pfad zu gelangen. Es war nicht der kürzeste Weg, aber Théo gefiel dieser Umweg.

Als wir an Nans Haus vorbeikamen, sah er zur Tür. Er blieb einen Moment stehen, die Hand auf die Mauer gestützt.

Unter dem Vordach hingen Laken, sie flatterten im Wind wie Gespenster. Die Tür stand offen, die Sonne drang ins Innere. Hinter einem der Fenster huschte ein Schatten vorbei, dann trat er in die Sonne an der Tür.

Théo winkte kurz.

Nans richtiger Name war Florelle. Das erzählte er mir an jenem Tag. Wie ein Geständnis. Nach dem Tod ihrer Familie hatte sie nicht mehr so genannt werden wollen.

Er nannte sie dennoch so. Als ich ihn darauf hinwies, lächelte er.

Ein seltsames Lächeln, wie ein weiteres Geständnis.

Dann wandte er sich ab. Der Raz Blanchard war ruhig, fast ohne Wellen. Stille vor dem nächsten Sturm.

»Dort liegen noch Leichen, Körper, die das Meer ihr nicht zurückgegeben hat.«

Das sagte er, und mir fiel der unendlich schmerzliche Blick ein, mit dem Nan Lamberts Gesicht erforscht hatte.

»Am Tag des Sturms hat sie geglaubt, jemanden wiederzuerkennen.«

Er hakte sich bei mir unter.

»Das kommt manchmal vor. Sie glaubt, dass die Toten zurückkehren.«

Er senkte den Blick. »Aber die Toten kommen nicht zurück.«

Wir liefen ein paar Schritte den Weg zwischen den Häusern entlang.

»Sie hat sein Gesicht berührt und ihn Michel genannt.«

Er schwieg.

Wir durchquerten das kleine Nest bis zum letzten Haus.

Er sprach wieder von ihr, von Florelle. Ich hätte ihm gern von dir erzählt, wie er mir von ihr erzählte.

Hinter dem letzten Haus, beim großen Stein, blieb Théo stehen. Er setzte sich auf ihn, wie immer, wenn er mich begleitete.

»Sie werden sehen, bei dem Nordwind heute ist das Heidekraut ganz schwarz.«

Er starrte auf den Weg, den ich gehen würde und den er so oft gegangen war.

»Sie müssten eigentlich ein paar Walderdbeeren finden. Hinter der zweiten Baracke ist ein richtiges Feld, man muss sich nicht mal bücken.«

Er kannte den Weg in- und auswendig. Jeden Baum, jeden Stein. Die Zeit, die man brauchte, um von einem Felsen zum anderen zu gelangen, von hier bis zur Bucht der Moulinets und dann noch weiter, zu den Grotten und den alten Verstecken der Schmuggler.

Ich ließ ihn dort sitzen, ging weiter.

Ich wusste nicht, wie lange er dort noch verweilen würde. Er sagte, er würde mich in Gedanken begleiten, er könne den ganzen Weg gehen, ohne von seinem Stein aufzustehen.

Der Pfad war eng, er schlängelte sich zwischen dem Meer und der Heide dahin. Unter den Füßen hatte ich eine Mischung aus glitschiger Erde und nacktem Fels. Ich musste bis zum Nez des Voidries gehen. Dort waren die Kormorane. Man interessierte sich für ihre Fähigkeit, sich gegenseitig zu helfen. Gemeinsam zu jagen. Waren sie imstande, gemeinsam Fischschwärme zu treiben? Wie lebten sie zusammen, wenn sie jagten?

Es war eine langwierige Angelegenheit. Stundenlange Beobachtung im Wind.

Rechts wurde das Meer von der Sonne erdrückt, ein so starkes Licht, dass ich die Augen abwenden musste.

Am Ende hatte dir auch das Licht wehgetan. Wir mussten die Fensterläden schließen. Die Vorhänge zuziehen. Dein Riesenkörper war zu einem kleinen, tief im Bett versunkenen Etwas geworden. Dass ich dich streichelte, meine Hände auf dich legte, selbst das wolltest du nicht mehr.

Vor mir flitzte ein Kaninchen davon. Es war kurz auf den Hinterbeinen erstarrt und dann im Heidekraut verschwunden. Auf einer Wiese, etwas entfernt, sah ich zwei reglose Pferde. Ich ging noch weiter.

Ich fand die Walderdbeeren, von denen mir Théo erzählt hatte, die Blätter waren so grün, dass sie fast blau schimmerten. Die roten Früchte zuckersüß. Ich zerquetschte sie unter der Zunge, der Geschmack explodierte. Durchtränkte meinen Gaumen. Eine Handvoll nahm ich für Théo mit. Nach einer Weile gabelte sich der Weg, und ich befand mich über der Bucht von Écalgrain. Théo hatte gesagt, hier würde die Heide an Sommerabenden glühen.

Unten am Strand saßen Männer. Ungefähr zehn. Ich beobachtete ihre Gesichter durchs Fernglas. Schlecht rasiert. Die meisten jung. Müde Augen. Sie rauchten, die Knie angezogen. Sie hatten kein Gepäck, anscheinend auch keinen Proviant. Keine Rucksäcke, in denen vielleicht Trinkwasser war. Einige von ihnen sahen aufs Meer. Die anderen starrten ins Nichts oder zwischen ihre Füße. Einer von ihnen lag auf der Seite. Sie warteten auf ein Boot, um nach England zu gelangen.

Wie lange waren sie schon hier? Ein Mädchen saß etwas abseits. Auch sie schaute aufs Meer. Ich beobachtete sie eine ganze Weile. Ich fragte mich, was geschehen würde, wenn das Boot, auf das sie hofften, nicht käme.

Hinter der Bucht wurde die Küste steiler, das Heidekraut schwarz. Hier weideten die Heideziegen, vielleicht ein Dutzend, die ohne Stricke und ohne Zäune lebten. Tiere mit langem, schwarzem Fell. Wenn es regnete, pressten sie sich an die Felsen oder verkrochen sich in den Grotten.

Der Nez des Voidries war der Nistplatz der Wanderfalken, auch ein paar große Raben hatte ich dort schon gesehen. Der Zugang zum Felsvorsprung war ziemlich schwierig zu erreichen.

Ich hatte ein Sandwich mitgenommen, das ich gierig verschlang. Die Kormorane fischten. Ich verbrachte den Tag damit, sie zu beobachten, alles zu notieren.

Eine einsame Grasmücke saß dicht neben mir sehr wachsam auf ihrem Nest.

Vor dem Heimweg legte ich mich mit dem Bauch auf die Erde. Das krause Moos klebte an den Felsen. Der Humus hatte einen starken, undefinierbaren Geruch, eine Mischung aus Salz, verwesten Algen und totem Fisch.

Ich erinnerte mich daran, wie ich mich auf deinen Körper gelegt habe. Und an deinen Körper auf meinem. Dein Gewicht, so schwer. Ich liebte es, dein Gewicht auf mir. Am letzten Tag hast du deine Hand auf meine Wange gelegt, deine Hand, so breit, dass sie mich ganz bedeckte. Du wolltest sprechen. Du konntest nicht.

Ich kehrte um, als die Flut am höchsten stand. Müde, schwankend. Die Augen glühend, wie die von manchen alten Katzen.

Bei Théo machte ich Halt und legte die Handvoll Walderdbeeren auf den Tisch, die ich für ihn gesammelt hatte. Er aß sie nicht. »Später, heute Abend«, sagte er.

Wir unterhielten uns.

Es fing an zu regnen, ein feiner Regen, der schräg fiel.

Als ich zu Hause ankam, war ich klitschnass. Die Kälte im Rücken. Auf der Haut animalische Schauer.

Das Fahrrad von Max lehnte an der Mauer vor der *Griffue*. Es war ein altes, völlig verrostetes Ding, das sicher noch den Krieg erlebt hatte. Ich weiß nicht, welchen. Max fuhr niemals darauf. Er benutzte es als Gepäckwagen, die Satteltaschen wirkten wie zwei riesige Körbe, und seine Fischsäcke hängte er über den Lenker.

Die nächste Nacht war klar, durchtränkt von jenem Mondlicht, das manchmal über der Heide strahlte, ein erbarmungsloses Licht, das die lauernden Tiere aufscheuchte und die Sterbenden klagen ließ.

Es war Monatsende, ich musste meine Tabellen für das ornithologische Zentrum ausfüllen und war im Verzug. Ich setzte mich an meinen Tisch am Fenster und arbeitete. Lili stand an der Theke. Sie blätterte in einem Katalog, sie wollte einen Käfig mit Kanarienvögeln kaufen. Damit sie ihr Gesellschaft leisteten, sagte sie. Sie hatte schon mal zwei gehabt, aber die waren im Abstand von einer Woche gestorben.

»Früher haben wir besser gelebt«, sagte sie und klappte den Katalog zu.

Sie sprach mit dem Briefträger.

»Es war auch billiger. Wenn ich in Rente geh, zieh ich in den Süden.«

Die Mutter hob den Kopf.

»Ich komm nicht mit!«, schimpfte sie.

»Nicht zu weit weg von der Küste«, erklärte Lili, ohne sich darum zu kümmern, was die Alte maulte.

Sie wusste nicht, wann das sein würde, die Rente. Fünf Jahre, zehn Jahre … Sie würde ordentlich sparen müssen, der Süden war noch teurer.

Als die Mutter das hörte, begann sie zu heulen, die Nase dicht über dem Tisch. Ihre Brillengläser beschlugen, ein dicker Nebel vor den Augen. Der Briefträger verabschiedete sich.

Ich war dabei, die letzten Spalten auszufüllen, als die Tür gegen die Bambusrohre schlug. Ich spürte den Luftzug und begriff, dass es Lambert war, wegen Lilis Blick und auch, weil die Alten ihr Spiel unterbrachen.

Lambert schloss die Tür und näherte sich der Theke. Er hatte eine dunkle Leinenhose an, einen schwarzen Pullover und darüber seine Lederjacke. An den Füßen trug er halbhohe Stiefel mit einer Schnalle an der Seite.

Lili und er sahen sich an.

Sie zögerte, ihr Blick schwankte, sie kam hinter der Theke hervor.

»Da bist du ja«, sagte sie.

Sie küssten sich verlegen, ohne sich zu berühren, die Arme am Körper. Merkwürdig, diese Art der Begrüßung.

Er drehte sich um. Sah sich um. Er bemerkte mich und grüßte mit einem Blick.

»Genauso wie früher«, sagte er.

»Pissgelb, man müsste streichen, aber ich hab keine Zeit. Willst du was trinken?«

»Ja …«

»Was?«

»Ich weiß nicht. Was du willst.«

Sie holte zwei Untertassen hervor und stellte sie auf den Tresen. Sie füllte den Kaffeefilter.

»Ich wusste, dass du da bist. Ein Typ, der sich hier rumtreibt, alle haben davon geredet. Als ich dich im Garten und dann am Grab gesehen hab, war mir klar, dass du es bist. Auch am Abend des Sturms …«

Das Geschirrtuch lag zusammengerollt neben dem Ranunkelstrauß.

»Da war es so voll hier, deswegen habe ich dich nicht angesprochen.«

»Was hättest du denn auch sagen sollen?«

Es überraschte mich, dass sie sich duzten. Dieses trockene, brutale Duzen.

Sie stellte die Tassen auf den Tresen.

»Du hast auch mit Morgane gesprochen.«

»Ist das das Mädchen mit der Ratte?«

»Genau.«

Er nahm die Tasse in die Hand, starrte in die Tasse, auf den Kaffee. Seine Bewegungen waren langsam.

»Jemand hat gesagt, du wärst wegen Prévert hier.«

»Prévert …«

Darüber musste er lächeln. Der Löffel glitt in seine Tasse. Ein leises Geräusch.

»Wie lange haben wir uns nicht gesehen?«

»Lange.«

»Lange, das sind vierzig Jahre«, sagte Lili.

Sie holte zwei kleine Gläser aus dem Regal, stellte sie neben die Tassen und füllte sie.

»Mach dir keine Gedanken«, sagte sie.

Ich verstand nicht, warum sie das sagte, ob es wegen damals war oder wegen des durchsichtigen Schnapses, den sie ihm eingoss.

»Bist du verheiratet?«, fragte Lili.

»Nein.«

»Kinder?«

Er lächelte.

»Nein … Und du?«

»Ich war verheiratet. Ein Fischer. Er ist im Meer geblieben.«

»Das tut mir leid.«

»Dass er tot ist? Muss es nicht.«

Sie stellte die Flasche zurück und stützte die Ellbogen auf den Tresen.

»Am Anfang denkt man, man krepiert, aber dann krepiert man nicht. Man lebt. Es gibt sogar Momente danach, wo man auflebt.«

Sie trank ihr Glas aus.

»Das ist vielleicht nicht besonders schön, aber es ist halt so!«

Lambert starrte in den Spiegel hinter ihr.

»Ich bin älter geworden«, sagte er.

»Ich bin auch älter geworden, na und?«

»Hättest du mich erkannt?«

Sie zuckte die Schultern.

Er wandte den Kopf ab. Starrte ein paar Sekunden auf den Fußboden.

»Unwichtig …«

»Du hast mir nicht geantwortet, was führt dich hierher?«

»Ich wollte La Hague wiedersehen. Ich verkaufe das Haus.«

Sie nickte.

»Ich weiß, der Notar ist hier Stammgast. Und bleibst du noch?«

»Ja, einen Tag oder zwei …«

Er streckte die Hand zum Erdnussautomaten aus, steckte eine Münze hinein und drehte am Griff.

Lili folgte ihm mit den Augen.

»Wo schläfst du?«

»In La Rogue.«

»Bei der Irin?«

»Ja.«

»Das war mal 'ne Nutte, weißt du das?«

»Das ist mir egal.«

Sie zeigte auf die Mutter im Sessel.

»Das ist meine Mutter.«

Die Alte richtete sich auf. Sie wackelte mit dem Kopf, wie ein kaputter Kreisel.

»Lebt sie nicht mehr bei deinem Vater?«

»Wolltest du etwa bei dem alten Verrückten leben? ... Vor zwanzig Jahren habe ich sie zu mir genommen.«

Er betrachtete die Mutter.

Lili sah nach draußen.

»Wir können zusammen essen, wenn du willst!«, sagte sie.

»Später ...«

»Später, wann ist das?«

»Keine Ahnung.«

Mit der Hand strich er über den glatten Tresen.

»Ich habe deinen Vater gesehen, als ich bei ihm vorbeigegangen bin. Er war im Hof.«

»Na und? Ich sehe ihn seit fünfzig Jahren, jeden Tag!«

»Sprecht ihr nicht mehr miteinander?«

Lili lachte höhnisch.

»Guten Tag, guten Abend! Das ist für niemanden ein Geheimnis. Warum? Hat er es dir erzählt?«

»Nein, Morgane.«

Er sah sie an, rasch, ein Blick wie ein Straucheln.

»Bist du mir böse?«

»Wieso? Weil du meinen Vater beschuldigst, deine Eltern umgebracht zu haben? Beruhige dich, ich beschuldige ihn noch viel schlimmerer Dinge.«

Sie war lauter geworden. Die Stimme kalt, schneidend.

»Glaubst du immer noch, dass er den Leuchtturm ausgeschaltet hat? Bist du deswegen da?«

»Vielleicht.«

»Das sind alte Geschichten. Vergiss sie.«

»Ich kann nicht.«

»Dann find dich damit ab! Wir alle hier haben uns damit abgefunden!«

Es war mir unangenehm, da zu sein, sie zu sehen. Sie zu hören. Ich stand auf und schob vorsichtig meinen Stuhl zurück. Ich wollte gehen, ohne ein Geräusch zu machen.

Lambert drehte sich um.

»Was machen Sie?«

»Ich gehe.«

Meine Jacke hing noch über der Lehne. Ich nahm sie und zog sie an.

»Nicht Sie müssen gehen.«

Er sah Lili an.

In dem Moment entdeckte er den Strauß.

»Die Blumen, warst du das?«

Lili verstand ihn nicht.

»Wovon sprichst du?«

Er zeigte auf den Strauß.

Sie presste die Lippen zusammen.

Drei Schritte trennten sie von den Blumen. Sie zog den Strauß aus der Vase. Die Stiele waren nass, das Wasser tropfte auf den Boden.

»Ich bestehle keine Toten, wenn du das sagen willst!«

Das Wasser rann auch auf ihre Hände. Sie drückte ihm den Strauß in die Arme.

»Und ich wusste nicht, dass es deine Blumen sind!«

Nun stand er mit dem Strauß in den Händen da.

»Und jetzt geh!«, sagte Lili.

Er wich zurück.

Er stammelte etwas, Worte, die ich nicht verstand.

Auf der Terrasse stand ein Plastiktisch. Er stand das ganze Jahr über dort, selbst im Winter. Früher gab es auch Stühle, aber eines Nachts war jemand vorbeigekommen und hatte sie alle mitgenommen. Seitdem stellte Lili keine Stühle mehr raus.

Lambert blieb einen Moment neben dem Tisch stehen, die Blumen an sich gedrückt. Der Blick orientierungslos.

Schließlich legte er die Blumen auf den Tisch.

Lili ging zum Fenster. Sie blickte ihm hinterher, solange er auf der Terrasse stand und auch danach, als er die Straße überquerte.

Die Mutter jammerte mit ihrer Totenstimme.

»Wer war das?«

Ihr Mund ein Loch, weit offen.

»Wer war das?«

Lili drehte sich zu ihr um.

»Niemand ... Das war niemand ...«

Sie lief hinaus auf die Terrasse und warf den Blumenstrauß in die große Mülltonne.

Du hattest den Stein nicht rausgelegt …«

Raphaël hielt eine kleine Drahtfigur in den Händen und betrachtete sie. Es war ein Seiltänzer, den er auf einem Gipsseil balancieren lassen wollte. Einen Fuß hatte er schon auf dem Seil befestigt, aber der Tänzer hielt nicht. Also löste er einen Arm vom Körper.

»Das Gleichgewicht hängt von einem einzigen Detail ab …«

Mit dem Daumen verstärkte er die Beugung des Rückens.

»Wenn der hält, fertige ich einen in Lebensgröße an«, sagte er und schloss mit einer Armbewegung den gesamten Raum des Ateliers ein.

»Ein zwei Meter großer Seiltänzer, der ganz gerade läuft!«

Die Fußspitze berührte kaum das Seil, die Figur war leicht, fragil.

»Das kann niemals halten«, warf ich ein.

»Das kann! Wir halten doch auch!«

Er trat zurück, um die Wirkung zu begutachten.

»Aber wir balancieren nicht auf einem Seil …«

Er klebte sich eine Gitane zwischen die Lippen.

»Bist du dir da sicher?«

»Eigentlich nicht, nein. Ich sah mir seine Zeichnungen an.

Ein paar Skizzen, grobe Striche. Er hatte mit seiner Serie noch nicht begonnen.

Er nahm einen Zug, pustete den Rauch weit von sich.

»Hermann wartet. Er schimpft schon, behauptet, ich mache es mit Absicht. Von wegen mit Absicht …«

Ich sah aus dem Fenster.

Morgane lag im Garten auf einer Bank mitten in der Sonne. Ich ging zu ihr.

Die Ratte schlief zusammengerollt auf ihrem Bauch.

Morgane machte die Augen auf. Ich stand ihr in der Sonne. Mit schlaffer Hand zeigte sie zu den Booten.

»Er treibt sich rum.«

Ich wusste es. Ich hatte ihn gesehen.

Ein Lächeln glitt über ihre Lippen.

»Lambert Perack heißt er, 1952 in Paris geboren, im 6. Arrondissement. Wohnt in Empury, im Morvan.«

»Woher weißt du das?«

Sie ließ den Arm neben der Bank sinken. Mit den Fingerspitzen scharrte sie in der Erde, riss die wenigen Gräser aus, die dort wuchsen.

»Nicht meine Schuld, wenn er seine Jacke mit der Brieftasche an der Garderobe hängen lässt.«

Sie stützte sich auf die Ellbogen, die Augen geschlossen.

»Ich hab beim Mittagsservice geholfen. Er hat das Menü genommen.«

»Durchsuchst du etwa die Sachen der Gäste?«

»Ich hab nichts geklaut, nur seinen Namen … Lambert, ziemlich komischer Vorname, findest du nicht? Abgesehen von Lambert Wilson. Gefällt er dir?«

»Nein.«

»Du lügst.«

»Ich lüge nicht.«

Sie legte sich wieder hin.

»Glaubst du, die Sonne bleibt?«

Ich sah sie verständnislos an.

»Das Ding, das da oben strahlt und uns die Haut wärmt, wenn uns kalt ist!«

»Sie bleibt«, sagte ich.

Die Sonne glitt langsam hinter das Haus, und die Bank versank im Schatten.

Morgane stand auf, lief ins Haus und kam mit einem Badehandtuch wieder raus. Die Ratte klammerte sich an ihre Schulter.

»Heute früh hab ich den Notar von Beaumont gesehen, er hat vor dem Haus gegenüber von Lili geparkt.«

Sie ließ das Handtuch am ausgestreckten Arm kreisen, die Füße nach außen gedreht.

»Vielleicht kauft es ja dein Lambert ...«

»Das ist nicht mein Lambert«, brummte ich.

Sie wanderte pfeifend zu den Felsen. »Er kauft nicht, er verkauft«, sagte ich, aber sie war schon zu weit weg, um mich zu hören.

Die Sonne blieb nicht. Der Regen prasselte ganz plötzlich über dem Meer nieder, dann trieb der Wind ihn gegen die Fenster. Es war ein feiner, kalter Regen.

Morgane kam zurückgerannt, das Handtuch über dem Kopf. Ich war in meinem Zimmer, als ich sah, wie sie über den Hof rannte. Ich klopfte ans Fenster, und sie schaute nach oben. Das war ein schönes Bild, dieses durch den Regen laufende Mädchen.

Ich setzte mich aufs Bett.

Ich musste das Zimmer aufräumen und den Regen ausnutzen, um die Wände zu streichen. In Hopper-Grün, demselben Grün wie auf dem Bild. Das hatte ich mir vorgenommen. Die Postkarte war an die Tür geheftet. Ich hätte Farbe kaufen sollen, aber es regnete zu stark, um nach Cherbourg zu fahren.

Ich öffnete eine Flasche Entre-deux-mers. Ein Wein aus dem Süden, weiß, trocken. Ich trank ein Glas, lauschte dem Regen. Ich hörte von unten die Stimme der Callas, Raphaël arbeitete. Er sagte, dass er immer sehr gut arbeitete, wenn es regnete.

Im Regal standen noch mehr Gläser. Leere Kekspackungen. Früher war ich einmal sehr ordentlich gewesen. Ich machte morgens das Bett. Ich legte Wimperntusche auf.

Es gab eine Zeit, ja …

Am nächsten Tag regnete es immer noch. Ich aß im Gasthof, mir gegenüber saß eine Familie, ein Paar mit Kindern. An einem anderen Tisch waren sie zu zweit. Ihre Hände berührten sich über dem Tischtuch, ihre Füße darunter. Ihr Bedürfnis nach der Haut des anderen. Nach dem Blick des anderen. Ich beneidete sie. Dann sagte das Mädchen etwas zu ihrem Freund, sie drehten sich um und lächelten mir zu. Ich war wie sie gewesen, mit dir, voller Begehren. Bis zum Ende, sogar als dein Körper ein Schatten geworden war, begehrte ich dich noch.

An den Tischen ganz hinten saßen die Junggesellen der Cogema. Sie arbeiteten in der atomaren Wiederaufarbeitungsanlage ganz in der Nähe. Vom Dorf aus sah man die großen Schornsteine, das kauernde Monster.

Zwei Zeichnungen von Raphaël hingen an der Wand. Gestalten in Grau und Schwarz. In einer kleinen Nische über dem Tresen stand auch eine Gipsskulptur von ihm. Morgane hatte keinen Dienst, der Wirt brachte mir das Essen.

»Es ist immer noch nicht verheilt!«, sagte er und zeigte auf meine Wange.

»Immer noch nicht?«

Er nickte.

Am Nachmittag ging ich zur Steilküste und zählte in kürzester Zeit siebzehn Silberreiher. Ich sah weder Falken noch große Raben, aber zwei sehr junge Silbermöwen, die um ein Weibchen kämpften.

Théo lehnte an der Theke. Donnerstags kam er immer früher, weil ein Mädchen vom Sozialdienst bei ihm saubermachte.

Lili setzte Kaffee für ihn auf. Wenn sie so mit dem Rücken zu ihm stand, sah Théo sie an. Nur dann. Auch sie sah ihn an, das Bild ihres Vaters im Spiegel. Ihre Augen trafen sich nicht.

Théo setzte sich nie hin. Er hätte mit den anderen Alten Karten spielen können, etwas plaudern. Oder er hätte mit dem Bus nach Beaumont fahren können. Aber er lehnte immer an der Theke.

Er trank seinen Kaffee.

Ehe er hinausging, blieb er an meinem Tisch stehen, sah sich meine Notizen an.

»Interessieren Sie sich für Regenpfeifer?«, fragte er.

»Regenpfeifer? Ich weiß nicht … In meinem Sektor gibt es keine. Warum fragen Sie?«

Er wandte sich ab. Seine linke Hand zitterte leicht.

»Der Regenpfeifer ist ein sehr schöner Vogel. Ein Stelzvogel.«

»Ich weiß.«

»Und wissen Sie auch, was er macht, wenn ein anderer Vogel kommt und seine Eier bedroht?«

Er kniff die Augen zusammen, ich hatte das Gefühl, er würde

mich danach beurteilen, ob ich wusste, wie sich der Regenpfeifer bei einem Angriff verhielt.

»Es gibt eine kleine Kolonie auf den Felsen hinter dem Semaphor. Sie sollten mal hingehen …«

Er zog die Tür auf.

»Auch wenn es nicht Ihr Sektor ist«, ergänzte er noch, ehe er ging.

Einer der Alten pfiff.

»Théo ist in Form heut Morgen!«

Lili kam mit einer Flasche in der Hand zu meinem Tisch. Sie goss mir einen Schluck Likör in ein Stielglas.

»Geht aufs Haus …«

Sie sah mir beim Trinken zu.

»Einer von hier!«

Ich wusste nicht, wovon sie sprach, ob von Théo oder von ihrem Likör. Ich leerte das Glas, ohne mit der Wimper zu zucken, und zog den Vorhang zurück, aber Théo war verschwunden.

Morgane war nach Cherbourg gefahren und hatte die Ratte in ihrer Kiste gelassen. Die Ratte war herausgeklettert und verschwunden. Raphaël und ich suchten sie überall. Schließlich fanden wir sie auf einem Regal in der Ecke des Ateliers. Sie stand auf den Hinterpfoten und sah uns an. Ich streckte ihr die Hand entgegen, und sie schnupperte an meinen Fingern. Sie schien verwirrt. Vielleicht nahm sie den Geruch der Katzen wahr, die ich bei Théo gestreichelt hatte.

»Diese Biester übertragen alle möglichen Krankheiten«, sagte Raphaël, als er sah, wie ich die Ratte nahm.

»Wir auch.«

»Fass mich nicht an.«

»Ich fasse dich nie an.«

Er suchte seine Zigaretten. Schließlich fand er die Schachtel. Leer. Er ging in die Küche.

Die *Totennäherin* breitete ihren grauen Schatten auf dem Fußboden aus. Den Schatten des Leichentuchs, das sie gerade nähte. Raphaël hatte für diese Skulptur Nan als Modell genommen, ihren Körper, ihre Hände.

Er kam zurück.

»Théo war früher mal in sie verliebt«, sagte ich und zeigte auf die *Näherin*.

»Woher weißt du das?«

»Es ist nur … Wie er sie ansieht, ihren Namen ausspricht …
Kennst du sie gut?«

»Nicht besonders … Ich habe die Skulptur von ihr gemacht,
das ist alles.«

Er zeriss die Verpackung der Zigarettenstange, nahm eine
Schachtel heraus und warf den Rest auf den Tisch.

»Immerhin hat er eine andere geheiratet, dein Verliebter!«

»Ja, ich weiß. Trotzdem glaube ich, dass er Nan liebte.«

Ich ging um die *Näherin* herum.

»Wie erklärst du dir, dass die Mutter im Dorf bei Lili wohnt
und er ganz allein in seiner Hütte?«

»Keine Ahnung. Darüber zerbreche ich mir nicht den Kopf.
Als ich gehört habe, dass eine Alte im Dorf Leichentücher näht,
habe ich gewusst, dass das ein Motiv für mich sein könnte. Ansonsten … Sie weiß nicht mal, dass ich die Skulptur gemacht
habe.«

Er strich mit der Hand über die Gipsschulter.

»Wenn ich sterbe, will ich, dass man mich hier ganz allein
zwischen meinen Skulpturen verwesen lässt. Ohne Leichentuch
und alles.«

Wir verließen das Atelier.

Draußen war es schön. Die Kühe standen auf der Weide nahe
beim Weg. Sie trampelten mit ihren Hufen im Schlamm herum. Wir rauchten und sahen ihnen beim Kauen zu. Ein Auto
fuhr vorbei.

»Sie sollten nicht so in ihrer Scheiße herumtrampeln«, sagte
ich.

»Natürlich sollten sie nicht …«

Morgane stieg aus dem Auto, holte ihre Ratte und gesellte sich
zu uns.

»Was beredet ihr beiden denn hier?«

»Wir sprachen über Kühe …«

»Und was habt ihr gesagt?«

»Dass sie in ihrer Scheiße rumtrampeln und dass sie das nicht tun sollten.«

Sie nickte. Vor unseren Füßen zirpte eine Grille. Morgane bückte sich, um sie im Gras zu suchen.

»Sie hat Glück, dass Max nicht da ist.«

Morgane sah mich an.

»Max glaubt, dass Grillen, die zirpen, bevor die Sonne untergegangen ist, Bastarde sind … Und weil Bastarde schlecht für die Fortpflanzung sind, zertrampelt er sie.«

Sie stand auf und nahm Raphaël die Zigarette aus der Hand. Sie schmiegte sich an ihn. Es war seltsam für mich, sie so vertraut miteinander zu sehen. Fast peinlich manchmal. Waren sie einander so nah, weil sie aus demselben Bauch geboren waren?

»Wusstest du, dass Théo der Liebhaber der alten Nan war?«, fragte Raphaël.

Morgane zuckte die Schultern. Es war ihr völlig egal.

Sie streckte die Hand nach meinem Fernglas aus.

»Darf ich mal?«

Es war ein Fernglas mit sehr starker Vergrößerung, ein Geschenk meiner Kollegen, als ich die Universität verlassen hatte. Morgane stellte die Entfernung ein, durchsuchte die Gegend vom Semaphor bis zum Dorf und von dort bis zu den Häusern von La Roche. Dann zeigte sie mit dem Finger auf die Straße über La Valette.

»Offene Jacke, Pullover mit rundem Ausschnitt … Gar nicht oder schlecht rasiert … Er ist immer noch da.«

Sie senkte das Fernglas ein bisschen, nicht viel.

»Was gefällt dir so an ihm?«

»Ich habe nicht gesagt, dass er mir gefällt.«

Sie spähte noch einmal durchs Fernglas.

»Schwere Lippen, ziemlich traurige Augen ... Irgendwie komisch ... Was glaubst du, was er da macht? Oh, es sieht so aus, als hätte er uns entdeckt.«

»Gib her, Morgane!«

»Keine Panik! Er kann uns nicht sehen, wir sind zu weit weg. Außerdem hat er sich einfach nur zum Meer gedreht, und wir liegen in der Blickachse, das ist alles.«

Auf der anderen Seite des Zauns bewegten die Kühe die Köpfe, als ob auch sie in seine Richtung sehen würden.

Kurz darauf stand Lambert am Ufer und versuchte einen Kasten an Land zu holen, der auf dem Wasser schwamm. Es war ein Cellokasten, der seit dem Morgen dort getrieben hatte und schon fast untergegangen war. Die Sonne berührte das Meer. Die Wellenkämme schienen zu brennen.

Max kam auf uns zu.

»Glaubst du, es ist seiner?«, fragte er. Er meinte den Kasten.

Raphaël schüttelte den Kopf.

»Nein.«

»Woher weißt du das?«

»Dann würde er es mit mehr Inbrunst versuchen.«

»Was ist Inbrunst?«

»Inbrunst ... Leidenschaft, Lust, Max.«

Lust kannte Max. Er fuhr mit dem Finger über seine Zähne und sah Morgane an.

Der Kasten schwankte hin und her.

Lambert berührte ihn, bekam ihn aber nicht zu fassen.

»Das sollte er nicht tun«, sagte ich.

»Warum nicht?«

»Keine Ahnung ... Das ist doch komisch, ein Cellokasten, der einfach so auf dem Wasser treibt ... Vielleicht liegt eine Leiche drin.«

»Zu klein, der Kasten.«

»Dann halt der Kopf einer Leiche.«

Raphaël nickte und schaute mit halb offenem Mund zum Himmel.

»Ja, vielleicht … Oder Leichenteile … Vielleicht auch ein Cello!«

Max beschloss nachzusehen.

Er kam mit dem Kasten zurück.

»War gar nichts drin. Die große Leere der Dinge der Abwesenheit«, sagte er.

»Und was willst du damit machen?«

»Ihn in die Sonne stellen, um die ganze Verdunstung des Wassers zu begünstigen und das Fressen drinnen wiederzufinden.«

»Das Futter, Max.«

Er öffnete den Kasten vor dem Haus in der Sonne.

»Das wird eine Werkzeugkiste für die großen Bootsutensilien.«

Wir erwarteten den Zug der Samtenten, Schwärme von mehreren hundert Vögeln, die in La Hague rasten würden, ehe sie weiter nach Süden flogen.

Ich hielt auf dem Weg zwischen Écalgrain und La Roche nach ihnen Ausschau, doch die Vögel zogen nicht vorbei. Stattdessen fand ich einen toten Kormoran. Als ich wieder zurück war, rief ich im Ornithologischen Zentrum an. Von der Zelle am Hafen. Ich schickte alle Tabellen mit der Post ab. Jemand aus Caen würde den Vogelkadaver abholen.

Der Abend brach herein. Ich hatte keine Lust, nach Hause zu gehen. Ich verbrachte zu viel Zeit in der Heide. Manchmal war es erdrückend. Ich begann mich nach Cafés, nach Kinos, nach der Sonne zu sehnen.

Der Tierarzt war auf Théos Hof. Er war wegen einer Katze gekommen, die Tränen wie Klebstoff weinte. Das arme Tier stieß überall an. Sie fingen es ein, und der Tierarzt reinigte seine Augen mit einem Tuch und einer gelben Flüssigkeit. Er ließ ein Fläschchen da.

»Zweimal am Tag«, sagte er, »sonst wird sie blind und krepiert.«

Monsieur Anselme fuhr mit dem Auto vor, er hielt neben mir an und kurbelte die Scheibe runter. Er hatte keine Zeit zum Schwatzen, er musste nach Hause, um seine Schildkröte zu füttern.

Seine Schildkröte hieß Chelone. Er hatte ihr den Namen eines jungen Mädchens gegeben, das von Jupiter bestraft worden war. Monsieur Anselme hatte schon oft versprochen, mir diese Geschichte zu erzählen.

Ich stützte mich aufs Auto.

»Sie wollten mir die Geschichte von Chelone erzählen«, sagte ich lächelnd.

»Jetzt?«

Er sah auf die Uhr.

Seine Schildkröte war daran gewöhnt, jeden Abend genau um siebzehn Uhr ihr Futter zu bekommen. Wenn er nicht rechtzeitig zu Hause war, drehte sich das Tier mit dem Kopf zur Wand und rührte sich bis zum nächsten Morgen nicht mehr.

Es war kurz vor siebzehn Uhr, trotzdem stellte er den Motor ab, stieg aus und hakte sich bei mir unter. Wir gingen ein paar Schritte. Er trug einen cremefarbenen Anzug und eine karierte Krawatte. Die Jugendlichen, die auf dem Parkplatz herumlungerten, stießen sich mit dem Ellbogen an, als er vorbeikam. Sie machten sich über ihn lustig.

»Haben Sie gewusst, dass Jupiter seine Schwester Juno geheiratet hat?«

Ich wusste es nicht.

Er sprach weiter.

»Damals waren Ehen zwischen Bruder und Schwester ganz normal, sie gehörten geradezu zum guten Ton … Um also diese Verbindung zu feiern, hatte Jupiter die ganze Welt eingeladen, die Götter, die Menschen, die Tiere, alles, was auf der Erde lebte, war anwesend. Nur eine einzige Person hatte es gewagt, seine Einladung abzulehnen, eine junge Frau, die auf den schönen Namen Chelone hörte. Als Jupiter dies erfuhr, war er außer sich vor Zorn, und wissen Sie, was er gemacht hat, um die Unverschämte zu bestrafen?«

Ich schüttelte den Kopf.

»Er verwandelte sie in eine Schildkröte.«

Wir blieben vor Lamberts Haus stehen. Rauch stieg aus dem Schornstein. Ausgerissenes Gestrüpp lag auf einem großen Haufen an der Hauswand. Am Zaun hing ein Schild: *Zu verkaufen.* Dazu in rot die Telefonnummer des Notars in Beaumont. Ich wusste nicht, ob Lambert da war. Ich wollte nicht, dass er uns sah. Also zog ich Monsieur Anselme am Arm, zwang ihn umzukehren. Als wir zu seinem Auto zurückkamen, ließen die Jugendlichen ihre Mopeds knattern.

»Ihr Anzug«, sagte ich, »deswegen machen sie sich über Sie lustig.«

»Sie machen sich nicht lustig.«

»Sie machen sich lustig, Monsieur Anselme …«

Er sah mich erstaunt an.

»Was ist denn mit meinem Anzug?«

Ich zuckte die Schultern.

»Nichts … Aber es ist ein Anzug.«

»Na und?«

»Sie sind hier in La Hague.«

Er öffnete die Autotür. Nicht das Lachen der Jugendlichen hatte ihn verletzt, sondern ich, die Tatsache, dass ich mich auf ihre Seite geschlagen hatte.

Ehe er die Tür schloss, sah er mich mit ernster Miene an.

»Wissen Sie, ich hatte viele Schildkröten, ich habe sie alle Chelone genannt. Und ich habe immer Anzüge getragen. *A bove ante, ab asino retro, a stulto undique caveto!* Das müssen Sie ihnen erklären, wenn ihr Lachen Sie stört.«

Er knallte die Tür zu, ließ den Motor an und drehte die Scheibe herunter.

»Ich stelle mir gern vor, dass eine meiner Schildkröten ein Nachkomme von Chelone ist.«

Bei Lili bestellte ich eine heiße Schokolade mit viel Zucker. Ich fühlte mich nicht wohl. Wegen Monsieur Anselme. Ich hatte Lust, rauszugehen und die Jugendlichen ebenso wütend mit Steinen zu beschmeißen wie Morgane die Wanderer.

Ich tat es nicht. Ich trank weiter meine Schokolade. Am Tresen sprachen die Fischer vom Meer. Sie sagten, dass sie zum Fischen immer weiter rausfahren mussten, da die Kormorane die Fische fraßen. Das sagten sie wegen mir. Weil ich da war. Diese Fischer töteten die Kormorane. Das wusste ich. Sie kauften durchsichtige Netze. Die Fische sahen sie nicht und verfingen sich darin. Die Kormorane ebenfalls. Sie töteten sie zu Dutzenden, die schönen, in ihren Netzen gefangenen Vögel.

Man müsse schließlich leben, sagten sie. Bald wurde mir das Gespräch zu viel.

Ich hielt meine Schale in den Händen. Der warme Dampf und der Zucker beruhigten meinen Zorn. Meine steifen Glieder.

Ich döste etwas ein.

Ich nahm mir vor, mich bei Monsieur Anselme zu entschuldigen.

Als ich den Kopf hob, blickte ich direkt auf die Fotos, die vor mir an die Wand geheftet waren, Fotos in Schwarz-Weiß, Bärenführer, Feuerspucker. Auch alte Postkarten vom einstigen La Hague. Lili erzählte, dass in ihrer Kindheit Gauklerfamilien aus dem Osten um das Kap gezogen waren, auf dem Weg in den Süden. Sie hatten auf dem Dorfplatz Halt gemacht. Manchmal kamen Touristen und wollten die Fotos kaufen, aber Lili verkaufte sie nicht.

Früher hatte hier auch ein Foto von Prévert gehangen. Aber irgendjemand hatte es geklaut. Vermutlich ein Paar mit einer kleinen Tochter. Die kleine Tochter trank die Grenadine mit einem Strohhalm.

Die Mutter saß immer neben der Fotowand.

Lili besaß auch ein Buch mit einer Widmung von Prévert, es stammte aus der Zeit, als ihre Großmutter noch das Café geführt hatte. Das Buch lag in dem Schubfach unter der Kasse, neben dem Revolver. Monsieur Anselme hätte ihr dieses Buch gern abgekauft, aber auch das wollte sie nicht.

Die Fischer unterhielten sich weiter. Sie waren lange vor mir gekommen, und sie würden lange nach mir gehen. Die Kormorane interessierten sie nicht. Nur das Meer zählte, dieses Meer, das sie so oft genommen hatten und das sie wieder nehmen würden. Sie sagten es so: Ein Meer nimmt man wie eine Frau! Dazu machten sie entsprechende Gesten, lachten über ihre Obszönität. Sie sprachen über junge Frauen; junge Frauen, die sie in der Stadt treffen würden. Frauen aus dem Osten, deren Hand ohne falsche Unschuld zupackte – das sagten sie und gaben ein bisschen an. Dann bestellten sie das nächste Bier.

»Der Alkohol hilft beim Überwintern.«

»Der Winter ist vorbei«, korrigierte Lili.

Etwas später kam Lambert. Er sah abgespannt aus. Er ging an meinem Tisch vorbei, blieb für einen Moment stehen.

»Guten Abend.«

Seine Hand glitt über die Rückenlehne. Ich dachte, er würde sich setzen. Sein Pullover roch nach Feuer. Die Fischer sahen ihn an. Lili auch. Er setzte sich nicht.

»Was lesen Sie?«, fragte er und zeigte auf das aufgeschlagene Buch vor mir.

»Coetzee.«

»Mmm … Und was erzählt Coetzee?«

»Die Geschichte eines Lehrers, der sich in eine Schülerin verliebt. Es geht schlecht aus.«

Er nickte. Seine Hand lag immer noch auf der Lehne.

»Warum?«

»Es liegt an dem Mädchen, sie ist nicht sehr aufrichtig und beschuldigt ihn der Belästigung.«

Er nickte wieder, lächelte mich an und schob den Stuhl an seinen Platz zurück.

»Na dann, gute Lektüre«, sagte er und nahm an einem anderen Tisch Platz, etwas weiter hinten. Ich weiß nicht, was er bestellte, weil sich Lili ihm gegenübersetzte und ich bald darauf ging.

Am nächsten Tag sah ich Lambert wieder, er lehnte am Zaun, die Hände in den Taschen vergraben, er betrachtete das Bett, das bei der kleinen Bachstelze mitten im Hof stand. Es war ein altes Eisengestell. Im Sommer schlief der Hund darauf. Zusammengerollt. Im Winter legte er sich drunter, machte es zu seiner Hütte. Wenn es ganz kalt war, verzog er sich in die Scheune.

Lambert holte einen Apfel aus der Tasche. Die Sau stand auf der anderen Seite des Zauns. Sie verfolgte jede Bewegung, das Messer, den Apfel, die Schale. Bis zu den Kernen, die er entfernte. Er gab ihr ein Viertel, dann noch eins und noch eins, und schließlich das letzte Viertel, klappte sein Messer zusammen und schlug den Weg zum Semaphor ein.

Er ging langsam. Manchmal blieb er stehen, betrachtete die Steine, die Wiesen, als hätte er Erinnerungen an diesen Weg. Ich folgte ihm eine Weile mit dem Fernglas, überlegte dann, ob ich zu ihm gehen sollte. Mit ihm sprechen. Ihn fragen, woran er denke. Ich hatte ihn schon an anderen Orten gesehen, ebenso beobachtend, aufmerksam. Ich weiß nicht, was er gesagt hätte, wenn ich zu ihm gegangen wäre, auch nicht, ob er sich darüber gefreut hätte.

Ich schaute auf den Hof und dachte mir, dass die große Kastanie, die dort wuchs, sicher bald riesige Blüten tragen würde.

Morgane bohrte die Zinken ihrer Gabel in ein Stück Kartoffel. Sie hob den Kopf und zeigte auf Lamberts Haus. Einige Fensterläden standen offen.

»Ich hab ihn gesehen, er ist zum Leuchtturm gegangen, am Semaphor vorbei. Er hat das Gestrüpp in seinem Garten ausgerissen.«

»Spionierst du ihm nach?«, fragte ich.

Sie wiegte den Kopf. Ihre Lider waren schwarz geschminkt, eine dicke Schicht, die ihre Augen brennen ließ.

»Nein ... Aber ich langweile mich.«

Sie verzog das Gesicht.

»Langweilst du dich etwa nicht?«

Auch ich langweilte mich. Es kam sogar vor, dass ich genug hatte von den Vögeln und dem Wind. Genug davon, hier zu sein bei diesem ständigen ohrenbetäubenden Rauschen. Genug davon, Eier und Nester zu zählen.

Morgane spielte mit dem Essen auf ihrem Teller, sie hielt die Gabel mit den Fingerspitzen. Ihre Nägel waren rot lackiert. In der Mitte jedes Nagels klebte eine kleine schwarze Perle. Wenn sie die Finger bewegte, tanzten die Perlen.

Ich sah sie an. Stärker als die Langeweile war das Fehlen.

Manchmal schrie ich auf der Steilküste. Ich schrie nach dir, nach dem Leben. Du warst zu gegenwärtig. Der Schmerz musste raus. Ich hatte nach La Hague gewollt, um mich von dir zu lösen. In Avignon, unsere Cafés, unsere Straßen … Ich hatte dich überall gesehen. Sogar in der Wohnung. Die letzten Nächte hatte ich nicht mehr dort schlafen können, ich war ins Hotel gegangen.

Morgane schob ihren Teller weg.

Die Ratte lief an ihrem Arm herunter, blieb mit ausgestreckten Krallen stehen.

Lili deckte gerade die Tische, sie wartete auf Mittagskunden. Sie warf einen Blick auf die Ratte. Und dann nach draußen, weil ein Auto auf der anderen Straßenseite hielt. Ein Mann und eine Frau stiegen aus und sahen sich das Haus an. Sie blickten auch nach ganz oben, auf das Dach, das Dachfenster. Dann öffneten sie das Tor und durchquerten den Garten.

Lili holte den Korb mit den karierten Servietten der Stammgäste hervor. Für die anderen Gäste hatten sie Papierservietten.

Als Erster betrat ein Fischer das Lokal; er hatte sein Kochgeschirr dabei, bestellte einen kleinen Krug Wein und steuerte auf einen Tisch hinten im Saal zu. Er wollte im Warmen essen. Lili ließ ihn gewähren. Sie ließ ihn auch rauchen, so wie alle. Sie schimpfte nur, wenn die Zigaretten nicht in den Aschenbechern ausgedrückt wurden.

Endlich waren alle gegangen, Morgane, die Fischer.

»Fünf Minuten«, sagte Lili und ließ sich auf ihren Stuhl fallen.

Sie warf mir einen kurzen Blick zu. Nicht erstaunt, dass ich noch da war, sie war es gewohnt. Ich hing rum, ohne zu wissen, wie lange es dauern konnte.

Lilis Tisch, ein Resopaltisch mit sechs Beinen, in die Ecke neben dem Tresen geschoben. Sie stapelte darauf ihre Rechnungen, ihre Kataloge, *La Redoute, 3 Suisses* …

Sie griff sich einen der Kataloge und blätterte darin. Den Bleistift zwischen die Zähne geklemmt, den Kopf auf eine Hand gestützt, fing sie an, einen Bestellschein auszufüllen.

»Sie geben alle Rabatt …«

Die Mutter schlummerte vor dem Fernseher. Sie schnarchte leise. Das Auto stand immer noch auf der anderen Straßenseite. Das Paar ging im Dorf spazieren.

»Viskose, magst du Viskose? Schwitzt man da nicht drin?«

Ich hatte keine Ahnung. Meine Sachen waren alle aus Baumwolle.

»Ich weiß nicht«, antwortete ich.

Ich las weiter die Zeitung.

Die Fensterläden in der oberen Etage standen offen. Lambert musste noch im Haus sein. Vielleicht wartete er darauf, dass das Paar zurückkam.

Lili drehte mir den Rücken zu, beugte sich über ihre Bestellung, ich hörte, wie sie etwas schrieb, wie sie überlegte, die Vor- und Nachteile studierte. Alles gefiel ihr, aber sie fragte sich, ob sie es wirklich brauchte. Und dann zögerte sie mit den Farben. Sie radierte auch viel …

Schließlich entschied sie sich für das Billigste, aber das Billigste war nicht das, was ihr am besten gefiel. Also radierte sie wieder. Am Ende blickte sie selbst nicht mehr durch auf ihrem Bestellschein.

Sie blätterte weiter.

Ich hätte ihr Fragen über Lambert stellen können, aber ich glaube, sie hätte mir nicht geantwortet.

Schließlich ging ich. Auf der Straße traf ich auf das Paar, es fotografierte das Meer.

Am nächsten Tag ging ich die Regenpfeifer suchen, von denen mir Théo erzählt hatte. Ich lief am Kreuz der Vendémiaire vorbei und über die Mole – eine lange Mauer aus Tausenden kleinen Steinen – zum Semaphor. Auf einer Seite das Meer, auf der anderen nasse Wiesen, Salzwassersümpfe, auf denen ein paar Kühe weideten.

Dort oben zu laufen war nicht einfach, meine Schuhsohlen rutschten, meine Knöchel knickten um. Es war ein ständiges Balancieren, ein anstrengendes Schwanken. Der Weg war lang. Unter meinen Schritten rieben die Steine, stießen aneinander. Ich hätte auch die Asphaltstraße nehmen können, aber um nichts auf der Welt wollte ich mich von dem Ufer entfernen.

Am Ende der Mole kam ich wieder auf den Pfad. Stille. Hier gab es keine Steilküste, es war flach. Die Regenpfeifer nisteten in den Felsen etwas weiter, eine Kolonie von etwa zehn Vögeln. Die Flut stieg. Meine Uhr war stehengeblieben. Ich wusste nicht, wie spät es war, ich kannte nur die Zeit des Meeres. Ich setzte mich an den Strand.

Kein Regenpfeifer wurde angegriffen, es war ruhig.

Ich blieb etwas länger als eine Stunde, dann lief ich zurück.

Am Abend hörte ich das Nebelhorn, den tiefen Ton, der in regelmäßigen Abständen über das Meer hallte, ein dumpfes Grollen, wie eine Geisteruhr. Oder ein Herzschlag. Das Geräusch entfernte sich, es wurde leiser, ohne ganz verschluckt zu werden.

Der Hahn am Waschbecken tropfte. Das Geräusch des Wassers mischte sich mit dem Ton des Nebelhorns. Auch wenn ich den Hahn fest zudrehte, tropfte es weiter. Ich legte einen Lappen ins Becken.

Ich rollte mich auf dem Bett zusammen. Es war Sonntag. Ein ungerader Tag. Der 31. Ungerade bei der 3 und bei der 1, und der nächste Tag war der Erste. Zwei Ungerade, die aufeinander folgen, jeden zweiten Monat.

Seit meiner Kindheit mochte ich keine Sonntage. Auch keine Feiertage. Weihnachten war ich immer krank, ein seltsames Fieber, kein Arzt hat es je erklären können.

Am Morgen erwartete mich Raphaël an seiner Tür.

»Geht's gut?«, fragte er.

Sicher wegen meines Gesichts, der Ringe unter den Augen.

»Es geht sehr gut«, sagte ich. »Warum?« Er fragte nicht nach.

Man sagt hier, der Wind sei manchmal so stark, dass er den Schmetterlingen die Flügel fortreiße.

Die Mutter kratzte mit dem Fingernagel auf dem Wachstuch. Das machte sie schon eine ganze Weile, seitdem Lili auf den Dachboden gegangen war, um die Wäsche aufzuhängen.

»Der Alte, na, warum kommt er nicht? Ist doch seine Zeit …«

Zehnmal wiederholte sie das. Ich warf einen Blick auf die Wanduhr. Sie hatte Recht, es war seine Zeit.

»Er wird schon kommen«, sagte ich.

Sie starrte weiter auf die Tür, rieb sich mit der Hand das Gesicht. Ihre Haut war trocken, es knisterte hässlich, wie Papier.

»Nicht so reiben!«

Wenn sie aufgeregt war, legte ihr Lili eine Bambikassette ein. Ich wusste nicht, wo die Kassette war.

Also setzte ich mich zu ihr.

»Er hat sicher jemanden getroffen, mit dem er plaudert.«

»Er plaudert nicht!«

»Mit mir plaudert er.«

Ihre alten Augen begannen zu leuchten, sie war voller Fragen, voller Lust, dass ich ihr erzählte.

»Ich bringe ihm immer den Proviantbeutel, den Lili vorbereitet.«

Ich berichtete ihr vom Haus, von den Gerüchen, von dem

großen Baum, der im Hof seinen Schatten verbreitete. All die Kleinigkeiten, die mir einfielen, erzählte ich ihr. Die Vorhänge, der alte Ofen, die Messerkerben im Holztisch.

Irgendwann wusste ich nicht mehr, was ich sagen sollte. Sie beugte sich vor.

»Ich erinnere mich«, sagte sie.

Ihre Augen glänzten.

Sie packte meine Hand, drückte sie fest. Ihre Haut war eisig.

»Wir hatten Kühe, wir nahmen Eimer, wir melkten sie. Der Alte war stark! Ich war glücklich.«

Das sagte sie: Ich war glücklich.

Ihre Stimme zitterte. Ich lehnte mich etwas zurück, löste meine Hand aus ihrer.

»Lieben Sie ihn noch?«

Ich sah sie unter der dicken, trockenen Haut erröten.

Sie packte ihre Handtasche, presste sie an sich. Ihre Hand auf der Lehne. Bereit zu gehen. Dorthin zurück.

Ich hatte Lust, noch mehr von ihr zu erfahren, sie über diese spezielle Liebe auszufragen. Théo liebte sie nicht. Er hatte sie wohl nie geliebt.

Aber sie …

»Was haben Sie da drin?«, fragte ich und deutete auf die Tasche.

Sie senkte den Kopf. Ihre Finger fummelten am Verschluss. Ungeschickte Gesten. Gesten von Frauen, von halb debilen, aber immer noch liebenden alten Frauen.

Schließlich machte sie die Tasche auf und kippte deren Inhalt auf dem Tisch aus, ein Parfümfläschchen, *Parfum de Paris*, noch in der nachtblauen Schachtel. Ein Foto, sie zeigte es mir, darauf waren sie und Théo. Dann ein Kugelschreiber, ein Päckchen Tabak, ein Kellerschlüssel … Eine Metalldose, so groß wie eine Streichholzschachtel, in der Münzen klimperten. Das waren noch Francs. Eine Haarsträhne, Lilis Haare, wie sie mir sagte. Das Foto war vor ihrem Haus aufgenommen worden.

»Eine gute Zeit«, murmelte sie.

»Weil Sie jung waren?«

Sie sah mich an, wild, am ganzen Körper zitternd.

»Weil ich bei ihm war!«

Sie wühlte zögernd mit ihren Fingern herum. Wie lange hatte sie diese Tasche nicht mehr geöffnet?

»Der Alte …«, flüsterte sie. Die Erinnerung kam in ihr hoch.

Und plötzlich schob sie ihren Stuhl zurück. Die Lehne stieß gegen die Mauer, sie verlor sich in dem Gefängnis aus Beinen, denen des Tisches, denen des Stuhls, denen der Gehhilfe, an die sie sich klammern musste, um sich wenigstens bis zur Tür schleppen zu können. Ihr fehlte die Luft. Die Kraft. Der Körper kam nicht mal um den Tisch herum.

»Dieses Dreckstück!«, sagte sie mit zusammengepressten Lippen, legte eine Hand auf ihr Herz und musste sich wieder setzen.

»Dorthin kam sie, nachts …«

»Von wem sprechen Sie?«

Sie zeigte mit einem Finger in die Richtung von Lamberts Haus. Die Augen feucht.

»Die Diebin …«

»Gegenüber wohnt der Sohn der Peracks, erinnern Sie sich an ihn? Er kam immer in den Ferien.«

Sie wollte schreien. Selbst die Stimme hatte keine Kraft mehr. Also fing sie zu jammern an.

»Sie hat alle Spielsachen gestohlen. Sie hat gesagt, sie kommen aus dem Meer, aber das stimmt nicht. Ich weiß es, sie hat sie hier geklaut …«

Aus Verzweiflung umklammerte sie meine Hand.

»Sie hat mir alles genommen … Nicht mal die Hunde machen so was.«

»Sie sprechen von Nan, stimmt's?«

Sie nickte. Ich sah sie an, ihr Gesicht wenige Zentimeter vor meinem, sie kämpfte mit ihrer Erinnerung, suchte daraus hervorzuholen, was sie mir sagen wollte.

»Sie hat Sachen gemacht ... Deswegen ist sie verrückt, man bezahlt immer ...«

»Was für Sachen?«

Sie antwortete, einzelne Worte, die Kiefer zu fest zusammengepresst, und dann ein Strom von Sätzen, immer zusammenhangsloser, die davon handelten, dass das Meer nicht zurückgibt, dass es niemals zurückgibt.

Ich hörte Lili auf dem Boden herumlaufen, wünschte, dass sie herunterkommen würde, überlegte, sie zu rufen. Ich packte die Sachen der Mutter wieder in die Tasche, stand schließlich auf, legte die Tasche auf ihre Knie, ihre Hände auf die Lehne.

Als sie die Tasche spürte, verstummte sie. Ihr Blick wurde starr.

Ich setzte mich wieder an meinen Platz am Fenster. Kurz darauf kam Lili, eine Wasserschüssel unterm Arm.

»Sie hat rumgeschrien«, sagte ich und zeigte auf die Mutter.

Sie zuckte die Schultern.

»Um diese Zeit schreit sie ständig rum.«

Hinter der Theke tauchte sie die Hände in Seifenwasser. Dann fing sie an zu reiben.

»Wenn man ihr das Gebiss wegnimmt, schreit sie nicht mehr, aber sie saugt an ihrer Zunge, das ist auch nicht besser.«

Der Geruch von gekochtem Kohl verbreitete sich im Saal. Nicht sehr angenehm. Ich hörte den Schnellkochtopf zischen.

»Hast du keine Waschmaschine?«, fragte ich und zeigte auf den Haufen, den sie waschen musste.

»Doch, aber ich mag sie nicht wegen so ein paar Sachen anwerfen. Hast du eine Maschine in der *Griffue*?«

»Ja.«

»Und benutzt du sie?«

»Natürlich.«

Sie sah mich an. Ich spürte, dass ich schlecht aussah. Ich dachte an das, was mir die Mutter gesagt hatte. Hatte Nan in Lamberts Haus Spielzeug geklaut? Spielzeug … Was konnte es damit auf sich haben?

»Was hat sie dir erzählt?«, fragte Lili und zeigte auf ihre Mutter.

»Nichts … Wirres Zeug, ich habe nichts verstanden.«

Sie legte ihr die Bambi-Kassette ein. Die Mutter wartete wieder, die Augen auf die Türklinke gerichtet. Als Lili an ihr vorbeiging, packte sie sie am Ärmel.

»Der Alte …«

»Was ist mit ihm?«

»Es ist seine Zeit.«

»Na und?«

»Kommt er nicht?«

»Nein, er kommt nicht.«

Sie ging zur Bar zurück.

»Als hätte er ihr nicht lang genug das Leben schwer gemacht.«

Die Mutter hielt ihren Bauch, sie schaute nicht zum Fernseher.

»Ich versteh's nicht …«, sagte Lili, »ich versteh's nicht«, wiederholte sie, dann drehte sie sich zu mir um.

»Schon als sie schwanger war, hat er sie betrogen!«

Die Mutter fing wieder zu jammern an. Das war zu viel für Lili. Sie ging zu ihr, packte ihr Kinn, drückte grob ihren Mund auf und nahm das Gebiss raus. Eine schroffe Bewegung. Ich hörte das Klappern der Zähne.

Die Mutter sog ihren Mund ein.

Ohne Gebiss war die ganze untere Hälfte des Gesichts nur noch ein Kinn ohne Lippen, an dem ein paar lange Haare wuchsen, die merkwürdig schwarz waren.

»Ich hör sie noch lieber an der Zunge saugen, als Schwachsinn erzählen!«

Die Mutter hatte Recht, es war Théos Zeit, und er war nicht gekommen.

Er war gestürzt, als er den Weg hinaufgegangen war. Ich erfuhr es kurz darauf. Das Gras war nass gewesen, er war ausgerutscht. Der Briefträger hatte ihn gefunden. Er hatte ihm aufgeholfen, so gut er konnte. Théo hatte eine schlimme Wunde am Bein. Der Arzt war gekommen, aber Théo hatte sich geweigert, ins Krankenhaus zu gehen.

»Wer kümmert sich um meine Katzen, wenn ich nicht da bin?«

»Wenn ich Sie im Dorf rumlaufen sehe, lasse ich Ihnen keine Wahl«, hatte der Arzt geantwortet.

Keine Wahl, das hieß Cherbourg.

Und Cherbourg bedeutete für Théo den Tod.

Ich besuchte ihn am darauffolgenden Tag, am späten Nachmittag. Er war ganz allein und saß ziemlich niedergeschlagen am Tisch. Die Krankenschwester war da gewesen. Sie würde jeden Morgen wiederkommen. Der Tisch war voll mit Medikamentenschachteln und einem Fläschchen Äther. Er schob alles weg.

Er wollte nicht von seinem Sturz sprechen, er zeigte mir lieber die Katze, die Tränen wie Klebstoff weinte.

»Haben Sie gesehen, ihre Lider sind sauberer, sie stößt auch nicht mehr überall an wie vorher.«

Er erzählte mir, dass Max ihm Fisch gebracht hatte. Und Brot.

Lili hatte mir in einer luftdicht verschlossenen Dose Essen für ihn mitgegeben. Ich stellte die Dose auf den Tisch. Er sah nach, was drin war, verzog das Gesicht und schob sie angewidert weg.

»Sie sind ungerecht, Théo!«

Er lachte kurz.

»Was wissen Sie denn schon? Glauben Sie etwa, sie macht das für mich?«

Er schüttelte den Kopf.

»Sie will nur nicht, dass man sagt, sie lässt ihren Vater verhungern.«

Er senkte die Augen, um meinem Blick zu entgehen. Dann wurde er ein bisschen rot und trommelte mit den Fingern auf den Tisch. So nervös war er. Es war nervtötend. Mir war nicht klar, ob ihm bewusst war, dass er das tat.

Der Gasthof von Jobourg befand sich ganz oben auf dem Felsen. Allein, etwas gedrungen, überragte er auf seinem riesigen Vorsprung das Meer. Ich sah ihn gern aus der Ferne, ein großer Bär, der auf dem Gipfel lauerte.

Ich war oft hergekommen, bei Kälte, bei Schnee, sogar im Dunkeln. In den ersten Wochen, als ich nicht schlafen konnte. Am Anfang machte ich das. Ich lief. Ich sprach mit dir. Wenn mir danach war, brüllte ich. Das Meer ist keine Wand, es gibt kein Echo zurück. Inzwischen habe ich aufgehört zu brüllen.

Dieser Gasthof war meine Zuflucht, die ich nach Stunden im Wind erreichte. Am Ende säumte eine hübsche Mauer aus flachen Steinen den Weg. Dort war die Erde weich, das Gras kurz. Der Gasthof war ganz nah. Ein Weg führte dahinter weiter zur Pointe des Becquets, zum Bec de l'Âne. Ich hätte nach Süden weitergehen können, es hieß, die Küste bei Biville sei sehr schön. Der Strand. Die Dünen. Ich hätte auch bis Carteret gehen können.

Die Dünen ließen mich kalt.

Ich wollte nicht weitergehen.

Diese Gegend war dir ähnlich. Mich davon abzuwenden, hätte bedeutet, dich nochmal zu verlieren. Ich war wie besessen von deinem Körper gewesen. Ich kannte seine Umrisse, seine Unvollkommenheiten. Ich kannte seine ganze Kraft. Jeden Abend ließ ich dein Gesicht, die Bilder, die ganze Geschichte in einer Endlosschleife vor mir ablaufen. Dein Lächeln. Deine Lippen. Deine Augen. Deine Hände. Deine verfluchten Hände, viel größer als meine. Du hattest gesagt, dass wir uns an einem ungeraden Tag trennen würden. Aus Spaß hattest du das gesagt.

Als hättest du es schon gewusst.

Sie haben dich an einem ungeraden Tag abgeholt. An dich denkend kam ich zum Gasthof.

Es fing an zu regnen, ich wusste, dass ich nass werden würde, einmal mehr.

Die Kellnerin kannte mich. In den Wintermonaten war ich zum ersten Mal dorthin gekommen und hatte meine Fäustlinge auf die Heizung gelegt.

Als ich hereinkam, lächelte sie mir zu. Sie sah, dass ich mit den Zähnen klapperte. Sie servierte mir einen zu starken Schnaps. Ich trank ihn und blickte dabei aufs Meer. Ich bestellte eine Königskrabbe. Ein Riesentier mit rotem Panzer, ich zerbrach die Zangen.

Die Wolken zogen vorbei.

Das Meer war grau.

Die Möwen mussten wegen des starken Windes den Rückzug antreten.

Ich sah Lambert am nächsten Tag wieder, am späten Vormittag, er stand an der Straße vor dem Hof der Bachstelze. Eine Kuh hatte auf einer Wiese gekalbt. Der Vater des Mädchens hatte das Kalb auf eine Schubkarre gelegt und brachte es zum Hof.

Wir trafen uns zufällig dort. Eine Geburt, auch die eines Kalbes, das lockt die Leute vor die Tür. Das zieht die Blicke an.

Eine seltsame Karawane folgte der Kuh, der noch ein dicker, schleimiger Sack zwischen den Beinen hing. Direkt hinter der Kuh fuhr der Vater der Bachstelze das Kalb in seiner Karre, dahinter kam die Bachstelze und am Schluss der Hund. Die Achsen der Karre knarrten. Am Himmel schimpften die Möwen.

»Ziemlich rau, La Hague, was?«

Er sagte das so komisch, dass ich lachen musste.

Wir sahen uns an. Unsere Augen tränten im Wind.

»Und? Ist Ihr Haus verkauft?«, fragte ich ihn.

»Es finden Besichtigungen statt.«

Ich nickte.

Der Sack riss ab. Die Kuh drehte sich nach dem um, was da aus ihr herausgefallen war, ein Haufen Schleim und Blut, der noch dampfte.

Er hatte Recht, La Hague war ziemlich rau. Ich spürte das Lächeln wiederkommen.

Seine Jacke knirschte.

»Die Wunde ist nicht verheilt«, sagte er und zeigte auf meine Wange.

Ich fasste hin.

»Wegen dem Rost dauert es länger.«

Die Kuh verschwand im Stall. Er steckte die Hände in die Taschen und wandte sich dem Meer zu.

»Ich habe Sie auf der Steilküste gesehen. Max sagt, dass Sie hingehen, um Vögel zu zählen. Er sagt auch, dass Sie sich in die Grotten legen, um das Meer anzusehen.«

»Max erzählt zu viel.«

Er machte ein paar Schritte auf der Straße.

»Und was für Vögel zählen Sie?«

»Ich zähle sie alle.«

»Deswegen das Fernglas?«

»Ja.«

»Haben Sie das schon immer gemacht?«

Ich zögerte. Ich war nicht mehr an Fragen gewöhnt. Solche, die man mir stellte, auf die ich antworten musste. Die anderen auch.

»Nein, früher war ich Biologiedozentin in Avignon. Ich habe mit dem Ornithologischen Zentrum von Pont-de-Crau in der Camargue zusammengearbeitet.«

»Ah, ja … In der Camargue gibt es viele Vögel.«

Ich sah ihn an. Seine Art zu sprechen, so unbekümmert.

»Es gibt viele, stimmt.«

»Und dann sind Sie von Avignon nach La Hague gekommen?«

Ich nickte.

Es war niemand mehr auf dem Weg. Die Kuh, der Hund, der Vater, alle waren sie verschwunden. Es folgten ein paar unentschlossene Sekunden, in denen wir auch hätten gehen können, jeder in seine Richtung, unsere Wege hätten sich nur gekreuzt. Zwei Geschöpfe, die nicht füreinander existierten, wären wir dann gewesen.

»Und Rotkehlchen, zählen Sie die auch?«

»Nein, Rotkehlchen nicht.«

»Warum zählen Sie die nicht?«

»Ich kümmere mich nur um Seevögel, um Zugvögel.«

»Also doch nicht alle Vögel ...«

Er lief noch ein paar Schritte, langsame Schritte.

Er wartete auf mich.

»Wissen Sie, warum das Rotkehlchen diesen roten Fleck auf dem Kropf hat?«

Ich hatte keine Ahnung. Ich drehte mich um. Hinter mir lagen das Dorf und die Straße, die es durchquerte.

Vor mir war er.

Ich machte einen Schritt.

Er streckte den Arm zur Sonne. Ich sah seine Hand an, sein kräftiges Handgelenk. Das Lederband, das seine Uhr hielt.

Ich machte noch einen Schritt.

Er sagte nichts mehr, bis ich neben ihm war. Dann sprach er weiter. Wir gingen in Richtung Hafen.

»Die Geschichte stammt aus der Zeit, als die Menschen noch kein Feuer hatten. Ein Vogel hatte die Idee, es der Sonne zu stehlen, er wollte es den Menschen schenken, aber auf dem Rückweg sind seine Flügel in Brand geraten, und so musste er das Feuer an einen anderen Vogel weitergeben. Der andere Vogel war ein Rotkehlchen. Es hat das Feuer an sich genommen, aber auch das Rotkehlchen ist nicht bis zu den Menschen gekommen, da sein Gefieder Feuer gefangen hat ... Der rote Fleck, den sie auf dem Kropf haben, legt noch heute Zeugnis davon ab. Hat man Ihnen das in der Schule nie erzählt?«

»Nein, aber ich habe andere Dinge gelernt. Ich weiß zum

Beispiel, dass im wahren Leben niemand der Sonne das Feuer stiehlt.«

»Und was glauben Sie, was die Menschen unternommen haben, um es zu bekommen?«

Ich sah ihn an. Ich wusste nicht, ob er mir gefiel.

»Sie haben auf Steine geschlagen oder Stöcke gerieben. Wenn sie Glück hatten, konnten sie das Feuer eines Blitzes nutzen.«

Er drehte sich zu mir um.

»Wie lange sind Sie schon in La Hague?«

»Seit September.«

»Wann gehen Sie wieder?«

»Ich weiß es nicht.

»Aber … Sie gehen doch?«

Ich antwortete nicht.

Das machte ihn einen Moment nachdenklich. Wir erreichten den Hafen, die Straße endete hier – etwas Asphalt, der Parkplatz und das Meer. Wir liefen an den Booten entlang.

Ich fragte ihn, ob es im Morvan auch so schön sei wie hier, und er sagte, es sei vielleicht noch schöner.

Dann schaute er lange aufs Meer.

»Woher wissen Sie, dass ich im Morvan lebe?«

Er fragte es mit ruhiger Stimme, und ich merkte, dass ich rot wurde. Er sah mich belustigt an. Ich konnte ihm doch nicht sagen, dass Morgane in seinen Taschen gewühlt hatte. Also stammelte ich etwas.

Dann zeigte er zum Gasthof.

»Gehen wir was trinken?«

Drinnen war Licht, aber der Wirt schenkte nie vor elf Uhr aus, das stand an der Scheibe.

Ich sagte es ihm.

Er ging zur Tür.

»Wir können es doch mal versuchen.«

Der Wirt war da, er saß am Tisch und las Zeitung. Als wir reinkamen, schaute er kurz auf und steckte dann die Nase wieder in seinen Artikel.

Lambert wählte einen Tisch am Fenster. Er zog seine Jacke aus. Ich stand immer noch an der Tür.

Der Wirt rührte sich nicht.

Lambert winkte mich heran, und ich ging zu ihm. Es war warm, gemütlich. Draußen war es windig. Man sah die Boote schaukeln.

Wir sprachen vom Morvan. Er sagte, dort gebe es Schnee, manchmal so viel, dass er das Gefühl habe begraben zu werden. Das gefiel ihm. Es gefiel ihm auch, Zug zu fahren, egal wohin, sich auf Bahnhöfen rumzutreiben und den Menschen beim Leben zuzusehen.

Ich sagte ihm, dass ich mein Zimmer grün streichen würde, und holte die Karte raus.

»Das ist ein besonderes Grün … Das Hopper-Grün.«

Wir sprachen weiter über Schnee. Und dann von Paris. Er war noch nie im Louvre gewesen, er sagte, Museen würden ihn langweilen.

Wir schauten raus. Es war ein nebliger Tag. Fischer hatten ihre Angeln ausgeworfen.

»Ich habe Sie gesehen, als Sie dort rumgelaufen sind«, sagte ich.

Er nickte. Gerade wollte er noch etwas sagen, da ließ der Wirt die Hand auf die Zeitung fallen.

»Diese gottverdammten Araber, das ist doch unglaublich!«

Er ließ die Zeitung aufgeschlagen auf dem Tisch liegen und kam zu uns.

»Was wollt ihr haben?«

»Wein ... Krabben, Brot, Butter ... Guten Wein«, betonte Lambert, und der Wirt konterte: »Was anderes gibt es hier nicht.«

Er brachte uns die Gläser, die Krabben, das Brot, alles, was Lambert bestellt hatte, stellte er auf den Tisch.

Dann kehrte er zu seinem Artikel zurück.

Lambert füllte die Gläser.

Wir tranken.

Wir pulten Krabben. Sie waren frisch, am Morgen gefangen, festes Fleisch. Wir schälten sie. Ich biss in die erste. Ein kräftiger Jodgeschmack erfüllte meinen Mund.

Wir sahen uns an. Wir sagten nichts. Wir aßen Butter und Brot dazu.

Und den Wein hinterher.

»Es ist wirklich einsam hier«, sagte er.

»Weil heute nicht Sonntag ist. Sonntags ist es hier belebt. Die Leute kommen aus Paris, um das Meer zu sehen.«

»Dann muss ich mal sonntags hierher ... Welcher Tag ist heute?«

Ich schüttelte den Kopf. Ich wusste es nicht. Wir aßen weiter unsere Krabben.

»Gestern war das Meer heller«, sagte ich.

Es war blöd, das zu sagen.

Ich sagte manchmal so sinnlose Sätze. Als ich dich zum ersten Mal getroffen habe, standen wir auf einem Platz. Ich musste los, hatte vier Stunden im Auto vor mir und war ein bisschen unruhig. Na los, umarmen wir uns!, habe ich zu dir gesagt. Am ersten Parkplatz hielt ich an und überzeugte mich, dass ich deine Adresse in der Tasche hatte. Am Abend habe ich dir geschrieben.

»Das liegt am Nebel«, erklärte ich, »da sieht man die Oberfläche nicht mehr.«

Lambert sah mich an. In ihm schlummerte eine brutale Zärtlichkeit, eine ungelenke Verführungskraft. Seine Bewegungen waren langsam. Seine Augen grau. Als ich sie zum ersten Mal gesehen hatte, dachte ich, sie wären blau.

»Man spricht über Sie im Hafen.«

»Der Hafen ist nicht gerade groß.«

Ein Tropfen Wein glitt an seinem Glas hinunter und hinterließ einen Fleck auf dem Tischtuch.

»Abends esse ich immer dort, an dem kleinen Tisch neben den Hummern.«

Er drehte sich um und sah den Tisch an.

»Könnte ich mal mit Ihnen Vögel zählen gehen?«

»Warum? Bleiben Sie noch länger hier?«

Er sagte, er würde bald wegfahren, aber zwischen »bald« und »jetzt« sei noch etwas Raum. Und er würde diesen Raum gern nutzen, um die Vögel zu sehen.

Die Steilküste, das waren meine Wege der Einsamkeit. Ich konnte nicht mehr zu zweit gehen.

Auf dem Fensterbrett lag ein vergessener Korken. Lambert nahm ihn in die Hand und ließ ihn im Licht kreisen.

»Wissen Sie, was ich hier mal gesehen habe? … Kinder hatten einen Fisch gefangen und haben ihm Korken wie diesen in den Rücken gesteckt. Dann haben sie ihn ins Wasser gesetzt. Der Fisch konnte nicht mehr tauchen. Das fanden sie lustig.«

Er war wütend, auch noch nach so langer Zeit, als wären die

Kinder da, hinter dem Fenster, und machten ihre Dummheiten zwischen den Felsen.

»Man müsste zwischen den Erinnerungen auswählen können, finden Sie nicht? Auswählen und nur das Beste aufheben …«

Er legte den Korken hin.

Ich sah ihn an.

»Sind Sie deshalb hier? Um das Beste wiederzufinden?«

Er lächelte.

Er füllte die Gläser.

»Vielleicht, ja.«

Ich trank gern diesen Wein mit ihm. Wir sprachen noch über seine Ferien hier und auch vom Süden.

Irgendwann drehten wir den Kopf, weil Nan plötzlich draußen vor dem Fenster stand und uns ansah. Ihr Haar hatte sie zu einem langen, dicken Zopf geflochten. Sie blieb eine Minute dort stehen, vielleicht auch zwei. Sie starrte Lambert an – sehr lange.

Dann verschwand sie.

Er schälte weiter seine Krabben. Einige hatten Eier, rosa Päckchen, die unter dem Bauch klebten.

»Ich hatte einen kleinen Bruder … Aber das wissen Sie bestimmt, nicht wahr? Sie haben doch sein Foto gesehen? Das Medaillon auf dem Friedhof … Er hieß Paul.«

Er schüttelte den Kopf.

»Dieses gottverdammte Meer hat ihn behalten.«

Er steckte eine Krabbe in den Mund.

»Einen Tag vor dem Unglück waren wir nach Cherbourg gefahren, meine Mutter hatte uns Regensachen gekauft. Ich weiß noch, dass sie für Paul auch ein Poloshirt mit Booten drauf besorgt hat. Mit Segelbooten. Als wir nach Hause kamen, wollte mein Vater uns mit unseren neuen Sachen fotografieren, er hat

Paul vor das Fenster gestellt. Am nächsten Tag sind sie mit dem Segelboot nach Aurigny gefahren. Ich bin hiergeblieben. Ich war fünfzehn, ich brauchte Freiraum … Als ich den Film entwickeln ließ, waren sie alle tot.«

Er sah mich an.

»Sie essen ja gar nichts …«

Ich pickte mir eine Krabbe raus, löste den Kopf vom Schwanz. Der rosa Panzer ringsum, wie eine dickere Haut.

Er trank einen Schluck Wein.

»Es war das erste Mal, dass sie mich ganz allein gelassen haben. Ich habe mich lange gefragt, ob ich Glück hatte oder nicht … Letztendlich glaube ich, dass es Glück war.«

Er schaute von seiner Krabbe auf.

»Angeblich wirft man sie lebendig in kochendes Wasser …«

Seine Stimme war wie La Hague, sie hatte die gleiche Kraft, auch die Gleichgültigkeit. Ich sagte es ihm:

»Ihre Stimme ist wie La Hague«, und er nickte, als würde er es verstehen.

Wir aßen eine Weile weiter, ohne miteinander zu sprechen.

»Und, was erzählt man sich über mich im Hafen?«

»Dass Ihre Eltern im Meer umgekommen sind … Zwischen hier und Aurigny.«

»Näher an Aurigny. Erzählt man sich noch was?«

»Man beobachtet, wie Sie hier rumlaufen …«

Er erhob das Glas, als wollte er alle grüßen, die über ihn sprachen.

Draußen war es schön. Der Wind hatte es geschafft, die Wolkendecke aufzureißen, er trocknete schon die Straße.

»Es war nicht Lili, die Ihre Blumen genommen hat.«

»Das ist mir egal.«

Ich drehte mein Glas zwischen den Händen. Ich dachte an das Gespräch, das er mit Lili geführt hatte, an diesen spannungsvollen Moment, als er andeutete, Théo sei für den Untergang des Bootes verantwortlich.

»Neulich, bei Lili, Ihr Streit …«

»Wir haben uns nicht gestritten.«

Ich trank einen Schluck Wein. Ich behielt das Glas in der Hand, die kalte Fläche an meinen Lippen.

»War Théo in jener Nacht im Leuchtturm?«

»Ja.«

»Sie haben gesagt, er hätte den Scheinwerfer ausgestellt … Glauben Sie, dass er für den Tod Ihrer Eltern verantwortlich ist?«

Er lächelte seltsam.

»Das ist hübsch gesagt …«

Er starrte auf sein Glas. Auf die fast leere Flasche.

»Und Sie? Sind Sie mit Théo befreundet?«

»Ja.«

Er stellte sein Glas neben meins. Er ließ sie sich berühren. Und dann leicht gegeneinanderschlagen. Schließlich sah er mich an.

»Théo hat den Scheinwerfer ausgemacht. Ich weiß nicht warum, aber ich weiß, dass er es getan hat.«

»Sind Sie deshalb zurückgekommen?«

»Nein … Ich bin gekommen, um das Haus zu verkaufen und das Zeug zu entsorgen, das noch drin ist … Aber seit ich da bin … Théo hat den Scheinwerfer ausgemacht, und ich will, dass er mir sagt weshalb.«

Ich schüttelte den Kopf. »Er kannte doch die Gefahr, die damit verbunden war. Warum sollte er das getan haben?«

»Er hat es getan.«

Er legte die Hände aneinander.

»Ihr Tod ist wie ein Film, den man mittendrin angehalten hat. Ich warte immer noch auf die Fortsetzung. Vierzig Jahre sind eine lange Zeit.«

»Théo ist alt …«

»Das ist keine Entschuldigung.«

Wir hatten keine Krabben mehr. Keinen Wein. Wir verließen den Gasthof.

Nan war draußen, sie lief an der Mole entlang. Insekten summten über den Sand, oder das Summen war in meinem Kopf … Der ganze Wein …

Tausende Flöhe auf braunen Algen.

Er holte seine Zigaretten aus der Tasche. Am Ufer rannte ein blondes Kind, um die Silbermöwen auffliegen zu lassen.

Er folgte ihm mit den Augen, während er seine Zigarette anzündete. Wen sah er in diesem Kind? Sich oder die Erinnerung an seinen verschollenen Bruder?

Monsieur Anselme hatte mir erzählt, dass seine Mutter sehr schön gewesen war. Auf dem Medaillon am Grab konnte man den Schatten seines Vaters erkennen, der sich auf dem Kiesweg abzeichnete.

Nan war ganz am Ende der Mole stehen geblieben, das Gesicht dem Meer zugewandt. Irgendwann drehte sie sich um. Sie war weit weg. Lambert sagte nichts. Er sagte nichts über diesen Blick. Er rauchte seine Zigarette bis zum Filter und drückte sie dann aus.

Wir gingen weiter. Im Wasser schabten die Steine aneinander. Das Geräusch stieg aus dem Innern des Meeres auf, ein leises Grollen. Die Möwen suchten in den Zwischenräumen nach Krabben. An diesem Küstenabschnitt bildeten die Felsen eine kleine Halbinsel, auf der die Seeschwalben rasteten. Die Halbinsel hatte die Form eines Nestes. Bei Flut war sie überschwemmt.

Lambert lief zum Strand hinunter. Er kletterte zwischen den Felsen entlang. Auf dem Sand blieben kleine Wellenabdrücke zurück, in denen noch etwas Wasser floss. Er beugte sich hinunter und legte die Hand auf den Sand. Über ihm trotzten zwei

große Silbermöwen stolz dem Meer. Von den Windböen gepackt, berührten sie die Wellenkämme und stießen lange schril-
le Schreie aus.

Er richtete sich auf und sah aufs Meer hinaus. Haben alle
Menschen, die warten, die gleichen Obsessionen?

Ich machte kehrt.

Vor dem Gasthof drehte ich mich noch einmal um. Nan war
zu ihm gelaufen und umkreiste ihn nun. Sie wirkte sehr aufgeregt.

Er war stark, er hätte sie wegjagen können. Doch er ging mit
langsamen Schritten am Strand entlang, und Nan folgte ihm.
Ab und zu blieb er stehen. Ich weiß nicht, ob er das tat, um auf
sie zu warten.

Mehrmals sah er aufs Meer hinaus, aufs eisige Wasser des Raz
Blanchard, als hätte ihn die Nähe zu seinem verschwundenen
Bruder dieser alten Verrückten näher gebracht.

Die Bachstelze sah mich kommen, ihre kleine Kinderhand flach an die Scheibe gedrückt. Ich hatte lange geglaubt, Lili sei ihre Tante oder ihre Großmutter, aber Lili war die Tante von niemandem, und sie hatte keine Kinder.

Ich ging rein. Die Kleine zog ein Heft aus ihrer Schultasche und legte es ordentlich vor sich hin. Sie zeigte mir auf dem Etikett ihren richtigen Namen, mit roter Tinte geschrieben: Ila. Sie schlug das Heft auf, steckte die Hand in die Tasche und holte eine Handvoll Stifte heraus. Sie suchte sich einen aus und fing an, ihre Striche zu ziehen. Striche und Kreise. Ganze Linien voll. Den Kopf leicht zur Schulter geneigt.

Ihre Stifte rochen nach Holz.

»Deine Stifte gehören in eine Federtasche ... So brechen die Minen ab.«

In der Stille hörte ich die Mine über das Papier gleiten. Ihren Atem, das Reiben ihrer Schuhe auf dem Parkett, weil sie mit den Beinen schaukelte. Ihre Füße reichten nicht bis zum Boden. Nur die Spitzen.

»Kreise und Striche sind nicht genug ... Du musst lernen zu schreiben.«

Sie konnte es nicht.

Ich schrieb ihr etwas auf.

Ihre weit aufgerissenen Augen verfolgten die Bewegungen meines Stiftes. Ich las es ihr vor: *Ilas Hund heißt Petite Douce.*

Sie nickte.

Sie sah mich an. Manchmal, wenn sie schrieb, streichelte sie ihr Mal am Mund.

Unter dem geschriebenen Satz zog sie weiter ihre Striche und malte Kreise. Ich sah sie an. Ähnelte sie dem Kind, das ich nicht von dir haben werde, das du mir niemals machen wirst? Ich hatte dich darum gebeten, ein Kind, ehe du gehst … Du wolltest nicht. Du hast mir sanft erklärt, warum es nicht sein sollte. Ich habe nichts davon behalten.

Ich drückte die Bachstelze an mich. Ich legte meinen Arm um sie.

»Soll ich dir erzählen, warum das Rotkehlchen einen Fleck am Hals hat?«

Sie nickte.

Ich erzählte es ihr.

Am Ende hob sie den Kopf. Sie wollte wissen, wer es geschafft hatte, das Feuer zu den Menschen zu bringen.

Ich zuckte mit den Schultern.

Ich wusste es nicht.

Der nächste Tag war ein Sonnabend. Lambert kam mittags. Lili war gerade dabei, ein Papiertischtuch vor mir auszubreiten.

Er begrüßte mich.

Als ich die drei Teller auf dem Tisch mit den Katalogen sah, begriff ich, dass sie zusammen essen würden. Die Mutter kam mit ihrer Gehhilfe. Lili sagte, sie habe eine Uhr im Bauch.

Sie hatte Muscheln mit Reis gemacht. Sie brachte mir einen ganzen Topf voll. Ich zog die Zeitung zu mir.

Sie setzten sich alle drei hin. Ich hörte, wie er fragte, ob Théo und die Mutter immer noch verheiratet seien. Er hatte wohl den Ring an ihrem Finger gesehen, den alten, glanzlosen Ring, tief ins Fleisch gedrückt.

»Scheidung ist was für die Leute in der Stadt«, antwortete Lili.

Sie füllte die Teller. Den Reis tat sie in eine kleine Schüssel. Die Tabletten der Mutter, ein kleines Häufchen neben dem Glas. Das Glas war mit Wasser gefüllt.

»Der Ehering ist Teil ihres Körpers. Wenn man ihr nicht den Finger abschneidet, wird sie damit begraben.«

Lambert nickte.

Als die Mutter die Muscheln sah, steckte sie die Finger in die

Schalen und kratzte sie mit dem Zahnfleisch ab. Sie warf die Schalen wieder in die Schüssel. Wenn sie die Schüssel verfehlte, fielen die Schalen auf den Boden. Dann klackte es leise.

»Muscheln sind ihr Lieblingsessen. Das und eingeweichte Löffelbiskuits!«

Lili war noch an der Theke beschäftigt.

»Sie ist recht pflegeleicht. Solange ich kann, behalte ich sie bei mir. Du kannst mit ihr sprechen. Erzähl ihr, wer du bist.«

»Wer ich bin?«

»Na klar, wer du bist!«

»Ich kann nicht.«

»Du kannst nicht?«

»Nein.«

Lili zuckte die Schultern. Sie warf mir einen Blick zu, um zu sehen, ob alles in Ordnung war.

Dann setzte sie sich endlich hin. Ihn sah ich von hinten. Leicht gebeugt. Ich hatte nicht erwartet, ihn dort wiederzusehen.

Im Dorf, am Hafen, im Bistro sprachen die Leute über ihn. Ohne seinen Namen zu nennen. Mit den Augen. Oder mit leiser Stimme. Man munkelte.

Niemand entgeht dem Gemunkel.

»Deine Mutter hat uns immer Kuchen gebacken … Hefezöpfe mit Zucker glaciert, das war superlecker. Wir haben sie dann auf den Felsen gegessen und nicht gewartet, bis sie abgekühlt waren. Erinnerst du dich? Wir haben Blähbäuche davon bekommen.«

»Wir sind auch oft am Strand entlanggerannt und haben Krabben gefangen. Einmal sind wir sogar aufs Dach gestiegen und haben aufs Meer gesehen.«

Sie sprachen von ihrer Kindheit. Lili sagte: »Du hättest Bescheid sagen können …«

»Was Bescheid sagen?«

»Dass du zurückkommst.«

Er schüttelte den Kopf.

»Warst du in Aurigny?«, fragte sie.

»Nein.«

»Fährst du noch hin?«

»Keine Ahnung ... Vielleicht.«

»Wenn du dich entscheidest, ich kenne einen Jungen, der ein Boot hat, er kann dich rüberfahren.«

Ich aß meine Muscheln und las die Zeitung. Gleichzeitig hörte ich ihnen zu.

»Was hast du die ganze Zeit gemacht?«

»Nichts. Ich wohne im Morvan. Meine Großeltern kamen von dort, sie haben mich wieder aufgepäppelt.«

»Ist es schön im Morvan?«

»Es ist schön, ja, ein bisschen wie hier, mit Wiesen, Kühen, kleinen stillen Straßen.«

»Nur dass du dort kein Meer hast!«

Darüber musste er lachen.

»Nein, wir haben kein Meer ... Wir haben auch keinen Atommeiler«, sagte er und spielte auf die Cogema an.

Lili zuckte die Schultern.

Sie holte einen Waschhandschuh aus der Küche und rieb die Hände ihrer Mutter ab.

»Und was machst du jetzt?«

»Nichts.«

»Nichts mehr?«

»Nein, nichts mehr.«

Lili blickte zu mir herüber, und als sie sah, dass ich fertig war, legte sie den Handschuh hin.

Sie brachte mir ein Stück Erdbeertarte.

Die Mutter bekam ihre Löffelbiskuits.

»Warum gibst du ihr keine?«, fragte er.

»Erdbeeren? Davon bekommt sie Flecken, willst du, dass sie krepiert?«

»Man krepiert nicht von einem Ausschlag.«

»Man krepiert, woran man krepiert«, sagte Lili und sammelte die Teller ein.

Der Fernseher war an, ohne Ton, gerade lief eine Mittagsshow.

»In all den Jahren dachte ich, ich würde dich wiedersehen. Warum bist du nie zurückgekommen?«

»Ich bin zurückgekommen.«

»Ja, am Anfang ... Und dann?«

»Dann konnte ich nicht.«

»Und jetzt kannst du auf einmal?«

»Ja.«

Er zögerte, ehe er fortfuhr.

»Als mein Vater gestorben ist, war er vierzig. Ich bin älter geworden als er. Auch deswegen bin ich wiedergekommen.«

»Weil du älter geworden bist als er?«

Er nickte.

Lili schnitt ihm ein Stück Tarte ab und schob es auf einen Teller.

»Ich erinnere mich an ihn, er war groß.«

»Er war nicht besonders groß.«

»Ich fand ihn groß.«

Lambert sah sie an.

»Erinnerst du dich, wie er das Igelnest hinter der Mauer gefunden hat? Er hat uns gerufen, und wir mussten ihm versprechen, nichts anzufassen. Wir haben es ihm in die Hand versprochen, im Garten. Weißt du noch, ob meine Mutter dabei war?«

»Das weiß ich nicht mehr.«

»Die Igel sind gestorben. Mein Vater hat uns Crêpes gemacht, um uns zu trösten. Das war das letzte Jahr.«

Ihre Blicke trafen sich.

»Ich red nicht gern über die Vergangenheit«, sagte sie.

»Und mein Bruder, erinnerst du dich an ihn?«

Lili nahm ihr Glas.

»Nein, er war zu klein, man sah ihn nie.«

»Bei den Igeln, war er da dabei?«

»Keine Ahnung ...«

Ihre Stimme hing sekundenlang im Raum.

»Wahrscheinlich, doch ...«, fügte sie hinzu.

Sie strich sich mit der Hand übers Gesicht und sagte dann:

»Dein Bruder war noch klein, deine Mutter behielt ihn oft drinnen.«

Sie schüttelte den Kopf.

»Das ist alles längst vorbei ... Iss lieber!«

Er konnte nichts essen.

Er legte die Gabel auf den Teller, das Messer darüber und schob den Teller in die Mitte des Tisches.

»Dein Vater hatte in der Nacht im Leuchtturm Wache.«

Lili richtete sich auf.

»Bist du deshalb zurückgekommen? Um diese alte Geschichte wieder aufzurollen?«

Sie hatte laut gesprochen. Sie sah nach ihrer Mutter, aber die Alte starrte auf den Bildschirm und saugte an ihren Biskuits, sie achtete nicht auf sie.

»Wir waren fünfzehn, Lambert ...«

»Na und?«

»Ich weiß, was du denkst! Die Polizei hat ermittelt, sie waren bei meinem Vater ... Der Leuchtturm war in der Nacht nicht aus. Das steht schwarz auf weiß am Ende der Akte. Was willst du noch?«

»Manchmal passieren Ermittlungsfehler ...«

»Nicht bei diesem Mal. Außerdem war mein Vater nicht allein

im Leuchtturm, der Mann, der mit ihm Dienst hatte, hat ausgesagt, dass in der Nacht nichts Außergewöhnliches passiert ist.«

»Er hatte keine Schicht. Als das Boot unterging, schlief er.«

Lili regte sich auf.

»Es ist vielleicht schwer zu verdauen, aber es war ein Unfall, ein Unfall auf See, das passiert öfter.«

Er stand auf.

»Wohin gehst du?«, fragte sie. »Was ist mit dem Kuchen? Dem Kaffee? Willst du keinen Kaffee?«

»Nein …«

Er schob seinen Stuhl zum Tisch.

»Bei einem Unfall geht das Licht am Leuchtturm nicht aus.«

Lili schlug mit der Hand auf den Tisch.

»Es ist nicht ausgegangen!«

Bei dem Knall zuckte die Alte zusammen und fing an zu jammern.

Lili schimpfte.

»Sogar samstags findet sich immer jemand, der mir meinen Feierabend verdirbt.«

»Entschuldige …«

»Von wegen!«

Er nahm seine Jacke vom Haken.

»Ich gehe.«

»Sehr gut, geh!«

Er wandte sich von ihr ab.

Er kam an meinem Tisch vorbei. Seine Hand. Der Ärmel seiner Jacke.

Seine Finger streiften das Tischtuch.

»Sind sie gut?«, fragte er und zeigte auf die Erdbeeren.

Ich nickte.

»Umso besser.«

Weiter fragte er nichts. Er ging.

Théo zog vorsichtig die Tür zu und legte den Schlüssel hinter den Geranientopf. Er blieb stehen, die Hand auf dem Geländer.

Von der Mole sah ich ihn mit meinem Fernglas, als stünde ich neben ihm. Hatte er wirklich den Scheinwerfer ausgemacht? Das konnte ich mir nicht vorstellen. Er kannte die Gefahren des Meeres, und er liebte die Schiffe.

Er lief über den Hof und schlug dann den Weg in Richtung La Roche ein. Er besuchte Nan. Seit einiger Zeit ging es ihr nicht gut, sie lief mit gesenktem Kopf herum, sprach mit sich selbst. Man sah sie öfter als üblich am Strand auf- und abgehen, auch wenn kein Sturm war. Manchmal traf ich sie zwei-, dreimal am Tag. Ich grüßte sie, aber sie antwortete mir nicht. Sie ging schnell, geschäftig, als müsste sie jemanden treffen oder eine wichtige Aufgabe erfüllen. Sie landete immer am Meer. Mit dem Saum ihres Kleides im Wasser. Hatte Lamberts Anwesenheit sie so verwirrt, sein Gesicht, in dem sie einen der Ihren zu erkennen meinte? Ich hätte gern gewusst, wer dieser Michel war, auf dessen Anwesenheit sie so nachdrücklich bestand.

Théo lief auf seinen Stock gestützt, mit gebeugtem Rücken. Ich sah ihm nach. Als er die ersten Häuser von La Roche erreichte, verlor ich ihn aus den Augen.

Früher war ich Bettlern auf der Straße gefolgt, den Ärmsten. Ich wollte nicht wissen, wohin sie gingen. Ich wollte ihnen nur folgen. Ihren Schritten. Ihren Schatten. Sie hatten nichts. Sie froren. Ich fotografierte sie. Das tat ich über ein Jahr lang. Im Dezember schneite es. Ich schoss weiter Fotos, immer von hinten, ihre grauen Mäntel, die Schritte im Schnee.

Ich fotografierte sie, wenn sie auf Pappkartons schliefen. Rücken, die ebenso viel erzählen wie Gesichter.

In manchen Nächten hatte mich der bloße Kontakt des Lakens mit meiner Haut verbrannt. Ich musste aufstehen und mit nackten Füßen auf dem Boden stehen bleiben. Wenn das nicht half, öffnete ich das Fenster. Erst wenn meine Zähne klapperten und meine Lippen blau waren, konnte ich mich wieder hinlegen und schlafen.

Geblümte Vorhänge hingen an einer Plastikstange an meinem Fenster. Als ich hier ankam, flatterten sie im Wind, weil eine Scheibe kaputt war. Auf dem Parkett war ein großer nasser Fleck gewesen. In den ersten Tagen hatte ich ein Stück Pappe an die Scheibe geklebt. Wenn sie nass geworden war, erneuerte ich sie. Schließlich kam jemand und wechselte die Scheibe aus.

Der dunkle Fleck auf dem Holz blieb. Manchmal, wenn die Sonne etwas stärker schien, verschwand er. Aber er kam immer wieder.

Das Morgenlicht schien aus dem Meer aufzusteigen. Durch das Fenster sah ich die Dächer des Dorfes auf dem Hügel. Rechts die gelben Lichter der wenigen Häuser von La Roche.

War Théo noch bei Nan? Hatte er die Nacht bei ihr verbracht? Die Mutter erwartete ihn mit ihrer Greisinnenliebe, die ihr immer noch die Augen feucht werden ließ. Ihre Tasche auf dem Schoß. Ein Körper, der nicht vergaß; deshalb klammerte sie sich an die Tasche. Was war zwischen Nan und Théo vorgefallen? Hatten sie sich geliebt? Und wie sehr?

Ich setzte mich auf den Boden, die Knie angezogen, den Rücken an die Heizung gelehnt. Bald ein Jahr. Wie die Zeit verging. Sie hatte an dir genagt. Ich ertrug meine Haut nicht mehr. Meine Haut ohne deine Hände. Meinen Körper ohne dein Gewicht. Ich rollte meinen Pullover zu einer Kugel vor dem Bauch zusammen, den Rücken an den glühenden Rippen der Heizung. Ich spürte den Abdruck. Rippen wie Stangen. Die Stangen deines Betts, damit du nicht herausfielst.

Ich fühlte das Mal auf meiner Wange, die rote Schwellung, die allmählich nachließ. Diese Leere in mir, die mich schwitzen und stöhnen ließ.

Und ich schwitzte.

Ich stöhnte und kratzte mit den Nägeln an der Wand. Ich leckte das Salz, um deiner Haut näher zu sein.

An jenem Morgen wünschte ich mir, dass dich die Zeit noch weiter forttragen würde. Dich vernichten würde. Auch dein Gesicht. Ich stieß einen langen stummen Schrei aus, gemischt mit Tränen, die Zähne in den Arm gebohrt.

Du hast mich schwören lassen, niemals zu sprechen. Niemals über dich zu schreiben, über dein Bett, diesen Ort … Den Geruch der Mauern, den Blick aus deinem Fenster.

Der letzte Besuch, das Fehlen der Sonne. Weil dir das Licht zu sehr wehtat.

Deshalb war der Vorhang kaum zurückgezogen, eine kleine Ecke grauer Himmel durch das Oberfenster.

Lili zeigte auf den Proviantbeutel.

»Kannst du den bei ihm abgeben, wenn du vorbeigehst?«

Sie sagte nicht »bei Théo«. Sie sagte nicht »bei meinem Vater«. Sie sagte »bei ihm«.

Daraufhin schwieg sie. Sie legte ein Apothekentütchen in den Beutel. Es kam aus Beaumont. Ein Rezept lag dabei.

»Sag ihm, dass der Arzt Montag am späten Vormittag vorbeikommt. Er soll sich waschen.«

Sie sah mich hart an.

»Was ist los?«

»Nichts …«

»Ich kenne dich. Dein Blick … Er bedeutet etwas!«

Ich schüttelte den Kopf.

»Das kann ich ihm nicht sagen … dass er sich waschen soll.«

Sie zuckte die Schultern und verschloss mit finsterem Gesicht den Beutel.

»Sag ihm, was du willst«, sagte sie und legte den Beutel auf den Tresen.

»Ich mag deinen Vater gern …«, stieß ich in einem Atemzug hervor.

Sie erstarrte.

»Du magst ihn gern?«

»Ja.«

Ich sah, wie sie zusammenzuckte und mich anblickte, als wollte sie loslachen.

»Du magst ihn gern …«, wiederholte sie. »Willst du ihn haben?«

»Das habe ich nicht gesagt.«

»Wenn du ihn willst, ich gebe ihn dir. Sagen wir, ab jetzt, ab jetzt gehört er dir!«

Sie drückte mir den Beutel in die Hand, wie sie Lambert die Blumen an den Pullover gedrückt hatte. Die gleiche Bewegung. Die gleiche Heftigkeit.

»Das wollte ich nicht sagen.«

»Dann sag's nicht. Sag nichts. Nimm den Beutel und bring ihn zu ihm.«

Ich ging hinaus.

Lambert war im Garten. Er hatte die Hemdsärmel bis zu den Ellbogen aufgekrempelt und riss das Gestrüpp an der Hauswand aus. Die Fenster standen offen. Das Schild *Zu verkaufen* hing immer noch am Zaun.

Ich lief den Weg hinunter nach La Roche, ein kräftiger Geruch nach Meer lag in der Luft. Gischt flog mir ins Gesicht. Meine Lippen waren abwechselnd nass und brennend heiß. Hier legt der Wind das Begehren bloß. La Hague ist eine Sache der Sinne.

Ich blieb stehen.

Konnte ich dich lieben, wenn ich dich nicht mehr berührte? Der Gedanke überfiel mich.

Konnte ich dich noch lieben?

Es hatte mich erwischt.

Mit dir hatte ich den Abgrund berührt. Und jetzt … Der Schmerz ließ nach und hatte angefangen, seine Kehrseite zu offenbaren.

Als ich bei Théo ankam, sah ich die Katzen im Hof. Wie viele hatte er? Wenn ich ihm die Frage stellte, antwortete er stets: »Zwanzig, dreißig, die einen kommen zur Welt, die anderen sterben ...«

Théo wusste nicht mehr, wie alt er war. Er sagte, er sei alt. Und im Dorf nannte man ihn *den Alten*. Er wusste, dass man den Kindern beibrachte, sich vor ihm zu hüten. Vor ihm Angst zu haben. Wenn er durchs Dorf lief, flogen Steinchen gegen seinen Rücken. Früher hatte er sich umgedreht, seinen Stock geschwenkt. Inzwischen war es ihm gleichgültig, er sagte, die Steinchen würden ihn nicht mehr berühren.

Ich klopfte ans Fenster und versuchte hineinzusehen, aber es war zu dunkel. Die graue Katze lag ausgestreckt auf dem Fensterbrett. Aus ihrem geschlossenen Mund ragte ein Zahn, der etwas länger war als die anderen.

Auf dem Tisch schliefen zwei weitere Katzen. Eine Schüssel. Brot.

Ich klopfte noch einmal.

»Sind Sie da?«

Schließlich ging ich hinein.

Théo schlief in seinem Sessel, die Mütze über den Kopf gezogen. Die Hand lag noch auf dem knotigen Holz seines Stocks, als hätte ihn der Schlaf dort überrascht, vor dem eingeschalteten Fernseher.

Das weiße Kätzchen schmiegte sich an ihn. Die Pfoten ordentlich übereinandergelegt, schlief es ganz entspannt.

Wie er so dasaß, erinnerte das Zimmer im Halbdunkel an ein Gemälde von Rembrandt – *Der Philosoph*. Lange hatte an der Wand meines Studentenzimmers eine Reproduktion dieses Bildes gehangen.

Ich legte den Proviantbeutel auf den Tisch. Hinter mir befand sich ein steinernes Spülbecken, die Kacheln waren vom

Kalkstein geschwärzt. Ein Topfdeckel stand in einem Plastik-Geschirrtrockner und ein Teller im Becken.

»Ich habe Brot mitgebracht«, sagte ich.

Théo öffnete die Augen. Er brummte. Ich zeigte ihm das Essen und die Medikamente.

Er warf einen Blick darauf. Seine kleinen Augen hinter den Brillengläsern waren die gleichen Augen wie die von Lili.

»Der Arzt kommt am Montag.«

Er zuckte die Schultern und richtete sich auf.

»Was können die Ärzte schon gegen das Alter ausrichten?«

In La Hague gleichen sich die Alten und die Bäume, sie sind ebenso knorrig und schweigsam. Vom Wind geformt. Manchmal kann man bei einer Gestalt in der Ferne nicht sagen, ob es ein Mensch ist oder etwas anderes.

Er streichelte den Kopf der kleinen Katze. Er sagte, sie sei empfindlicher als die anderen, man müsse sie mehr lieben.

Hatte er Nan aus demselben Grund geliebt? Weil er spürte, dass sie empfindlicher war?

Er sah mich an, als würde er meine Gedanken erraten, und legte seine Brille auf den Tisch. Die Gläser waren schmutzig, hatten Fingerabdrücke, im Licht sahen sie fettig aus.

»Ich habe zwölf Regenpfeiferpaare gezählt, dort, wo Sie mir gesagt hatten.«

Er hob den Kopf.

»Zählen genügt nicht.«

Mein Blick glitt über den Tisch, über all das, was ihn bedeckte, Teller, Zeitungen, Medikamente …

»Der Regenpfeifer ist ein sehr intelligenter Vogel, man muss ihn lange beobachten, um ihn zu verstehen. Wenn man sein Nest bedroht, fliegt er mit hängendem Flügel auf, als sei er verletzt, und lässt sich auf den Strand niederfallen. Er schleppt sich dahin, kleine, hilflose Hopser, das macht er, damit er zur Zielscheibe wird.«

Seine Hände waren abgenutzt, rau von der Kälte, dem Salzwasser, den Einschnitten der Taue.

»Diese ganze Komödie ... Das ist ein seltenes und sehr bewundernswertes Verhalten bei Vögeln.«

Eine kurze Regung ging über sein Gesicht.

Ich sah aus dem Fenster.

Draußen rissen die Wolken auf und ließen ein paar Sonnenstrahlen hindurch. Über dem Meer hatte der Himmel dieselbe graue Farbe angenommen wie das Wasser, als hätte sich eins ins andere ergossen, bis dieser düstere Ton herauskam.

»Vögel zu zählen kann nicht Ihr Leben sein, oder? Erst recht nicht bei diesem Wind.«

»Sie haben es doch auch gemacht!«

Er lächelte, als wollte er sagen, das sei nicht dasselbe. Er streichelte immer noch das weiße Kätzchen.

»Es trinkt nie mit den anderen. Wenn es Durst hat, maunzt es, und dann muss man ihm den Hahn aufdrehen.«

Das Kätzchen öffnete die Augen.

»Eine Hündin, die keine Jungen hatte, hat es der Mutter gestohlen. Die Hündin hat es im Maul herumgetragen und versorgt.«

Er liebkoste das Kätzchen mit der flachen Hand.

»Erst wollte ich das Kleine der Mutter zurückgeben, aber sie hatte noch sieben andere Junge. Und die Hündin hatte keins.«

Ich fragte ihn, ob das die Sache gerechter machte, und sah, dass ihn meine Frage verwirrte. Er errötete leicht.

Er antwortete nicht. Es war das erste Mal, dass zwischen uns so ein eigenartiges Schweigen entstand.

Er legte seine Hände nebeneinander.

»Dieser Typ, der sich hier herumtreibt, ist das der Sohn der Peracks?«

Er sah mich an.

»Was macht er hier?«

»Ich habe keine Ahnung. Er will sein Haus verkaufen.«

»Was wissen Sie noch?«

»Nichts … Ich kenne ihn nicht.«

Er griff nach der Brille, rückte sie auf der Nase zurecht. Dann lächelte er kurz.

»Neulich waren Sie gemeinsam im Gasthof, so gegen elf. Sie saßen dort fast eine Stunde zusammen, und als Sie herausgekommen sind, sind Sie mit ihm am Strand spazieren gegangen.«

Er zeigte auf das Fernglas, das auf dem Stuhl am Fenster lag.

»Erzählen Sie mir nicht, dass sich das nicht gehört. Auch Sie beobachten die Leute mit dem Fernglas.«

Ich wurde rot. Sehr rot.

»Irgendwann muss ich Ihnen mal den wunderbaren Blick zeigen, den man aus dem Dachfenster hat.«

Er nahm den Kopf des Kätzchens zwischen die Hände und streichelte ihn sanft.

»Was hat er Ihnen erzählt?«

Ich sah aus dem Fenster, blickte zum Baum im Hof, von dem Théo erzählte, er sei so alt, dass seine Wurzeln die Hölle berührten. Théo behauptete, wenn man einen Ast von diesem Baum absäge, fließe roter Saft heraus, der wie Blut aussehe.

Er wiederholte seine Frage.

Ich sah ihn an.

»Lambert denkt, dass Sie Wache im Leuchtturm hatten, als seine Eltern umgekommen sind.«

Er wusste, dass das nicht alles war.

Er nickte.

»Sie nennen ihn Lambert.«

»Lambert Perack, so heißt er.«

Er lächelte.

Ich hatte Lust, ihm weitere Fragen zu stellen.

»Kann es sein, dass das Licht eines Leuchtturms nachts ausgeht, ohne dass der Leuchtturmwärter es bemerkt?«

Er blickte zu mir auf.

»Fragen *Sie* das oder *er*?«

»Ich.«

»Na gut, wenn Sie es sind … Nein, das kann nicht sein.«

»Und wenn er gefragt hätte, was hätten Sie geantwortet?«

»Wenn er gefragt hätte, hätte ich nicht geantwortet.«

Er wandte den Kopf ab.

»Hören Sie nicht darauf, was dieser Mann sagt. Sein Urteil ist falsch, er leidet.«

»Nach so langer Zeit leidet man nicht mehr.«

»Was wissen Sie denn davon?«

Ich hatte das Gefühl, dass er log.

»Gibt es Gründe, aus denen ein Leuchtturmwärter den Scheinwerfer ausschalten könnte?«

Er lachte böse.

»Keinen Grund. Die Kräfte des Meeres lenken den Leuchtturmwärter. Ansonsten kann nichts und niemand einen Wärter dazu zwingen, von dem abzulassen, was er zu tun hat.«

Er sagte es sehr heftig, während er mit den Fingerspitzen auf den Tisch trommelte.

»Wissen Sie, wenn man im Leuchtturm ist, geht es darum, das Meer anzustrahlen. Also tut man es. Man denkt an nichts anderes.«

Ich fing an zu zweifeln. Ich spürte diesen Moment. Den Schatten zwischen uns.

»Lambert ist älter, als sein Vater war als dieser starb. Er sagt, er sei auch deshalb wiedergekommen.«

»Er vertraut sich Ihnen an?«

»Nicht mir, sondern Lili. Ich habe gehört, wie er es ihr erzählt hat.«

»Er hat mit Lili gesprochen?«

Théo lächelte merkwürdig.

Plötzlich sah ich mich, wie mich ein Vorübergehender durch das Fenster sehen würde, an einem Tisch, unter einer Lampe mit einem Alten schwatzend.

»Ich will nicht mehr davon sprechen«, sagte ich und schüttelte den Kopf.

»Wovor haben Sie Angst?«

»Ich habe keine Angst.«

Ich log. Ich hatte Angst vor dem, wozu ich allmählich wurde. Eine Frau ohne Liebe. Ich hätte gern etwas über ihn und Nan gewusst. Gewusst, wie sehr sie sich geliebt hatten, was sie gewagt hatten und warum sie aufgehört hatten, etwas zu wagen.

»Erzählen Sie mir von ihr«, sagte ich plötzlich.

Er erstarrte.

Ich hatte von *ihr* gesagt. Ich hatte nicht *Nan* gesagt, und trotzdem wusste er, von wem ich sprach.

»Was Sie da von mir verlangen ...«

Er schwieg einen Moment.

Wenn Théo der Vater gewesen wäre, den ich nie hatte, ich glaube, ich hätte ihn ohne Einschränkung geliebt.

Er legte das Kätzchen auf den Sessel neben sich, stützte sich mit der Hand auf den Tisch und stand auf. Dann verschwand er im Nebenzimmer. Ich wartete darauf, dass er wiederkam, aber er kam nicht wieder.

Der Abend brach herein. Hinter den Fenstern gingen die Lichter an, drangen gelb durch die Spitzenvorhänge.

Ab fünf Uhr wurden die Küchentische zum Ort der Vertraulichkeit. Die Hände um die Tassen. Die Köpfe geneigt. Dicht beieinander. Herumstehende Gläser, Geschirrtücher über dem Ofen.

Der Tag ging zur Neige. Die Nacht war noch nicht angebrochen. Es war jene schreckliche Stunde, in der die Schatten zurückkommen und die Hunde anfangen zu heulen.

Ein erster Lichtstrahl glitt vom Leuchtturm über die Wasseroberfläche, strich über den Hafen und den Liegeplatz der Boote. Das Licht strahlte auch die *Griffue* an, dann war alles wieder in Dunkel getaucht.

Ich traf Gestalten, Menschen, die zu Schatten geworden waren, manchmal so einsam, dass sie an eine beliebige Tür klopften, um sich einem Blick zu nähern oder einem Feuer. Diejenigen, bei denen niemand vorbeikam, machten sich zum Bistro auf. Dort zogen sich die Gespräche in die Länge. Der Vorhang war etwas zurückgeschoben. Ich sah niemanden, ahnte nur die Schatten. Und wenn sie keine Lust mehr hatten, über sich selbst zu sprechen, konnten sie immer noch über die anderen reden, die Lebenden und die Toten.

Morgane hatte Arbeit gefunden – Kronen für ein Geschäft in Cherbourg basteln. Sie fädelte nach einer Vorlage Perlen auf ein Drahtgestell. Das fertige Diadem wurde als Brautkrone verkauft. Sie wurde nicht gut bezahlt, aber sie sagte, mit dem, was sie im Gasthof verdiene, käme sie klar.

Sie arbeitete am Küchentisch. Als ich den Raum betrat, war Max gerade dabei, sie anzusehen. Er durfte die Perlen nicht anfassen und auch nicht sabbern, sich kratzen oder mit den Zähnen knirschen. Sonst wies ihm Morgane die Tür. Ohne etwas zu sagen. Nur mit den Augen. Das war schon öfter vorgekommen. Er wusste, dass es wieder vorkommen konnte, deshalb saß er reglos auf seinem Stuhl, die Hände zwischen den Schenkeln.

Selbst wenn er bewegungslos dasaß, hatte sie bald genug von ihm. Sie sagte dann: »Es reicht, Tölpel«, und Max ging.

»Musst du nicht zur Sau?«, fragte ich, als ich ihn dort antraf.

Er schüttelte den Kopf. Ich setzte mich zu ihnen.

Eine Postkarte lag auf dem Tisch, eine Ansicht von Rom, das Kolosseum.

»Meine Eltern, du kannst sie lesen.«

Ein paar Worte standen auf der Rückseite:

Grüße aus Rom. Letzte Nacht hat es ein bisschen geregnet, aber gestern haben wir den Petersdom besichtigt, und heute Nachmittag gehen wir zum Forum. Montag kommen wir zurück. Küsschen, Papa und Mama.

Morgane zuckte die Schultern.

»Sie reisen viel.«

Ich las die Karte nochmal. Es waren seltsam distanzierte Worte, ziemlich brutal, fand ich. Morgane spürte es wohl. Sie fädelte ihre Perlen auf und sah mich aus dem Augenwinkel an.

»Ab und zu besuchen wir sie. Dann fahren wir früh los und kommen abends zurück. Das letzte Mal haben wir sie Weihnachten gesehen. Aber wir sind nicht lange geblieben.«

Sie fädelte mehrere Perlen hintereinander auf.

»Nächstes Mal fahren wir im Juli hin, wenn ich dreißig werde.«

Raphaël kam mit ungekämmtem Haar aus seinem Zimmer, er schimpfte, weil wir ihn geweckt hatten. Dann streichelte er ihre Schulter – eine unendlich zärtliche Geste, die mich an meine eigene Einsamkeit erinnerte, an diesen unendlichen Abgrund, dein Fehlen. Raphaël entdeckte die Postkarte, nahm sie, las sie und legte sie dann zurück, ohne etwas dazu zu sagen.

Morgane lehnte den Kopf an ihren Bruder. Ich weiß nicht, wie die beiden hier gelandet waren. Ich weiß, dass Raphaël zuerst hier Fuß gefasst hatte und Morgane ihm gefolgt war. Sie waren Geschwister und sahen sich an wie Liebende.

Dieses Bedürfnis, sich nah zu sein, sich zu berühren. Zwischen ihnen gab es immer Gesten, die an die Grenze der Liebkosung reichten, ihre Berührungen hatten etwas unendlich Sinnliches. Ihnen zuzusehen, verwirrte mich.

Raphaël löste sich von seiner Schwester. Er machte ein Bier auf und trank es im Stehen, an die Spüle gelehnt.

»Bist du immer noch da?«, fragte er Max.

Max lächelte. Die Zeit, in der er Morgane ansehen durfte, schien ihn jedweder Zeitlichkeit zu entheben.

»Die Morganezeit ist die provisorische Annullierung jeder gegensätzlichen Zeit«, sagte er.

Morgane zuckte die Schultern.

Max schielte zum Wörterbuch, das ihn ebenso sehr zum Träumen brachte wie Morgane, diese ganzen auf so kleinem Raum eingeschlossenen Wörter. Wenn Morgane ihn verjagte, nahm er das Wörterbuch an sich und verzog sich in den Flur.

Das tat er.

Bis ihn Morgane wieder verjagte.

Das Fenster zum Garten stand weit offen. Die Sonne kam herein und mit ihr ein winziger Schmetterling mit blauen Flügeln.

»Glaubst du, dass sie vögeln?«, fragte Max, während er das im Licht fliegende Insekt betrachtete.

Raphaël drehte sich um.

»Von wem sprichst du?«

»Die Schmetterlinge.«

»Warum sollten sie nicht vögeln?«

»Man sieht Katzen, Hunde, aber Schmetterlinge sieht man nie.«

»… machen's nachts.«

Max schüttelte den Kopf.

»Nachts sind sie in der friedlichen Eingeschlafenheit aller Geschöpfe.«

»Vielleicht vögeln sie nicht …«, sagte Raphaël.

»Alle …«

»Die Blumen nicht, Max.«

»Nicht alle«, sagte ich.

Das ließ sie schweigen, ein paar Sekunden.

»Und die Fische, wie machen es die Fische?«, fragte Morgane und tauchte wieder die Hand in die Perlen.

Raphaël antwortete.

»Es gibt Arten, wo das Männchen über den Eiern abspritzt, nachdem sie gelegt worden sind.«

»Hast du Biologie studiert?«

»Eine Zeitlang.«

»Wann war das?«

»Früher, als ich in Demi Moore verliebt war, lange her … Ich hatte Zeitschriften abonniert.«

»Was hat das damit zu tun!«

»Nichts, aber damals las ich viel.«

Max hörte ihnen zu. Er lächelte. Vögeln konnte er. Ein Bursche aus dem Dorf nahm ihn jeden Donnerstag mit zu den Mädchen nach Cherbourg.

Ich hatte es gekonnt.

Jetzt blieb mir nur die Leere, dieser brennende Riss des Geschlechts bis tief in den Bauch. In manchen Nächten wachte ich auf und hatte das Gefühl, von dieser Leere verschluckt zu werden. Ich landete auf dem Boden, ohne Laken, wie so oft.

An jenem Tag, in dem langen Flur, als sie von dir sprachen, hast du dich von ihnen abgewandt. Du hast mich angesehen und diese Geste gemacht, die du immer machtest, wenn wir uns trennten. Du hast die Hände vor dir verschränkt. Wir bleiben zusammen, wolltest du damit ausdrücken, ich behalte dich, ich behalte dich bei mir. Du hast die Kraft gefunden zu lächeln. Und dann, ja, dann haben sie dich mitgenommen.

Aber vorher hast du gelächelt.

Die Türen haben sich geschlossen. Der Flur hatte nach Äther gerochen.

Max kaute an seinen Fingernägeln.

»Sie müssen vögeln«, sagte er.

Er sah uns alle drei nacheinander an.

»Aber ich frage mich, wie das Weibchen mit seinen Flügeln die richtige Positionierung vornimmt.«

»Was willst du damit sagen?«

Er spuckte ein kleines Stück Fingernagel aus, auf dem er herumgekaut hatte.

»Lili sagt, wenn du den Staub auf den Flügeln des Schmetterlings berührst, stirbt er … Und wenn der Schmetterling hier mit den Flügeln schlägt, kann etwas sehr Schlimmes am anderen Ende der Welt passieren. Etwas so Schlimmes wie ein Orkan.«

»Du zerbrichst dir über Unsinn den Kopf, Max! Außerdem kann uns das Gevögel der Schmetterlinge völlig egal sein, wir sind eine andere Art.«

»Lili sagt …«

»Es ist uns schnurz, was Lili sagt.«

Max senkte den Kopf.

Morgane lächelte.

»Du solltest ein bisschen arbeiten. Wenn du arbeiten würdest, würdest du nicht so viele Fragen stellen«, sagte Raphaël.

»Ich arbeite doch.«

»Du arbeitest?«

»Die Sau, das Boot … Und ich mache Brillanz auf den Kirchenfenstern.«

Er kratzte sich heftig am Kopf.

»Ich bin in fortwährender Arbeit … immer.«

»›Fortwährende Arbeit‹, das ist es, und ich renne nachts mit einem Schmetterlingsnetz durch die Heide.«

Max sah ihn erstaunt an.

»Und was fängst du damit?«

»Sterne …«

Raphaël stellte sein Bier in die Spüle und ging zur Tür. Als er am Tisch vorbeikam, hielt Max ihn am Ärmel fest.

»Vielleicht müsste man sie töten.«

»Wen töten?«

»Die Schmetterlinge, wenn so viel Potenzialität in einem Flügelschlag ist.«

»Potenzialität?«

»Die Potenzialität des Orkans!«

»Man muss auch nicht übertreiben.«

»Man muss, was man muss«, antwortete Max mit gerunzelter Stirn.

»Aber deswegen gleich Schmetterlinge töten!«

»Und was machen wir nun?«

Raphaël öffnete die Tür und blieb einen Moment stehen.

»Wir machen nichts, Max … Wir sehen sie an.«

Und dann, nach ein paar Sekunden, fügte er hinzu:

»Schmetterlinge ansehen ist auch Glück.«

Als er wieder zurückkam, legte er Max freundschaftlich die Hand auf die Schulter.

»Wir werden doch nicht das Glück töten, oder, Max?«

Ich verbrachte den Tag an der Steilküste von Jobourg. Ich hatte meine Felslöcher, Plätze, in denen ich mich verkriechen konnte. Ich hinterließ Spuren, die Abdrücke meiner Hände. Und andere Spuren, kleine Steinhaufen, angehäufte Erde. Kleine Holzstapel, wie Indianerzelte, wenn ich mich zu sehr langweilte, machte ich ein Feuer.

Am Anfang kratzte ich manchmal deinen Namen in die Felswand.

Ein paar Tage zuvor hatte ich Küken schlüpfen sehen. Nun sah ich sie wieder. Sie waren gewachsen. Ihr Körper war noch mit Flaum bedeckt, aber sie steckten den Schnabel aus dem Nest und verschlangen alles, was ihre Eltern ihnen brachten. Die Raben kreisten. Sie waren geduldig. Bei der kleinsten Unachtsamkeit griffen sie an.

Am späten Nachmittag machte ich mich wieder auf den Weg zurück. Théo hielt nach mir Ausschau und winkte mich heran. Bei unserer letzten Begegnung hatte ich ihn gebeten, mir von Nan zu erzählen, und er hatte wortlos den Raum verlassen.

Nun wartete er auf mich.

Er trug eine blaue Arbeitshose, eine blaue Jacke aus dickem Leinen, ein einziger Knopf war daran befestigt. Er führte mich ins Haus. In seinen Augen las ich fast etwas wie Ungeduld. Hatte er befürchtet, ich würde nicht wiederkommen? Er stellte zwei Gläser auf den Tisch, dazu dicke Scheiben Brot.

»Der Rückweg geht ganz schön in die Beine, was?«

»Oh ja, das tut er.«

Er holte einen Teller, auf dem er Käse angerichtet hatte. Meine Kehle war trocken, ich hatte Durst. Ich trank Wein. Ein ganzes Glas. Zu schnell.

Draußen, hinter dem Fenster, maunzte eine Katze. Sie hatte eine Hautkrankheit, das Fell fiel ihr in Büscheln aus. Théo sagte, dass er irgendwann das Gewehr nehmen und sie töten würde.

Das Gewehr stand in einer Ecke, zwischen Schrank und Wand. Die Patronen lagen in der Schublade. Sie töten, ehe sie die anderen mit der Krätze ansteckte. Es musste nur der richtige Tag sein.

»Ich musste schon mal eine töten, wissen Sie …«

»Was würden Sie tun, wenn Sie keine Katzen mehr hätten?«

Er dachte über die Frage nach, nicht lange, und antwortete schließlich mit einem Schulterzucken.

»Dann würde ich halt mit den Mäusen leben.«

Wir sahen uns an und lachten. Es tat gut, dieses gemeinsame Lachen über eine Belanglosigkeit. Ich hatte das Gefühl, Théo so zu sehen, wie er vor langer Zeit gewesen sein musste, das kraftvolle Gesicht, als er noch jung war und Nan liebte.

Dann hörten wir auf, aber wir hatten das Lachen noch in den Augen.

Auf dem Tisch zitterte seine Hand, unkontrolliert in ihrer Bewegung. Draußen quakte es. Das war die Kröte, die neben dem Wasserbecken lebte. Théo erzählte mir, dass es früher eine gegeben hatte, die dort herumspukte. Eine Zeitlang hatte er brennende Kerzen auf den flachen Steinen gefunden, ohne zu wissen, wer sie anzündete.

Er erzählte mir auch noch andere Geschichten, während das Kätzchen eingerollt auf dem Tisch schlummerte.

Ich hörte das Ticken der Pendeluhr.

Wir sprachen über Kormorane, über die Küken, die fast alle geschlüpft waren, und über die lauernden Raben.

Er wollte wissen, welche Farbe die Küken hatten und wie groß die Nester waren. Darüber sprachen wir lange. Er wollte auch wissen, ob ich die Schlangen gesehen hatte.

Die Käserinde häufte sich auf dem Tisch. Der Wein und auch das Lachen hatten mich erhitzt. Ich hätte mir gewünscht, dass unser Gespräch zu anderen Geständnissen führte.

Das weiße Kätzchen streckte eine Pfote aus und legte sie auf Théos Hand. Théo rührte sich nicht. Er sah es an.

Auf dem Tisch lag die Zeitung. Auf der ersten Seite das Foto eines verschmutzten Strandes nördlich von Brest. Ölverschmierte Vögel. Ich zog die Zeitung zu mir und las den Artikel.

Théo wartete, bis ich fertig war.

»Vögel, die krepieren, habe ich reichlich gesehen, als ich im Leuchtturm war, nachts, wegen dem Licht … Bei Sturm hat der Wind sie gegen die Fenster geschleudert«, sagte er ganz leise.

Meine Hand lag auf der Zeitung.

»Die Nächte dort kann man sich nicht vorstellen. Manchmal war es die Hölle.«

Er sah meine Hand auf dem Zeitungsfoto liegen, ein toter Vogel, man spürte förmlich, wie er stank.

»Ich erinnere mich noch, wie sich die Strömung änderte. Die Wellen sahen aus wie Schlangen, wie aufgerissene Mäuler. Wenn es stürmte, drosch es von allen Seiten auf uns ein. Der Leuchtturm hat geschwankt. Oft habe ich gedacht, wir kommen nicht mehr lebendig raus.«

Er sah mich an. Ganz kleine, tiefliegende, hell strahlende Augen.

»Bei schönem Wetter haben wir bunte Tücher ans Fenster gehängt. Das war unsere Art, denen auf dem Festland Nachricht zu geben.«

Seine Stimme zitterte.

»Sind Sie lange im Leuchtturm geblieben?«

»Eine Woche, manchmal zwei. Aber ich konnte auch länger bleiben, ich habe mich immer gemeldet, wenn jemand ausgefallen ist. Es ist oft jemand ausgefallen, vor allem im Winter.«

Er strich mit der Handfläche über den Tisch.

Licht fiel auf seine Hand. Sie sah aus wie gezeichnet. Auch sie erzählte von La Hague.

»Wir wurden vom Boot aus versorgt. Manchmal konnten die Jungs wegen der Strömung nicht anlegen. Aber wir hatten Vorräte, Schiffszwieback, Fässer mit Wasser …«

Er stand auf und ging zum Tisch in der Ecke, der ihm als Arbeitsplatz diente. Er zog ein Schubfach auf, wühlte mit beiden Händen in den Dokumenten, die sicherlich schon seit Jahren darin gestapelt waren, und zog das Foto einer Stute heraus, die *La Belle* hieß, wie er mir sagte.

»Diese Stute gehörte dem Großvater meines Großvaters … Er hatte sie für den Bau des Leuchtturms vermietet. Monatelang ist sie in diesem Rad im Kreis gelaufen … Das Rad hat die Zugwinden bewegt, damit die Steine nach oben gehievt werden konnten.«

Das Foto war am Leuchtturm aufgenommen worden, vor dem Rad. Neben dem Pferd stand ein Mann, darunter war ein Datum notiert: 1834.

Théo nahm einen Bleistift vom Tisch und zeichnete das System der Zugwinde auf. Er schob mir die Zeichnung hin.

»Die Stute ist so lange im Kreis gelaufen, bis der Leuchtturm fertig war. Als sie nicht mehr gebraucht wurde, hat man sie wieder auf ihre Weide gebracht. Doch es war zu spät …«

»Zu spät?«

»Sie war verrückt geworden.«

Er schüttelte den Kopf.

»Sie lief immer geradeaus, hat einfach einen Schritt vor den anderen gesetzt, so als ob sie sich noch in dem Rad befände. Sie blieb nur stehen, wenn sie gegen eine Mauer rannte. Dann hat sie sich kurz geschüttelt und ist in die entgegengesetzte Richtung gelaufen. Irgendwann ist sie schließlich zusammengebrochen. Man musste ihr den Gnadenschuss geben.«

Er nahm mit dem Finger die Brotkrümel auf, die auf dem Tisch lagen, und schob sie zu einem kleinen Haufen zusammen.

»Warum erzählen Sie mir das?«, fragte ich ihn. Diese Geschichte gefiel mir nicht.

»Das muss man doch …«

»Von wegen …«

Er lächelte.

Für einen Moment hatte ich noch die verrückt gewordene Stute vor Augen, die gegen die Mauern rannte.

»Wie lange waren Sie als Leuchtturmwärter angestellt?«

»Bis '68.«

»Und danach?«

»Gab es Arbeit auf dem Hof. Die Mutter schaffte es nicht mehr alleine. Lili scherte sich nicht ums Vieh. Sie half damals schon im Bistro aus.«

'68 … Der Schiffbruch der Peracks war ein Jahr zuvor passiert. Hatte er deswegen aufgehört?

»'68 waren Sie noch jung …«

Er schob den kleinen Krümelhaufen zum Tischrand. Ein paar Krumen fielen auf den Boden. Eine Katze kam und schnupperte daran. Nicht hungrig genug, wandte sie sich ab.

»Gab es andere Wärter nach Ihnen?«

»Zwanzig Jahre lang, ja … Dann wurde der Leuchtturm automatisiert, und man brauchte keine Wärter mehr.«

Ich sah ihn an. Ich wartete. Ich wusste nicht, ob ich noch weitergehen durfte. Ob ich es wagen durfte.

»Haben Sie wegen dem Unglück aufgehört?«

Er starrte einen Moment auf den kleinen Krümelhaufen, dann stand er auf und ging zum Fenster.

»Im Zentrum steht immer der Leuchtturm. Erst danach kommt das, was das Leben der Menschen ausmacht.«

Ich dachte, er würde noch etwas ergänzen und dieses Etwas hätte einen Bezug zum Tod der Familie Perack.

Aber er sagte nur: »Manchmal, wenn ich morgens aufwache und ein starker Wind bläst, denke ich, ich bin noch dort.«

Gab es überhaupt etwas zu ergänzen? War die Zeit reif dafür?

Der Himmel war drückend. Seit drei Tagen war es so, ein Raum ohne Licht, von schwerem Schweigen erfüllt, das die Anwesenheit der Menschen unerträglich machte. Ich war müde. Unfähig, noch weiter zu laufen. Die Heide noch länger zu ertragen.

Ich schleppte mich zu Lili, lustlos, mehr aus Gewohnheit.

Als ich das Bistro betrat, kletterte die Bachstelze gerade auf einen Stuhl und sah sich die Fotos an, die an der Wand hingen. Lili hatte ihr ein Glas Milch hingestellt. Mit dem Finger folgte die Kleine den Umrissen jedes Fotos.

Lili stand neben ihr und erklärte:

»Dieser Köter da war der hässlichste von allen, aber die Weibchen waren alle in ihn verliebt. Er hatte Hunderte Kinder. Alle Hunde von La Hague sind seine Kinder.«

Die Kleine sah Lili mit großen, staunenden Augen an.

»Auch mein Hund?«

»Alle, sage ich dir.«

Die Kleine betrachtete genau die Physiognomie dieses seltsam hässlichen Hundes.

»Ist er tot?«

»Tot? Warum sollte er tot sein? Nein … Er ist irgendwo, weggelaufen, niemand weiß wohin.«

»Kommt er irgendwann wieder?«

»Irgendwann … Kann schon sein.«

Lili schaute zum Foto.

»Kann auch sein, dass er nicht wiederkommt. Das kann man nie wissen.«

Die Kleine nickte und zeigte mit dem Finger auf ein anderes Foto.

»Und diese Dame da, wer ist das?«

»Meine Mama … Das ist lange her.«

Die Kleine drehte sich um. Die Mutter saß in ihrem Sessel. Sie musterte sie, wie vorher den Hund.

Zur Mutter sagte sie nichts.

»Und der Mann da, ist das dein Papa?«

»Ja. Und das bin ich.«

Lili richtete sich auf und zeigte auf das Glas.

»Trink mal, solange sie frisch ist.«

Die Kleine zeigte weiter mit dem Finger auf das Foto.

»Und der, wer ist das?«

»Wer, der?«

Lili beugte sich zu ihr vor.

»Ein kleiner Junge, der hin und wieder mal zu uns kam, um mit den Tieren im Stall zu spielen.«

»War er nett?«

»Ja …«

»Hat er mit dir gespielt?«

»Nein.«

»Warum nicht?«

Lili zögerte.

»Ich war älter als er.«

»Und wo war seine Mama?«

»Ich weiß nicht. Er hatte keine Mama.«

Die Kleine runzelte die Stirn. Das Gesicht wurde plötzlich ernst.

»Wie hieß der Junge?«

»Ich erinnere mich nicht mehr.«

»Hatte er keinen Namen?«

»Doch, er hatte einen ... Alle Kinder haben einen Namen.«

Lili wandte sich vom Foto ab, dann sagte sie:

»Michel ... Er hieß Michel.«

Sie ging hinter den Tresen, räumte zwei, drei Sachen auf und verschwand schließlich eine Weile in der Küche. Ich hörte das Geschirr klappern.

Michel ... Das war der Name, den Nan am Tag des Unwetters immer wieder ausgesprochen hatte, als sie sich Lamberts Gesicht genähert hatte, weil sie glaubte, ihn wiederzuerkennen. Derselbe Name, war das Zufall? Das Foto war zu weit von meinem Tisch entfernt, als dass ich das Gesicht des Kindes hätte erkennen können.

Die Kleine kletterte von ihrem Stuhl und kramte ein in glänzendes Papier gewickeltes Bonbon aus der Tasche. Sie legte es auf den Tisch.

Dann kam sie zu mir.

»Ich möchte meine Schreibübung machen ...«, flüsterte sie mit ihrer eigenartigen, zurückhaltenden Stimme.

Sie streckte mir den Bleistift hin, ich schrieb: *Lilis Hund ist ein Goublin geworden.*

Dann war sie an der Reihe. Als sie den Stift ansetzte, brach die Mine ab.

»Drück nicht so stark auf ...«

Sie fing wieder von vorn an.

Beim dritten Mal verschrieb sie sich, sie schrieb: *Lilis Goublin ist ein Hund geworden.* Sie lachte laut. Ich lachte mit. Lili war immer noch in der Küche. Die Mutter drehte den Kopf. Die Kleine und ich versteckten unser Lachen hinter der Hand.

So fand uns Max, beide lachend.

»Im Dorf wird Hochzeit gefeiert«, sagte er und stützte sich auf den Tresen.

»Na und?«, fragte Lili.

»Ich geh nicht hin … Wegen dem Pfarrer … Nicht mal zum Blumen verteilen darf ich da sein, nur die Wanderung der Brautleute fegen, das lässt er mich, und dann komm ich wieder, wenn sie alle weg sind!«

Er verzog das Gesicht.

»Hochzeit ist zwar nicht so traurig wie Grablöcher, aber es macht genauso viel Weinen.«

Er rieb seine Hände aneinander und sah uns alle nacheinander an – Lili, die Bachstelze und mich. Er sah auch die Mutter an, und dann hinüber zum Flipper, an dem Morgane klebte.

»Es gefällt mir, wenn der Pfarrer, wenn er die Frage stellt und sie dann Ja antworten, erst die Frau und dann der Mann …«

Seine Augen glänzten. Er richtete sich auf, ging zu Lili und nahm ihre Hand.

»Ich heirate Morgane«, sagte er.

Lili zuckte nicht mit der Wimper.

Die Mutter machte den Mund einen Spalt weit auf. Sogar die Bachstelze zeigte ihr Interesse, indem sie sich von ihrem Heft abwandte, um die Fortsetzung zu hören.

»Man heiratet nicht einfach so«, sagte Lili schließlich und hängte das Handtuch an seinen Nagel.

Sie sah Max an.

»Die Auserwählte muss erst mal damit einverstanden sein, verstehst du das? Und man ist ihr auch nicht böse, wenn sie Nein sagt.«

Max verschränkte seine Finger ineinander, es sah aus, als würden sie miteinander ringen.

»Wenn sie Nein sagt, wartet man«, nuschelte er.

»Man wartet nicht«, sagte Lili.

Max blieb hartnäckig.

»Man wartet, und man liebt sie weiter!«

Er schüttelte den Kopf.

Im Fernseher zogen die Bilder vorbei. Bilder ohne Ton.

Lili seufzte.

»Nein, man versucht sich zu entlieben, und man sucht jemanden, der einen zurückliebt, das vereinfacht die Sache.«

Max sah sich um, als suchte er an den Wänden eine Erklärung für das, was Lili gerade gesagt hatte.

»Hier ist nur Morgane die Liebe!«

Lili schwieg. Sie nahm ihre Arbeit wieder auf, und Max starrte ihren Rücken an.

Er verzog das Gesicht. Mit den Zähnen packte er kleine Hautfetzen an seinen Nägeln und zog vorsichtig daran.

Das machte er eine Weile, dann drehte er sich um und betrachtete die Bachstelze. Sie war an ihren Tisch zurückgegangen, zu ihrer Grenadine. Er folgte ihr, das Gesicht schon weniger traurig, neigte den Kopf zur Seite und streckte die Hand aus.

»Darf ich das haben?«, fragte er und zeigte auf das Bonbon auf dem Tisch.

Die Kleine sah ihn an und nickte.

Bevor ich den Gasthof verließ, betrachtete ich das Foto: Lili in einem ganz einfachen Kleid, Federbetten, Théo und die Mutter. Ein Hund an einer Leine. Der kleine Junge, von dem sie gesprochen hatte, stand etwas im Hintergrund, als wäre er zufällig vorbeigekommen, vom Objektiv überrascht, die Hand erhoben, als wollte er gerade den Hund streicheln.

»Wie alt warst du da?«, fragte ich.

Lili drehte sich um.

»Siebzehn …«

»Und der kleine Junge, ist das dein Bruder?«

»Ich habe keinen Bruder.«

Sie hielt meinem Blick ein paar Sekunden stand, ohne die Miene zu verziehen.

»Das war ein Junge, der in der *Zuflucht* untergebracht war«, sagte sie schließlich.

Die Zuflucht, darüber hatte ich etwas in einer Zeitschrift gelesen, die bei Raphaël gelegen hatte.

Ich stützte mich auf den Tresen.

»Erzählst du mir davon?«

»Was soll ich dir erzählen? … Das war ein Haus, in dem Waisenkinder aufgenommen wurden, die dann darauf warteten adoptiert zu werden. Ist schon lange geschlossen.«

»Woher kamen die Kinder?«

»Woher schon! Aus Cherbourg.«

»Und wo war diese *Zuflucht*?«

»In La Roche.«

Ich überlegte. Es gab nicht viele Gebäude in La Roche, die Waisenkinder aufnehmen konnten.

»Meinst du das große Gebäude neben dem Haus von Nan?«

»Das meine ich.«

»Wer hat sich um sie gekümmert?«

»Wer wohl?«

Sie gab mir keine weitere Erklärung, aber ich verstand, dass sie Nan meinte.

»Diese Fotos … alles alter Plunder«, sagte sie und zeigte zur Wand, »irgendwann muss ich sie mal austauschen.«

Ich war auf dem Weg zur Steilküste oft an der *Zuflucht* vorbeigegangen, ohne zu wissen, dass es früher ein Waisenheim gewesen war. Ich hatte nicht darauf geachtet, und Théo hatte mir nichts davon erzählt.

Ich blieb am Zaun stehen.

Es war ein zweigeschossiges, langgestrecktes Gebäude mit dicken Mauern aus grauem Stein. In der Mitte des Hofes stand ein Baum. Das Grundstück war gepflegt, und das Dach schien in gutem Zustand zu sein, aber die Fensterläden waren alle geschlossen. Nans Haus befand sich ganz am Ende des Gebäudes, die Wände von demselben Grau, die gleichen Fensterläden, nur das Dach war niedriger.

Auf dem Gartenmäuerchen wuchsen kleine blaue Blumen, die Wurzeln hatten, aber kaum Erde. Und etwas Moos. Einige Farne leuchteten smaragdgrün. Ich hatte Lust, das Gartentor zu öffnen und Nan zu besuchen, damit sie mir von der *Zuflucht* erzählte, als dort noch Kinder wohnten.

Ich wusste nicht, ob sie da war. Ihre Haustür war geschlossen, aber manchmal versteckte sie sich, wenn sie nicht gesehen werden wollte. Ich kratzte mit den Fingern an der Mauer entlang und nahm dabei etwas Erde mit. Meine Fingernägel waren schwarz, meine Lippen trocken. Die Haut vom Wind wie Pappe.

Ich wartete eine Weile. Nan zeigte sich nicht. Schließlich ging ich zur *Griffue* zurück.

Seit zwei Tagen hatte sich Raphaël im Atelier eingeschlossen. Von meinem Zimmer aus hörte ich ihn herumlaufen. Durch die Fußbodenspalten sah ich das Licht.

Morgane sagte, er habe sich eingeschlossen, weil er seine Serie von Zeichnungen angefangen habe.

Ohne ihn langweilte sie sich. Sie kam die Treppe hoch und klopfte an meine Tür.

»Wenn ich mit ihm spreche, antwortet er nicht«, sagte sie. »Hast du Lust, rauszugehen und ein Stück zu laufen?«

Laufen wollte ich nicht. Auch nicht ein Stück.

»Ich war den ganzen Tag draußen«, antwortete ich.

Sie ließ sich aufs Bett fallen.

»Was hast du gemacht?«

Ich erzählte ihr von der *Zuflucht*. Ich fragte sie, ob sie etwas über diesen Ort wisse.

Sie wusste nichts.

Die Hände hinter dem Kopf verschränkt und auf das Kissen gestützt, fragte sie:

»Tun dir die Bälger so leid?«

»Nein, aber bei Lili hängt ein Foto, auf dem eines der Waisen zu sehen ist.«

Es war ihr egal.

»Und wann war das?«

»Lange her, vor ungefähr vierzig Jahren.«

»Da gab's mich noch nicht … Warum interessiert dich das?«

Ich überlegte, ob ich ihr erzählen sollte, dass es Lili offensichtlich unangenehm gewesen war, sich an den Jungen zu erinnern, und dass ich gern verstehen würde weshalb. Sie strich ihre Haare nach hinten.

»Ich möchte mit Männern schlafen. Mit Männern schlafen und bezahlt werden. Ich hab eine Agentur in Cherbourg ausfindig gemacht.«

Ich sah sie an.

»Du willst als Nutte arbeiten?«

Sie schüttelte den Kopf.

»Nein … Per Telefon, ohne Körperkontakt. Dafür müssten wir aber ein Telefon anschließen, und Raphaël weigert sich.«

Sie sah mich eindringlich an.

»Könntest du das nicht machen?«

»Ein Telefon anschließen lassen, damit du Telefonsex machen kannst?«

Ich dachte, es sei ein Witz.

Sie gab nicht auf.

»Das ist auch nicht schwerer, als im Wind stehen und Vögel zählen!«

Sie rollte sich auf die Seite. Und dann auf den Bauch, stützte den Kopf zwischen die Hände.

»Du lässt das Telefon anschließen, wir sagen Raphaël nichts, und du bekommst Prozente.«

Zuhälterin! – das fiel mir sofort ein.

»Wir könnten zu zweit arbeiten. Das ist doch alles kein echter Sex!«

Ich war mir nicht mal sicher, ob ich noch echten Sex haben konnte.

»Na, bist du einverstanden?«

»Nein.«

Sie war sauer, stand auf, ging zur Tür und blieb, die Hand auf der Klinke, stehen.

»Spießerin! Dann gebe ich eben die Nummer der Zelle an und mache es von dort. Alle werden mich sehen. Und wenn ich die entsprechenden Bewegungen mache, wird es euch peinlich sein.«

Ich hatte viel zu tun, ich musste meine Zeichnungen fertigstellen und ein ganzes Dossier mit Schlussfolgerungen über den Rückgang der Zugvögel im Gebiet von La Hague verfassen.

Ich verbrachte den ganzen Tag damit.

Ich dachte daran wegzugehen. Ich hätte nach Saint-Malo fahren können, Saint-Malo war nicht so weit, und es hieß, die Stadtmauern seien sehr schön.

Am Abend ging ich ins Dorf. Ich sah die Familien im Lampenlicht beisammensitzen. Die Tische gedeckt, die Teller verziert mit kleinen Blümchen und orangem Rand, übervoll mit Essen. Überall liefen die Fernseher. Schatten. Als ich am Stall entlangging, hörte ich die Ketten rasseln. Ich durchquerte das Dorf.

Nach der letzten Laterne begann die Nacht. An dieser Grenze zwischen Schatten und Licht traf ich Lambert. Sein Gesicht war kaum zu erkennen. Von weitem sah er aus wie ein einsamer Wolf. Ein Einzelgänger, ohne Rudel.

Wir sahen uns an. Ich fragte mich, was er dort tat.

»Was für eine schöne Nacht.«

Es war eine zu dunkle Nacht.

Ich sah sein Gesicht nicht.

Wir trafen uns dort, als hätten wir uns verabredet. Als hätten wir ausgemacht: bei Einbruch der Nacht gleich hinter der letzten Laterne. Kein präziser Ort, dieser alte Pfahl am Straßenrand, um aufeinander zu warten.

Wir liefen gemeinsam ein paar Schritte, dann ging er weiter, aber ich konnte nicht. Wegen der Nacht. Dieses Schwarz glich einem Abgrund. Er verschwand zwischen den Bäumen, wie von der Straße verschluckt.

Ich hörte seine Stimme.

»Noch zehn Schritte, dann sehen Sie das Licht …«

Ich wusste nicht, von welchem Licht er sprach. Ich machte einen Schritt und streckte die Hand aus.

»Es ist nur die Nacht«, sagte er.

Ich streckte die Hand noch weiter aus. Plötzlich spürte ich seine Finger, seine Hand, die meine umfasste, mich weiterzog. Die Kälte seiner Jacke empfing mich wie eine Ohrfeige. Es dauerte nicht lange, einen Moment, ein paar Sekunden, ich sog den Geruch ein, dann lösten wir uns verschämt voneinander, ohne uns anzusehen. Der Wind bewegte das Gras. Die Luft roch nach Pfeffer. Das kam von den kleinen weißen Blüten, die sich bei Einbruch der Dämmerung öffneten und dieses berauschende Aroma verströmten.

Der Duft nach Pfeffer mischte sich mit dem Geruch des Leders.

»Ihre Zähne klappern.«

Ich presste die Kiefer aufeinander. Er drehte sich um. Die Sterne glänzten über uns, Milliarden kleine Lichter.

»Schön, die Normandie …«, sagte er.

»Wir sind in La Hague.«

»Und? Liegt La Hague nicht in der Normandie?«

»La Hague ist La Hague.«

Er machte zwei Schritte.

»Sie frieren ja.«

Er knotete das Tuch um seinen Hals auf und kam zu mir zurück.

»Glauben Sie, man kann noch irgendwo einen Kaffee trinken?«

»Bei Lili.«

»Auch noch woanders?«

»Um diese Zeit nur noch bei Lili, oder gar nicht.«

Er band mir das Tuch um den Hals.

Ich fragte ihn, ob er damals, als er jung gewesen war, in Lili verliebt war. Ich hatte das Gefühl, dass er lächelte.

Er antwortete nicht.

Ein Nachtvogel zog flügelschlagend an uns vorbei. Ich hörte das Rauschen seiner Federn. Wenn die Nester nicht mehr genutzt werden, kann man sie mitnehmen … Ich hatte mehr als dreißig. Dreißig Nester in sechs Monaten. Ich hatte sie in eine Kiste gelegt. Manchmal holte ich sie heraus und sah sie mir an.

Das Meer war zu weit. Zu schwarz. Und wir waren zu allein. Deshalb gingen wir ins Dorf zurück. Hinter einem Fenster bewegte sich ein Vorhang, dahinter war eine Silhouette zu erkennen. Alles, was sich auf der Straße ereignet, sieht das Dorf. Niemand entgeht dem Gerede.

Der Audi war etwas weiter oben geparkt. Er machte die Tür auf. Wir sahen uns an.

»Angeblich baden manche Leute in Port-Racine das ganze Jahr hindurch«, sagte er und stieg ein. Ich hörte das dumpfe Klacken der Tür, als sie sich schloss. Es war ein sanftes, sehr gedämpftes Geräusch. Ich stellte mir den Menschen vor, der dieses Geräusch erfunden hatte.

Lambert ließ den Motor an. Er wartete, beide Hände am Steuer.

Er lenkte mit einer Hand, die andere lag auf der Armstütze an der Tür. Ich wusste nicht, wohin er fuhr. Ich fragte ihn nicht.

Er fuhr. Ich war bei ihm.

Diese Nacht war seltsam.

»Haben Sie Ihr Haus verkauft?«

»Noch nicht.«

Er fuhr etwa einen Kilometer, durchquerte das Dorf Saint-Germain. Dann sah er mich an.

»Meine Mutter sagte, ich sei ein Kind der Liebe. Liebe und Tod. *L' amour, la mort*, das klingt ähnlich, wenn man ein bisschen nuschelt …«

Er sah wieder auf die Straße.

»Bei Ihnen kommt es mir auch immer vor, als würde ich Sie nicht verstehen.«

Er schaltete die Scheinwerfer aus und wieder ein. Das machte er mehrmals. Wenn sie aus waren, fuhr er durch die Dunkelheit. Das schien ihm zu gefallen.

»Das ist eine Nacht, in der alles möglich ist«, murmelte ich.

Er lächelte.

Er bewegte sich langsam, wie jemand, der alle Zeit der Welt hat. Er schien es weder eilig zu haben, sein Haus zu verkaufen, noch abzureisen. Am Tag des Sturms hatte er gesagt: »Ich bleibe für ein, zwei Tage«, aber er war immer noch da. Auf der Durchreise.

Plötzlich bremste er und streckte die Hand aus.

»Sehen Sie!«

Die Bucht Saint-Martin strahlte in der tiefschwarzen Nacht, es war ein besonderes Licht, das aus dem Wasser kam. In dieser menschenleeren Nacht schien das Meer plötzlich uns zu gehören. Lambert lenkte das Auto langsam die gewundene Straße hinunter.

Er parkte auf dem Seitenstreifen.

Er stieg nicht gleich aus, sondern sah durch die Windschutz-scheibe auf den Strand, aufs Meer. Dann öffnete er die Tür.

»Kommen Sie mit?«

Ich nickte.

Wir standen draußen, für einen Moment nebeneinander. Er mit verschränkten Armen.

Er lächelte freundlich.

»Hören Sie auf, mit den Zähnen zu klappern, sonst fallen sie Ihnen noch aus.«

Er warf sich ins Wasser wie ein wütendes Tier. Ich konnte ihn nicht mehr sehen, aber ich hörte ihn, seinen Atem, wie er Luft holte, um gegen die Kälte zu kämpfen, und den heftigen Schlag seiner Arme, die das Wasser teilten. War er nackt? Er hatte sich zu mir umgedreht und gefragt:

»Kommen Sie nicht mit?«

Niemand badete jetzt dort. Nur im Sommer ein paar Stammgäste.

Sein Körper, vom Meer aufgenommen, verschmolz mit der Nacht. Er verschwand, und ich wartete, die Arme um die Knie geschlungen, dass er zurückkam. Unter meinen Fingern der Kies.

Ich sah die Sterne an.

Er schwamm weit hinaus. Das Wasser war kalt hier, viel kälter als anderswo.

Hatte er Théo besucht? Er hatte mir gesagt, dass er mit ihm sprechen wollte, aber hatte er es getan? Warum zögerte er so?

Als er zu mir heraufkam, hatte er das Hemd zusammengerollt in der Hand. Den schwarzen Pullover trug er direkt auf der Haut.

»Sie sind weit rausgeschwommen …«

Ich spürte seinen Blick durch die Nacht.

Im Auto drehte er die Heizung voll auf. Seine Haare waren nass.

»Ich hatte Angst, Sie würden nicht zurückkommen.«

Er spreizte die Hand, dann schloss er sie. Immer wieder.

»Ich musste schwimmen ...«

Er schaltete die Scheinwerfer ein und blickte aufs Meer, auf diesen Teil der angestrahlten Nacht. Dann drehte er den Kopf zur Seite und sah mich an, wie um das Meer nicht mehr zu sehen.

Er war bei der Irin in La Rogue untergekommen. Als wir dort ankamen, brannte unter dem Torbogen eine kleine Laterne.

Die Tür stand offen. Ich folgte ihm durch einen engen, mit rotem Samt tapezierten Flur. Ganz am Ende war ein großes Zimmer voller Sessel. Schwere Vorhänge hingen vor den Fenstern.

Eine Frau lag auf einem Sofa zwischen dicken Samtkissen und sah sich eine amerikanische Krankenhausserie im Fernsehen an. Auf dem Tisch standen ein Glas und eine Tasche aus weißem Kunstleder. Es stank nach Parfüm.

»Keine Frauenbesuche«, sagte sie, ohne sich umzudrehen, als ich an der Tür vorbeiging.

Lambert zog seine Jacke aus.

»Sie geht nicht mit aufs Zimmer«, antwortete er und warf die Jacke auf die Kissen.

Er bot mir das Sofa an.

Das Mädchen hieß Betty. Sie wechselten ein paar Sätze in sehr schnellem Englisch.

»Können wir deinen Whisky probieren?«

Sie streckte die schlaffe Hand zu Lamberts Bein aus und ließ sie an seinem Schenkel entlanggleiten. Eine sinnliche Liebkosung.

»Du bist hier zu Hause, Darling«, sagte sie mit der rauen Stimme einer Kettenraucherin.

Lambert lächelte kurz, holte eine Flasche und zwei Gläser und goss uns ein.

Eine Lampe hing über dem Tisch, eine dicke orangefarbene Papierkugel mit chinesischen Zeichen. Die Zeichen waren schwarz.

Er reichte mir das Glas.

»Ihnen ist kalt.«

Weil ich gezittert hatte.

Glenfarclas hattest du auch manchmal getrunken. Ich mochte es, wenn du danach schmecktest.

Ich kuschelte mich in den Sessel und schloss kurz die Augen. Ich trank langsam und sah das Licht durch das Seidenpapier. Eine seltsame Kugel, die der Sonne glich.

Wir tranken.

Er erzählte mir von seiner Mutter.

Ich erzählte ihm nicht von dir. Er holte ein Foto aus seiner Brieftasche und zeigte es mir. Seine Mutter war wirklich bildschön. Der Vater trug eine kleine Brille und Schnurrbart, er war ziemlich groß.

»Sie haben sich sehr geliebt …«

Wir tranken weiter.

Betty ging ins Bett.

Er steckte das Foto wieder in die Brieftasche.

»Ich erinnere mich noch an Kleinigkeiten … An eine Ohrfeige zum Beispiel, die mir meine Mutter für eine freche Antwort verpasst hat.«

Er lächelte.

»Aber ich kann mich nicht mehr an ihre Haarfarbe erinnern, obwohl ich weiß, wie gern ich ihr Haar angefasst habe. Ich durfte es bürsten. Es war ganz weich.«

Er sah seine Hände an.

»Sogar ihre Stimmen habe ich vergessen. Früher konnte ich mich noch daran erinnern, wenn ich mir die Fotos ansah. Dann sah ich sie auch vor mir, als ob sie noch lebten. Jetzt sehe ich sie nicht mehr vor mir, es fühlt sich so an, als wären sie ein zweites Mal gestorben.«

Er schwieg einen Moment und starrte in sein Glas.

»Mein Bruder ist noch im Wasser«, sagte er und führte das Glas an seine Lippen.

»Wenn ich an ihn denke … Er wäre jetzt vierzig.«

Er trank einen Schluck Whisky.

»Nach dem Unfall habe ich mir alles Mögliche ausgemalt, dass er sich an einen Felsen geklammert hat, dass ein Schiff ihn an Bord genommen hat, er aber noch zu klein war, um seinen Namen zu nennen. Ich dachte, ich würde eines Tages einen Brief bekommen und ihn wiederfinden. Ich war ganz sicher, aber nachts, in meinen Träumen, sah ich ihn im Wasser, wie er ertrank.«

Er sah mich an.

»Die Helfer haben meinen Vater und das leere Segelboot gefunden. Sie haben noch weitergesucht, aber schließlich sind sie zurückgekommen. Ich war lange wütend, dass sie so früh aufgegeben haben.«

»Es war Nacht …«

Er schüttelte mehrmals den Kopf.

»Als sie ertrunken sind, habe ich geschlafen.«

Er schüttelte erneut den Kopf.

Fühlte er sich schuldig, weil er nicht mit ihnen gefahren war? Nicht mit ihnen gestorben war?

»Waren Sie bei Théo?«

»Noch nicht … Aber ich werde zu ihm gehen.«

Er füllte sein Glas und leerte es in einem Zug.

Es war kurz nach Mitternacht, als er mich heimbrachte. Er setzte mich am Gartentor ab.

Morgane erwartete mich an der Tür.

»Hast du mit ihm geschlafen?«, fragte sie, ohne guten Abend zu sagen. Ohne irgendwas zu sagen. Sie folgte mir in den Flur, presste sich an mich, um an meiner Haut zu schnuppern.

»Los, sag schon!«

Ich schüttelte den Kopf.

»Nein.«

»Das glaube ich dir nicht. Du riechst nach Alkohol!«

Ich legte die Hand aufs Treppengeländer.

»Ich muss ins Bett.«

»Wo wart ihr? Bei ihm?«

»Nein.«

»Bei der Irin?«

Sie strich um mich herum. Ich war müde. Sie ließ mich nicht gehen.

»Er hat dich zurückgebracht, er hat dich direkt vor der Tür abgesetzt ... Und du hast nicht mit ihm geschlafen?«

»Nein.«

»Was hat er gesagt?«

»Nichts.«

»Kann nicht sein! Er muss doch was gesagt haben, ehe du ausgestiegen bist!«

»Er hat gute Nacht gesagt.«

Ich wachte mit Kopfschmerzen auf. Ich trank warme Milch, die Wimpern im Dampf.

Es war schönes Wetter.

Ich hatte mit Lambert vereinbart, dass wir um zehn Uhr zu den Grotten gehen würden. Es war ein schnelles Versprechen gewesen, als er mich am Gartentor abgesetzt hatte. Bestimmt war es bald zehn.

Ich ging zum Fenster. Er saß auf der Terrasse des Gasthofs, am selben Tisch wie am ersten Tag. Ich hatte keine Lust rauszugehen. Zu zweit verändert sich die Umgebung. Die Stille ist keine Stille mehr, auch wenn der andere schweigt.

Ich duschte. Zog einen Pullover an.

Als ich an seinen Tisch kam, zeigte er zum Hafen.

»Von diesem Tisch aus sieht man sehr gut den Platz, an dem mein Vater immer sein Boot festgemacht hatte.«

Die Sonne strahlte. Es war nicht warm, aber wir hatten ein paar Stunden mit ruhigem Wetter vor uns. Bis zu den Grotten war es ein weiter Weg.

Er lächelte, als könnte er meine Gedanken lesen.

»Machen Sie sich keine Sorgen, ich kann so schweigen, dass ich stumm werde.«

Wir liefen nebeneinander am Wasser entlang und wechselten bis zu den ersten Häusern von La Roche kaum ein Wort. Als wir in den Pfad einbogen, mussten wir hintereinander gehen. Manchmal lief er vornweg, dann wieder ich. Die Landschaft war schön. Das Meer leuchtete. Ab und zu blieb er stehen und sah sich um. Er sprach nicht. Wenn er stehen blieb, hielt auch ich an. Dann gingen wir weiter, und ich gewöhnte mich daran, mit ihm zu laufen. An der Bucht von Établette sahen wir uns an.

»Ist alles in Ordnung?«, fragte er.

Ich zögerte und sagte: » Ja, alles in Ordnung.«

Die Grotten waren direkt unter uns.

Er erinnerte sich, dass er diesen Spaziergang oft mit seinen Eltern gemacht hatte, aber er war nie zu den Grotten hinuntergestiegen. Zu gefährlich. Ein zu unsicherer Weg. Wir bogen ab und folgten einem kleinen von Ziegen gebahnten Trampelpfad, der sich durch die Büsche schlängelte und schließlich im Meer mündete. Er war eng und sehr rutschig. Ab und zu mussten wir uns an die Zweige klammern und auf unseren Sohlen rutschen.

Wir sprangen auf den Strand. Eine tote Möwe schwamm auf dem Wasser, ihre weißen Flügel wurden von den Wellen hin- und hergeworfen. Schwarze Algen wogten auf und ab. Es war eine bewegte Welt, nicht die Welt des Wassers, aber auch nicht die des Landes. Ein Dazwischen.

Die Grotten lagen vor uns: *La Grande Église, la Petite Église* und die *Grotte du Lion*. In diesen Grotten waren einst die ersten Legenden von La Hague entstanden. Legenden von Tieren und Menschen.

Die Eingänge zu den Grotten befanden sich etwas weiter weg.

Wir gingen an der Steilküste entlang.

Ein Riss teilte den Fels. Es war eine schmale Bresche, die bis unter die Kirche von Jobourg führte.

Als wir die Grotte betraten, mussten wir uns bücken, um weitergehen zu können.

Unter meinen Fingern spürte ich die Feuchtigkeit der Wand. Tierschädel waren in den Fels zementiert, ich strich mit der Hand darüber. Vogelskelette. Der Wind hatte sie geglättet. Ich kratzte, bis ich ein Stück Knochen abgelöst hatte. Er schmeckte salzig.

Wir gingen noch tiefer hinein, dann drehten wir um und kamen wieder zum Eingang zurück.

»Machen wir Feuer!«, sagte ich.

Es war noch altes Holz da. Trockene Zweige. Er holte seine Streichhölzer aus der Tasche. Ich riss ein paar Seiten aus meinem Heft. Das Holz fing sogleich Feuer, wir setzten uns davor, die Knie zwischen den Armen, und starrten in die Flammen. Unsere Schatten tanzten an der Wand.

»Geht's besser?«

Er sah mich an.

Ich verstand nicht.

»Meine Anwesenheit, ertragen Sie sie?«

»Ja ...«

Er lächelte.

Er zündete sich eine Zigarette an und rauchte sie bis zum Filter, ohne etwas zu sagen.

Ich sah ihm zu, die Hände über dem Feuer ausgestreckt. Ich dachte an den Eremiten, dessen Geschichte mir Monsieur Anselme erzählt hatte. Ein Mann hatte mehrere Jahre in dieser Grotte gelebt und sich von Regenwasser und Brot, das ihm irgendwer vorbeibrachte, ernährt. Zum Schlafen hatte er ein Bett aus Stechginster gebaut. Mit ein paar Tierfellen hatte er sich zugedeckt. Jahre hatte er hier verbracht, ohne einen Menschen zu sehen. Ohne zu sprechen. Im Angesicht des Meeres. Aber eines Tages war er aufgestanden und hinausgegangen. Bauern, die auf den Wiesen arbeiteten, sahen einen Mann vorübergehen, dessen Bart und Haare so lang waren, dass sie die Erde berührten. Ehe sie sich aufgerichtet hatten, war der Mann verschwunden.

Lambert drückte seine Zigarette auf einem Stein aus. Ich spielte weiter mit einem Stock im Feuer. Kleine Funken stoben auf, flogen davon und verschwanden, vom Halbdunkel verschluckt.

Ich erzählte ihm die Geschichte des Eremiten. Als ich fertig war, sah er mich zweifelnd an.

»Der Eremit hat doch wenigstens ein paar Worte mit dem Mann gewechselt, der ihm das Brot gebracht hat?«

»Nein ... Das Brot wurde in einen Eimer gelegt und der Eimer an ein Seil gebunden. Sie sind sich nie begegnet.«

Er nickte.

»Und wie lange war er hier in der Einsamkeit?«

»Viele Jahre. Fast zehn, glaube ich.«

Mit der Spitze meines Stocks stocherte ich im Boden und löste ein Stück braune Erde heraus. Ich nahm sie in die Hand. Sie roch gut.

»Ich würde gerne wissen, warum er die Grotte verlassen hat«, sagte ich und hob den Kopf.

Er sah mich an.

»Er war jahrelang hier, und eines Tages ist er aufgestanden und gegangen. Finden Sie das nicht auch komisch?«, fuhr ich fort.

»Mich würde eher interessieren, warum er so lange in der Grotte geblieben ist ...«

»Es gibt tausend Gründe, sich einzuschließen. Herauszukommen ist viel schwerer.«

Er hatte kleine Steine gesammelt, die auf dem Boden der Grotte lagen, und ließ sie von einer Hand in die andere rieseln.

»Gestern Abend habe ich Ihnen von meinem Bruder erzählt ... Ich wollte sehr lange nicht an seinen Tod glauben. Ich hatte das Gefühl, ihn sonst zu verraten.«

Vor uns verbrannten die Zweige.

»Der Notar sagt, das Haus müsste in drei Monaten verkauft sein. Kennen Sie vielleicht jemanden, der mir helfen könnte, den Garten in Ordnung zu bringen?«

»Das kann Max machen.«

»Max, ja ...«

Er strich mit dem Daumen über seine Lippen.

»Hören Sie auf damit ...«, sagte ich.

Er sah mich an. Ich erklärte mich nicht, und er legte die kleinen Steine auf einem Haufen neben das Feuer.

Max hatte das neblige Wetter genutzt, um auf den Felsen zu angeln. Dort gab es Barsche. Er hatte seine gelbe Seglerjacke an. Sein Eimer war blau. Man sah ihn schon von weitem.

Als wir auf dem Weg vorbeigingen, rief er uns zu sich und zeigte uns seinen Eimer. Er hatte keine Barsche gefangen, nur ein paar Makrelen, Doraden und einen schönen Hering. Er begleitete uns zurück. Meistens warteten die Leute, die Fisch kaufen wollten, unten bei den Booten. Aber heute war niemand da.

Lambert fragte Max, ob er ihm helfen würde, seinen Garten in Ordnung zu bringen. Max antwortete nicht.

Er setzte sich an den Kai und putzte seine Fische, die Abfälle warf er ins Hafenwasser. Die Schuppen und alles, was er ihnen aus dem Bauch riss. Kinder sahen ihm dabei zu.

Die Möwen kreisten über seinem Eimer.

Max schnitt den Kopf des Herings ab. Für einen Moment schwamm er zwischen zwei Booten, das runde Auge starrte in den Himmel.

Es heißt, der Hering habe eine Seele, und wenn man dieser Seele begegne, könne man sie befragen, wie man einen Weisen befragt.

Man sagt auch, die Dorade wechsle siebenmal die Farbe, ehe sie stirbt.

Ich sah Lamberts Gesicht im Gegenlicht an. Die tiefen Schatten in seinen eingefallenen Wangen.

Max träumte davon, aufs Meer zu fahren und einen Heringshai zu fangen. Dazu musste er erst das Boot fertig reparieren. Er sagte, sobald das Boot repariert sei, würde er die große Beglückung des Meeres haben.

»Ein Heringshai kann mehr als hundert Kilo wiegen!«, sagte er und kratzte die Schuppen vom Messer.

»Und was machst du mit hundert Kilo Heringshai?«, fragte ich.

»Ich verhandle hart auf der Auktion in Cherbourg, vom Geld kauf ich Benzin und komm zurück.«

»Dann bist du also reich?«

Er lachte.

Seit wir über Schmetterlinge gesprochen hatten, fing er sie und sperrte sie in einen Käfig. Er wollte warten, bis der Käfig voll war, um die Schmetterlinge vor Morganes Gesicht freizulassen. Doch die Schmetterlinge starben nach ein paar Tagen.

Eine Möwe tauchte vor uns auf und flog mit dem Heringskopf im Schnabel davon. Lambert folgte ihr mit den Augen.

Dann drehte er sich um und blickte zu Théos Haus am Hügel.

»Kommen Sie nachher mit?«

Ich folgte seinem Blick.

»Nein ...«

Er nickte.

Max lächelte.

»Den Garten in Ordnung bringen geht klar, macht er!«

Das sagte er: Macht er.

Lambert verabschiedete sich. Er nahm sein Auto und fuhr den Hügel hoch. Ich wusste nicht, ob er zu Théo wollte.

Am Strand kreischte eine Silbermöwe.

»Die kleinen kauf ich dir ab«, sagte ich. »Für Théos Katzen.«

Max warf den noch zuckenden Fang in einen Plastikbeutel und knotete den Beutel zu. Ich zog einen Schein aus der Tasche, aber er wollte ihn nicht nehmen.

»Das ist mit ihm abgemacht, auf Vertrauen«, sagte er.

»Was willst du damit sagen?«

Er wischte die Hände an seiner Hose ab, und die glänzenden Schuppen blieben am Stoff kleben.

»Das ist abgemacht«, wiederholte er und zeigte auf Théos Haus.

Dann nahm er seinen Eimer und ging los, um den Gastwirt zu fragen, ob er Fisch haben wollte.

Ich machte die Tür auf.

»Ich habe Fisch mitgebracht …«

Théo stand am Ende des Flures und leerte gerade die Schüsseln, die das Wasser unter den undichten Stellen im Dach auffingen. Es gab mehrere. Er musste sie oft leeren.

»Man müsste die Ziegel auswechseln …«, erklärte er mir und zeigte dabei zum Dach.

Er wirkte ruhig – die Augen, die Hände. Ich merkte sofort, dass Lambert nicht da gewesen war. Ich hatte befürchtet, ihn dort anzutreffen. Konnte er etwas anderes tun als kommen? Die Vergangenheit verfolgte ihn. Er ahnte die Wahrheit und musste sie hören.

Théo drehte sich zu mir um.

»Was ist los? Stimmt was nicht?«

»Doch, alles in Ordnung.«

Als die gelbe Katze mich sah, kam sie aus der Küche, lief dicht an der Wand entlang und rieb sich an mir.

»Diese da mag Sie sehr … Haben Sie gemerkt, sobald sie Sie hört, kommt sie raus.«

Die Katze roch den Fisch im Beutel. Théo sah ihn.

»Legen Sie ihn einfach in die Spüle.«

Auf den Stufen weiter oben standen noch mehr Schüsseln.

Ich ging in die Küche. Das weiße Kätzchen lag auf dem Tisch. Das war sein Platz, sein geschütztes Terrain. Die anderen Katzen wussten es. Unter ihnen herrschte kein Hass. Es war etwas anderes. Argwohn. Auch Eifersucht.

Ich stellte den Beutel in die Spüle.

Auf dem Tisch lag ein Briefumschlag, auf dem Théos Name und Adresse mit einem Füller geschrieben waren. Eine breite, geneigte Schrift. Blaue Tinte. Die Briefmarke war in Grenoble abgestempelt worden.

Ich drehte das Kuvert um. Es stand kein Absender darauf.

Auf dem Schreibtisch lagen noch andere Umschläge, alle mit derselben Schrift. Sie lagen in einer Pappschachtel. Es waren viele, vielleicht hundert.

Ich hob die Klappe eines Umschlags an. Ohne den Brief herauszuholen, las ich die ersten Worte: *Lieber Théo, heute Morgen hat es geschneit. Ich konnte rausgehen und bin ...*

Die Fortsetzung war verdeckt. Ich steckte einen Finger in den Umschlag und las weiter: *Danke für deinen langen Brief. Ich bin froh zu erfahren, dass es dir besser geht, und ich danke dir für dein Paket. Ich habe mit den Brüdern geteilt ...*

Ich hob die Klappen anderer Umschläge an. Auf einem stand ein Name, Michel Lepage, gefolgt von einer Adresse: *Kloster Grande Chartreuse in Saint-Pierre.*

Ich legte den Brief zurück.

Draußen fing es an zu regnen.

Théo kam in die Küche.

»Ich habe die Fische in die Spüle gelegt«, sagte ich und ging vom Schreibtisch weg.

Er sah, dass ich neben den Briefen stand. Sicher dachte er sich, dass ich sie angefasst hatte.

Ich zeigte auf den Beutel.

»Max hat sie geangelt ... Wegen der Bezahlung hat er gesagt ...«

»Ich weiß, was er gesagt hat.«

Er schätzte die Menge des Fisches, die in dem Beutel war, zog einen Geldschein aus der Tasche und legte ihn neben die Spüle. Dann lief er um den Tisch herum und schloss die Schachtel, in der die Briefe lagen.

In der Stille hörte ich den Regen. Ich wollte gehen, nahm den Geldschein und ging zur Tür.

Théo hatte seine Mütze fast über die Augen gezogen. Er steckte Holz in den Ofen. Ich sah seinen Rücken, die schmalen Schultern im Bademantel.

Der Brief lag immer noch auf dem Tisch. Regentropfen liefen hinter dem Bett an der Wand herunter. Auf dem Fußboden waren Wischtücher ausgebreitet. Die Katzen sahen sich an. Théo spannte einen Regenschirm auf und stellte ihn aufs Bett.

»Regen von Süden«, sagte er. »Nicht der kälteste, aber er geht direkt unter die Ziegel.«

Jetzt fielen die Tropfen auf den Regenschirm, sie rannen zu Boden und versickerten in dem Haufen aus Wischtüchern.

Théo verschob die kleine Penduluhr. Jede Stunde blieben die Zeiger hängen und gingen zwei Minuten nach.

»Können Sie sich das vorstellen? Zwei Minuten pro Stunde, so viel geht sie nach. Ein Fehler im System, ich hätte sie reparieren lassen sollen ...«

Er schüttelte den Kopf.

»Inzwischen ist es wie eine Verabredung von ihr und mir, dieser Moment, wo die beiden Minuten verloren gehen.«

Er sah mich an, lange, prüfend, aufmerksam.

»Irgendwann erzähle ich Ihnen von diesen Briefen.«

Er wollte noch etwas hinzufügen, als die Tür aufging. Sie knallte gegen die Wand. Die Katzen hoben die Köpfe. Es war Nan, sie hatte ihr weites schwarzes Kleid an, aus ihrem Haar troff Wasser, das dunkel und schmutzig war. Über dem Kleid trug sie einen breiten Wollschal.

Als sie mich sah, blieb sie auf der Schwelle stehen, eine Hand an der Kehle. Die Finger der anderen Hand schlossen sich um etwas, das sie fest an sich drückte.

Sie war eine seltsame Priesterin, eine Fischfrau, die aus dem Wasser oder einer anderen unterirdischen Welt gestiegen zu sein schien. Und auf dem Gesicht trug sie die erschreckende Maske einer Gorgone.

»Ich wollte gerade gehen«, sagte ich.

Sie drückte sich an die Wand. Als ich an ihr vorbeiging, spürte ich ihren starken Geruch nach Schweiß und Torf.

Ich sah nicht, was sie in der Hand versteckt hielt.

Lambert hatte lange von den Verschwundenen gesprochen, von jenen Toten ohne Körper und ohne Begräbnis. Wir waren zusammen in der Grotte gewesen. Das Feuer hatte gebrannt, und er hatte gesagt, dass Verschwundene Tote ohne Beweis seien und dass es für Tote, die das Meer behielt, keinen Abschied gebe.

Das Halbdunkel um uns herum hatte seinen Worten zusätzlich Bedeutung verliehen. Worte, die ich gehört und behalten hatte und die mir später immer wieder in den Sinn kamen.

»Das Verschwinden meines Bruders hat mich aus dem Gleichgewicht gebracht.« Das hatte er gesagt und dabei versucht zu lächeln. Ich hatte an dich gedacht. Ich hatte dich tot gesehen, schon lange bevor dein Herz aufgehört hatte zu schlagen. Tag für Tag drang der Schatten in dich ein. Mein Schrei, wie der einer Wahnsinnigen, danach, aber ich konnte dich wenigstens beweinen, konnte selbst beinahe sterben.

Wie hätte ich schreien können, wenn ich dich nicht hätte begraben können?

Als ich am Bauernhof ankam, nieselte es. Die Sau stand auf dem Hof, die Füße im Schlamm. Sobald sie mich sah, kam sie auf mich zu. Ich drückte das Gesicht an ihre feuchte Schnauze. Ihr guter, dicker Kopf zwischen meinen Händen.

»Du bist ganz schmutzig, meine Schöne …«

Ihre Augen waren sanft, voller Tränen, aber die Tränen flossen nicht.

Die kleine Bachstelze war im Haus. Sie klopfte ans Fenster. Ich winkte zurück. Sie war das größte der Kinder, aber ich wusste nicht, ob sie die Älteste war. Oft hatte ich gesehen, wie der Vater sie schlug, Ohrfeigen, die er ihnen mit der flachen Hand versetzte. Die beiden größeren konnten den Schlägen standhalten, die kleineren jedoch wurden weggeschleudert. Sie würden wachsen. Weggehen.

Der Vater hatte ihnen Spitznamen gegeben, der Älteste wurde *Rotznase* gerufen, der Kleinste *Pisser*. Dann gab es noch *die Weide*. Dieser Junge hatte seltsame Augen. Er ging nicht zur Schule. Auch die Kühe hatten Namen, *Marguerite*, *Rose* … Wenn der Vater ihre Kälber anschaute, sah er das Fleisch, den Preis, den sie auf dem Tisch des Metzgers pro Kilo bringen würden. Ich wusste nicht, was er sah, wenn er seine Kinder anschaute.

Zwischen alldem war die Mutter ein schüchterner Schatten, den ich manchmal auf dem Hof erblickte.

Ich setzte meinen Weg fort.

Bei Lili war gerade nichts los. Über dem Tresen brannte Licht. Ich lief auf das Haus zu. Als ich gerade die Hand auf die Klinke legen wollte, sah ich Lili und Lambert durchs Fenster. Sie saßen am Tisch und unterhielten sich. Ich sah sie von der Seite. Zwischen ihnen standen Gläser.

Raphaël kniete auf dem Boden, die Wange gegen den Gipsbauch gedrückt. Er sagte, er könne stundenlang über eine Bewegung von wenigen Sekunden nachdenken.

»Jetzt mache ich erst mal Pause«, erklärte er und klemmte sich eine Zigarette zwischen die Lippen.

Er tauchte die Hände in eine Schüssel mit grauem Wasser. Das Wasser tropfte auf die Dielen. Mit seinen nassen Händen glättete er die Hüftflächen, die zarte Leistenbeuge drückte er mit dem Daumen ein. Dann richtete er sich auf, trat ein paar Schritte zurück und ließ mich den noch undeutlichen Körper einer Skulptur betrachten, deren ausgehöhlter Bauch die Gewalt einer Niederkunft ausdrückte. Der Mund war geschlossen. Stumm. Die Brüste gespannt. Sie hatte fast kein Gesicht. Der gequälte Leib drückte das Wesentliche aus. An einigen Stellen des Bauches war noch die Gitterarmatur zu erkennen.

Er trat noch einen weiteren Schritt zurück.

»Was hältst du davon?« Er nahm meine Hände und führte sie an den Bauch.

»Spürst du? Es ist eine *Flehende*.«

Das ganze Atelier glich einem riesigen Ruinenfeld, in dem Raphaël der einzige Überlebende war.

Er ließ meine Hände los und zündete an der noch brennenden Kippe eine neue Zigarette an.

»Seit zehn Jahren versuche ich, Begehren zu formen! Zehn Jahre habe ich es nicht hinbekommen, und heute, siehst du, ist es mir gelungen.«

Ich lief um die Skulptur herum. Die langen mageren Beine endeten in einer Masse aus feuchtem Fleisch, das die ganze Energie auszustrahlen schien.

Der Rest des Körpers, Kopf, Brust, Glieder, sogar die Brüste waren nur dazu da, die Kraft des Begehrens noch ein wenig zu steigern.

»Morgane hat gesagt, du sitzt an deinen Zeichnungen …«

Er wedelte mit der Hand, als würde er ein lästiges Insekt verjagen.

»Später! Später!«

Er setzte sich auf die Stufen, der Körper zermürbt von Müdigkeit. Der Nacken gesenkt.

Ich füllte zwei Tassen mit warmem Kaffee, den er kurz zuvor gekocht hatte, und hielt ihm eine hin. Er hatte Gips im Gesicht. Seine Haare standen wild vom Kopf ab. Der Mund war verzogen. Er sah die Tasse an, und plötzlich erschien er mir schön, schön, weil er so nah am Wahnsinn war.

Die Tasse war wie ein zusätzliches Gewicht, das er nicht mehr bewältigen konnte. Ich sah seine Hand, die Finger, die sie kaum hielten. Die Tasse fiel herunter, und der Kaffee floss heraus.

Der dunkle Fleck wurde sogleich vom Staub aufgesogen.

»Halb so schlimm«, sagte er.

Ich hob die Tasse auf.

Das Atelier war erfüllt von einer erdrückenden und stummen Aura, gehetzt vom blendenden Licht der Halogenscheinwerfer. Vor uns thronte seine letzte Skulptur. Als Schwester aller anderen zeugte sie von derselben Obsession, Recht im Unrechten zu tun, Leidenschaft im Elend.

Und Begehren in der Abwesenheit.

Das war die Spur, die Raphaël zog.

»Du ähnelst deinen Skulpturen.«

Er hob den Kopf.

In seinem Blick lag eine Mischung aus Zärtlichkeit und Schmerz, ein Ausdruck, der denjenigen eigen ist, die das Leben unendlich intensiver erleben als die anderen.

Der Blick tat mir weh. Ich wandte den Kopf ab.

Raphaël schloss die Augen.

»Ich kann nichts dafür ...«

Ich fragte mich, ob er von seinen Skulpturen sprach oder von sich selbst.

Raphaël schlief eine Stunde, den Rücken an die Wand gelehnt. Dann machte er uns Beignets.

Ein alter Tisch stand im Garten in der Sonne. Ich hatte Wein mitgebracht.

Die Beignets waren lecker, voller Konfitüre. Wir bissen hinein, und sie explodierten in unseren Backen. Max gesellte sich zu uns. Er war glücklich. Er hatte von der Auktion in Cherbourg ein altes Fischernetz mitgebracht. Das Netz war im Garten ausgebreitet. Er musste nur ein paar Maschen reparieren, dann würde er das Netz hinten an sein Boot hängen können. Bis dahin verbrachte er Stunden damit, die Planken des Schiffsrumpfes mit einer dicken Masse abzudichten, die er mit einem Spatel verstrich und die wie Teer roch.

Max erklärte uns, wenn das alles erledigt sei, müsse er nur noch den Frachtraum mit Wasser füllen, um »die Dichtigkeit des Bootes« zu überprüfen.

Dann verstummte er und starrte auf die Zuckerspuren an Morganes Lippen.

Die Sonne wärmte uns den Rücken. Auf dem Kai waren ein paar Spaziergänger. Ich überlegte, ob vielleicht Sonntag war.

Wir sprachen von Lambert. Morgane sagte, sie habe ihn bei Lili gesehen, als sie am frühen Nachmittag nach Beaumont gefahren war. Sie war nur ins Café gegangen, um ein Brot zu kaufen. Er war da gewesen.

»Kennt er Lili von früher?«, fragte sie.

»Warum fragst du mich das?«

Sie hielt ihr Beignet mit zwei Fingern. Etwas Konfitüre lief an der Seite hinunter.

»Sie müssen sich gekannt haben, wo er doch die Ferien hier verbracht hat.«

Dann rann die Konfitüre über ihren Finger.

Raphaël sah uns an, während er auf seinem Stuhl schaukelte.

»Dein Charakter … Morgane spricht mit dir, und du antwortest kaum. Bist du immer so?«, fragte er mich.

»Das ist atavistisch«, sagte ich.

»Ata was?«

»Atavistisch … Ererbt. In meiner Familie waren alle schweigsam.«

Morgane mochte es nicht, wenn wir uns stritten:

»Hört auf, euch anzukeifen!«, sagte sie und gab ihrem Bruder einen knallenden Kuss auf die Wange. Sie schlang die Arme um seinen Hals und schmiegte sich einen Moment an ihn.

»Wenn du irgendwann genug von den Skulpturen hast, kannst du Konditor werden!«

Dann sah sie zur Seite.

»Wir haben Besuch!«

Es war die kleine Bachstelze, sie stand vor dem Gartentor. Raphaël sah sie näher kommen, er zog ein Skizzenheft aus der Tasche und zeichnete die Umrisse der Kleinen mit ein paar raschen Strichen.

An der Wand über ihm waren die lange geschlossenen Rosenknospen endlich aufgegangen. Es waren ungefähr zehn, die fest an den Zweigen hingen und dem Wind trotzten.

Die Kleine kam zu uns.

Als sie die Zeichnung sah, starrte sie Raphaël an, als wäre er ein Gott.

»Irgendwann mache ich eine Skulptur von dir«, sagte er und packte das Skizzenheft ein.

Die Kleine steckte die Hand in den Korb, nahm sich ein Beignet und ging weg, um es mit ihrem Hund zu teilen.

»Kennt ihr jemanden, der Michel heißt?«, fragte ich.

Morgane und Raphaël sahen sich an.

»Michel wie?«

»Lepage.«

Raphaël schüttelte den Kopf. Er wandte sich an seine Schwester.

»Sagt dir der Name etwas?«

»Nein. Wer ist das?«

»Ich habe keine Ahnung.«

Ich zögerte. Ich wusste nicht, ob ich Lust hatte, ihnen alles zu erzählen, von Théo, den Briefen. Also beschrieb ich ihnen nur die seltsame Begegnung, die am Morgen nach dem Sturm zwischen Nan und Lambert stattgefunden hatte. Ich erzählte ihnen auch von dem Foto mit dem Jungen, das bei Lili an der Wand hing.

Raphaël nahm einen großen Schluck Bier. Er sah mich spöttisch an.

»Mit irgendwas musst du dich ja verrückt machen …«

»Ich mache mich nicht verrückt.«

»Und was ist das sonst?«, fragte er und verdrehte die Augen.

Dann sahen Morgane und er sich an, und sie mussten lachen.

Max setzte sich neben sein Netz auf die Erde und fing an, die Maschen zu flicken. Um sie zusammenzunähen, benutzte er einen dicken Nylonfaden.

»Däumling.«

Das sagte er.

Als ich es zum ersten Mal hörte, achtete ich nicht weiter darauf. Er sagte manchmal einfach irgendwelche Wörter mehrmals hintereinander, ohne genau zu wissen, warum er ein Wort wählte und nicht ein anderes. Wir fingen an, die Teller zusammenzustellen.

Max war immer noch über sein Netz gebeugt, die Beine gespreizt, und wiederholte in ermüdender Regelmäßigkeit das Wort Däumling.

»Kannst du nicht etwas anderes sagen?«, fragte ich ihn, als ich mit den Tellern in der Hand an ihm vorbeiging.

Die Finger in den Maschen schaute er zu mir hoch. Er trug seinen dunklen Seemannspullover und ein Tuch um den Hals. Er lächelte mich an.

»Michel ist Däumling!«

Ich stellte die Teller ab.

»Kennst du jemanden, der Michel heißt?«

Er nickte und beugte sich wieder über sein Netz.

»Wer ist das?«, fragte ich.

Er zuckte die Schultern, ohne mich anzusehen. Er wusste es nicht.

»Du sagst, dass du ihn kennst, aber du weißt nicht, wer es ist?«

Er zuckte wieder die Schultern.

»Weißt du, ob es der Michel ist, den Nan sucht, wenn sie am Strand ist?«

Max antwortete nicht. Raphaël hörte uns zu.

»Warum interessiert dich das?«, fragte er und drückte seine Bierdose zusammen.

Fragen und Antworten, ein komplexes Gewebe aus Lüge und Wahrheit. Zu spät gesagte Dinge, nur halb gesagte und die, die nie gesagt werden. Das hatte ich bei den Kormoranen gelernt.

Wenn ein Kormoran einen Fisch verschluckt, dann immer

mit dem Kopf zuerst. Der Magen verdaut in Etappen. Einmal hatte ich einen toten Kormoran gefunden und ihn aufgeschnitten. In seinem Magen war die Hälfte des Fisches, den er gerade verschluckt hatte, noch ganz, während der Rest nur noch Brei war.

Ich versuchte, es Raphaël zu erklären.

»Wenn man keine Fragen mehr stellt, stirbt man.«

»Das ist mir zu verkopft …«

Morgane lachte, den Rücken in der Sonne.

Max richtete sich auf.

»Er war von extremer Kleinheit«, sagte er und nahm das letzte Beignet, das auf dem Teller lag.

Er sah es an, dann Raphaël, und steckte es schließlich in die Tasche.

»Ich habe immer so gesagt: ›Guten Tag, Däumling!‹ Dann ist er noch gewachsen, bis zu einer normalen Maßlosigkeit, aber ich habe weiter ›Guten Tag, Däumling‹ gesagt.«

Er zog sein Netz in die Sonne.

»Das ist der Fortgang des Namens, auch wenn sich die Dinge ändern, muss man ihn respektieren.«

»Wo wohnte dein Däumling?«, fragte ich.

Er zeigte mit dem Finger zu den Häusern von La Roche.

Max setzte sich an den Tisch.

»Wir hatten dieselbe Positionierung in der Schule, sein Ellbogen da und meiner direkt daneben.«

Er zog mich am Ellbogen und ließ mich neben sich Platz nehmen, um mir zu zeigen, wie sie als Schüler nebeneinandergesessen hatten.

»Wir teilten dieselbe Anschaulichkeit der Dinge und des großen Wissens.«

Er lachte leise, hinter vorgehaltener Hand, die Finger gespreizt.

»Däumling hatte mehr Fassungsvermögen«, sagte er und

schlug sich mit der Hand gegen den Schädel. »Er sagte, mein Fassungsvermögen ist weniger groß, aber genauso verdienstvoll.«

Ich sah ihn an. Die Erinnerung schien ihn glücklich zu machen.

»Däumling hatte Recht«, sagte ich. »Dein Fassungsvermögen ist sehr verdienstvoll.«

Er wurde rot, verlegen.

Ich fragte ihn, ob er wisse, wo er jetzt wohnte, und ob seine Eltern noch hier lebten, aber er wusste es nicht.

»Kennst du seinen Nachnamen? Lepage, könnte das stimmen?«

Er sah mich an.

»Max weiß solche Sachen nicht.«

Als er sich wieder in sein Netz vertiefte, trug ich die Gläser hinein, die noch auf dem Tisch standen.

»Ich habe früher als Friseur gearbeitet«, sagte Raphaël und fuhr mir mit den Fingern durchs Haar.

In sechs Monaten waren meine Haare wild gewachsen. Ich kämmte sie nicht mehr.

»Warst du wirklich Friseur?«

»Frag Morgane.«

»Nicht nötig.«

Er holte eine Kiste, in der alles war, was er brauchte – Scheren, Rasiermesser, Haarschneidemaschine.

»Wenn du willst, dass ich sie dir schneide, musst du sie nass machen, oder ich schneide sie dir trocken.«

»Ich mag keinen Trockenschnitt.«

Ich ging in mein Zimmer und sah mir mein Gesicht im Spiegel an. Ich ließ Wasser laufen, wusch mich über dem Waschbecken, den Rücken gebeugt. Als ich mich wieder aufrichtete, brannte mein Nacken. Ich wickelte ein Handtuch um den Hals und ging wieder hinunter. Raphaël erwartete mich.

Auf dem Hof stank es nach Teer, von dem Zeug, das Max auf den Bootsrumpf strich. Der Topf stand mit ein paar Pinseln wenige Meter entfernt.

Raphaël schimpfte.

»Kannst du den Scheiß nicht woanders hinstellen?«

Er ließ mich auf der Kiste Platz nehmen.

»Hast du kein härteres?«, fragte er, als er das Handtuch anfasste.

Mein Rücken berührte seinen Bauch, seine Hände meinen Nacken.

»Relax«, sagte er.

Er entwirrte meine Haare mit einem Kamm mit langen Zinken.

»Womit hast du sie gewaschen?«

»Ich hatte kein Shampoo mehr.«

»Womit hast du sie gewaschen?«, wiederholte er und zog meinen Kopf nach hinten, um mich zum Antworten zu zwingen.

»Mit Seife.«

Er ließ mich los.

»Schlecht gespült«, sagte er.

»Ist nicht so einfach im Waschbecken.«

Ich überließ ihm meinen Kopf. Die kalte Klinge auf meiner Haut, ich hörte das scharfe Klappern der Schere. Ich schloss die Augen. Die Strähnen fielen.

»Aber nicht zu kurz.«

»Mach dir keine Sorgen.«

Er schnitt an den Seiten.

Die Bachstelze kroch unter den Tisch zwischen meine Beine und sammelte meine Haare auf.

»Früher hatte ich einen Pudel«, sagte Raphaël und zeigte auf den Hund der Bachstelze, der uns mit seinen demütigen Augen ansah.

Raphaël schnitt weiter, ohne mehr dazu zu sagen. Ich dachte an das, was Max erzählt hatte. Michel und er mussten gleich alt sein, vierzig, vielleicht etwas älter. War er es, der an Théo schrieb? Diese breite, ausgeprägte Schrift?

Raphaël fuhr mit den Fingern durch mein Haar.

»Ist es so gut?«

»Hast du keinen Spiegel?«

Ich fühlte mit der Hand. Es war nicht besser, aber auch nicht schlechter. Es gab keinen Fön, also rieb er die Haare mit dem Handtuch.

»Ist es nicht ein bisschen zu kurz geworden?«

»Die Mode, Prinzessin, die Mode.«

Ich strich mir über den Kopf.

»Sind da nicht Löcher an den Seiten?«

»Auch das ist Mode«, sagte Raphaël.

Er lächelte.

Die Kleine sah es sich an.

»Was ist aus deinem Pudel geworden?«, fragte ich und stand auf.

»Die Illegalen von Cherbourg haben ihn aufgegessen.«

»Warum haben sie das gemacht?«

»Sie hatten wahrscheinlich Hunger.«

»Einen Hund essen ist widerlich.«

Raphaël amüsierte sich. Die Bachstelze auch. Bis die kleine Douce anfing zu jaulen und im gestreckten Galopp über den Hof raste.

Ich lachte mit ihnen. Danach blieb ich noch lange draußen auf der Bank sitzen, den Kopf in der Sonne.

Am Abend, im Hof, das Sternenlicht in den Wellen. Zitternde Lichter. Wie ertrunken.

Der Nebel stieg vom Meer auf. Er hatte Seeleute in die Irre geführt, Schiffe versenkt. Kapitäne waren verrückt geworden, weil sie nichts mehr gesehen hatten.

In der Ferne fuhr ein Frachtschiff in Richtung England. Das Nebelhorn ertönte in regelmäßigen Abständen wie eine Totenglocke. Ich sah nichts mehr von den Häusern von La Roche. Nichts mehr vom Strand. Sogar die Vögel waren verstummt. Nur die Lichter dieses Frachtschiffs in der Ferne und am Himmel ein paar Nachtvögel, die wie Schattenspielfiguren über La Hague hinwegflogen. Diese Vögel waren Zugvögel. Seit einigen Tagen kamen sie zu Dutzenden, und es kamen noch mehr, ihr Flug wurde durch den Nebel erschwert. Warum flogen sie so dicht am Haus vorbei? Die Vögel hielten nicht an, sie zogen weiter nach Süden, sicher in die Camargue, vielleicht auch nach Afrika. Sie flogen in meine frühere Heimat.

Ein Vogel streifte mein Fenster. Er schüttelte sich einen Augenblick lang, betäubt von der Heftigkeit seiner eigenen Angst. Zog das Licht sie an, dieser nicht einmal sehr helle Punkt meiner Lampe? Vögel starben zu Hunderten an Lichtern. Wie große Insekten. Sie zerschellten.

Ich knipste die Lampe aus und sah aus dem Fenster.

Théo hatte gesagt, ich müsste dort mal eine Nacht verbringen, mich dort absetzen lassen.

Dort. Auf dem Leuchtturm.

Ich presste mein Gesicht ans Glas. Der Leuchtturm war von Finsternis umgeben, er trotzte den Wellen und der Nacht.

Das Verhalten der Vögel ändert sich bei Nebel und bei Gewitter. Das Verhalten der Menschen auch.

Hatte Théo in der Nacht des Unfalls den Scheinwerfer ausgemacht? Das Licht des Leuchtturms wird von einer Laterne erzeugt, die die Kraft eines Herzens hat. Ein schwerer, kraftvoller Pulsschlag. Auf diese Lampe, die wie eine Vielzahl von Halogenscheinwerfern zu einem einzigen Strahl gebündelt ist, heften die Seeleute unablässig den Blick.

Die Kleine war ganz nach hinten in den Hühnerstall gekrochen, in die dunkle Ecke, wo die Hühner brüteten. Sie winkte mir zu. Ich öffnete das Tor und folgte ihr. Es roch nach Federn. Im Halbdunkel glitten meine Hände über Stroh, Kot und die Holzstreben der Hühnerleitern.

Die Bachstelze wühlte in den Kästen und holte weiße Eier heraus.

Sie legte sie in ihren Korb.

Ich sah ihr zu. Bachstelze, ein seltsamer Name, niemand konnte sagen, wer ihn ihr gegeben hatte. Wer ihn ihr so endgültig angeheftet hatte, dass alle ihren wahren Namen vergessen hatten. Und dass es ihr seither unmöglich war, sich anders zu nennen.

Lili sagte von ihr, sie sei ein Herzchen. Sie sagte auch, was die Kleine am besten könne, sei lächeln. Das und dicke Striche auf den Seiten ihres Heftes ziehen.

Wir gingen nach draußen. Es war ein fast schmerzhafter Übergang von der Dunkelheit ins Licht.

Lambert lehnte am Gartenzaun. Er rief die Kleine.

»Ich kauf dir sechs ab!«

Sie streckte ihm die Hand hin und tauschte die Eier gegen Münzen.

Lambert sah mich an. Er zeigte mir die Eier.

»Machen wir uns ein Omelette?«

Ich mochte kein Omelette.

Mir kam ein Lied von Mouloudji in den Sinn, ich sang es leise.

Un jour, tu verras, on se rencontrera, quelque part n'importe où …

Ich hörte gern Mouloudji, früher, mit dir.

Die alte Nan ging vor uns die Straße hinauf, auf demselben Bürgersteig. Es war nicht ihre Zeit, aber neuerdings sah man sie überall, die Stirn gesenkt, sprach sie mit sich selbst. Die Mutter lauerte hinter dem Vorhang auf sie, ihr gebeugter Schatten über der Gehhilfe. Als Nan die Terrasse erreichte, trat die Mutter vor die Tür. Sie sahen sich an, zwei Alte, zweifacher Hass. Sie sagten nichts. Die Mutter ließ ein langes Zischen hören, und Nan spuckte auf den Boden.

Lambert und ich sahen uns an, wir liefen an der Mauer entlang. Zu ihm. Stecknadelkopfgroße Schnecken klebten zu Dutzenden an den Steinen rund um die Tür.

Der Schlüssel steckte im Schloss.

Die Küche hatte eine niedrige Decke mit dunklen Balken, in der Mitte stand ein Bauerntisch. Dort legte er die Eier ab.

Er wühlte in den Schränken, holte schließlich eine Pfanne hervor, dann eine Flasche Öl aus einem Karton auf einem niedrigen Regal neben der Spüle.

Er erzählte mir, dass das Haus im letzten Sommer zwei Monate vermietet gewesen war und auch während der Ferien zu Allerheiligen.

Er schlug am Rand der Spüle ein Ei auf.

»2000 konnte ich es sogar für ein ganzes Jahr vermieten, an einen Pariser Schriftsteller.«

Im Kamin vibrierte noch die Glut. In einer Kiste davor gab

es Holz. Ich legte ein paar Scheite und Papier nach, das Feuer flammte wieder auf. Ein dicker dunkler Balken über der Feuerstelle diente als Sims. Reste von roter Farbe hatten sich in das Holz gefressen. Darin eingraviert das Datum 1823, das Jahr der siebenundzwanzig Schiffbrüche. Viele Dächer im Dorf waren aus dem Holz der Schiffe gebaut worden, die in jenem Jahr gestrandet waren.

Ich ging zum Fenster. Spinnen mit langen, sehr dünnen Beinen hatten ihre Netze zwischen den Holzrahmen gewebt. Bienen mit schwerem Bauch waren in diesen Netzen gefangen. Schon lange tot und inzwischen ausgetrocknet.

Als ich aus dem Fenster blickte, sah ich die alte Nan auf der Straße stehen. Ihre Hände umklammerten den Zaun, sie beobachtete das Haus. Einen Moment später war sie verschwunden.

Ich stellte zwei Teller auf den Tisch.

»Monsieur Anselme sagt, der Geschirrschrank stamme von einem Schiffbruch.«

Lambert nickte.

»Ich habe davon gehört. Dem von Sir irgendwie …«

»Sir John Kepper.«

Er drehte die Flamme unter der Pfanne aus.

»Wir bräuchten Brot, aber wir haben keins. Wir haben auch keinen Wein!«

Er warf einen Blick nach draußen, zu Lilis Terrasse.

»Sie könnten rübergehen und um zwei Gläser bitten …«

»Könnte ich, ja …«

»Aber Sie machen es nicht?«

Ich schüttelte den Kopf.

»Nein, ich mache es nicht.«

Darüber musste er lachen.

Er ließ das Omelette auf die Teller gleiten und wühlte auf der Suche nach irgendwas, das als Brot herhalten könnte, im Karton.

Schließlich holte er eine Packung Gebäck heraus und sah mich fragend an. Es waren Figolus.

Wir aßen die Eier lieber ohne alles.

Er zeigte mir die Sachen um uns herum:

Zwei kleine Schwäne aus rotem Porzellan, die als Salzstreuer dienten.

»Manche Sachen sind verschwunden ... Die Teller aus dem Geschirrschrank ... Sie wurden durch andere ersetzt. Aber die beiden Schwäne gab es schon zu Zeiten meiner Eltern.«

Wir aßen das Omelette und betrachteten die Porzellanschwäne.

»Nächstes Mal mache ich Ihnen Seeohren, die werden mir besser gelingen.«

Er erzählte mir, dass er mit seinen Eltern in Paris gelebt hatte. Sie hatten einen Renault 4L besessen, und wenn sie nach La Hague gefahren waren, hatte sein Vater die Koffer auf dem Dach festgemacht. Sie hatten immer in Jumièges Pause gemacht, im Winter wie im Sommer, dort waren sie dann eine Stunde in den Ruinen spazieren gegangen, bevor sie weiterfuhren. Im Winter war das Kloster stets geschlossen, sie waren trotzdem spazieren gegangen.

»Ich war gern in den Ferien hier. Sobald wir ankamen, machten wir die Fensterläden auf und gingen runter zum Meer.«

Er lächelte bei diesen Bildern.

»Es waren endlose Ferien, vor allem im Sommer, wir verbrachten zwei Monate hier, und wir dachten nie an das Ende der Ferien ... Bis zu dem Tag, wo wir meine Mutter die Koffer hervorholen sahen. Wir mussten alles aufräumen und die Betten abziehen, und mein Vater schloss die Fensterläden. Auf der Rückfahrt sangen wir nicht und machten einen Bogen um Jumièges.«

Er zeigte mir eine Kiste, die an der Wand auf dem Boden stand.

»Sehen Sie mal, was ich gefunden habe!«

Es waren Zeichnungen.

»Wenn es regnete, hat meine Mutter mit uns gezeichnet. Es hat oft geregnet, deswegen sind es so viele Zeichnungen.«

Daraufhin schwieg er eine Weile, dann sagte er: »Ich weiß noch, wie sie sich über den Tisch gebeugt hat, um zu zeichnen.«

Als ich die Kiste holte und wieder zum Tisch kam, sah ich Nans Gesicht hinter dem Fenster. Sie war zurückgekommen.

Ich stellte die Kiste auf den Tisch und nahm ein paar Zeichnungen heraus. Lambert hatte Recht, es waren viele.

Die meisten waren Kinderzeichnungen, aber einige waren von einem Erwachsenen gemacht.

»Lilis Mutter hat erzählt, dass sie nachts manchmal Licht hinter den Fenstern gesehen hat.«

»Kann sein … Der Gärtner hat hin und wieder nach dem Rechten gesehen, aber er konnte sich nicht um alles kümmern. Im Nebenzimmer hat eine ganze Siebenschläferfamilie gehaust … Da, wo Sie wohnen, sind Sie fast schon im Meer!«

»Ja, fast …«, antwortete ich.

Ich sah mir noch mehr Zeichnungen an. Auf manchen stand sein Name, ich zeigte sie ihm.

Er nickte.

Die Zeichnungen, die ich mir ansah, legte ich auf den Tisch. Dann nahm ich mir andere aus der Kiste. Die Zeit hatte das Papier vergilbt, aber die Farben waren noch lebendig.

»Warum sind Ihre Eltern eigentlich hier begraben, wo sie doch in Paris wohnten?«

»Eine Tante von mir hat sich um alles gekümmert. Ich glaube, sie hat gedacht, dass sie gern da bleiben wollten, wo Paul war.«

Ich sah ihn an, eine Zeichnung in der Hand.

Wer hatte ihm geholfen, groß zu werden? Nach wie vielen

Schreien und Tränen war der Schmerz endlich verflogen und sein Leben wieder erträglich geworden? Ich betrachtete ihn weiter, und plötzlich gab es diesen vertrauten Moment, in dem er mir nicht mehr fremd war. Das machte mir Angst. Heftige Angst. Ich wollte vor ihm fliehen.

»Letzte Nacht war der Himmel so schwarz, dass die Sterne an mein Fenster zu stoßen schienen. Wenn ich die Hand ausgestreckt hätte, hätte ich sie anfassen können.«

Ich dachte an dich.

Unsere Blicke trafen sich.

Ich wandte mich nicht ab.

Die meisten Zeichnungen waren von ihm, auf anderen Blättern sah man das ziellose Gekritzel eines kleinen Kindes.

Jede Zeichnung war datiert.

»Wollen Sie mich immer noch nicht zum alten Théo begleiten?«

»Ist das eine Obsession?«

Er lächelte.

»Théo ist nicht einfach, man geht nicht nur mal so zu ihm.«

»Aber Sie sind doch auch einfach hingegangen?«

»Ich kümmere mich schließlich um die Vögel.«

»Na und?«

»Früher war das seine Aufgabe, deswegen hatten wir beim ersten Mal ein Thema, über das wir reden konnten.«

Er nahm meinen Teller und stellte ihn auf seinen.

»Es ist zwar nicht dasselbe, aber auch ich habe ein Thema, über das wir sprechen könnten.«

»Gehen Sie allein zu ihm.«

Er stellte die Teller in die Spüle.

»Das werde ich bestimmt tun. Ich will, dass er mir sagt, dass er den Scheinwerfer ausgeschaltet hat.«

»Was hilft es Ihnen, das zu wissen?«

Er lehnte sich an die Spüle, die Arme verschränkt.

»Nehmen Sie ihn in Schutz?«

»Darum geht es nicht …«

Er lächelte schwach.

»Ich habe auch ein Problem mit Max.«

Er sagte es im gleichen ruhigen Ton.

»Niemand hat Probleme mit Max.«

Er nickte.

»Ich schon.«

»Ist es wegen der Ranunkeln? Max hat immer Blumen geklaut, und er wird es wieder tun. Alle hier wissen es, deswegen müssen Sie kein Fass aufmachen.«

»Es geht nicht um die Ranunkeln.«

»Worum dann?«

Er kam zum Tisch zurück, zündete sich eine Zigarette an.

»Das Medaillon meines Bruders, das auf dem Grab lag … Es ist verschwunden.«

Er warf das Streichholz ins Feuer.

Ich durfte nicht zulassen, dass er das glaubte.

»Max nimmt Blumen, aber sonst nichts!«

Er zögerte einen Moment und sagte dann: »Ich möchte nur das Foto wiederfinden …«

Sein Gesicht, in diesem Moment, ich hätte es gern im Licht gesehen.

»Ihr Gesicht …«, sagte ich.

Er strich mit der Hand darüber, um die Schatten zu vertreiben. Seine Hand lag auf seinem Mund, auf diesen bedächtigen Lippen.

Lambert hatte Nans an das Fenster gepresste Gesicht gesehen. Ich konnte spüren, wie er verkrampfte.

»Entschuldigen Sie …«

Er ging hinaus und kam gleich darauf mit Nan am Arm zurück. Er zog einen Stuhl heran und ließ sie sich hinsetzen.

»Ich mache Kaffee, ist das recht?«

Das sagte er. Nan lächelte. Sie legte ihre Hände in den Schoß und blieb sitzen, die Augen auf Lambert geheftet. Sie folgten jeder seiner Bewegungen. Es war erstaunlich, ihr dabei zuzusehen.

Sie wirkte ruhig.

»Trinken Sie, solange er warm ist.« Er stellte eine Tasse vor sie hin.

Sie sah die Tasse an, den dampfenden Kaffee.

Er setzte sich ihr gegenüber.

»Ich bin nicht der Mann, den Sie suchen ...«

Er erklärte ihr lange, wer er war und warum er da war.

Nan achtete sehr aufmerksam auf seine Lippen, den Klang seiner Stimme, aber sie hörte ihm nicht zu. Als er es merkte, hörte er auf zu sprechen.

In der Stille lächelte Nan.

»Michel ...«, sagte sie.

Er sah sich verwirrt um und wandte sich schließlich an mich.

»Sagen Sie es ihr!«

»Was soll ich ihr sagen? Dass Sie nicht der sind, den sie sucht? Sie sehen doch, dass sie es nicht hören will ...«

»War der Junge, den sie sucht, mit auf dem Boot der Hochzeitsgesellschaft?«

»Ich habe keine Ahnung.«

Ich sah ihn an.

»Vielleicht war er dort, vielleicht auch nicht ...«

Lambert schüttelte den Kopf.

»Aber ich bin nicht der, den sie sucht ... Man darf sie das nicht glauben lassen.«

Er wandte sich wieder an Nan und sagte es ihr nochmal. Nan

rieb ihre Hände aneinander. Plötzlich schien sie sehr aufgeregt. Sie konnte nicht hören, was er sagte, sie wollte es nicht, und weil er immer noch unablässig wiederholte, dass er nicht Michel sei, hielt sie sich die Ohren zu, ganz fest.

Im Raum herrschte eine angespannte Atmosphäre, ihr Blick war schrecklich verwirrt, ich dachte, sie würde gleich anfangen zu schreien.

Auch Lambert bemerkte es. Er streckte die Hand zu ihrem Arm aus, berührte sie aber nicht. Sie sah die Hand an, diese Geste.

Dann stand sie auf und ging zur Tür. Bevor sie sie öffnete, drehte sie sich um und blickte Lambert ins Gesicht. Es war, als hätte sie gerade etwas verstanden, vielleicht den Sinn, den sie dieser Geste beimessen konnte. Sie lächelte – ein Lächeln, das mich erschaudern ließ.

Dann lief sie fort.

Lambert und ich sahen uns an. Wir wollten unseren Kaffee trinken, aber er war schon kalt.

»Machen wir uns neuen?«

Ich nickte.

Er leerte die Tassen in der Spüle. Der Besuch von Nan hatte ihn durcheinandergebracht. Er wollte es sich nicht anmerken lassen, aber seine Bewegungen, nervöser als sonst, verrieten es.

»Ich kann ihr nicht böse sein … Wenn Menschen verschwinden, glauben die, die sie lieben, lange Zeit, dass sie es geschafft haben, nicht zu sterben.«

Er kam mit zwei vollen Tassen zurück und stellte sie auf den Tisch.

»Das Meer müsste seine Toten zurückgeben. Man müsste sie berühren, sie sehen können! Finden Sie es abwegig, was ich sage?«

»Nein.«

Er setzte sich wieder mir gegenüber.

»Vielleicht ist es bei ihr etwas anderes ...«, überlegte ich.

Er sah mich an.

»Wie meinen Sie das?«

»Vielleicht wartet sie auf jemanden, den sie gekannt hat und der weggegangen ist.«

Ich schaute auf.

»Jemand, der lebt ... Ein Junge, den Max Däumling nennt.«

Er dachte darüber nach.

Einen Augenblick später hielt ein Auto vor dem Haus, und drei Personen stiegen aus. Es war der Notar von Beaumont, der Interessenten mitbrachte.

Lambert und ich trafen uns am frühen Abend wieder. Er ging am Rand der Felsen vor dem großen Kreuz der Vendémiaire spazieren. Ich saß dort.

Max war sehr weit auf die Mole hinausgegangen, ich beobachtete seine große, schwankende Gestalt, die sich schaukelnd in Richtung Semaphor entfernte.

Als Lambert zu mir kam, zeigte ich ihm Morgane, die weiter unten in der Sonne lag. Max hatte sie angesehen, sicher lange, zu lange, und weil er es nicht mehr ausgehalten hatte, sie anzusehen, war er geflohen.

Er würde sich hinter dem Semaphor verkriechen, in den Erdlöchern, die Grotten glichen.

Lambert heftete die Augen an mein Fernglas. Er sah Max an. Er sah auch das Meer an, in Richtung der Inseln.

»Ist Ihr Haus verkauft?«, erkundigte ich mich.

»Ich weiß nicht …«

Er antwortete in gleichgültigem Ton.

»Haben Sie im Moment etwas Bestimmtes vor?«

Das hatte ich. Ich war sogar im Verzug. Ich sagte es ihm.

Es gab Vögel, die früher Zugvögel gewesen waren und jetzt nicht mehr. Andere, die früher La Hague nur überflogen hatten, und jetzt hier Halt machten. Ich wollte erforschen, warum es solche Veränderungen gab. Ich hatte bereits einige Vögel beringt, aber das hatte nicht ausgereicht. Ich musste noch mehr Beobachtungen anstellen und alles sauber notieren. Drei Tage schon war ich im Verzug. Bald würden wir weitere Vögel beringen.

Lambert hörte mir zu und starrte dabei mit dem Fernglas auf den Leuchtturm. Er betrachtete ihn mit unendlicher Aufmerksamkeit.

»Wir hätten zusammen essen gehen können … Es gibt ein Restaurant in Jobourg, Les Bruyères, dort soll es gut sein.«

Ich sah ihn an.

»Es wird regnen«, sagte ich und zeigte zum Himmel.

Er richtete das Fernglas auf das Semaphor. Max war weit weg, fast nicht mehr zu erkennen.

Er lächelte.

»Das hat meine Mutter auch immer gesagt, wenn sie nicht dahin wollte, wohin mein Vater wollte. Ich weiß nicht, ob sie wirklich an den Regen glaubte oder einfach nur allein sein wollte.«

Er gab mir das Fernglas zurück.

Wir liefen los.

»Seit ich hier bin, erinnere ich mich besser an sie. Als mein kleiner Bruder geboren wurde, hat sie gesagt, dass er empfindlicher sei als andere Kinder. Ich weiß nicht, ob es stimmte.«

»Théo hat so eine Katze.«

»Wie, *so eine*?«

»Empfindlicher als die anderen. Er sagt, diese eine müsse man mehr lieben.«

Er nickte.

»Es kommt mir so vor, als hätte meine Mutter Paul so sehr geliebt, weil sie gespürt hat, dass er früh sterben würde. Es ist dumm, was ich Ihnen da erzähle …«

»Glauben Sie, dass sie ihn mehr geliebt hat als Sie?«

Er überlegte.

»Ich war schon groß, als er zur Welt kam.«

Er zog seine Jacke aus, ganz plötzlich, ohne mich zu warnen. Die Luft war frisch. Er holte mehrmals tief Atem.

»Wir wohnten in einem ruhigen Viertel in Paris. In der Nähe war ein Spielzeugladen, *Pain d'épice* hieß er. Dort arbeitete meine Mutter. Es war ein sehr altes Geschäft … In einer überdachten Passage, Passage Jouffroy … Viele Spielsachen, die wir hatten, kamen von dort. Abends holten mein Vater und ich meine Mutter ab. Im Geschäft gab es einen Bereich, wo man Kuchen essen konnte … Eine Art Teesalon … Ich erinnere mich an Frauen, an ihren Geruch …«

Er starrte aufs Meer, die Jacke über der Schulter.

»Als mein Bruder geboren wurde, hat meine Mutter aufgehört zu arbeiten, aber wir sind weiter dort spazieren gegangen. Ich frage mich, ob es diesen Laden heute noch gibt.«

Er sprach von den Händen seiner Mutter.

Ich sah seine an. Es hätte zehn seiner Hände gebraucht, um daraus eine einzige von deinen zu machen. Deine Hände, ich hatte sie schon geliebt, bevor ich sie kennenlernte. Ihr Anblick genügte. Ich liebte sie bis zum Schluss, bis zum Ende, als du nicht mehr die Kraft hattest, mich zu berühren. Nicht mehr die Lust. Oft habe ich gewartet, bis du geschlafen hast. Dann bin ich um dein Bett geschlichen. Es war ein animalischer Drang, deine Handflächen an mein Gesicht zu pressen, hineinzuatmen. Deine Haut war trocken geworden. Salzig. Sie roch nach Medizin. Ich schloss die Augen. Ich hörte mich stöhnen. Ich atmete noch. Ich wäre gern erstickt und mit dir begraben worden.

Lambert zog mich am Arm. Er sah mich seltsam an. Was hatte ich gesagt? Was hatte er begriffen?

Er lächelte sanft und holte seine Zigaretten raus.

Als wir bei den Steinen an der Mole ankamen, ging die Sonne unter, und es wurde kalt. Morgane lief vom Strand hoch. Am

Kreuz sah sie uns, winkte uns von weitem, aber sie kam nicht zu uns.

»Der, der Ihnen die Haare geschnitten hat ... Sie haben Löcher ... Da und da auch.«

Er sagte es, ohne mich anzusehen. Dann ging jeder in seine Richtung.

An diesem Abend waren wir nicht im Restaurant.

Ich blieb eine Weile allein am Strand. Ich fand eine Glasmurmel zwischen den Felsen und steckte sie ein.

Als ich am nächsten Tag die kleine Bachstelze traf, schenkte ich sie ihr.

Sie sah mein Gesicht durch die Murmel hindurch an und dann den Hof, die Bäume, sie sah den Hund an.

Sie spielte den ganzen Vormittag damit, und als ich sie am Nachmittag wieder traf, sagte sie mir, dass sie sie verloren habe.

Sie erinnerte sich sehr gut an den Moment, in dem sie sie noch hatte, und auch an den Moment danach, als sie sie nicht mehr hatte. Sie hatte noch nie so eine hübsche Murmel gehabt. Wir suchten sie überall, im Hof, in ihren Stiefeln.

Sogar die Kiste mit den Schalentieren kippten wir um und sahen nach, ob die Murmel vielleicht hineingefallen war. Wir fanden Schneckenhäuser und Käfergehäuse. Wir lauschten dem Rauschen des Meeres in den Muscheln. Wir sangen ein bisschen und vergaßen die Murmel.

Ich weiß nicht, warum ich Théo von dieser Murmel erzählte, aber beim Zuhören begannen seine Augen zu leuchten.

»Kommen Sie mit.«

Er führte mich in den Flur. Er fing an, die Stufen der wackligen Treppe hochzugehen, auf denen verschiedene Schüsseln standen. Er bewegte sich langsam, eine Hand ans Geländer geklammert. Auf dem ersten Absatz blieb er stehen, um Atem zu holen.

»Von dort oben können Sie das Meer sehen.«

Das weiße Kätzchen ging uns ein paar Stufen voraus. Wir kamen in eine große Bodenkammer, vollgestopft mit alten Möbeln und Kisten.

»Passen Sie auf.«

Die Balken waren niedrig, der Holzfußboden in erbärmlichem Zustand. In einer Ecke des Dachbodens, unter der Luke, lag ein kleiner Haufen weißer Knochen, die Théo mit dem Fuß beiseite schob.

»Das sind die Käuzchen«, sagte er, »sie nisten hier, man kann sie nicht daran hindern.«

Die Knochen waren weiß, so fein wie Nadeln. Neben den Knochen lag der Schädel einer Ratte oder einer Feldmaus. Eine kleine Trittleiter war unter der Luke aufgeklappt.

»Von hier aus sieht man, wenn es klar ist, das ganze Meer …
Man sieht auch den Leuchtturm.«

Er stieg auf die Trittleiter und öffnete das Fenster. Einen Moment lang blieb er dort oben stehen, den Kopf im Wind, die Augen zum Himmel gerichtet. Seine Beine zitterten wegen der Anstrengung, die es ihm abverlangte, so reglos dazustehen.

Ich sah mich um. Vergessene, verlorene Gegenstände, unbequeme Stühle, Schirme aus einer anderen Zeit … Der Dachboden war voll von Dingen, die einander fremd waren und dennoch spürbar zueinander in Beziehung standen. Was war in all diesen Kisten? Welche Geheimnisse? Welche Überraschungen? Vielleicht nur alte Putzlappen? Manchmal gleichen die Dinge auf einem Dachboden denen der Erinnerung.

»Jetzt sind Sie dran.«

Ich sah die Wiesen und dann das Meer, überall Meer, massig, mächtig. Unter dem niedrigen Himmel hatte es eine metallene Farbe angenommen. Fécamp lag direkt hinter dem Meeresarm. Gegenüber England … Die Häuser von La Roche befanden sich auf der linken Seite. Zwischen den Dächern erblickte ich das Dach der *Zuflucht*, es war langgestreckter als die anderen. Die hellen Ziegel daneben gehörten zum Haus von Nan. Ich sah mich um. Der Wind trocknete meine Augen aus. La Hague ist kein Landstrich wie jeder andere. Dünn besiedelt, den Menschen eher feindlich gesinnt. Jeden Tag lernte ich etwas von ihm, wie ich von dir gelernt hatte. Mit der gleichen Dringlichkeit.

Schließlich machte ich die Luke zu. Théo saß auf einer Kiste und wartete auf mich.

Er sah mich an.

»Am Anfang habe ich Stunden hier oben verbracht. Ich vergaß sogar zu essen. Ich stand an dieser Dachluke wie in meinem Leuchtturm.«

Er erhob sich.

»Das Meer ist eine Krankheit, wissen Sie …«

Er schlurfte über die Dielen, öffnete eine Schranktür und zog ein Schubfach auf, aus dem er ein kleines Lederkästchen nahm.

»Diese Schachtel kommt aus Holland, sie gehörte dem Kapitän eines Schiffes, sein Name steht drauf, sehen Sie, Sir John Kepper … Sein Schiff ist gesunken.«

Der Deckel wurde an den Seiten von zwei kleinen silbernen Schnallen gehalten. Er klappte ihn auf. Die Murmeln darin lagen in kleinen Samtmulden. Eine Mulde war leer.

»Die Murmel, die Sie gefunden haben, könnte die sein, die hier fehlt.«

Er stellte das Kästchen auf die Kiste.

»Wenn Sie sie einmal gefunden haben, finden Sie sie auch noch einmal.«

Er hielt eine Murmel ins Licht.

»Manchmal überleben die Dinge, und die Menschen sterben.«

»Sir John Kepper? Ist das nicht der, von dem man sagt, er spuke im Haus gegenüber von Lili?«

»Alles Blödsinn! Die Schiffe versinken, die Kapitäne mit ihnen.«

»Lili sagt, dass …«

»Zum Teufel damit, was Lili sagt!«

Er legte die Kugel an ihren Platz zurück, holte eine andere heraus und rollte sie in der Hand. Es war eine Holzkugel, sehr leicht. Es gab auch Kugeln aus Knochen und andere aus Porzellan.

Unter der ersten Schicht war noch eine zweite versteckt.

»Diese hier sind aus Marmor, die beiden da aus Ton, und diese hier ist die Kostbarste, das ist eine echte venezianische Perle.«

Er legte sie in meine Hand. Die Perle war sanft, fast warm. Das Licht jener Zeit war im Lack eingefangen.

»Das alles hat mir ein Antiquitätenhändler aus Cherbourg erklärt. Er wollte das Kästchen kaufen. Aber ich konnte mich nie durchringen, es zu verkaufen, vielleicht wegen dieser fehlenden Kugel …«

Er stellte das Kästchen an seinen Platz zurück.

»Wenn Sie die Murmel wiederfinden, gehört die Schachtel Ihnen.«

Dann schloss er die Tür des großen Schrankes zu.

»Sie wissen nun, wo die Kiste ist. Wenn ich nicht mehr da bin, können Sie kommen und sie holen … Gehn wir runter, es ist kalt hier oben.«

Das weiße Kätzchen kam etwas verlegen hinter einem alten Kinderwagen hervor. Spinnweben hingen an seinen Schnurrhaaren. Es tapste mit uns hinunter, von einer Stufe zur nächsten springend. Wenn der Abstand zu groß wurde, blieb es stehen und wartete auf Théo.

Er legte die Hand auf das Geländer und nahm die letzte Stufe.

»Neulich, als es so geregnet hat und Sie gerade gehen wollten, ist Florelle zu mir gekommen …«

Er holte seinen Stock und schlurfte durch den Flur, machte die Tür zur Küche auf und ließ sich auf seinen Stuhl fallen. Das Treppensteigen hatte ihn erschöpft.

Er ging die Medikamente auf dem Tisch durch und wählte ein durchsichtiges Fläschchen mit kleinen blauen Kapseln aus.

»Sie hätte ich heiraten sollen! Warum tut man nicht, was man tun muss? Wovor hat man Angst? Ich war zehn, da liebte ich sie schon.«

Er schluckte eine Kapsel mit etwas Wasser, stand von seinem Stuhl auf und setzte sich in den Sessel.

»Wissen Sie, wie man sie hier nennt? Die Überlebende! Und das nur, weil sie nicht mit den anderen umgekommen ist.«

Das Kätzchen rollte sich auf ihm zusammen. Die anderen Katzen sahen zu, die Augen halb geschlossen, gleichgültig ob dieser zusätzlichen Aufmerksamkeit, die es genoss.

Er verzog das Gesicht.

»Sie haben sie gezwungen, im Schatten ihrer Toten aufzuwachsen. Mit zehn Jahren ging sie schon über die Straße, um das Grab zu fegen. Sie besuchte jede Messe, nahm an jedem Gebet teil. Ich habe sie nie anders als in ihren schwarzen Kleidern gesehen.«

Er erzählte mir von ihr, lange.

Nan hatte das gleiche Schicksal wie die Vestalinnen – von der Gemeinschaft dazu verdammt, die Hüterin ihrer Toten zu sein! Die Vestalinnen waren keusch. War Nan es gewesen? Ich schaute auf Théos Hände. Seine alten Hände, die männliche Hände gewesen waren. Konnte man lieben, ohne zu liebkosen? Ohne jedes Begehren?

»Von der Dachluke aus habe ich oft das Dach ihres Hauses betrachtet und ihren Hof. Das Licht am Abend, ich habe immer gewusst, ob sie noch wach war oder schon schlief.«

Ich nickte.

»Sie liebten Nan und haben eine andere geheiratet.«

Er lächelte.

»Die Mutter war schwanger.«

Er sah mich an.

»Ich liebte sie nicht. Lili habe ich auch nicht geliebt.«

Er sagte es ohne Härte, aber seine Stimme brach, wie eingeklemmt in einem Rest von Zorn.

»Unzählige Male habe ich daran gedacht, sie zu verlassen. Doch dann hätte ich auch La Hague und den Leuchtturm verlassen müssen. Ich war feige … Das denken Sie bestimmt … Ich war feige, und jetzt werde ich sterben.«

Seine Hand auf der Armlehne zitterte. Er sah sie an, als gehörte sie nicht mehr zu ihm.

»Hat Nan nie geheiratet?«

»Nie.«

Er hob das Kätzchen hoch und setzte es auf den Boden, dann verschwand er im Nebenzimmer. Das Kätzchen schaute ihm nach. Es ging mit vorsichtigen Schritten zum Ofen und schnupperte an dem alten Wollpullover, der dort zwischen den gusseisernen Füßen lag. Schließlich legte es sich darauf und zog die Vorderpfoten unter den Oberkörper. Als Théo wiederkam, lag es mit geschlossenen Augen da und genoss die Wärme des Ofens.

Théo setzte sich wieder mir gegenüber. Er brachte ein Album mit, das er auf den Tisch legte und dessen erste Seiten er überblätterte. Plötzlich zeigte er mit dem Finger auf ein Foto.

»Das ist Florelle. Vor der *Zuflucht* …«

Man sah das Gebäude, dessen weit geöffnete Fenster die Sonne hereinließen. Vor der Tür hielten sich vier Kinder bei den Händen. Eine junge Frau stand neben ihnen. Sie schaute nicht ins Objektiv, sondern die Kinder an.

Sie war jung, vielleicht dreißig, schön, aber mit ernstem Blick. Hinter ihr stand noch eine Frau, mit einer Schüssel in den Händen. Sie trug einen Kittel.

»Das ist Ursula, sie hat in der *Zuflucht* gekocht.«

Ein Schatten auf dem Boden, vom Baum im Hof. Über der Tür, in der Nische, schien die steinerne Jungfrau zu wachen.

Théo blätterte weiter. Er zeigte mir andere Fotos von Nan. Er erzählte mir vom Leben in der *Zuflucht*, von der Kälte, die dort im Winter geherrscht hatte. Nur ein einziges Zimmer war beheizbar gewesen, das große Gemeinschaftszimmer. Die Kinder waren mit einem in ein Tuch gewickelten Stein ins Bett gegangen, den sie vorher im Feuer erwärmt hatten.

Es gab ein sehr schönes Foto von diesem Gemeinschaftsraum mit den Kindern an den Tischen und Nan zwischen ihnen.

Théo berichtete, dass die *Zuflucht* seit fast zwanzig Jahren geschlossen war. Warum man sie geschlossen hatte, sagte er nicht.

Als ich ging, sah er immer noch das Foto an.

Ich ging zu Lili, um meine Tabellen auszufüllen. Obwohl es keine langwierige Arbeit war, langweilte sie mich. Meistens erledigte ich das Ausfüllen der Tabellen an Regentagen. Doch dieses Mal war ich bereits im Verzug, ich konnte es nicht länger aufschieben. Ich setzte mich auf meinen üblichen Platz und bemerkte sofort, dass das Foto an der Wand, auf dem Lili mit ihren Eltern zu sehen gewesen war und dem Kind, das sie Michel genannt hatte, fehlte. Sie hatte das Foto nicht durch ein anderes ersetzt, und so war ein heller Fleck an der Tapete zurückgeblieben. An den Rändern zeichnete sich schmutziges Grau ab und die Löcher von vier Reißzwecken.

Lili folgte meinem Blick. Sie sagte nichts. Ich fragte nichts.

Die Kleine war da, sie hauchte gegen das Fenster, und auf die beschlagene Scheibe schrieb sie ihre Namen, Bachstelze, und darunter noch einen Strich, einen zweiten Strich, einen Kreis und dann noch einen kleinen Strich, der an dem Kreis klebte. Auch dieser Name war ihrer, es war der erste, der, den man ihr gegeben hatte, als sie geboren wurde: Ila.

Der Name verschwand. Sie hauchte noch einmal und malte anstelle von Buchstaben Sonnen.

Monsieur Anselme hatte mir erklärt, dass Ila der Name einer kriegerischen Jungfrau war, der Tochter von Odin.

Die Kleine ließ sich sehr gern die Geschichte ihres Namens erzählen.

Sie stellte sich vor mich. Wie war ich in ihrem Alter gewesen? Auch so schweigsam?

»Zwei Raben lebten einst auf den Schultern des Gottes Odin«, begann ich zu erzählen und zog sie an mich. Ich berührte ihre linke Schulter.

»Auf dieser Schulter hier saß der Rabe der Erinnerung, und auf der anderen der Rabe des Denkens.«

Die Kleine erschauderte.

Ich legte die Hände aneinander, um den Flug der Vögel darzustellen.

»Die Raben flogen jeden Morgen davon, um die Welt zu besuchen. Abends, wenn sie zurückkehrten, erzählten sie Odin alles, was sie gesehen und gehört hatten.«

Die Bachstelze folgte mit den Augen meinen Händen, die über ihr flogen. Sie wartete, ebenso glücklich wie ungeduldig, dass ich die Geschichte weitererzählte, bis zum letzten Satz, dem allerletzten Satz der Geschichte, wenn ich ihr sagte, dass die Tochter dieses Gottes ihren Namen trug.

Um ihre Erwartung zu steigern, schwieg ich lange.

»Die Tochter dieses Gottes hieß Ila.«

Sie lächelte, in ihren Augen das Bild von sich, Tochter eines Gottes. Sie hauchte erneut gegen das Fenster, und ich schrieb für sie den Namen Odin.

Sie musterte ihn und zog dann mit dem Finger die Buchstaben nach.

»Müsstest du nicht in der Schule sein?«

Sie schüttelte den Kopf.

»Heute ist Samstag …«, sagte sie.

»Es gibt viele Samstage in deiner Woche.«

Ich betrachtete das seltsame Gesicht. Ihre Wangen waren rund

und weich. Ihr aufgesprungener Mund machte sie für mich noch schöner, wie sie auch der Duft nach Erde schöner machte, der an ihrer Haut haftete.

Ich drückte ihr ein Geldstück in die Hand.

»Geh dir Bonbons holen.«

Sie rannte zum Tresen, und ich füllte weiter meine Tabellen aus.

Lambert überquerte die Straße. Als die Kleine ihn sah, lief sie zum Fenster. Sie presste ihre Hand und das Gesicht ans Glas. Lambert legte den Finger von außen an die Scheibe, hauchte dagegen und schrieb seinen Namen in Spiegelschrift, damit die Kleine ihn lesen konnte.

Auch sie hauchte. Sie überlegte und schrieb Bachstelze.

Lambert schüttelte den Kopf. Er schrieb Ila. Sie zeigte auf die Hündin und schrieb *Petite Douce*. Er sah zu mir, nickte und schrieb *Griffue*.

Schließlich schimpfte Lili, weil sie am Ende wieder die Fenster würde putzen müssen.

Monsieur Anselme betrat das Bistro, als sie noch schimpfte. Lambert kam mit ihm herein. Er entschuldigte sich wegen des Fensters, bestellte ein Glas Wein und Erdnüsse. Lili zeigte auf den Automaten.

»Bei Erdnüssen ist Selbstbedienung.«

Er füllte eine Untertasse mit Nüssen, stellte sein Glas auf den Tisch und setzte sich mir gegenüber neben Monsieur Anselme. Dann schob er die Nüsse in die Mitte des Tischs und warf einen Blick auf meine Tabellen.

»Was gibt's Neues an Ihrer Steilküste?«

»Ich habe Eier gefunden, drei weiße Eier mit blauen Linien … Gestern, kurz vor dem Nez de Jobourg. Ich habe auch einen prächtigen Vogel gesehen, den ich nicht kenne. Ich habe ihn gezeichnet. Für die drei Eier habe ich extra eine Tafel angefertigt.«

Er nickte.

»Was ist das für eine Tabelle?« Er deutete auf ein Formular.

»Für die Kormorane, eine Auflistung ihrer Fisch- und Ruhezeiten.«

Ganze Nachmittage hatte ich mit dem Blick auf der Uhr zugebracht.

Ich stippte ein bisschen Salz von der Untertasse. Hinter dem Tresen beobachtete uns Lili. Ich weiß nicht, ob sie zuhörte.

Als Morgane kam, waren wir noch über die Graphiken gebeugt. Sie ging durch den Saal und stürzte sich auf den Flipper, ohne jemandem guten Tag zu sagen. Der Flipper war kaputt. Also machte sie Musik und tanzte vor der Jukebox.

Lambert sah ihr zu. Monsieur Anselme auch. Lili brachte den Tee für Monsieur Anselme. Sie stellte ihn auf den Tisch.

Er sagte: »Ich erinnere mich an Ihre Mutter, manchmal habe ich ein paar Worte mit ihr gewechselt, hier, auf der Straße, und auch am Kai, wenn sie Ihren Vater rausfahren sah.«

Er trank einen Schluck Tee, sprach dann von der Macht der Männer.

Von der der Frauen.

Lambert sah mich an. In seinen Augen waren helle Lichter, wie kleine, zerplatzte Sterne.

»Und Sie, was denken Sie?«

»Ich glaube, dass ... dass die Macht, Kinder zu gebären, sie stärker macht.«

Er trank einen Schluck Wein.

»Hatten Sie eine gute Abiturnote in Philosophie?«

»Ich glaube ...«

»Glauben Sie, oder sind Sie sich sicher?«

»Ich bin mir sicher.«

»Ich hatte das Thema verfehlt ...«

Er lächelte.

Sein Vater war schon lange tot, als er Abitur gemacht hat. Als ich daran dachte, wurde ich rot. Wenn ich rot werde, bekomme ich Flecken am Hals. Ich spürte, wie es brannte. Davon errötete ich noch mehr.

Er legte die Finger auf den Rand seines Glases. Er lächelte noch, aber nur noch schwach.

»Ich weiß nicht, ob mein Vater jemals das Thema verfehlt hat. Sicher, ja, bestimmt … Das passiert jedem mal.«

»Was war Ihr Vater von Beruf?«, fragte ich.

»Philosophielehrer.«

Er schüttete Erdnüsse in seine Hand.

»Er war immer bei seinen Büchern. Ich erinnere mich nur sehr schwach an ihn.«

Morgane kam zu uns.

»Störe ich euch?«

Lambert nickte, und Monsieur Anselme rutschte, um ihr Platz zu machen.

»Schon in Ordnung«, antwortete ich.

Sie wühlte in der Schublade am Tisch, holte ein Holzköfferchen mit einem Brettspiel mit kleinen Plastikpferden hervor und schob es zu Lambert.

»Oder spielen Sie lieber das Gänsespiel?«

Wir sahen uns an. Sie fing eine Patience an, ohne sich weiter um uns zu kümmern, vier Siebenerreihen, sie drehte die Karten eine nach der anderen um. Das erste Spiel verlor sie.

Monsieur Anselme liebkoste sie mit Blicken. Er bestellte vier Gläser Wein, um bleiben und sie noch länger ansehen zu können.

Lambert hielt mit dem Finger die Tropfen des kondensierten Wassers auf, die an seinem Glas hinunterflossen. Morgane warf ihm einen Blick zu.

»Anscheinend geht's dir gar nicht schlecht hier?«

Er antwortete nicht.

»Wir wären zu viert, wir könnten Tarot spielen …«, redete sie weiter. »Du kannst doch spielen?«

»Schulerinnerungen.«

Sie verteilte ihre Karten wieder und fragte ihn, ob es ihn nicht störe, dass sie ihn duze. Er antwortete, dass es ihm völlig egal sei.

Sie sprach weiter mit ihm, während sie die Karten spielte.

»Lambert … Gab es da nicht einen in der Bibel, der so hieß … *Das Kind ging voran, und der Hund folgte ihm nach* … Lambert von Assisi?«

Lambert lächelte.

»Das ist Franz, der Heilige Franz von Assisi.«

»Der Heilige Franz, ja, kann sein.«

»Nicht kann sein, sicher.«

Er stellte die beiden Pferdchen auf das Spielbrett und würfelte.

»Bist du Lehrer?«, fragte sie.

»Man muss kein Lehrer sein, um das zu wissen.«

Sie verzog schmollend das Gesicht.

Er setzte sein Pferdchen und gab mir den Würfel. Ich würfelte. Der Würfel landete an der Kante des Aschenbechers – eins oder sechs.

Ich würfelte erneut.

»Wenn es eine Sechs ist, würfelt man nochmal, und einen Würfel, der rollt, darf man nicht anhalten«, sagte Morgane, ohne aufzusehen.

Monsieur Anselme stand auf. Wir spielten für uns. Er war überflüssig. Er verabschiedete sich.

»Chelone, Sie verstehen …«

Er hatte seinen Wein nicht getrunken.

Morgane zuckte die Schultern. Sie teilte die Karten in zwei

Stapel, nahm sie in beide Hände und ließ sie ineinanderfallen. Dann klopfte sie mit dem Stapel auf den Tisch.

»Na, habt ihr Lust auf Tarot? Raphaël spielt gut. Raphaël ist mein Bruder«, erklärte sie Lambert. »Er ist ein großer Bildhauer.«

Sie legte die Karten ins Schubfach. Stand auf und zog ihre Jacke an.

»Gehen wir?«

Morgane öffnete die Autotür und ließ sich auf den Beifahrersitz des Audi fallen. Sie steckte den Kopf ins Handschuhfach und wühlte in den CDs – Lavilliers, Beatles, Julos Beaucarne ...

»Beaucarne, wer ist das?«

Sie legte die CD ein. Schon bei den ersten Tönen verzog sie das Gesicht. Sie legte Lavilliers ein und drehte voll auf. Der Abend brach herein. Der Vollmond schien aufs Meer. Um Mitternacht würde es taghell sein. Es heißt, dass die Mondnächte die Körper der Frauen verändern. Dass sie sie öffnen. Sie von innen heraus leeren. Das hatte ich erlebt, mit dir. Ich sah Morgane und Lambert an. Ich hätte die beiden davonfahren lassen sollen. Damit sie ihren Mond lebten. Ich hob den Kopf. Kreuzte für einen Moment seinen Blick im Rückspiegel.

Auf der Rückbank lag seine Jacke. Ich strich mit der Hand über den Kragen. Ich wusste nicht, ob er es sah.

Kurz darauf waren wir am Hafen. Er fuhr langsam. Morgane wartete nicht, bis er geparkt hatte, um auszusteigen. Sie rannte los. Wollte Raphaël Bescheid sagen.

Es fing an zu regnen.

Das Scheinwerferlicht strahlte auf die Regenstreifen. In Raphaëls Küche brannte Licht. Auf der Wiese hinter dem Gasthof bereiteten sich die Kühe auf eine Nacht im Freien vor. Ich sagte etwas darüber, ich weiß nicht mehr was.

Lambert holte die CD heraus, steckte sie in die Hülle.

»Gehen wir?«

»Gehen wir«, antwortete ich.

Eine Fledermaus, offenbar orientierungslos, flog gegen das Auto, ich verstand nicht warum.

Wir spielten die halbe Nacht in Raphaëls Küche Tarot. Wir aßen Sandwiches, tranken Wein.

Wir rauchten auch.

Am Morgen fuhr Lambert nach Hause.

Morgane sagte, dass er davor in Raphaëls Atelier gewesen sei, dass er lange dringeblieben sei, ganz allein. Als er rausgekommen sei, habe er nichts gesagt. Er habe einen letzten Kaffee getrunken und sei dann nach Hause gefahren.

Am nächsten Tag nahm ich Raphaëls Auto und fuhr nach Cherbourg. Ich kaufte in einem Laden zwei Kilo grüne Farbe. Sie mussten drei Töne mischen, um das Grün zu erhalten, das ich wollte: das Hopper-Grün. Ich hatte ihnen die Postkarte gezeigt. Ich kaufte auch eine Flasche Spiritus, um die Pinsel reinigen zu können.

Dann hob ich am Automaten Geld ab und kaufte im Supermarkt ein.

Zu Hause fing ich in der Ecke rechts vom Fenster an zu malern.

Ich strich eine ganze Seite der Wand. Um an die Decke zu kommen, musste ich auf einen Stuhl steigen.

Hochsteigen, runtersteigen, den Stuhl weiterrücken und wieder hochsteigen, das machte ich sehr oft.

Während ich malerte, fielen Farbtropfen auf die Zeitungen.

Wenn ich vom Stuhl stieg, trat ich jedes Mal in die Tropfen. Später sah ich, dass auf den Stufen Fárbe war.

Fußabdrücke in Hopper-Grün.

Ich legte den Pinsel auf die Zeitung. Die Farbe trocknete. Ich bewahrte das Zeitungspapier auf, denn ich sagte mir, dass ich noch die anderen Wände streichen würde.

Abends war die Geburtstagsfeier von Max. Lili hatte gesagt, ab sechs Uhr würde ihre Tür allen offen stehen und es würde Musik geben. Als ich ankam, drehten sich die Platten schon, 45er, Claude François, Stone et Charden, Sheila.

Lili hatte Kuchen gebacken. Auf den Tischen standen belegte Brötchen. Sie hatte Blumentischdecken aufgelegt, Sträuße daraufgestellt und Kerzen in die Aschenbecher. Max war in Schlips und Kragen, den Anzug hatte er von Lilis Mann geerbt. Er war ihm zu groß, er wirkte etwas verloren darin. Aber das war ihm egal. Er sah uns alle hereinkommen, einen nach dem anderen, den Briefträger, den Pfarrer, die Nachbarn, er wollte niemanden verpassen. Auch Morgane war da. Und sogar die Dorfjugend. Alle hatten zusammengelegt, und Lili hatte ein Transistorradio gekauft, damit er auf seinem Boot Musik hören konnte.

Monsieur Anselme trug seinen Leinenanzug. Lambert stand neben der Tür. Er hatte nichts von Max' Geburtstag gewusst. Er entschuldigte sich und wollte gehen, aber Morgane hielt seine Hand fest.

Der kleine rote Stein, den ich am Strand gefunden hatte, steckte in meiner Tasche. Ich drehte ihn zwischen den Fingern.

»Schöner Abend, was?«, sagte Monsieur Anselme und winkte kurz in Lilis Richtung.

»Wie ist denn Ihr Abend ausgegangen?«, fragte er, als er sah, dass Lambert da war.

»Wir sind zu Raphaël gefahren und haben Tarot gespielt.«

Er nickte.

Es wurden Witze erzählt, und wir erhoben alle das Glas auf Max' Wohl. Monsieur Anselme beugte sich zu mir vor.

»Wissen Sie, dass ich Morgane einen Antrag gemacht habe? … Hat sie Ihnen nichts gesagt?«

»Was hätte sie mir sagen sollen?«

Er beobachtete weiter die Leute im Raum.

»Ich dachte, sie hätte mit Ihnen darüber gesprochen … Ich will sie heiraten.«

»Das meinen Sie doch nicht ernst?«

Er verschlang sie mit den Augen.

»Warum nicht?«

»Sie ist noch keine dreißig!«

»Aber im Juli.«

Ich warf einen Blick zu Morgane hinüber. Sie sprach immer noch mit Lambert.

Sie trug Netzstrümpfe, deren verstärkte Fersen aus den Schuhen hervorsahen. Vom Knöchel lief eine Naht die Schenkel hoch und verschwand unter dem schwarzen Rock.

Monsieur Anselme kam noch näher an mich heran.

»Haben Sie diese Naht gesehen? Stellen Sie sich vor, sie sagt Ja …«

Eine Nachbarin, die gekommen war, um zu helfen, verteilte den Schaumwein, den sie großspurig für Champagner ausgab. Ich nahm ein Glas.

Er konnte Morgane unmöglich einen Antrag gemacht haben.

»Es ist genau einhundertneunundzwanzig Tage her, also etwas mehr als dreitausend Stunden, genau dreitausendsechsundneunzig«, sagte er, während er einen Blick auf die Uhr warf.

»Etwas weniger, denn es war siebzehn Uhr … Warum sehen Sie mich so an.«

»Nur so.«

Morgane sprach immer noch mit Lambert.

Monsieur Anselme leerte sein Glas.

»Erstaunlicher Geschmack«, bemerkte er und verzog hinter vorgehaltener Hand das Gesicht.

Jemand stellte die Musik lauter. In ihrem Sessel fing die Mutter an, in die Hände zu klatschen. Wie lange hatte sie sich nicht mehr amüsiert? Sie versuchte zu singen, dabei lief ihr der Sabber aus dem schiefen Mund. Kaum wiederzuerkennen war sie.

Monsieur Anselme drehte sich um und stellte sein Glas ab.

»Ich habe gehört, als Lili geboren wurde, habe Théo Wache im Leuchtturm gehabt. Er habe seine Zwei-Wochen-Schicht zu Ende gemacht, als ob nichts wäre. Manche sagen, für die Geburt eines Kalbes wäre er gekommen, aber nicht für sein Balg.«

Er lächelte der Frau des Briefträgers zu. Wie er jeder Frau zulächelte.

»Diesen Lambert, lieben Sie ihn nicht zu schnell … Das Begehren, wissen Sie, dieses Bedürfnis, es zu befriedigen, und das Bedauern, dass es befriedigt wird …«

Er sah mich fragend an.

»Was finden Sie an ihm? Er ist gewöhnlich …«

Darüber musste ich lachen, über diesen fast eifersüchtigen Ton.

Kurz danach ging ein Raunen durch den Saal, und alle klatschten. Die kleine Bachstelze trug das Geschenk für Max herein, aber das Paket war viel zu groß für sie, sie verschwand dahinter. Max wurde rot, er trat von einem Fuß auf den anderen.

Er sah sich um und hätte am liebsten alle umarmt, schließlich nahm er die Kleine in den Arm und drückte sie ganz fest.

»Das ist die große emotionale Gedrücktheit«, gestand er schließlich und rieb sich die Augen.

»Du kannst es aufmachen«, sagte Lili und stellte das Paket vor ihn hin.

»Seine Mutter soll auf einer Weide entbunden haben. Mit einer Kuh. In einer Vollmondnacht. Die Kuh bekam ihr Kalb«, sagte Monsieur Anselme und sah Max an.

»Seine Mutter hat ihre Frauenaugen in den Blick des Tieres versenkt und dann ihren Sohn geboren. Der Tierarzt, der gekommen war, um der Kuh zu helfen, hat auch seiner Mutter geholfen. Beiden gleichzeitig. Er ist von einem Bauch zum anderen gegangen. Irgendwann wusste er nicht mehr, bei wem er gerade zugange war.«

Ich zuckte die Schultern. In ihrem Sessel stopfte sich die Mutter alles Essbare in den Mund, was vor ihr stand.

Max zerriss das Papier und holte das Radio hervor. Die Jugendlichen pfiffen. Lili köpfte neue Flaschen. Und Monsieur Anselme sprach weiter.

»Max wurde als Erster geboren. Dann hat der Tierarzt das Kalb herausgeholt.«

Morgane ging zu Max. Ihre Hand näherte sich seinem Gesicht.

»Das ist dein Geschenk«, sagte sie.

Max lächelte.

Ein Streicheln.

Er schloss die Augen.

»Ich bring dir Blumen«, sagte er plötzlich, voller Hoffnung, dann streckte er die Hand nach ihrer Brust aus. Alle warteten. Lili ging auf die beiden zu und schob ihn weg.

»Das ist dein Geburtstag, nicht ihrer.«

Max schüttelte den Kopf. »Die Blumen ...«, sagte er und wollte sofort losgehen, um welche zu besorgen. »Der Friedhof ist gleich nebenan!«

»Das kann bis morgen warten«, sagte Lili und zeigte ihm, wie dunkel es hinter dem Fenster war.

Max machte den Mund zu.

Morgen, das war weit weg.

Lili zog ihn am Ärmel und führte ihn zu seinem Radio zurück. Der Briefträger hatte einen Sender gefunden. Es rauschte noch, aber man hörte auch Musik. Morgane lehnte sich wieder an die Wand.

Nachbarn gingen.

Monsieur Anselme erzählte mir von einem Baum, der auf dem Weg hinter dem Semaphor stand. Er wollte mit mir dorthin gehen und ihn ansehen. Es sei ein Baum, der direkt am Meer wachse und den Prévert geliebt habe. Prévert, erzählte er, hätte ihn ein paar Wochen vor seinem Tod angerufen, um zu fragen, ob der Baum noch blühen würde. Sein Atem wäre schon entsetzlich anzuhören gewesen. Er war im Frühjahr gestorben, als der Baum geblüht hatte. Er blühte noch immer.

Der Kuchen wurde aufgetragen, drei Etagen, mit einer rosa Creme überzogen. Kerzen steckten in der Creme. Max' Name war mit Schokolade geschrieben. Als die Mutter das sah, stand sie auf, klemmte sich hinter ihre Gehhilfe und stapfte los, den Blick starr auf den Kuchen gerichtet. Es kam nicht jeden Tag vor, dass sie sich so den Bauch vollstopfen konnte. Max pustete die Kerzen aus, und alle applaudierten. Man hörte das Radio nicht mehr, aber die Kleine tanzte weiter.

Lili schnitt den Kuchen an.

Lambert ging.

Die Mutter streckte die Hand aus, sie berührte den Kuchen fast. Mit offenem Mund. Das Gebiss darin war verrutscht.

Lili zuckte die Schultern. »Morgen gibt's Porreesuppe!«, sagte sie.

Alle lachten.

Plötzlich, während alle lachten, ging die Tür auf. Es geschah gleichzeitig – das Lachen und das Quietschen der Tür. Die Köpfe drehten sich, und wer gelacht hatte, verstummte. Auch die Unterhaltungen. Nan stand in der Tür. In ihrem schwarzen Kleid. Sie hatte ihre Haare gelöst, als gäbe es ein Unwetter.

Sie sagte nichts.

Sie betrat den Raum. Das Gesicht erstarrt. Ihr weißes Haar hing strähnig herunter. Jemand stellte die Musik aus.

Monsieur Anselme nahm mich sanft am Ellbogen.

»Endlich kommt mal ein bisschen Leben in die Bude.«

Sie hatte ein kleines Päckchen in der Hand.

»Das ist für dich«, sagte sie und ging auf Max zu.

Das Päckchen war in blaues Papier gehüllt.

Max lächelte. Er sah uns alle an und zeigte uns das Päckchen.

Er drückte Nan an sich, legte seine großen Arme um sie, er küsste sie. Erst danach öffnete er das Päckchen.

Darin war eine Wollmütze, mit Max' Namen in gestickten roten Buchstaben und einem Schiffsanker.

»Eine Fischermütze«, sagte er und zeigte auf den gestickten Anker.

Er war glücklich. Er lachte. Er setzte die Mütze auf und sah sich sein Gesicht im Spiegel an.

»Das ist ein sehr schönes Geschenk.«

Er riss die Augen weit auf und sah sich nach einem Teller um, um ein Stück Kuchen draufzulegen. Auch ein Glas Wein füllte er. Er wollte Nan ebenso viel anbieten wie den anderen. Vielleicht mehr. Während er den Teller füllte, kam die Mutter näher. Die beiden Frauen musterten sich.

Monsieur Anselme flüsterte in mein Ohr, ohne sie aus den Augen zu lassen: »Ehefrau oder Geliebte, welche wären Sie lieber gewesen?«

»Was meinen Sie?«

Er überlegte, während er die beiden Alten weiter beobachtete.

»Ehrlich gesagt sehe ich Sie weder als Ehefrau noch als Geliebte … In diesen gesellschaftlichen Konventionen fühlen Sie sich zweifellos ebenso wenig zu Hause wie ich.«

Er legte die Hand auf meinen Arm.

»Wir beide bleiben immer am Rand.«

Die Alten standen voreinander. Wie zwei Monster, die aus dem Wasser gestiegen und hier gestrandet waren, bereit zum Kampf. Zwei Verrückte, vom Hass geleitet. Ringsum herrschte Stille. Niemand rührte sich mehr.

»Wenn du verreckst, geh ich tanzen«, zischte die Mutter schließlich.

Sie waren zu alt für Schläge. Nicht zu alt für Bosheiten.

Nan zuckte die Schultern.

»Das wirst du nicht können …«

Ein Lächeln spielte um ihre Lippen. Sie sah die Mutter an.

»Das wirst du nicht können, denn du wirst vor mir krepieren.«

Dann verließ sie den Raum. Man konnte ihre Gestalt noch einen Moment lang auf der Terrasse sehen.

Lili nahm Max den Teller aus der Hand. Sie nahm ihm auch die Mütze ab.

»Du bist nicht auf deinem Boot!«, sagte sie.

Jemand machte die Musik wieder an.

»Auf die Freundschaft!«, brüllte Lili und hob ihr Glas hoch.

Die Gläser wurden gefüllt. Andere wurden geleert.

»Monsieur Anselme …«, sagte ich. »Ihre Hand auf meinem Arm … Sie tun mir weh.«

Er nahm sie weg.

»Oh, ja, entschuldigen Sie.«

Die Mutter wackelte mit dem Kopf. Der Briefträger half ihr, sich wieder hinzusetzen. Er brachte ihr die große Marzipanblume, die ganz oben den Kuchen dekoriert hatte. Sie sah sie an und zitterte, in den Augen noch Verwirrung. Ihr Gesicht war blasser als sonst.

Max bat um Aufmerksamkeit. Er wollte sich bei allen bedanken.

Und das sagte er: »Ich verkünde ein großzügiges Danke an alle.«

Er erklärte, dass sein Boot bald fertig sein würde und dass er rausfahren würde, um den Heringshai zu fischen. Alle hatten sich Max zugewandt. Ich ging zur Mutter, setzte mich neben sie und nahm ihre Hand. Sie war unangenehm kalt.

Bei der Berührung hob die Mutter den Kopf. Ihre Augen waren blutunterlaufen, ihre Pupillen glühten, als hätte sich alles Leben dort gesammelt, in diesem winzigen Raum.

»Sie ist eine Diebin … Deswegen ist sie ins Haus gegangen.«

Ich ließ ihre Hand los, aber sie hielt mich fest. Sie zeigte auf das Haus gegenüber, neigte ihren Kopf zu mir und sagte:

»Dahin ist sie gegangen, nachts … Sie hat das ganze Spielzeug gestohlen.«

»Sprechen Sie von Nan?«

»Aber niemand weiß, was sie damit gemacht hat! Niemand … Ich habe gesehen, wie sie das Spielzeug in ihren Armen weggetragen hat, so hat sie es gehalten.«

Sie legte die Arme vor den Bauch.

Ein unangenehmes Pfeifen kam aus ihrer Brust.

»Was sollte sie denn damit anfangen?«, fragte ich.

»Sie hat im Haus der Toten gestohlen, nach dem Unglück, als das Boot gekentert ist.«

Ihre Stimme war zu einem rauen Murmeln geworden. Sie sprach schnell, ich verstand nicht alles, was sie sagte. Wenn Nan das Spielzeug geholt hatte, dann vielleicht für die Kinder aus der *Zuflucht*.

Das sagte ich zur Mutter.

Sie runzelte die Stirn. Sie kratzte mit dem Fingernagel auf dem Holz des Tisches. Schließlich schüttelte sie den Kopf.

»Das ist was andres …«

Sie strich sich mit der Hand über die Stirn, mehrmals, als versuchte sie sich an etwas zu erinnern, das ihr entfallen war. Immer wieder. Aber sobald sie im Begriff war, es wiederzufinden, verschwand das Bild. Sie fing an, sich aufzuregen.

Lili bemerkte es. Sie kam zu uns.

»Was ist los?«

Sie sah das Gesicht ihrer Mutter an. Den fast leeren Blick. Die Mutter stammelte unverständliches Zeug. Sie versuchte die Erinnerung an das wiederzufinden, was sie vergessen hatte. Ich weiß nicht, was Lili verstanden hatte, aber in dem Blick, den sie auf mich richtete, spürte ich den Vorwurf. Ich entschuldigte mich und ging zu Monsieur Anselme zurück.

»Probleme?«, fragte er.

»Nein, nichts, alles in Ordnung.«

Max hielt immer noch seine Rede. Seine Worte erreichten mich wie aus der Ferne. Ich dachte an das, was die Mutter zu mir gesagt hatte.

Max erklärte, dass er sich bei der Farbe der Kabine noch nicht zwischen Weiß und Blau entscheiden könne, aber das Boot habe schon einen Namen, *Marie-Salope*. Max fand, dass es ein schöner Name sei, und er wolle ihn nicht ändern. Er meinte auch, dass er jedem von uns einen Zahn schenken müsse, einen Zahn vom ersten Hai, den er töten würde.

Er versprach es.

Als ich mich verabschiedete, war Lili immer noch bei ihrer Mutter. Sie starrte mich an. Ich sah es, als ich mich umdrehte.

Die kleinen Esel kamen immer mit dem schönen Wetter. Niemand wusste, wann oder auf welchem Weg, aber man wusste, dass sie wiederkommen würden.

Nan erwartete sie. Wie jeden Nachmittag saß sie auf dem Stein, an dem sich die vier Wege trafen. Ihr Haar war zu einem schweren Zopf geflochten, der am Ende von einem schwarzen Samtband zusammengehalten wurde. Der Stein, auf dem sie saß, wirkte, als sei er ein Teil von ihr. Ihr Sockel.

Als ich ankam, stand die kleine Bachstelze bei ihr, sie schlug fröhlich auf eine Papptrommel. Die Trommel war zerrissen. Sie spielte trotzdem.

Die Esel kamen über einen Weg im Landesinnern. Manche sagten, sie seien hinter der Pointe du Rozel an der Küste entlanggegangen, man habe sie das Dorf Sotteville durchqueren sehen und dann mehrere Kilometer entfernt bei den großen Dünen von Biville wiederentdeckt. Sie hatten einige Tage in den Sümpfen verbracht, und jetzt waren sie da.

Die alte Nan spürte ihre Ankunft, noch bevor sie sie sah. Den Geruch in der Luft, ihr Fell, den Schweiß. Sie hörte das Hämmern auf der Erde, wie ein fernes Grollen, das langsam näher kam.

Als sie aufstand und ein paar Schritte an der Straße entlangging, ließ die Bachstelze ihre Trommel im Gras an der Böschung liegen. Sie rannte bis zum Ende der großen Wiese.

Die Esel waren da. Das Leittier kam zuerst, gefolgt von den anderen. Kinder liefen herbei, und mit ihnen Leute aus dem Dorf. Sie brachten Wasser in Eimern, Mehl und Heu.

Ein Pferd war bei den Eseln. Es humpelte. Eine Verletzung am Hinterbein.

Als es an Nan vorbeilief, grub sie ihre Hände in die dicke raue Mähne. Das Pferd war sehr schön. Ich fragte mich, wie es den ganzen Weg geschafft hatte, ohne dass jemand es eingefangen hatte.

Nan sagte, dass Pferde manchmal das Bedürfnis haben zu wandern. Sie sah mich an.

»Vielleicht gehört dieses Pferd den Feen …«

Hatte sie wirklich den Diebstahl begangen, dessen die Mutter sie beschuldigte? Und wenn ja, wieso?

Zank unter Alten, Dorfzank. Frauen, die denselben Mann lieben.

»Die Feen sind so klein, dass sie sich zum Reiten an die Mähne klammern, sie machen sich Steigbügel, indem sie mehrere Haare zusammenknoten.«

Sie nahm meine Hand und führte sie an die Mähne, damit auch ich sie berührte.

»Feen sieht man niemals tagsüber, nur nachts.«

»Wo sind sie tagsüber?«, fragte ich.

Sie lächelte.

»Das weiß man nicht.«

Sie streichelte den Hals. Sie nahm den Kopf des Pferdes zwischen die Hände und kratzte die Kruste aus getrockneten Tränen ab, die in den Augenwinkeln klebte.

Ich hatte Geschichten über Feen gelesen, in einer Zeitschrift, die ich in der *Griffue* gefunden hatte. Darin hatte gestanden, dass Feen Menschenbabys aus ihrer Wiege nahmen und sie gegen ihr eigenes Baby austauschten.

Ich fragte Nan, ob das wahr sei.

Sie nickte.

»Niemand weiß, warum sie das tun, aber so etwas kommt vor.«

Sie lächelte, ein unendlich sanftes Lächeln.

»Die Feenkinder sind etwas Besonderes, sie brauchen sehr viel zu essen, aber sie wachsen nicht. Man nennt sie die *Fêtets*.«

Sie sah mich wieder an.

»Es bringt Unglück, ein *Fêtet* in seinem Haus großzuziehen, deshalb zeigen die, die eins haben, es nie.«

»Was machen sie damit?«

»Sie verstecken es. Ich habe auch schon jemanden getroffen, der sein *Fêtet* getötet hat«, sagte sie sehr schroff, dann ging sie weg.

Das Pferd starrte aufs Meer. Ich blieb bei ihm. Sein Hals war nassgeschwitzt. Bestimmt hatte es Fieber. Zwei Tränen der Müdigkeit flossen aus seinen Augen.

»Das sind Mondperlen.«

Ich spürte Lamberts Atem in meinem Nacken. Ich erkannte seinen Körper, ohne ihn zu sehen.

»Mondperlen … So nennt man die Tränen der Pferde.«

Sein Geruch nach Leder mischte sich mit dem der Tiere. Ich drehte mich nicht um.

Nan sah ihn neben mir stehen.

Sie kam langsam auf ihn zu.

Sie lächelte ihn an. Es war ein ganz besonderer Moment, als alle Esel um uns herumstanden mit den Kindern, die sie fütterten, und der Heide, so weit das Auge reichte, der Erika und dem Meer.

Nan kam ganz nah an Lambert heran.

»Erinnerst du dich, als du klein warst, haben wir hier auf sie gewartet.«

Es war schrecklich mitanzusehen, wie sich Lamberts Gesicht verkrampfte.

Nan seufzte leise.

»Es ist gut, dass du zurückgekommen bist.«

Sie sagte diesen zweiten Satz in demselben ruhigen Ton.

Lambert schüttelte ganz langsam den Kopf, aber er ging nicht weg.

»Ich bin nicht der, den Sie suchen.«

Das sagte er.

Nach einer ganzen Weile drehte er sich zu ihr um.

»Wen suchen Sie denn?«

Sie antwortete nicht. Sie summte, eine sanfte Melodie, ohne Worte.

Er sah erst mich an und dann wieder sie. Er berührte ihren Arm, damit sie aufhörte, dieses Lied zu singen.

»Wer bin ich für Sie?«

Nan lächelte ihn an.

»Du bist Michel.«

Er nickte.

»Aber wer ist Michel?«

Nans Augen glitten über sein Gesicht, für einen Moment ratlos.

Im Gras an der Böschung lag die kleine Trommel, auf der die Bachstelze gespielt hatte. Sie hatte sie dort mit den beiden Holzstöcken liegen lassen. Lambert entdeckte sie und hob sie auf.

Es war ein kleines Spielzeuginstrument aus Pappe, die Farben von der Zeit verblasst. Ein Clown mit blauer Nase war auf das gespannte Fell gemalt. Die Farbe war hier und da abgeplatzt. Man konnte nur noch Reste erkennen.

Lambert strich mit einem Finger über das Fell der Trommel.

»Dieser blaue Clown …«

Er drehte die Trommel in seiner Hand hin und her.

»Stimmt was nicht?«, fragte ich.

Dann drehte er die Trommel langsam, fast vorsichtig um.

»Dieser Spielzeugladen, in dem meine Mutter gearbeitet hat … Die Passage in Paris …«

Er suchte etwas. Er sah sich den Boden der Trommel an und dann die Seiten, zwischen den Holzleisten, die als Gestell dienten. Plötzlich hielt er inne und steckte den Finger in einen Rhombus, den die Leisten formten. In diesem Zwischenraum, so breit wie zwei Briefmarken, klebte ein vergilbtes Etikett.

Er zeigte es mir.

Ich las: *Pain d'épice, Spielzeugladen, Passage Jouffoy, Paris.*

»Das ist der Laden, von dem ich Ihnen erzählt habe …«

Plötzlich war die Erinnerung wieder da. Ich erkannte den Moment in seinen Augen, und ich wusste, dass er seine Vergangenheit wiedergefunden hatte.

»Das war Pauls Trommel!«

Er drückte sie an sich. Seine Hand rieb die Pappe. Er atmete ihren Geruch. Mehr als die ganze Landschaft, mehr sogar als das Haus schien ihm dieser Gegenstand seine Kindheit zurückzugeben. Welche Bilder? Welche Erinnerungen? Er war erschüttert.

»Alles in Ordnung?«, fragte ich.

»Alles in Ordnung«, antwortete er.

Er lächelte, leicht, als wagte er es nicht.

Nan stand bei den Eseln. Sie streichelte sie. Ab und zu drehte sie sich um und strahlte Lambert an.

Er sah woandershin, in die Leere, in den Raum über dem Meer, dieser Ort, der nicht Himmel und nicht Wasser war.

Er blieb an der Böschung sitzen und beobachtete die Esel, die Trommel auf dem Schoß.

Ich ging nach Hause.

Mir war kalt. Ich brauchte einen Kaffee. Im Garten traf ich Morgane, sie war gerade im Begriff loszugehen, ein zusammengerolltes Handtuch lag um ihre Schultern. Sie ging baden, aber nicht irgendwohin, sondern zum Leuchtturm. Manchmal machte sie das. Sie sagte, dort zu baden sei nicht gefährlicher als anderswo. Es sei auch nicht kälter, und außerdem kenne sie kein Woanders.

»Bloß kein Wort zu Raphaël …«

In der Sonne breitete sie das Handtuch aus. Sie trug ihren schwarzen Badeanzug. Dann lief sie bis ans Meer und trat mit den Füßen in die ersten Wellen. Mit der Hand schöpfte sie mehrmals kaltes Wasser und machte ihren Nacken nass. Die Tropfen flossen über ihren Rücken Schließlich wagte sie sich noch weiter ins Wasser, dann tauchte sie ein. Sie schwamm mit kräftigen Zügen, schnell und gut. Sie schwamm weit hinaus, als hätte sie beschlossen, das Meer zu durchqueren. Ich setzte mich auf die Felsen, neben ihr Handtuch, und wartete auf sie.

In den feuchten Sand zeichnete ich mit dem Finger eine Trommel. Darüber malte ich die Form einer Sonne. Ich hätte gern gewusst, ob es noch andere Spielsachen gab, irgendwo, bei Nan oder in der *Zuflucht*, Spielsachen, die Paul gehört hatten oder Lambert. Ich dachte wieder an Lambert, an seinen ganz besonderen Blick, als er begriff, dass es die Trommel seines Bruders war.

Als Max kam, hörte ich auf, darüber nachzudenken. Er hatte Angst um Morgane, und diese Angst machte ihn rasend. Er war außerstande, sich zu setzen, im Gehen drosch er mit den Füßen auf den Boden ein. Er war böse auf sie. Irgendwann zertrampelte er meine Zeichnung. Dabei war es nicht das erste Mal, dass er Morgane zur Strömung hinausschwimmen sah.

Schließlich kam Morgane aus dem Wasser. Sie blutete, ein kleiner Kratzer am Knie, den sie sich an einem Felsen geholt hatte, und dann floss noch anderes Blut, an der Innenseite ihres Schenkels. Max starrte auf die rote Spur, den gewundenen Weg auf der milchweißen Haut.

Morgane setzte sich neben mich. Die Kälte hatte ihr die Luft genommen, sie atmete mit Mühe.

»Ich kenne das Meer hier in- und auswendig. Ich könnte mit verbundenen Augen schwimmen, wenn es sein müsste.«

Ihre Haut war blau, so durchgefroren war sie. Sie zeigte mir ihre Hände.

»Ich berühre die Strömung. Ich spüre den Moment, in dem ich sie streife. Es fühlt sich an wie eine große Eismauer, die quer durchs Meer geht.«

Auch ihre Lippen waren blau. Sie kümmerte sich nicht um Max. Von der Mole herab sahen ihr die Fischer zu. Sie wusste es. Es war ihr egal. Sie kannte das Meer so gut wie sie. Besser als sie. Sie kannte es von innen.

»Was passiert, wenn du die Mauer durchbrichst?«
Sie antwortete nicht.
Sie lächelte und rollte den Kopf zwischen den Schultern. Ihr

Körper zitterte unter dem Handtuch. Sie sah aufs Meer, das Kinn in den Händen.

»Ich hab sieben Jahre mit einem Typen zusammengelebt. Das war gut … Ich weiß noch, dass er mal seinen Namen auf meinen Rücken geschrieben hat, zwischen meine Schulterblätter. Mit der Zunge.«

Sie ließ das Handtuch herunterrutschen, als könnte die Spur noch da sein.

Sie wollte mir die Stelle zeigen.

»Berühr mal meinen Rücken …«

Ich berührte ihn.

»Sein Verlangen fehlt mir.«

»Warum habt ihr euch getrennt?«

»Wegen nichts … Eines Tages haben wir uns angesehen und liebten uns nicht mehr.«

Sie richtete sich auf und fing an, ihr Haar mit den Fingern zu entwirren.

»Sieben Jahre, das war schon gut«, sagte sie.

Ihre Haare waren nass. Wasser tropfte auf ihren Rücken. Sie drehte sich um.

»Die Sieben trifft man immerzu, ist dir das schon mal aufgefallen? Die sieben Todsünden, die sieben Weltwunder, die sieben Zwerge von Schneewittchen …«

»Sieben auf einen Streich!«

»Man muss siebenmal die Zunge im Mund herumdrehen, ehe man spricht.«

Sie überlegte einen Moment, dann schaute sie zum Himmel.

»Sieben Jahre Unglück! Die sieben Leben einer Katze.«

»Siebenmeilenstiefel.«

»Die sieben Wochentage.«

»Die sieben Tugenden. Siebenbürgen.«

»Was ist das, Siebenbürgen?«

»Eine Region in Rumänien.«

Sie nahm Sand in die Hand und rieb damit ihre Fußsohlen. Sie sagte, das sei gut für die Haut.

»Reibst du mir mit dem Sand auch den Rücken?«

Sie beugte sich vor, den Kopf zwischen den Händen.

»Und bei dir? Wie lange haben deine Beziehungen im Durchschnitt gedauert?«, fragte sie lachend.

»Die letzte drei Jahre …«

Sie überlegte.

»Mit drei gibt es nicht viel.«

»Die drei Schweinchen«, sagte ich.

»Ja, die drei Schweinchen. Und die drei Frauen von Barbarossa.«

»Hatte Barbarossa drei Frauen?«

»Ich glaube … Ich weiß nicht mehr. Vielleicht hatte er sieben.«

Sie lachte. Ich lachte mit. Dann überlegten wir weiter, aber mit »drei« fiel uns nichts mehr ein.

Sie drehte den Kopf auf die andere Seite.

»Und warum war es dann vorbei mit euch? Habt ihr euch nicht mehr geliebt?«

Ich schaute aufs Meer.

Doch, wir haben uns noch geliebt.

Das Pferd stand in unserem Garten. Seine Wunde war offen, niemand konnte sagen, was passiert war. Manchmal greifen streunende Hunde Pferde an. Manchmal bleiben die Pferde auch mit den Hufen in Drahtzäunen hängen und fügen sich tiefe Wunden zu, wenn sie sich befreien wollen.

Morgane ging mit ihm ins Meer. Sie führte das Pferd an der Mähne vom einen Ende des Strandes zum anderen, sodass die Wunde unter Wasser war.

Ich wartete auf sie.

»Dieser Typ … Der, mit dem du drei Jahre zusammen gewesen bist, hast du ihn verlassen oder er dich?«, fragte sie, als hätte sie während des ganzen Spaziergangs daran gedacht.

»Er.«

»Erzählst du mir davon?«

»Nein.«

»Warum nicht?«

Ich bückte mich, um mir die Wunde anzusehen. Das Salz hatte die Ränder und das Innere der Wunde angefressen.

»Glaubst du, du kannst mit ihm schwimmen, wenn sein Bein wieder heil ist?«, fragte ich, um nicht auf ihre Frage antworten zu müssen.

Sie streichelte den Schenkel mit der flachen Hand, den breiten Muskel eines jungen Tieres, das lange gelaufen war.

»Weiß nicht …«

Sie wandte sich von ihm ab und blickte aufs Meer hinaus.

»Wenn es ihm besser geht, bin ich vielleicht nicht mehr da.«

»Nicht mehr da? Warum, willst du weg?«

»Vielleicht …«

»Und wohin? Mit wem? Und was willst du machen?«

Sie sah mich an.

»Früher oder später muss ich doch gehen …«

»Und Raphaël, wird er dich begleiten?«

Sie senkte den Blick.

In der folgenden Nacht blieb das Pferd auf der Wiese vor dem Haus. Die Wiese hat keinen Zaun. Es hätte weglaufen können, wenn es gewollt hätte.

Aber es blieb.

Als es regnete, stellte es sich am Bootsschuppen unter. Morgane fütterte es mit Mehl und Heu.

Sie umwickelte die Wunde mit Binden, die sie aus alten Laken schnitt.

Sie sagte, wenn die Wunde verheilt sei, werde es fortgehen,
deshalb wolle sie ihm keinen Namen geben.

Dutzende Wildgänse hatten sich am späten Vormittag auf den felsigen Landspitzen niedergelassen. Es waren wunderbare Gänse mit aschgrauem Gefieder.

Ich zeichnete sie. Sie wussten, dass ich sie beobachtete.

Ich zeichnete auch Seeschwalben und ein Paar Mauersegler.

Lambert war mir gefolgt. Ich sah ihn von weitem kommen. Er zögerte, zeigte auf den Stein neben meinem und fragte, ob es mich stören würde, wenn er sich dort hinsetze, weil er auch Lust habe, die Gänse zu beobachten. Ich sagte, dass es mich nicht störe.

Er nahm neben mir Platz, schaute die Gänse an und wollte dann meine Zeichnungen sehen.

»Gehören sie zu den Tabellen?«

»Nein.«

Ich erzählte ihm von den Abbildungen für das geplante Buch.

»Ich male die Zeichnungen mit Aquarellfarben aus. Dann zeige ich sie Théo, und wenn sie gut sind, schicke ich sie nach Caen. Jemand anderes kümmert sich um die Texte, wieder andere um die Karten. Théo sagt, die fertigen Tafeln seien von guter Qualität. Das müsste ein schönes Buch ergeben.«

Er nickte.

»Théo weiß alles.«

»Théo weiß sehr viel über Vögel.«

Er lächelte kurz, dann nahm er mein Heft und blätterte darin. Bei manchen Zeichnungen hielt er inne. Das Papier war grobkörnig, er strich mit dem Daumen darüber.

»Eine Zeichnung ist weder gut noch schlecht ... Das hat mir mal eine Lehrerin erklärt.«

»Solche Zeichnungen schon. Die Farbe der Federn, die Form des Schnabels ... Es gibt ganz feine Nuancen, die man beachten muss. Manchmal lasse ich mich zu sehr vom Spaß am Zeichnen ablenken.«

»Zum Glück gibt es Théo«, sagte er sehr ironisch, und ich merkte, dass ich rot wurde. Unnötig. Der Angriff galt nicht mir.

»Wie viele Zeichnungen müssen Sie für Ihre Enzyklopädie anfertigen?«

»Viele ...«

Ich zeigte auf den Himmel.

»Sie können sich gar nicht vorstellen, wie viele Vogelarten es gibt. Es gibt solche, die hier leben und niemals wegziehen, dann gibt es Zugvögel, die nur Halt machen, um sich fortzupflanzen oder den Winter hier zu verbringen, und wieder andere, die weiterfliegen müssten und es nicht tun ...«

Er nickte.

»Das kann ich mir nicht vorstellen, stimmt. Und warum sind Sie hergekommen? Sind Sie auch ein Zugvogel?«

»Kann man so sagen. Ich hatte vor allem genug davon, den ganzen Tag zu reden. Als ich damals erfahren habe, dass das Ornithologische Zentrum von Caen jemanden sucht, habe ich mich beworben und ...«

Er blätterte weiter im Heft und machte bei der Zeichnung eines jungen Kormoranpärchens Halt, das ich ein paar Tage zuvor nahe beim Leuchtturm beobachtet hatte. Ihr Gefieder war wunderbar, ebenso wie ihre Treue zueinander. Ich hätte mich gern mit ihm über etwas anderes unterhalten als über Vögel. Ich wollte wissen, ob er die Trommel mitgenommen hatte.

»Zeichnen Sie immer beide, Männchen und Weibchen?«

»Wenn möglich … Ich zeichne auch die Eier und die Nester.«

»Und was ist das?«

Er zeigte mir die Zeichnung einer Kröte ganz hinten im Heft.

»Kommt sie auch in die Enzyklopädie der Vögel?«

»Nein, aber diese Kröte ist etwas Besonderes. Das Männchen massiert den Bauch seines Weibchens, damit es Eier legt, und danach nimmt es die Eier auf den Rücken und kümmert sich darum. Das fand ich sehr sympathisch.«

»Wenn Sie das zeichnen, was Sie sympathisch finden, habe ich ja eine Chance …«

Er schlug das Heft zu und behielt es einen Moment in der Hand. Dann rieb er über den Ledereinband und schaute dabei aufs Meer.

Möwen zogen über uns hinweg in Richtung Hafen. Am Abend wurde Regen erwartet.

»Heute sind Sie hier, und wenn Sie Ihre Zeichnungen fertig haben, gehen Sie wieder weg? … Ich habe ein Haus im Morvan, mit dicken Steinwänden. Wenn ich weggehe, kehre ich immer dorthin zurück. Ich gehe nicht gern weg.«

Er wandte mir das Gesicht zu, sah mich einen Moment lang an.

»Kommt es auch vor, dass Sie sich binden?«

Mich binden? Das wollte ich nicht. Nicht so schnell. Ich sagte es, leise, fast ohne die Lippen zu bewegen: »Ich will mich nicht binden.« Es war zu einer Krankheit geworden.

Als Kind war ich agoraphob gewesen, das Wort hatte mir gefallen, ich hatte es meinen Freundinnen erzählt, Agora, das klingt doch gut, findet ihr nicht? Später wurde ich allergisch gegen Katzen. Anscheinend verschwindet die Allergie, wenn man Katzen gern hat.

Jetzt war es die Angst, mich zu binden. Ich weiß nicht, ob es für Bindungsangst eine Bezeichnung gibt.

Du hast mir vom *Realitätsprinzip* erzählt, ehe du gegangen bist. Ich will es mit dir schaffen, ohne Schmerz, hast du gesagt. Schmerz, in den letzten zwei Monaten hast du nichts anderes mehr gekannt. Gekrümmt in deinem Bett, wusstest du nicht mal mehr, dass das Schmerz heißt.

Lambert schleuderte einen Stock weg.

»Und kommt es oft vor, dass Zugvögel ihre Meinung ändern?«

»Es kommt vor …«

Er zündete eine Zigarette an, das Gesicht über die Hände gebeugt.

»Eigentlich sollten wir uns duzen, das wäre einfacher, oder?«, fragte er und blies den Rauch aus.

»Einfacher?« Ich schüttelte den Kopf.

»Nein, wir duzen uns nicht.«

Er schwieg einen Moment. Die Gänse flogen weg, zusammen, in einer sehr schönen Formation. Sie verschwanden über dem Festland.

Wir blieben sitzen, als wären die Gänse noch da.

»Vorhin haben Sie gesagt, dass Sie sich beworben haben und … Sie haben Ihren Satz nicht vollendet.«

»Nichts … Ich wurde genommen und bin gegangen.«

Du bist auch gegangen. Doch das sagte ich ihm nicht.

»Man muss seine Sätze immer vollenden … Wenn ich in der Schule den Mädchen erzählte, dass ich keine Eltern mehr habe, hatten sie Mitleid. Manche hielten es sogar für Liebe. Funktioniert das bei Ihnen nicht?«

»Was?«

»Mitleid?«

»Nein, bei mir funktioniert das nicht.«

Er zog die Brauen hoch.

»Das hatte ich befürchtet.«

Er warf noch mehr Stöcke ins Wasser. Sie schwammen an der Oberfläche. Ein paar Meter von uns entfernt lief eine Schnepfe über den Strand, die Füße versanken im Schlick. Sie suchte Sandflöhe.

Ein grauer Brachvogel auf den Felsen. Der schwarze Schatten einer Eiderente.

»Und die Trommel, wissen Sie, wie sie auf die Böschung gekommen ist?«

»Nein, ich weiß es nicht.«

Er lächelte.

Er erzählte mir, dass ein kleines Mädchen damit weggelaufen sei, den Eseln hinterher, dass sie mit den Stöcken getrommelt habe und dass er diesen Klang noch lange gehört habe.

»Max war da und hat mir geholfen, das Gestrüpp auszureißen. Er schenkt Morgane und Lili Blumen. Und Ihnen, schenkt er auch Ihnen welche?«

»Mir nicht …«

»Warum nicht?«

»Ich weiß nicht … Er ist nicht in mich verliebt.«

»In Lili ist er auch nicht verliebt.«

Er blies den Zigarettenrauch aus.

»Und? Wissen Sie, wie die Trommel in die Böschung gekommen ist?«

»Es war Nan«, antwortete ich, »sie war in Ihrem Haus, sie hat sie gestohlen.«

Ich erzählte ihm alles, was mir die Mutter gesagt hatte, fast wortwörtlich, ohne etwas hinzuzufügen. Er hörte mir zu. Dann nahm er einen letzten Zug, drehte sich um und sah Théos Haus an.

Wir ließen die Felsen hinter uns und gingen auf der Straße zurück.

»Waren Sie immer noch nicht bei ihm?«, fragte ich, weil er zu Théos Haus sah.

»Nein … Aber ich gehe noch hin. Ich weiß, dass er verantwortlich ist, auch wenn ich manchmal lieber glauben würde, es sei das Meer. Das Meer allein, das sie geholt hat. Das hätte mehr Format, finden Sie nicht? Dieser alte Verrückte dagegen …«

Er steckte die Hände tief in die Taschen. Ein paar Tage La Hague hatten gereicht, um sein Gesicht zu furchen.

»Das ist wie bei einem Menschen in den Bergen. Wenn die Berge ihn umbringen, ist es besser, als wenn er das Opfer eines Begleiters wird.«

»Gehen Sie deshalb nicht zu Théo? Haben Sie Angst, dass das Ergebnis ihnen nicht gefällt?

Er grinste und sah mich an.

»Ich war bei Théo, vor langer Zeit … Ich wollte mit ihm sprechen, ich wollte ihn auch töten. Das Haus steht abgelegen, niemand hätte mich gesehen, das perfekte Verbrechen, es hätte gewirkt wie Raubmord.«

»Es gibt kein perfektes Verbrechen.«

»Das gibt es, glauben Sie mir, und das wäre es gewesen.«

»Man hätte Sie gefasst, man hätte Sie ins Gefängnis gesteckt.«

»Ich war noch minderjährig.«

»Und warum haben Sie es dann nicht getan?«

»Weil meine Wut irgendwann abgeebbt ist ... diese schreckliche Wut ... Man braucht Hass, um zu töten, oder man muss verrückt sein ... Sie können das nicht verstehen.«

Ich ballte die Fäuste. Was verstehen? Dass man eines Tages aufwacht und nicht mehr weint? Wie viele Nächte habe ich ins Kopfkissen gebissen, ich wollte die Tränen, den Schmerz wiederfinden, wollte weiter wimmern. So war es mir lieber. Ich wollte gern sterben, danach, als der Schmerz meinen Körper überwältigt hatte, bestand ich nur noch aus deinem Fehlen, ein Berg schlafloser Nächte, das war ich, ein Magen, der sich übergibt, ich dachte, ich würde krepieren, aber als der Schmerz vergangen war, hatte ich etwas anderes kennengelernt. Und das war nicht besser.

Es war die Leere.

Lambert schaute immer noch zu Théo. Fühlte er sich schuldig, am Leben zu sein? Nicht mit ihnen gefahren zu sein? Er erzählte mir, dass er vor langer Zeit einmal mit dem Zug hierher zurückgekommen war. Allein. Er wollte das Meer wiedersehen, den Ort, an dem seine Eltern gestorben waren.

»Und? Haben Sie damals mit Théo gesprochen?«

»Ich bin an seinem Haus vorbeigegangen. Er stand im Hof und sah mich an. Er konnte nicht wissen, wer ich war. Ein kleiner Junge, der ein Kalb an einem Strick herumführte, war bei ihm ... Das Kalb war nicht größer als der Junge. Als der Junge auf mich zurannte, rief ihn Théo zurück. Er erkundigte sich, was ich wolle. Ich sagte ihm, wer ich bin, da wollte er nicht mehr mit mir sprechen. Er sagte, dass er mir nichts zu sagen habe und dass es ein Unfall gewesen sei. Dass Unfälle im Meer nun mal passierten. Ich hatte einen der Rettungsleute erzählen hören, dass er das Licht ausgeschaltet hätte. Ich sprach ihn darauf an, aber er blieb stumm. Am selben Abend bin ich wieder weggefahren.«

»Warum sollte er das getan haben?«

»Ich habe keine Ahnung.«

»Haben Sie Beweise?«

Er schüttelte den Kopf und erklärte dann, dass man auf seine innerste Überzeugung hören müsse.

Wir kamen zum Kai zurück. Max stand bei seinem Boot. Als er uns sah, lief er auf uns zu, griff erst Lamberts Hand und drückte sie ganz fest, dann meine.

»Wir haben uns heute früh schon gesehen …«, sagte ich.

Das wusste er, doch es war ihm egal. Er zog uns zu seinem Boot. Die Arbeit war fast vollendet. »In ein paar Tagen …«, sagte er, ohne seinen Satz zu beenden. Die Möwen schrien über uns, die Flügel rauschten, die Schnäbel klapperten, die Körper streiften einander. Das Ansteigen des Meeres brachte sie dazu. Sie erwarteten die Rückkehr der Fischer.

Max nervte das ganze Gekreische.

»Bum!«, sagte er und schaute nach oben.

»Was Bum?«, fragte Lambert.

Max verschwand in der Kabine und tauchte mit einem Gewehr wieder auf, er lud es, während er lief. Er zielte in den Haufen und schoss.

Eine Möwe fiel zu Boden, die anderen flogen weg. Er kam seelenruhig zu uns zurück, sein langer Körper schaukelte dabei wie das Gewehr am Ende seines Arms.

»Das Bum!«, sagte er.

Lambert und ich sahen uns an.

»Das ist die Erlösung vom Infernalischen«, stellte Max fest und kniff die Augen zusammen.

Wir nickten.

Wir setzten uns auf die Terrasse, an einen Tisch in der Sonne, und bestellten zwei Gläser Wein.

Lambert hatte von einem Kind auf Théos Hof gesprochen. Ein Kind, das ein Kalb geführt hatte.

Konnte es das Kind sein, das ich auf dem Foto bei Lili gesehen hatte? Wenn ja, handelte es sich um Michel, den Jungen, den Nan suchte?

»Dieser Junge mit dem Kalb, wie sah er aus?«

Lambert sah mich erstaunt an.

»Keine Ahnung … Ein kleiner Junge eben. Warum fragen Sie danach?«

»Erinnern Sie sich an gar nichts?«

»Ich habe ihn kaum angesehen. Ich war wegen Théo gekommen.«

»Aber trotzdem erinnern Sie sich an ihn. Weil er das Kalb am Strick führte?«

Er überlegte. Die Sonne ließ ihn das Gesicht verziehen, wie an jenem Tag, als ich ihn zum ersten Mal gesehen hatte, im Wind des nahenden Unwetters.

»Ich wusste damals nicht, dass Lili einen kleinen Bruder hatte, darüber hatte ich mich gewundert …«, sagte er schließlich.

Er schwieg eine ganze Weile, dann schüttelte er sich, als würde er es nicht schaffen, an etwas anderes zu denken.

»Ihren Kormoranfelsen, könnten Sie mir den nicht stattdessen zeigen?«

»Statt was?«

Er stand auf.

»Statt gar nichts.«

Wir fuhren zur Steilküste, ließen das Auto auf dem Parkplatz von Écalgrain stehen und gingen dann zu Fuß weiter. Wir hatten beschlossen, danach in La Bruyère zu essen.

Lambert ging zügig und setzte den Fuß schön flach auf. Er war ein erfahrener Wanderer.

An der Steilküste verließen wir den Weg und durchquerten enge, von Dornen gesäumte Passagen. Später kamen wir an niedrigem Buschwerk und Gestrüpp vorbei, kurz darauf an vom Wind verbranntem Gras. Ein schwindelerregender Vorsprung. Das Meer unendlich weit unten.

Ich war oft dorthin gekommen, um zu vergessen.

Wir machten ganz dicht an der Steilküste Halt, fast am Rand, zwei verlorene Seelen im Angesicht des Meeres, des Ursprungs der Welt. Das Meer wich zurück, kam wieder, Bäume wuchsen, Kinder wurden geboren und starben.

Andere Kinder traten an ihre Stelle. Und das Meer blieb dabei immer gleich. Eine Bewegung, die keiner Worte bedurfte. Die wirkte. Seit Monaten verschmolz ich mit dieser Landschaft, langsam wie ein Tier im Winterschlaf. Ich schlief. Ich aß. Ich lief. Ich weinte. Vielleicht war meine Anwesenheit hier deswegen möglich. Weil sie akzeptabel war. Wegen meiner Stille.

»Das ist der Kormoranfelsen«, sagte ich.

Er ging voran.

Ich ließ ihn gewähren. Man musste allein sein beim ersten Mal, um das zu sehen.

Er blieb stehen, rührte sich nicht, seine Arme hingen am Körper herab, und der Wind blies ihm ins Gesicht. Woran er wohl dachte? Welche Rechnung wollte er begleichen?

Ich setzte mich etwas weiter weg auf einen Stein. Ich hätte ihm gern das Foto von dem Kind auf dem Hof gezeigt, ihn gefragt, ob er es erkannte. Aber Lili hatte das Foto weggenommen.

Lambert drehte sich um. Er sah mich an. Ich berührte mit

der Hand das Steinmäuerchen, den Farn, dessen körnige Sporen unter meinen Fingernägeln knisterten. Hier, an diesen Mauern, wuchs eine seltsame kleine Pflanze, die man Unglückskraut nannte. Die Legende erzählt, dass derjenige, der auf das Unglückskraut tritt, sich in der Heide verläuft, er irrt den Rest seines Lebens herum, außerstande, seinen Weg wiederzufinden.

Du warst mein Unglückskraut.

»Die Kormorannester sind an der Steilküste«, sagte ich und zeigte ihm die Stelle.

Ich gab ihm das Fernglas.

Die Nester schmiegten sich an Felsvorsprünge. Beinahe schwebend. Im Gebüsch versteckt, den Bauch im Farn, fraßen die Wildziegen.

Es gab viele Kormoranpaare. Ich hatte etwa zehn auf diesem Felsen gezählt und zwei etwas weiter entfernt. Zweiundvierzig insgesamt, zusammen mit denen, die ich an der Anse des Moulinets entdeckt hatte. Zweiundvierzig waren viel, aber früher waren es noch mehr gewesen.

Dieser Felsen war ein großer Brutplatz. Die Fischer kamen mit ihren Booten her, sie legten ihre Netze aus, und die Vögel verfingen sich darin. Man fand die treibenden Körper im Wasser.

Die Wellen brachen direkt unter uns. Ihr Schlag ließ den Boden zittern.

»Stört Sie die Stille nicht?«, fragte er, ohne sich umzudrehen. Weil ich seit einer Weile nichts mehr gesagt hatte und weil er sicher wieder mit mir gesprochen hatte.

Ich schüttelte den Kopf.

Ich dachte an das erste Mal, als ich ihn gesehen hatte. Viele Menschen sind hierhergekommen, manche wären gern geblieben, aber La Hague hat sie vergrault. Andere hat La Hague gepackt. Jahre später sind sie immer noch da, ohne dass sie erklären können weshalb.

Die Stille gehört zur Heide. Ich war ein Teil von ihr. Sie hatte meine Wunden geheilt. Mich von dir genesen lassen.

Wie oft hatte ich hier am Rand der Steilküste, gestanden und geschrien? Was hatte Lambert von meinem Schweigen verstanden? Sein Blick erforschte mich, drängte sich auf, mit Gewalt. Ein brutaler Kontakt. Ich rührte mich nicht.

Unten dröhnte es. Es war das steigende Meer. Seine Schläge ließen das Innere der Steilküste vibrieren. Es war ein seltsames Beben.

»Wenn Sie den Bauch auf den Boden pressen, spüren Sie den Schlag des Meeres.«

»Sie wollen, dass ich mich hier hinlege?«

»Ich will gar nichts.«

Er lächelte.

Streckte sich aus.

»Ich höre nichts.«

»Nicht nur mit den Ohren. Sie müssen es spüren.«

Er blieb liegen, ohne etwas zu sagen.

Ich stand auf und ging bis zum Rand der Steilküste. Das Meer bedeckte die Felsen. Spülte die Algen hoch. Würde ich noch lange hierbleiben können? Morgane wollte weggehen.

Auf einem Felsvorsprung schlugen zwei Kormorane in der Sonne mit den Flügeln. Ihr Gefieder war ölig grün, fast schwarz. Diese beiden Vögel lebten seit einigen Wochen als Paar zusammen. Sie mussten noch keine Eier bewachen, sie fischten gemeinsam.

Ich drehte mich um. Lambert lag immer noch ausgestreckt da.

»Sie sind verkrampft … Wenn man verkrampft ist, spürt man nichts.«

»Ich bin nicht verkrampft.«

Er richtete sich auf. Ein Ohrenkneifer klammerte sich an den Kragen seiner Jacke.

»Angeblich lieben männliche Kormorane ihr Weibchen ein Leben lang«, sagte ich.

Er klopfte die Erde ab, die an seinen Knien klebte.

»Sie leben nicht so lange wie die Menschen, für sie ist es einfacher. Verbringen Sie hier Ihre Zeit?«

»Hier und noch etwas weiter.«

»Und dafür bezahlt man Sie?«

Darüber musste ich lachen.

»Man bezahlt mich und gibt mir ein Dach über dem Kopf.«

Er nickte. Der Ohrenkneifer hing immer noch an seinem Kragen. Schäfer waren wahnsinnig geworden, weil ein Ohrenkneifer in ihren Schädel gekrochen war, während sie im Schatten eines Baumes schliefen.

»Wenn sie erst mal drin sind, knabbern sie sich durch das Gehirn und kommen auf der anderen Seite wieder raus ...«

»Wovon reden Sie?«

Ich zeigte ihm den Ohrenkneifer.

»Es gibt ein Krankenhaus in Cherbourg, das sich sehr gut um Sie kümmern würde ... Was haben Sie gedacht, damals, als Sie Théo auf seinem Hof wiedergesehen haben?«

»Ich habe daran gedacht, ihn zu schlagen. Und dann habe ich an meine Mutter gedacht ... Ich habe mir überlegt, dass sie sehr traurig wäre, wenn ich das tun würde, und dann ist mir wieder eingefallen, dass meine Mutter tot ist.«

Ein schwarzer Schatten tauchte ein paar Meter vor uns ein. Er bewegte sich unter der Wasseroberfläche, schnell, präzise. Es war ein Kormoran. Der schwarze Körper verschmolz mit dem grauen Glanz der Wellen, Milliarden winzige Leuchtpunkte. Meistens blieben Kormorane eine Minute unter Wasser. Am schwierigsten war es, sie zu erwischen, wenn sie wieder aufstiegen.

»Sie hören mir nicht zu …«

»Ich höre Ihnen zu. Sie haben an Ihre Mutter gedacht, und dann ist Ihnen eingefallen, dass sie tot war.«

Ich sah ihn an. Seine grauen Augen waren dunkler geworden. Er litt.

Ich litt auch.

»Jeder hat sein Päckchen zu tragen«, sagte ich. »Ich das meine, Sie das Ihre. Alle. Auch die Kormorane …«

»Manche Päckchen sind größer als andere.«

Ich sah ihn an, seine gewölbte, fast dickköpfige Stirn.

»Päckchen ist Päckchen«, sagte ich.

Ich schnappte nach Luft. Hunde hecheln mit der Zunge. Und Katzen, wie machen es Katzen?

»Wissen Sie, wie eine Katze schwitzt?«, fragte ich ihn.

Er wusste es nicht. Ich auch nicht.

Einmal hatte ich an einem Tag ein und denselben Vogel mehr als dreihundert Mal eintauchen sehen. Der Tauchvorgang hatte jeweils anderthalb Minuten gedauert.

Das sagte ich ihm. Ich war müde.

Zwischen uns stieg die Spannung. Zu kompliziert.

Er schaute zum Leuchtturm.

»Nichts hat sich verändert, die Häuser sind dieselben, die Heide … Die Söhne gleichen den Vätern, alles ist gleich geblieben und trotzdem … Ich möchte Théo gerne hassen, aber es geht nicht mehr.«

»Ist es das, was Sie so schmerzt? Nicht mehr so unerträglich zu leiden, gelernt zu haben, mit der Ungerechtigkeit, mit dem Tod der anderen zu leben. Zu überleben. Immer weiter zu überleben. Gegen alles und jeden. Selbst gegen den Tod. Und sich eines Tages dabei zu überraschen, dass man lacht.«

Eine Möwe flog vorbei, und der Schatten des Vogels glitt über sein Gesicht.

»Früher habe ich geschrien ...«, sagte er.

Ich senkte den Blick und wandte mich ab.

Ich hatte auch geschrien.

Wenn man Mensch-ärgere-dich-nicht spielt, darf man bei einer Sechs nochmal würfeln. Wenn der Würfel auf den Boden fällt, muss man noch einmal würfeln. Daran dachte ich. Und wenn der Würfel auf die Kante fällt, muss man auch nochmal würfeln.

Aber das Leben ist kein Würfelspiel.

Früher hatte ich mir Gedichte aufgesagt. Aragon konnte ich auswendig, auch ganze Seiten von Rilke.

»Er hat das Licht des Leuchtturms ausgeschaltet in jener Nacht. Ich weiß nur noch nicht warum.«

Er konnte von nichts anderem mehr sprechen, er war wie gefangen in einem Tunnel. Er drehte sich im Kreis. Ich musste an die Fledermaus denken, die gegen das Auto geflogen war, ohne dass ich verstanden hatte weshalb. Und an die Stute, die verrückt geworden war, weil sie immer im Kreis gehen musste.

Auch ich rannte gegen eine Wand. Ich hatte Angst zu lieben. Das hatte mir dein Tod hinterlassen.

»Es gibt nicht immer ein Warum ...«, sagte ich.

»Und das Warum ist manchmal enttäuschend, ich weiß, das hat man mir tausendmal gesagt.«

Er nahm einen tiefen Zug von seiner Zigarette, die rote Glut erlosch am Filter.

»Mein Vater kannte die Strömungen, er kannte sein Boot. Er fuhr gern nachts hinaus, er wäre kein Risiko eingegangen, erst recht nicht mit Paul.«

Das sagte er: Nicht mit Paul.

Er ging den Pfad entlang, die Hände in den Taschen. Er drehte und wendete jede Erinnerung. Durchleuchtete jedes Detail. Der Pfad war schmal. Der Farn wurde dünner, er machte kleinen verkrümmten Bäumen Platz, deren schwarze Äste vom Salz verätzt waren.

»Als sie losgefahren sind, stand ich mit Lili am Kai. Wir haben ihnen nachgesehen. Sie fuhren nach Aurigny. Ich erinnere mich noch, wie meine Mutter sich vorgebeugt und uns mit ihrem Hut gewunken hat … Es war ein Leinenhut mit einem roten Band. Das ist das letzte Bild, das ich von ihr habe, diese Hand und dieser Hut.«

Er blieb stehen und starrte aufs Meer, auf die vom Nebel verschluckten Umrisse, die Insel Aurigny ganz in der Nähe.

»Lili und ich haben den Tag bei den Felsen verbracht. Ihre Mutter hat uns Kuchen gebacken.«

Wir erreichten den Weg und gingen zurück zum Auto. Er lief vor mir. Plötzlich blieb er stehen, ganz plötzlich. Ich weiß nicht, weshalb er das tat.

Ich prallte gegen seinen Rücken.

»Bleiben Sie nicht einfach so stehen«, murmelte ich, die Hand an seiner Jacke, das kalte Leder an meiner Haut.

Ich atmete den Ledergeruch ein, die Nähe des Mannes. Er war stark. Ich hätte die Arme um ihn schlingen und an seinen Rücken gepresst bleiben können. Ich hätte mich ihm hingeben können, als mögliche Antwort auf alle seine Fragen.

Ich war keine mögliche Antwort.

Ich löste mich langsam.

Ich nahm meine Hand vom Leder.

Ich holte tief Luft.

Er sprach, ohne sich umzudrehen.

»Wissen Sie, warum man das macht? Tief Luft holen, wie Sie eben?«

Ich wusste es nicht.

»Das sind die Zellen«, sagte er. »Sie müssen sich wieder mit Sauerstoff füllen. Das macht man oft nach einer starken Erregung.«

Er drehte sich um, schaute mich an. Wie sah ich in diesem Moment wohl aus? Wie war mein Gesicht?

Er legte die Hand an meine Wange, und ich hatte Lust, sie zu beißen.

Lambert setzte mich auf dem Platz ab. Er erwartete Interessenten für sein Haus. Die Bäckersfrau nutzte den Sonnentag, um von ihrem Lieferwagen aus Frühlingscroissants zu verkaufen. Auch eine Art, die Ankunft der schönen Tage zu feiern.

Sie hatte vor der Kirche geparkt.

Es waren besondere Croissants, mit Orangengeschmack. Monsieur Anselme mochte sie nicht, er sagte, diese Frühlingscroissants seien sicher köstlich, aber sie hätten nicht den Geschmack, den man erwarte, wenn man ein Croissant verlange.

Ich kaufte eine ganze Tüte voll. Ein plötzliches Bedürfnis nach Zucker. Ich wollte Morgane und Raphaël welche mitbringen. Ein Croissant aß ich sofort.

Vor dem Tor der alten Nan standen eine Eisenschüssel mit hartem Brot und einige Schalen mit Karottenkraut. Futter für die Esel. Viele solcher Tröge standen hier und da im Dorf. Nan saß vor der Tür. Sie hatte ihr Haar gelöst und bürstete es in der Sonne.

Ich zeigte ihr die Tüte mit den Croissants. Sie winkte mich herein.

Die Bank, auf der sie saß, bestand aus einem Brett auf zwei Steinen.

Sie sah die Tüte an.

»Das sind Frühlingscroissants«, sagte ich und hielt sie ihr hin.

Sie legte ihre Bürste weg und steckte die Hand in die Tüte. Während sie aß, starrte sie auf den Boden zwischen ihren Füßen. Als sie fertig war, sah sie mich an und sagte, dass das Croissant sehr gut war.

Sie nahm noch eins.

Ich warf einen Blick auf die *Zuflucht*. Alle Fenster waren geschlossen. Ich fand es jetzt weniger trostlos, weil die Sonne schien.

»Théo hat mir ein Foto gezeigt, auf dem Sie zu sehen sind, neben dem Baum, mit Kindern …«

Sie schüttelte den Kopf.

»Sie waren jung … Ursula war auch darauf zu sehen.«

Sie lächelte.

Ich sah sie an, über das von Runzeln durchzogene Gesicht legte sich das andere, das unendlich glatte und sanfte, das ich auf dem Foto gesehen hatte.

Die Frau, die Théo geliebt hatte.

Ich hob den Kopf.

Die kleine steinerne Jungfrau war immer noch da, in der Nische über der Tür.

»Kann man hineingehen?«

Nan holte ein Taschentuch aus der Tasche und wischte sich lange die Hände ab.

»Da ist nichts mehr drin außer toten Ratten und Erinnerungen.«

»Ich mag Erinnerungen. Théo hat mir erzählt, dass das Foto ganz am Anfang aufgenommen wurde, als die *Zuflucht* gerade eröffnet worden war.«

»Früher waren das Scheunen. Ställe. Meine Eltern hatten dort ihr Vieh. Wir mussten alles saubermachen, die Wände, die Zimmer, und wir mussten den Heuboden ausräumen, um daraus Schlafräume zu machen.«

Sie schüttelte ihr Kleid, um die Krümel zu entfernen. Ein paar blieben in den Falten hängen.

»Erinnern Sie sich an das erste Kind, das hierhergekommen ist?«

Sie nickte.

»Ich erinnere mich an alle Kinder … Das erste hat man mir gebracht, seine Mutter wollte es nicht mehr. Fünf Jahre war es alt gewesen. Ich hab noch nie ein Kind so weinen sehen. Der Junge ist sechs Monate bei uns geblieben, dann hat ihn eine Familie adoptiert, ein Paar aus Nantes. Sie haben ihn mit dem Auto abgeholt … Er hat mir jedes Jahr zu Weihnachten geschrieben, es schien ihm gut zu gehen, aber eirgendwann habe ich keinen Brief mehr bekommen, er hatte sich erhängt.«

Sie holte noch ein Croissant aus der Tüte.

»Warum wollen Sie da rein?«

»Um zu sehen …«

»Es gibt nichts zu sehen. Die *Zuflucht* ist seit zwanzig Jahren geschlossen. Nachts rennen da die Marder rum. Sicher stinkt es.«

»Ich mag Gerüche.«

Sie zog die Brauen hoch.

»Solche Gerüche …«

Sie sagte einen Moment lang nichts. Ich dachte, ich sollte gehen. Ich sah sie an. Ich wünschte mir zu erfahren, wer Michel war, aber ich traute mich nicht, sie nach ihm zu fragen. Plötzlich hob sie die Hand und streckte sie in Richtung *Zuflucht* aus.

»Ganz hinten kommt man rein, durch das letzte Fenster vor der Scheune, Sie müssen nur den Fensterflügel aufdrücken.«

Sie hielt mich am Arm fest.

»Wenn da irgendwelche Viecher sind, dürfen Sie sich nicht beklagen.«

»Ich beklage mich nicht.«

Ich überquerte den Hof bis zu der Stelle, die sie mir gezeigt hatte. Der Fensterflügel war abgenutzt. Er ließ sich einfach aufdrücken. Ich kletterte durch die Öffnung und landete in einem leeren, dunklen Zimmer. Ich musste einen Moment warten, bis sich meine Augen an die Dunkelheit gewöhnt hatten, dann sah ich, dass dieses Zimmer zu einem anderen führte.

Im nächsten Raum standen Tische. Nan hatte Recht, es stank nach toten Ratten und vertrockneten Exkrementen. Ich ging zu den Tischen. Im Holz waren Messerkerben. An den Wänden Striche, immer fünf, mit Querstrich, wie im Gefängnis.

Tote Fliegen lagen zu Hunderten unter dem Fenster.

Ein bisschen Licht drang durch die Spalten in den Fensterläden. Am Ende des Gebäudes führte eine Steintreppe in die obere Etage. Die Stufen waren voller Staub. Gipsplacken hatten sich von der Decke gelöst und bedeckten hier und da den Boden. Die Treppe mündete in einen dunklen Flur, von dem auf beiden Seiten Zimmer abgingen – der einstige Heuboden, von dem Nan gesprochen hatte. Ich machte eine Tür auf. Das Zimmer war mit mehreren Eisenbetten vollgestellt. Auf einem Bett lagen alte Decken aus brauner Wolle. Ich ging zum Fenster. Durch den Spalt sah ich den Hof, den Baum, die alte Nan auf ihrer Bank. Das Meer in der Ferne. Die Wiesen. Einst hatte es hier Leben gegeben, Kinder, es blieb die Stille.

Man sagt vom Wasser, es erinnere sich. Wie ist es mit den Wänden?

Ich lief zur Tür.

Vor dem Rausgehen drehte ich mich noch einmal um, mein Blick wurde von einem helleren Fleck angezogen. Es war ein Bett, auf dem ein Laken lag. Das Laken war nicht mehr weiß, aber es war hell. Ich hatte es beim Hereinkommen nicht gesehen. Ein Spielzeug lag auf dem Boden. Ich bückte mich.

Es war ein kleiner Bär mit kurzem Fell auf vier Rädern, das Fell war so abgegriffen, dass hier und da nur noch der abgewetzte Stoff übrig war. Die Achse der Räder war verrostet. Ein Ohr war von Zähnen zerrissen, Kind oder Ratte? Etwas Rosshaar quoll aus dem Stofftierkörper heraus. Sonst befand sich nichts in dem Zimmer, nur die Betten und das Spielzeug. Wie viele Kinder hatten nacheinander in diesem Zimmer gewohnt? Sicherlich waren die Ankömmlinge immer neidisch auf diejenigen gewesen, die fortgingen. Was war aus ihnen allen geworden?

Ich legte das Spielzeug wieder aufs Bett. Ich wollte es nicht behalten, aber ich konnte es auch nicht loslassen. Also nahm ich es wieder an mich. Die Räder steckten in einem Holzbrett. Ich ging dicht ans Fenster. Die Farbe war fast überall abgeblättert. Unter dem Brett, zwischen den Rädern, klebte ein Etikett. Es war halb abgerissen, aber noch gut lesbar. Ich hielt das Spielzeug ins Licht. Es war das gleiche Etikett wie das auf der Trommel, *Pain d'épice, Spielzeuggeschäft, Passage Jouffroy, Paris.*

Ich ging bei Lambert vorbei. Ich wollte ihm von dem kleinen Bären erzählen. Ihm sagen, dass ich ihn nicht mitgenommen hatte, dass er aber noch dort in einem der oberen Zimmer war. Ich hatte es nicht fertiggebracht, selbst zur Diebin zu werden.

Ich durchquerte den Garten. Der Schlüssel steckte in der Tür. Ich wollte die Zeichnungen sehen. Alle Zeichnungen von den Regentagen, die ich so schnell überflogen hatte, an dem Tag, als wir die Omelettes gegessen hatten. Es gab eine, die ich unbedingt wiederfinden musste.

Drinnen war es dunkel. Ich machte Licht. Die Zeichnungen lagen alle in dem Karton, der Karton stand auf dem Tisch. Dort standen auch eine Schale und ein paar Bücher. Ein Pullover hing über dem Stuhl. Lambert hatte Feuer gemacht. Es war noch Glut da. Ich warf eine zur Kugel zusammengeknüllte Zeitung und Holz auf die Glut. Ein Streichholz genügte.

Die Zeichnung, die ich suchte, versteckte sich irgendwo zwischen den anderen. Eine Bleistiftzeichnung, durch wenige Farben koloriert, die ich an jenem Tag kaum wahrgenommen hatte, aber doch genug, um mich daran zu erinnern. Es war die Zeichnung eines kleinen Bären auf vier Rädern mit rotem Lederzügel.

Ich suchte und fand sie schließlich.

Es war genau der kleine Bär, den ich in der *Zuflucht* gefunden hatte, er war auf ein Blatt aus grobem Papier gezeichnet. Mit sicherem Strich. Das war keine Kinderzeichnung, sie war sicher von Lamberts Mutter.

Neben der Zeichnung waren ein paar dicke Striche, zielloses Gekrakel.

Ich sah den Tisch an. Ich versuchte mir die Mutter und das Kind vorzustellen, die Köpfe dicht beieinander, dazu das Geräusch des Stiftes, des Radiergummis. Ich versuchte mir vorzustellen, wie das Kind der Mutter zusah und seinerseits ungeschickt zu zeichnen versuchte, während vor ihnen auf dem Tisch der kleine mit Rosshaar gestopfte Bär thronte.

Ganz unten auf dem Blatt stand wie auf den meisten anderen Zeichnungen ein Datum: 28. August 67. Da waren sie noch zusammen gewesen, eine Mutter und ihr Sohn.

Sie hatten noch knapp zwei Monate zu leben gehabt und es nicht gewusst.

Noch Zeit für ein paar Zeichnungen, für ein paar Regentage. Ich sah mir die Zeichnung lange an. Diese Geschichte berührte meine, ließ ihre Saiten vibrieren. Schließlich legte ich sie wieder an ihren Platz zurück, so wie ich sie vorgefunden hatte. Ich sah mich um. Der Aschenbecher auf dem Tisch quoll über. Daneben ein vergessenes Streichholz.

Lamberts Pullover lag über dem Stuhl. Ich drückte ihn an mich, vergrub das Gesicht in den Geruch, auf der Suche nach einem anderen Geruch, einer Haut – deiner.

Das Wetter war fast sommerlich geworden, mit milden Nachmittagen, an denen man draußen spazieren gehen konnte. Dem Pferd ging es besser. Max arbeitete immer noch an seinem Boot. Es sah so aus, als hätte er es gar nicht mehr so eilig, damit fertigzuwerden. Er fing weiter seine Schmetterlinge und sperrte sie in den Käfig, um sie irgendwann vor Morgane fliegen zu lassen.

Morgane hatte ihren Tag damit verbracht, Kronen zu basteln. Sie hatte die Nase voll davon. Auch vom Bedienen im Gasthof.

Sie hatte sich mit Raphaël gestritten.

»Wonach sehnst du dich?«, fragte sie mich und rutschte ein Stück, damit ich mich neben sie auf die Bank setzen konnte.

»Wonach ich mich sehne … Ich weiß nicht … Jeden Tag nach etwas anderem.«

Sie nickte.

»Und heute, wonach sehnst du dich heute?«

Ich dachte wieder an dich. Sehnsucht überfiel mich und Verlangen. Ich erinnerte mich an die weißen Wände. An die Stimme der Krankenschwester, die mir mitgeteilt hatte, dass es dir besser ginge, weil du aufgestanden warst. Deine Hände lagen auf der Tischfläche. Alles in Ordnung, hast du geflüstert. Dein Blick war ruhig. Ich habe deine Hand genommen und die Innenfläche geleckt. Die Schwester hat uns gesehen, sie hat gelächelt.

Ich hätte mit deinem toten Körper geschlafen, wenn sie dich nicht weggetragen hätten.

»Dein letzter Typ, warum hat's geknallt zwischen euch?«

»Es hat nicht geknallt.«

»Was ist dann passiert?«

»Nichts ... Das ist eine alte Geschichte.«

»Verrätst du mir den Titel? Der Titel ist noch nicht die Geschichte.«

»Später.«

»Später mag ich nicht. Hast du gesehen, das ist schwarze Spitze aus Chanterelle.«

Sie zeigte mir den dunklen Saum der Unterwäsche, die sie unter dem Rock trug.

Raphaël kam zu uns. Er lehnte sich mit dem Rücken an die Wand. Mit seinem blauen Matrosenhemd sah er aus wie ein Zigeuner. Er sah Morgane an. Seit einiger Zeit war sie gereizt. Ich wusste nicht, warum sie sich gestritten hatten.

»Hör auf damit!«

»Womit?«

»Mit deinem Rock zu spielen, wenn Max da ist! Ich habe es dir schon tausendmal gesagt.«

Morgane zuckte die Schultern.

Die Sonne schien noch, aber über dem Meer war der Himmel bereits schwarz. Dicke Wolken ballten sich zusammen. Es ging kein Wind, es lag nur diese Spannung in der Luft. Die Wolken schoben sich vor die Sonne. Morgane schimpfte. Raphaël ging wieder ins Haus.

Wir blieben noch ein bisschen sitzen.

»Hat er dich gut gevögelt, der Typ, mit dem du drei Jahre zusammen warst?«

»Gut, ja.«

Sie nickte, und ich wandte mich ab.

»Wie gut?«, fragte sie.

Ich konnte nicht antworten.

Ich ging in mein Zimmer, trat ans Fenster und sah hinaus zwischen die Wolken, dorthin, wo sie aufgerissen waren. Zu diesem Teil des Himmels und des Lichtes, von dem manche sagen, dass man niemals hinsehen dürfe, aus Furcht, das Gesicht der Jungfrau zu erblicken. Es heißt, die Frauen, die dieses Gesicht erblickt hätten, seien Herumirrende geworden. Dazu verdammt, in die Sümpfe zu gehen und niemals wieder zurückzukehren. Raphaël hatte sie zu Skulpturen gemacht.

Wegen des Gewitters fiel wieder mal der Strom aus. Raphaël arbeitete im Kerzenlicht, er hatte eine ganze Kiste dicker Kerzen in einem der oberen Zimmer gefunden.

Die Flammen beleuchteten die Wände und die Tonfiguren. Ich sah ihn durch den Spalt. Ich sah auch mein Abbild im Spiegel.

Ich mied meinen Blick.

Als ich wieder nach unten ging, um Raphaël zu besuchen, war die Tür zum Atelier offen. Ein kleiner Seiltänzer aus Lehm stand auf den Holzstufen.

Er arbeitete an einem anderen, der auf einem Sockel stand, mit nassem Stoff bedeckt.

Ich sah ihm gern beim Arbeiten zu, seinen feuchten Fingern im Lehm.

»Weinst du?«, fragte er.

»Nein.«

»Was ist das dann, wenn du nicht weinst?«

»Das ist der Regen, Raphaël, der viele Regen an den Fenstern … Vielleicht auch die Kerzen … Der Rauch, er brennt in den Augen.«

Er wischte sich die Hände an einem Lappen ab, griff nach seiner Jacke und wühlte in den Taschen. Dann holte er eine kleine Metalldose heraus. Darin waren schwarze Pastillen, die wie Kaffeebohnen aussahen. Er streckte mir eine Pastille hin.

»Da, nimm.«

»Was ist das?«

»Temesta«

»Ich kenne Temesta, das ist keines.«

»Sag dir einfach, dass es welches ist. Oder Valium. Wollen wir lieber sagen, dass es Valium ist?«

Er schob mir die Pastille in den Mund. Sie war hart. Seine Finger waren trocken. Draußen war es dunkel. In der Stille, die folgte, hörte ich eine Schiffssirene dröhnen.

»Nicht zerbeißen«, sagte er und steckte die Dose wieder ein.

»Was passiert, wenn ich sie zerbeiße?«

»Nicht zerbeißen«, wiederholte er.

Durch meinen Speichel wurde die Pastille weich. Sie schmeckte stark nach Pflanzensaft. Prévert hatte oft Hasch-Kügelchen zu sich genommen und danach eine Tasse Kaffee getrunken, sehr starken Kaffee. Dann hatte er einen Moment gewartet und noch einmal eine halbe Kugel geschluckt und mit einer halben Tasse Kaffee hinterhergespült. Das hatte mir Monsieur Anselme erzählt.

»Deine Toten …«, sagte ich.

»Welche Toten?«

»Die da!«

Ich zeigte auf seine Skulpturen.

»Das sind keine Toten«, antwortete er.

»Dieser Mann, der an den Holzpfahl genagelt ist, er macht mir Angst.«

»Das ist ein Vergänglicher.«

Er sammelte die Werkzeuge ein, die auf dem Boden herumlagen.

»Wo ist Lambert?«

»Keine Ahnung.«

Er drehte sich zu mir um. »Er ist ein anständiger Kerl.«

»Ich will nicht mehr vertrauen«, antwortete ich schließlich.

»Wer spricht denn von Vertrauen?«

»Sobald du liebst, vertraust du!«

»Schwachsinn! Wenn du liebst, liebst du!«

»Rilke hat gesagt, dass …«

»Scheißegal, was Rilke gesagt hat!«

Morgane kam herein.

»Kein Fernsehen mehr!«, sagte sie.

Sie sah uns an. Weil wir dicht beieinanderstanden.

»Störe ich?«, fragte sie lächelnd.

Sie trug einen gestreiften Pullover, den sie sich im Winter mit Plastiknadeln gestrickt hatte. Er war sehr groß. Sie trug ihn mit einer gelben Strumpfhose. Dann ließ sie sich in den Sessel fallen, zog die Beine unter den Po und beugte sich über ihre Strumpfhose, um den Sand abzukratzen, der an ihrem Knöchel klebte. Ihre roten Fingernägel bohrten sich in die Maschen.

Sie sah mich an.

»Du warst mit Lambert an der Steilküste … Ich habe euch gesehen. Hat er dir gesagt, was er hier macht?«

»Er verkauft sein Haus.«

Sie kratzte weiter Erde von den Maschen ab.

»Das ist nicht nur ein Kerl, der sein Haus verkauft«, sagte sie und spuckte auf ihre Strumpfhose. »Da steckt noch was anderes dahinter.«

Raphaël kam zum Tisch zurück. Er nahm das feuchte Tuch weg, das die kleine Lehmstatue bedeckte.

»Rilke hat etwas Lustiges dazu gesagt …«

»Wer ist denn Rilke?«, fragte sie.

Raphaël grinste.

Morgane wandte sich an mich.

»Erklärst du's mir?«

»Das ist ein Dichter. Er hat sehr schöne Sachen über das Leben geschrieben und über die Lust, die Liebe …«

»Was für schöne Sachen?«

»Sachen … Er sagt zum Beispiel, dass es unmöglich ist, unter der Last eines anderen Lebens zu leben.«

Morgane zog ihre Strumpfhose zurecht.

»Na, das geht ja gut los!«

Vor dem Einschlafen spielte ich mir unsere Nächte, alle unsere Nächte, in einer Endlosschleife vor.

Am Abend standen die Esel beieinander auf der Wiese neben dem kleinen Weg, der nach La Roche führt. In der Dämmerung wirkten sie wie Schatten. Das Pferd war bei ihnen, sehr nahe, aber auf derselben Wiese.

Ein leichter Wind trug den Geruch nach Erde und Moos heran. Die Gassen des Dorfes lagen verlassen im Morgengrauen. Es war Ebbe. Ich hatte das Licht in meinem Zimmer angelassen.

Im Halbdunkel sah ich das gelbe Fenster.

Der Audi kam auf der Dorfstraße angefahren. Er bremste. Er fuhr an mir vorbei und hielt ein paar Meter weiter an.

Das Fenster wurde heruntergekurbelt.

»Steigen Sie ein?«

Tautropfen glänzten auf dem Dach. Ich legte die Hand darauf, sie hinterließ einen Abdruck. Meine fünf Finger in der Feuchtigkeit.

Ich stieg ein.

Lambert starrte auf die Straße, Dämmerlicht hinter der Frontscheibe. Er sah mich nicht an.

Er stank nach Alkohol.

»Waren Sie bei mir zu Hause?«

»Ja. Ich wollte die Zeichnungen sehen … Ich habe nichts angerührt.«

Er stellte den Motor ab.

»Die Zeichnungen …«

Er grinste.

»Wenn das so ist …«

»Ich habe ein anderes Spielzeug bei Nan gefunden, mit dem gleichen Etikett wie dem, das auf der Trommel klebte … Ein kleiner Bär auf Rädern … Ich habe die Zeichnung gefunden.«

Er grinste wieder.

»Sie haben Ihren Spaß. Und was beweist das?«

Er hatte Recht, das bewies gar nichts, nur dass Nan in seinem Haus gewesen war, um diese Spielsachen mitzunehmen, und dass Lilis Mutter doch nicht so verrückt war.

Er lehnte sich an die Kopfstütze.

»Wissen Sie, was ich gemacht habe, während Sie mit Plüschtieren gespielt haben? … Ich war bei dem Alten.«

Er zeigte zum Hügel, dorthin, wo Théos Haus stand.

»Mit dem Gewehr hat er mich empfangen. Er wollte nicht, dass ich reinkomme.«

»Haben Sie vorher oder nachher Whisky getrunken?«

Er lachte.

»Nachher.«

Er starrte auf den Hügel.

»Ich habe ihn ein bisschen geschüttelt … Nicht fest, aber er hat weiterhin behauptet, dass er diesen verfluchten Scheinwerfer nicht ausgemacht hat!«

»Wie geschüttelt?«

»Nicht so heftig, wie ich es gern getan hätte. Als ich gegangen bin, hielt er sich noch auf den Beinen.«

»Und wenn er die Wahrheit gesagt hat?«

»Die Wahrheit! Er stinkt nach Lüge, wenn er von dieser Nacht damals spricht … Er schwitzt sie aus. Den Geruch kenne ich.«

»Den Geruch der Lüge?«

Er drehte den Kopf zu mir und lachte böse.

»Ich war früher Bulle«, sagte er und presste den Kopf an die Stütze. »Das kommt nie gut an, ich weiß … Es wäre wohl besser, ich würde irgendwas anderes sagen, Totengräber oder Steuereintreiber! Sogar ein flüchtiger Mörder wäre weniger schlimm.«

Er beugte sich über mich, sein Gesicht wenige Zentimeter von meinem entfernt. Er zog mich an sich, hielt meinen Kopf fest zwischen seinen Händen, wie in einem Schraubstock. Er zwang mich, ihn anzusehen.

Ihn nur anzusehen.

Und dann öffnete er die Autotür auf der Beifahrerseite.

Als ich bei Théo ankam, war im Hof gerade eine Katzenschlacht vorüber. Die Katzen fauchten noch. Ich sah die gelben Augen herausfordernd funkeln.

Es war nicht meine übliche Zeit.

»Ich kam gerade vorbei …«, sagte ich.

Théo sah auf die Uhr.

»Sie kamen gerade vorbei …«, antwortete er und schaltete den Fernseher aus. »Heute ist hier Besuchstag.«

Er ging zum Fenster, vor dem die beiden Kater saßen, die miteinander gekämpft hatten. Der eine war ein graues Tier mit kurzen Beinen. Er hatte dem anderen, der wilder zu sein schien, ein Stück Ohr abgerissen. Das Weibchen, um das sie gekämpft hatten, rekelte sich auf dem Schrank. Gleichgültig.

Théo drehte sich um.

»Hat er sich Sorgen gemacht?«

»Ja, ein bisschen.«

Er zog den Korken aus der Weinflasche, die auf dem Tisch stand, und füllte sein Glas. Dann umschloss er es mit den Händen und starrte auf den Wein darin.

»Er sagt, dass Sie in der Sturmnacht den Scheinwerfer ausgemacht haben.«

»Ich weiß, was er sagt!«

Er brummte eine Reihe unverständlicher Wörter. Eine nackte Glühbirne hing an der Decke. An ihrem Kabel strahlte sie auf den Tisch, ohne sein Gesicht zu beleuchten. Staub klebte auf dem Kabel und auch auf dem Glas der Birne.

»Sie sind auf seiner Seite?«

»Ich bin auf der Seite von niemandem ...«

Er rieb sich das Gesicht mit den Händen, mehrmals.

»Er kam hier reingestürmt wie ein Irrer, um mir immer wieder die gleichen Fragen zu stellen. Was soll ich ihm denn antworten? Der Leuchtturm war an, ich habe ihm die Wahrheit gesagt. Er hat mich gepackt ...«

»Er hat gesagt, dass Sie ihn mit dem Gewehr bedroht haben.«

»Man muss sich ja schließlich verteidigen.«

Das Gewehr stand in der Ecke, an seinem Platz zwischen Wand und Büfett.

»Was ihm zugestoßen ist, ist ein großes Unglück, aber da gab es noch ganz andere ... Was soll ich ihm denn sonst noch sagen? Es ist niemals gut, in der Vergangenheit zu wühlen.«

Eine gelbe Katze stellte sich maunzend vor das Fenster. Sie hatte bohrende Augen. Théo stand auf, öffnete das Fenster, und die Katze sprang herein.

Théo blieb stehen.

»Die Nächte im Leuchtturm, das kann niemand verstehen ... Ich erinnere mich an einen Burschen, den sie mir zugeteilt hatten. Er hatte nicht darum gebeten, aber sie brauchten jemanden, und die Wahl fiel auf ihn ... Es war ein junger Mann, er hatte Angst vor dem Meer. Tagelang hat er wie ein Tier zwischen Bett und Wand gehockt. Nicht mal auf dem Bett ... Auf dem Fußboden zusammengekrümmt, eiskalt der Schweiß auf seinem Rücken … Bleich wie der Tod. Er war noch ein Kind. Ich dachte, die Angst würde vergehen. Ich hab seine Schichten übernommen. Ich schlief nicht. Er auch nicht. Als ich gesehen habe, dass die Angst nicht verging, hab ich die Küste informiert. Sie haben ihn nicht abgeholt. Der Junge hat sich am Weihnachtstag ins Meer gestürzt, als ich grad mal einen Moment nicht auf ihn aufgepasst hab.«

Seine Hände verschränkten sich ineinander. Man sah die dunkleren Knoten seiner Venen, ihre Schatten auf dem Holz des Tisches.

»Es gibt eine Menge Geschichten vom Leuchtturm, Geschichten von jungen Burschen … Ich könnte Ihnen einiges erzählen. Von zwei Freunden zum Beispiel, die während eines langen Sturms umgekommen sind, verhungert. Sie hatten sogar ihre Schuhsohlen gekocht, um bis zur Ablösung zu überleben, die nie gekommen ist.«

Das weiße Kätzchen rieb sich an ihm. Mit einem Satz sprang es auf seine Knie.

»Gleich nach dem Krieg gab es einen Jungen, der in Verdun Gas abbekommen hatte und nur noch ein Stück seiner Lunge besaß. Die vielen Treppenstufen, die er im Leuchtturm steigen musste, haben ihm den Rest gegeben.«

An diesem Abend erzählte Théo zum ersten Mal vom Leuchtturm, von diesem ganz persönlichen, ungeahnten Leben. Er berichtete von Frauen, die sich mit dem Versorgungsboot hatten hinbringen lassen und die von den Fischern am nächsten Morgen wieder mit zurückgenommen worden waren.

Er lächelte.

Es war schon spät in der Nacht, aber er hörte nicht auf zu erzählen.

War Nan im Boot zu ihm gefahren? Hatten sie mitten im Meer, fern der Menschen, ihre Liebe gelebt?

Er sagte, dass es dort eine Katze gegeben hatte. Dass immer Katzen in den Leuchttürmen gewesen waren. Er erinnerte sich sehr gut an das erste Weibchen, das in seinem Bett fünf Junge zur Welt gebracht hatte, die aussahen wie Ratten.

Am Ende, als er mich zur Tür begleitete, erklärte er: »Ihr Lambert braucht einen Schuldigen, deshalb lässt er nicht locker. Das Beste für ihn wäre, wenn er von hier wegginge.«

Es war spät, als ich zur *Griffue* zurückkam.

Ich war müde.

Ich hatte auf dem Rückweg gefroren, obwohl ich schnell gelaufen war. Eine Weile saß ich auf dem Boden, den Rücken an die Heizung gelehnt. Die Knie angezogen, die Arme um die Beine geschlungen. Ich spürte die Wärme durch die Maschen meines Pullovers.

Ich machte die Augen zu.

Einmal hast du zu mir gesagt, dass ich dich werde vergessen müssen … Und du hast mich mit deiner Stimme geliebt. Nein, du hast mich erst mit deiner Stimme geliebt, und danach hast du gesagt, dass ich dich werde vergessen müssen und dass ich jetzt damit beginnen müsse, wo du noch am Leben bist, weil es danach einfacher sein würde.

Und plötzlich trennte uns eine Mauer. Ich war draußen.

Du warst drinnen. Ich brüllte vor Schmerz. In dieser Nacht biss ich mir in meinem Zimmer die Hand blutig, ich wollte den Schrei ersticken. Noch eine Nacht. Eine Nacht ohne dich.

Ich schlief zusammengerollt an der Heizung ein, die Hände auf dem Bauch. Ich wachte früh auf.

Es regnete.

Ich arbeitete an meinen Zeichnungen von Fledermäusen und

Samtenten und auch am Aquarell der großen Eule, zehnmal fing ich von vorn an.

Ich arbeitete wie eine Besessene. Ich trank literweise Kaffee. Mittags klopfte Morgane an meine Tür, aber ich antwortete nicht. Ich wollte niemanden sehen. Das brüllte ich. Sie protestierte nicht.

Sie ging wieder nach unten.

Später hörte ich, wie sie mit Raphaël über mich sprach.

Am Abend ging ich raus. Ich lief zu Lili. Es regnete nicht mehr, aber es war zu spät, um zur Steilküste zu gehen. Mir war immer noch kalt. Ich musste unter Leute. Stimmen hören.

Lambert war da, am selben Tisch wie Monsieur Anselme. Morgane auch. Als sie mich sah, wandte sie den Kopf ab. Am Tresen standen ein paar Fischer.

Ich zog die Jacke aus und setzte mich an ihren Tisch.

Monsieur Anselme fragte Lambert gerade, ob er annehmen könne. Das kannte ich. Es war eine absurde Tirade aus den »Aventures de Tabouret« von Prévert.

Ich hängte meine Jacke über die Lehne. Monsieur Anselme nahm meine Hand und küsste die Fingerspitzen. Er sah mich mit sorgenvoller Miene an. Dabei hatte ich mich geschminkt, mit sandfarbenem Puder und Glanz auf den Lippen.

Er wandte sich wieder Lambert zu.

»Na, und? Sie haben mir immer noch nicht geantwortet, können Sie annehmen?«

»Ja, nein … Keine Ahnung.«

Ich riss ein Streichholz an. Ich hielt es so lange wie möglich zwischen den Fingern, bis die Flamme meine Haut berührte.

»Sagen Sie ihm, dass Sie annehmen können, dann macht er ganz allein weiter.«

Lambert sah ratlos aus.

»Ich kann annehmen, ja …«

Mehr wollte Monsieur Anselme nicht. Er rieb sich glücklich die Hände.

Ihre Stimmen erreichten mich wie aus der Ferne.

Ich hörte ihnen zu und brannte weiter Streichhölzer ab.

»Nun gut, dann nehmen Sie an, ich bin auf der Straße und nicht hier, folgen Sie meinen Gedanken. Sie folgen mir doch?«

»Ich folge Ihnen.«

»Ich bin also auf der Straße, sitze auf einer Bank, eine Frau kommt vorbei, ich stehe auf und folge ihr. Folgen Sie mir immer noch?«

»Ja.«

»Gut. Ich bin also ein Mann, demzufolge folge ich einer Frau. Wenn ich einer Frau folge, folge ich demzufolge keinem Mann, denn es ist eine Frau, der ich folge.«

Ich musste lächeln, ich kannte die Geschichte auswendig, seit ich Monsieur Anselme kannte. Ich zündete das nächste Streichholz an.

Lambert wandte sich an mich.

»Ist das immer noch Prévert?«

»Immer noch!«

Ich sah ihn an.

»Sie waren Polizist, und jetzt sind Sie es nicht mehr?«

»Nein.«

»Warum?«

»Warum ich Bulle war, oder warum ich es nicht mehr bin?«

»Sowohl als auch.«

»Ich war dreißig Jahre lang im Dienst. Ich habe gelernt, schnell zu rennen und Geständnisse zu entlocken. Eines Morgens dann hatte ich die Nase voll davon … Dabei war ich ein guter Polizist.«

Er sah mich mit einem spöttischen Lächeln an.

»Es gefällt Ihnen nicht, dass ich Bulle war, was?«

»Das habe ich nicht gesagt.«

»Sie haben es nicht gesagt, aber es gefällt Ihnen nicht«, sagte er und beugte sich vor.

Ich dachte an seine Hände, diesen Schraubstock um mein Gesicht.

»Der Einzige, den ich noch nicht zum Sprechen gebracht habe, ist der alte Théo ... Aber ich habe nicht gesagt, dass ich aufgebe. Warum sehen Sie mich so an?«

»Erzwungene Geständnisse sind nicht immer wahre Geständnisse.«

Er nickte.

Monsieur Anselme erzählte von einer Autofahrt, die er mit Prévert unternommen hatte.

»Einmal haben wir in der Markthalle von Cherbourg Möhrenkraut geholt. Möhrenkraut für sein Meerschwein ... Zu viert, Prévert, Trauner, mein Vater und ich. Es war im Winter. Es lag Schnee ...«

»Ist Cherbourg nicht ein bisschen weit für irgendwelches Kraut?«, fragte Morgane und blickte von ihrem Kreuzworträtsel auf.

Monsieur Anselme lächelte.

Lambert wandte sich wieder an mich.

»Ich habe über Ihre Kormorangeschichte nachgedacht«, sagte er leise. »Dass es weniger sind als früher ... Die Wiederaufarbeitungsanlage ist nicht sehr weit, könnte es damit zu tun haben?«

»Das könnte sein, obwohl es Maßnahmen gibt, die den Schadstoffausstoß begrenzen.«

»Wenn der Schadstoffausstoß abnimmt, müsste es doch wieder mehr Vögel geben.«

Ich trank meine Schokolade.

Monsieur Anselme warf einen Blick auf die Wanduhr. Es war seine Zeit. Er stand auf und ließ drei Euro auf dem Tisch liegen. Drei Euro für den Kaffee, das war immer so. Teurer als in Paris!, pflegte Lili zu sagen.

Er zog den Mantel über das Jackett.

Morgane stellte sich an den Flipper, und plötzlich waren wir allein.

»Geht es Ihnen besser?«, fragte ich und spielte auf den Alkohol an, den er am Vortag getrunken hatte.

Er hatte violette Ringe unter seinen Augen.

Er schüttelte den Kopf.

»Nein. Waren Sie bei ihm?«

»Ja.«

»Und?«

»Nichts und … Es geht ihm gut.«

»Was hat er Ihnen erzählt?«

»Was soll er mir erzählt haben? Dasselbe wie Ihnen, weiter nichts.«

»Und haben Sie ihm geglaubt?«

»Ich weiß es nicht.«

Ich sah ihn an. Er sah mich auch an. Ich dachte an den Mann, den Nan suchte. Ich weiß nicht, was mich an dieser Geschichte interessierte, aber ich verfolgte sie fast besessen. Warum hatte Lili das Foto weggenommen, als hätte sie Angst vor etwas?

»Dieses Kind, das mit dem Kalb … Sie haben gesagt, dass Théo es gerufen hatte, erinnern Sie sich nicht an seinen Namen?«

Er starrte mich fassungslos an.

»Das war vor vierzig Jahren!«

»Ja, natürlich … Aber da hing ein Foto, hinter Ihnen, da, wo jetzt die helle Stelle zu sehen ist.«

Er drehte sich um.

»Auf dem Foto waren Lili, ihre Eltern und ein kleiner Junge zu sehen. Er hieß Michel, es war ein Kind aus der *Zuflucht*. Ich glaube, dass Nan auf diesen Jungen wartet.«

»Und weiter?«

»Nichts weiter.«

»Könnte es vielleicht das Kind von Nan und Théo sein?«

Ich schüttelte den Kopf. »Nan hat keine Kinder.«

Er hörte mir zu, ohne zu lachen. Ohne auch nur zu lächeln. Ich erzählte ihm von den Briefen.

» … mit einem Füller beschriebene Umschläge, es sind sehr viele … Sie sind alle von jemandem geschrieben, der Michel Lepage heißt.«

Er stützte den Kopf in die Hände.

»Was genau denken Sie?«

Ich sah ihm in die Augen.

»Ich denke, dass das Kind auf dem Foto und das, was Sie gesehen haben, dasselbe ist. Ich glaube auch, dass Théo weiß, wo der Mann ist, den Nan sucht. Sie schreiben sich seit mehr als zwanzig Jahren.«

Die Katze, um die die beiden Kater gekämpft hatten, war gestorben. Théo hatte sie steif im Graben hinter seinem Haus gefunden. Als ich zu ihm kam, war er gerade bei ihr. Das Tier hatte eingefallene Flanken, schon ausgehöhlt vom Tod, der sich seiner bemächtigt hatte. Ein kleines Stück rosa Zunge schaute zwischen den Zähnen hervor.

Théo hob die Katze hoch.

»Gift. Es gibt Leute, die tun so was.«

Das Maul stand offen. Ein bisschen Speichel, zu gelber Kruste getrocknet, klebte im Mundwinkel. Das Auge starrte in eine Ecke des Hofes.

Théo trug das Tier hinters Haus an den Rand der Wiese, dorthin, wo er alle anderen Katzen begraben hatte. Ein von großen Bäumen geschützter Ort. Ein Platz mit Moos und Farnen.

Die beiden Kater folgten ihm. Sie liefen Seite an Seite. Fast Flanke an Flanke.

Ich ging ein paar Schritte hinter ihnen.

Théo legte die Katze ins Gras und krempelte die Ärmel hoch.

»Seit Ewigkeiten begrabe ich sie ...«

Er hob ein Loch aus. Unter dem Gras war die Erde dunkel, fast schwarz. Lockere, feuchte Erde.

Die beiden Kater saßen nebeneinander, ganz aufrecht, in gleicher Entfernung zu der Katze. Sie folgten mit den Augen den Bewegungen der Hacke, dem kleinen Erdhaufen, der vor den Füßen des Alten wuchs.

Als das Loch tief genug war, sah Théo sie an. Er sprach ein paar Worte in seinem rauen Dialekt, nahm die Katze und warf sie ins Loch. Dann füllte er es mit Erde und drückte den kleinen Hügel mit der Hacke platt. Währenddessen rührten sich die Kater nicht. Sie blieben neben dem Grab sitzen.

Ich ging mit Théo zum Haus zurück. In der Küche stopfte er den Ofen mit Holzscheiten voll, die dort aufgestapelt lagen. Seine Bewegungen waren langsam.

Ein Block mit Briefpapier lag aufgeschlagen auf dem Tisch, darauf ein Kugelschreiber. Der Briefbogen zur Hälfte in Schönschrift beschrieben. Daneben der Brief, den Théo beantwortete. Dieser Brief war offen, der Umschlag lag daneben.

Théo schob den Brief an den Rand des Tisches, und wir sprachen über die Katzen.

Dabei tranken wir Wein.

Ich fragte ihn, ob er sich an jemanden erinnere, der Däumling genannt worden und der ein Freund, ein Schulkamerad von Max gewesen war.

Er schüttelte den Kopf, sagte, dass er sich nicht erinnere.

Er log.

Wir wechselten das Thema.

Als ich ging, saßen die beiden Kater immer noch neben dem Grab. Sie drehten nicht mal die Köfpe, als Théo sie rief, um ihnen die Fressnäpfe zu zeigen.

Monsieur Anselme hörte mir zu, die Ellbogen auf dem Tisch, das Gesicht zwischen den Händen.

»Und was haben Sie dann gemacht?«

»Ich bin zur Steilküste gegangen.«

Er lächelte mich an.

»Gott wird sich wundern, Sie so oft dort zu treffen.«

Er beugte sich vor, zog den Vorhang beiseite und sah hinaus auf den hellen, wolkenlosen Himmel. Er sagte, es sei ein guter Tag, um zum Semaphor zu gehen.

»Wollen wir nicht zum Baum von Prévert spazieren? Das ist so ein besonderer Baum! Jacques liebte ihn sehr. Er wäre glücklich zu wissen, dass noch jemand ihn besucht.«

Ich war einverstanden.

Als wir hinausgingen, nahm er meinen Arm.

Am Ende des Wegs improvisierten drei Mädchen einen Kreistanz. Sie hatten ihre Puppen in die Mitte des Kreises gesetzt und drehten sich mit kleinen Wechselschritten, erst in die eine Richtung, dann in die andere.

Wir blieben stehen, um ihnen zuzusehen.

»Prévert liebte Kinder sehr. Ich finde sie etwas laut …«

Die Mädchen drehten sich weiter.

Dreht euch, dreht euch, Mägdelein,
dreht euch rund um die Fabrik,
bald schon sollt ihr drinnen sein,
habt ein Leben lang kein Glück,
und viele Kinder obendrein.

Wir überquerten die Straße.

Die Fensterläden von Lamberts Haus standen offen. Den Audi hatte er etwas weiter unten geparkt. Monsieur Anselme folgte meinem Blick.

»Dieser Lambert ist ein komischer Kauz, finden Sie nicht? Er müsste wegfahren, aber er fährt nicht. Lili weigert sich, darüber zu reden. Was halten Sie von ihm?«

»Ich kenne ihn kaum ...«

Er drückte meinen Arm.

»Das ist sehr gut. Es ist niemals ratsam, sich allzu gut zu kennen.«

Wir gingen weiter.

»Mein Nachbar in Omonville, der mit dem Notar aus Beaumont befreundet ist, hat mir erzählt, dass Lambert ein ganz hübsches Sümmchen für sein Haus verlangt. Was wiederum verständlich ist, immerhin liegt es nur zwei Schritte vom Meer entfernt. Auch wenn das Dach neu gemacht werden muss, die Pariser sind wohl bereit, jeden Preis dafür zu bezahlen. Hat er Familie?«

»Ich habe keine Ahnung.«

Monsieur Anselme blieb stehen. Er sah mich an, zögerte einen Moment und setzte dann seinen Weg an meiner Seite fort.

»Man hat Sie mit ihm spazieren gehen sehen, man hat mir gesagt, dass Sie mit ihm zusammen an der Steilküste waren. Bringt er Sie zum Lachen?«

Er grub seine Stockspitze weit vor sich in den Boden.

»Denn ein Mann, der eine Frau nicht zum Lachen bringt …
Und die Partie Mensch-ärgere-dich-nicht, wie ist sie ausgegangen? Hat er Sie gewinnen lassen?«

»Wir haben die Partie nicht beendet.«

Er dachte über das nach, was ich gesagt hatte.

»Wissen Sie, manchmal habe ich unendliche Mühe, die unterschiedliche Empfindsamkeit unserer beiden Generationen zu begreifen.«

Wir bogen nach rechts auf den Weg ab, der zum Semaphor führte. Hier gab es keine Häuser mehr, nur noch Wiesen. Ein paar Kühe hatten den Blick zum Meer gewandt und genossen die Sonne. Die Brise war immer deutlicher zu spüren, je näher wir dem Wasser kamen.

»Dieser Mann ist langweilig, und trotzdem gefällt er Ihnen …«

»Ich habe nicht gesagt, dass er mir gefällt.«

Er drückte meinen Arm.

»Nein, in der Tat, Sie haben es nicht gesagt, aber es ist so.«

Am Semaphor schlugen wir einen kleinen Sandpfad entlang der Küste ein.

»Aber ärgern Sie sich nicht darüber, seine Gefühle kann man sich nicht aussuchen. Sehen Sie nur, wir sind angekommen! Dieser Baum ist der Baum von Prévert.«

Er zeigte mir einen kleinen, traurigen Baum, der so verkrüppelt wuchs, dass er keinen Stamm zu haben schien.

Monsieur Anselme war stolz.

»Na, wie finden Sie ihn? Ist er nicht schön?«

Ich ging näher an ihn heran.

Der Baum war krumm gewachsen. Er schien die Blätter auf der Seeseite geopfert zu haben, damit die anderen leben konnten, die sich auf der Landseite mühsam an die Äste klammerten.

»Sie haben Recht«, sagte ich leise, »seine Gefühle kann man sich nicht aussuchen.«

Er nahm meine Hand und ließ mich den Stamm berühren. Der Baum war abgemagert. Er zeigte mir die Blätter, die Knospen, dann drückte er seine Hände an die Rinde.

»Bäume sterben, andere wachsen, manche bleiben.«

Er hörte das Herz des Baumes schlagen.

Schließlich setzten wir uns auf einen Stein, mit dem Rücken zum Stamm. Wir saßen in der Sonne, vor uns das Meer. Eine Eidechse wärmte sich auf einem Stein. Dicht neben ihr sammelte ein kleiner blauer Schmetterling in einem Blumenbusch Nektar. Sein dunkler Rüssel bohrte sich wie eine Kanüle in die Blüten. Die Eidechse sah ihm zu. Die Blüten waren blassgelb.

Monsieur Anselme betrachtete abwechselnd die Eidechse und den Schmetterling.

»Kürzlich aß ich bei Ursula Dimetri zu Abend. Sie ist eine sehr gute und alte Freundin, die in einem entzückenden Haus auf der Anhöhe hinter der kleinen Bucht von Saint-Martin wohnt.«

»Hat sie früher als Köchin in der *Zuflucht* gearbeitet?«

»Kennen Sie sie?«

»Ich habe bei Théo ein Foto von ihr gesehen.«

Er nickte.

»Wir haben uns über dies und jenes unterhalten, Sie wissen ja, wie so eine Plauderei verläuft, und irgendwann kamen wir auf Sie zu sprechen. Ursula hat gesagt, sie habe Sie bei Nan im Hof sitzen gesehen …«

Er atmete mehrmals tief die Meerluft ein.

»Wobei Nan nicht ihr richtiger Name ist … Sie heißt eigentlich Florelle, aber das wissen Sie wohl schon. Unwichtig.«

Die Eidechse hatte sich dem Schmetterling genähert. Mit langsamen Bewegungen hob sie erst einen Fuß, dann einen anderen, ihre Farbe verschmolz mit der des Felsens. Sie starrte auf ihre Beute.

Es war absehbar, was passieren würde.

Ich ließ den Schmetterling nicht aus den Augen.

Monsieur Anselme seufzte.

»Eine Regung von uns reicht, nicht wahr, nur eine kleine Bewegung, der arme Schmetterling fliegt davon, und sein Leben ist gerettet.«

Er pflückte eine kleine Blume, die zwischen anderen am Fuß des Baumes wuchs.

Die Natur hat kein Gewissen, dachte ich, das unterscheidet sie von uns. Monsieur Anselme drehte die Blume zwischen seinen Fingern.

»Der Mensch tut etwas, und oft bereut er es hinterher. Diese Blume zum Beispiel, ich hätte sie nicht pflücken sollen ... Es gibt keine Vase für Blumen dieser Größe, und selbst wenn, stellt man doch keine einzelne Blume in eine Vase.«

Er sah auf die Blume herab. Im nächsten Augenblick setzte die Eidechse zum Sprung an. Sie riss das Maul weit auf, packte den Schmetterling und zerbiss ihn. Die blauen Flügel bewegten sich noch einen Moment lang.

Wir sahen der Eidechse zu, bis sie alles verschlungen hatte.

»Sie sprachen von Nan ...«

»Nan, ja, Sie haben Recht.«

Er legte die Blume dahin, wo Sekunden zuvor der Schmetterling gesessen hatte.

»Mir wurde zugetragen ... Aber das sind womöglich alles nur Gerüchte ... Wobei doch immer ein Kern Wahrheit in diesen Geschichten steckt, die man sich erzählt.«

Er sah auf seine Handinnenflächen, als suchte er dort die richtigen Worte, um mir zu erzählen, was er zu sagen hatte.

»Das Waisenheim von Cherbourg hatte Nan Kinder anvertraut, Waisen oder Kinder, die von ihren Eltern weggegeben worden waren … Haben Sie das gewusst?«

»Ja.«

»Dann wissen Sie wohl auch, dass diese Kinder so lange in der *Zuflucht* geblieben sind, bis man eine Familie für sie gefunden hatte. Manchmal dauerte es Wochen oder Monate.«

Er zerdrückte etwas Erde, fette, weiße, von Salz durchtränkte Erde zwischen seinen Fingern.

»Warum saßen Sie neulich bei ihr auf der Bank?«

Seine Frage überraschte mich.

»Ich kam vorbei …«

»Sie haben ihr Croissants gebracht?«

»Ich hatte sie dabei …«

Er lächelte.

»Frühlingscroissants! Und was sollte sie Ihnen erzählen, dass Sie sie so verwöhnt haben?«

Seine Frage gefiel mir nicht, das, was sie unterstellte. Ich sprang auf, aber er packte meine Hand.

»Nicht so ungeduldig! Ertragen Sie denn nicht einmal die kleinste Spitze? Ja, so sind die Einzelgänger. Passen Sie nur auf, das kann auch hinderlich sein.«

Er hielt meine Hand weiter fest, so dass ich mich wieder setzen musste.

»Sehen Sie sich lieber diese Eidechse an.«

Das Tier auf dem Stein kaute immer noch, sein Blick ging ins Leere. Ein kleines Ende blauer Flügel hing noch zwischen seinen Kiefern.

Verdauen Eidechsen Schmetterlingsflügel? Vielleicht spucken sie sie wieder aus. Diese hier schien sie hinunterschlucken zu wollen.

Ich fragte mich, ob in den Schmetterlingsflügeln Blut fließt.

Monsieur Anselme hatte gewartet, bis ich saß, ehe er weitersprach.

»Ursula sagt, dass Nan in ihrem Haus Fotos von allen Kindern aufbewahrt, die sie in der *Zuflucht* betreut hat. Wenn das Wetter es zuließ, ging sie jeden Nachmittag am Strand spazieren, und ein paar dieser armen Kälbchen klammerten sich an ihre Röcke.«

Ich hatte meine Wut vergessen.

Ich hörte ihm zu.

Er ließ meine Hand los, er wusste, dass ich nicht mehr weglaufen würde, nicht solange er sprach.

»Ursula hat mir auch erzählt, dass eines Tages ein neuer Zögling angekommen ist, ein kleiner Bub, mager wie ein halber Spatz. Man habe ihn in Rouen gefunden, hat sie erzählt, an einem Ort, der während der großen Pestepidemien als Massengrab gedient hatte. Seine Mutter hatte dort, auf der nackten Erde, entbunden und ihn dann zurückgelassen. Er war drei Jahre alt, als er in die *Zuflucht* kam. Er war sehr klein, nicht besonders hübsch, niemand wollte ihn. Ursula sagt, Nan habe ihn mehr ins Herz geschlossen als alle anderen. Sie sagt auch, dass dieser Junge manchmal weggelaufen ist, aber dass man ihn immer wieder am selben Ort wiedergefunden hat, ganz allein, auf einem Stein am Meer. Wenn man ihn fragte, woran er dachte, sagte er, er wisse es nicht.«

Monsieur Anselme erzählte noch mehr von diesem Kind mit dem sanften Wesen, das immer wieder zurückkam, ohne Widerstand zu leisten, und trotzdem wieder weglief.

Das Meer stieg. Vor uns leckten die Wellen den Strand.

»Das Erstaunlichste an dieser Geschichte ist, dass Nan dieses Kind adoptiert hat.«

Ich sah ihn an.

»Nan hat ein Kind?«

»Wenn ich es Ihnen sage. Sie hat es in die Schule geschickt, erst hier, später dann in Cherbourg. Wenn man Ursula glauben darf, muss er ein sehr guter Schüler gewesen sein.«

»Aber … Wo lebt er heute?«

»Diese Frage habe ich Ursula auch gestellt, aber sie konnte mir keine Antwort darauf geben.«

Mit dem Ansteigen des Meeres wurde der Wind kälter. Eine feuchte Brise strich über die Küste, von Ost nach West. Monsieur Anselme warf einen Blick auf die Uhr. Er rückte sein Tuch zurecht und stand auf.

Ich tat es ihm gleich.

»Was ist aus diesem Jungen geworden?«

»Er ist älter geworden, und eines Tages ist er weggegangen, ohne dass jemand wusste weshalb. Er wurde zum letzten Mal in der Nähe von Beaumont gesehen, mit einem Koffer in der Hand. Niemand weiß, wohin er gegangen ist. Er war siebzehn.«

»Er ist einfach so gegangen?«

»Ja.«

»Wusste er, dass Nan nicht seine leibliche Mutter war?«

»Natürlich wusste er es.«

Er klopfte seine Hose ab und strich die Falten seines Jacketts glatt. Ich konnte mir nicht erklären, warum man immer denen so wehtut, die uns am meisten lieben.

Monsieur Anselme hatte sich gebückt, um den Sand abzuwischen, der an seinen Schuhen klebte. Als er sich aufrichtete, sah er mich an und sagte: »Er hieß Michel.« Er sagte es so, wie man ein Gespräch beendet. Trocken, fast scherzhaft. Michel …

»Was ist los? Sie gucken so seltsam.«

»Im Café hing ein Foto des Kindes, von dem Sie mir gerade erzählt haben. Es war auf dem Bauernhof.«

Monsieur Anselme nickte.

»Es wundert mich nicht, dass Nans Kind bei Théo auf dem

Hof war. Schließlich waren der Hof und die *Zuflucht* nicht sehr weit voneinander entfernt … Außerdem fühlen sich Kinder immer von Tieren angezogen, Waisenkinder sicher noch mehr als andere. Gehen wir zurück, das Wetter schlägt um.«

Ich lief neben ihm her.

»Dieser Junge ist weggegangen, und Sie sagen, er ist niemals zurückgekommen?«

»Das sage nicht ich, das sagt Ursula. Sie sagt auch, dass die *Zuflucht* ein paar Monate, nachdem er gegangen ist, geschlossen wurde. Offenbar hatte sich Nan sehr verändert, aus einer fröhlichen und herzlichen Frau wurde die, die wir jetzt kennen.«

Der Wind wurde schneidend. Wir beeilten uns.

Auf dem Rückweg sprachen wir von diesem Kind und erfanden ihm tausend Schicksale. Seine Mutter hatte ihn in Tüchern zurückgelassen, die noch voller Blut waren. War er aufgebrochen, um sie zu finden?

Bei den ersten Häusern hakte sich Monsieur Anselme bei mir unter.

»Übrigens, an dem Tag, als Sie Ihre Croissants mit Nan geteilt haben, sind Sie in die *Zuflucht* gegangen. Was hofften Sie dort zu finden?«

»Nichts … Geschlossene Gebäude ziehen mich an. Ich gehe gern hinein.«

Er neigte den Kopf zur Seite.

»Dennoch …«

Ich sah Max auf dem Deck seines Bootes, er war gerade dabei, die Schmetterlinge zu füttern, indem er in Honig getränkte Blumen zwischen die Gitterstäbe schob. Die ersten Schmetterlinge waren bereits gestorben, was ihn traurig stimmte. Er fing neue, und so hatte er immer um die zwanzig in seinem Käfig.

In der Nacht waren die Esel im Hof herumgelaufen. Sie hatten die Abdrücke ihrer Hufe vor der Tür hinterlassen. Sie hatten aus den Eimern getrunken, das harte Brot und das Mehl gefressen, das Morgane eigentlich für das Pferd hingestellt hatte.

Lambert saß in der Sonne, mit dem Rücken an der Mole. Ich war nicht erstaunt, ihn dort zu sehen. Sein Haus war immer noch nicht verkauft. Er schien es nicht eilig zu haben abzureisen. Ich wusste, dass man sehr lange so dasitzen konnte, die Augen aufs Meer gerichtet, ohne jemanden zu sehen. Ohne zu sprechen. Ohne auch nur zu denken. Am Ende erfüllt einen das Meer mit etwas, das einen stärker macht. Als ließe es uns ein Teil von ihm werden. Viele, die das erlebten, gingen nicht mehr weg.

Ich wusste nicht, ob Lambert gehen würde.

Ich wusste nicht, ob ich wollte, dass er blieb.

Ich ließ ihn dort sitzen.

Seit zwei Wochen beobachtete ich drei Kormoraneier, die die

Eltern abwechselnd ausbrüteten. Die Kleinen würden schlüpfen, es war eine Frage von Stunden. Höchstens noch zwei Tage. Manchmal zerbrachen die Küken ihre Schale nicht schnell genug, dann starben sie im Innern. Das hatte ich schon ein paar Mal beobachten können, dieses erbarmungslose Gesetz, das den Eltern jedoch gleichgültig zu sein schien.

Als ich zu meiner Stelle kam, fischte das Männchen gerade zwischen den Felsen. Das Weibchen saß auf dem Nest. Ich wartete.

Ein paar Basstölpel flogen vorbei, sie kamen von Aurigny.

Die Männer vom Ornithologischen Zentrum hatten ihren Jeep am Wegrand geparkt. Ich wusste, dass sie heute da sein würden. Sie waren gekommen, um Nester mitzunehmen. Einer von ihnen seilte sich gerade an der Steilküste ab. Er holte zwei Nester und drei Eier. Vogelschreie und heftiges Schnabelklappern hallten an den Felsen wider.

Viele Eier platzten, ohne dass man verstand weshalb. Im Zentrum sagten sie, es seien Parasiten im Innern. Sie wollten die Strahlungsstärke messen. Die Entnahmen des Vorjahres hatten nichts ergeben.

»Hier kommen Wanderer vorbei«, sagte ich.

»Es gibt doch Absperrungen.«

»Die hindern sie nicht daran.«

Ich galt allgemein als schweigsam. Denen im Zentrum war das egal, sie sagten, dass ich gut arbeitete und dass ich nicht bezahlt würde, um Reden zu halten.

Der Gruppenleiter notierte das Problem mit den Wanderern in sein Heft. Er sagte, dass er für die Sommerzeit Wachen schicken werde.

»Und Théo, wie geht es dem?«, fragte er mich.

»Gut.«

»Immer noch mit seinen Katzen?«

»Immer noch.«

Der Wind drehte, er brachte Wolken heran. Der Regen war für den Abend angesagt, aber er würde früher kommen. Bei diesem Wind würde es keine Stunde mehr dauern.

»Sollen wir dich mitnehmen?«, fragte er und zeigte auf den Himmel.

Über dem Meer leuchtete die ganze Palette von Grautönen, bis hin zur schwarzen Masse des Gewitters in der Ferne.

Ich dachte an die Eier. Die Schalen hatten schon Risse. Gut möglich, dass die Küken während des Regens schlüpften.

Wir stiegen ein. Die ersten Tropfen zerplatzten auf der Frontscheibe. Der Gruppenleiter lenkte mit einer Hand. Er mochte mich gern. Er war immer geduldig mit mir. Er berichtete mir, dass sie in Caen jemanden suchten, der die Informationen auswertete. Während er es mir erklärte, sah er auf die Straße. Es klang nach einem sicheren, interessanten Job.

»Du kannst nicht ewig hierbleiben …«

Er sah mich an.

Er hatte keinen Ehering, aber einen weißen Abdruck auf der gebräunten Haut.

Lambert trug auch keinen Ring.

Er hatte auch keinen Abdruck.

Ein erster Donnerschlag dröhnte über dem Meer. Ein roter Schein glitt über die Wellenkämme.

»Wenn es wegen der Wohnung ist, wir haben ein kleines Apartment im Zentrum von Caen.«

»Ich bleibe lieber hier.«

Er zuckte die Schultern.

»Wie du willst.«

Wir kamen an den ersten Häusern vorbei. Er sah mich wieder an.

»In den nächsten Tagen kommt ein Team mit dem Boot. Sie

werden vom Meer aus die Nester zählen. Dann korrigieren sie deine Angaben.«

Ein weiterer Tropfen, dann noch einer. Die Scheibenwischer nahmen die Arbeit auf.

»Wo soll ich dich absetzen?«

»Unten.«

Bis zur *Griffue* sagte er nichts mehr. Als wir ankamen, schaltete er den Motor nicht aus. Er zog ein Heft aus der Tasche und schrieb seine Telefonnummer auf. Dann riss er die Seite heraus.

»Ruf mich an, wenn du magst.«

Er lächelte mich an.

»Falls du es dir mit Caen anders überlegst.«

»Ich überlege es mir nicht anders.«

Er nickte.

»Man kann nie wissen.«

Als ich ausstieg, goss es in Strömen.

Die Wände meines Zimmers bewegten sich, ein Stampfen wie in Venedig oder auf dem Deck eines Ozeandampfers. Es kam und ging.

»Du bist seekrank«, sagte Raphaël, als er mich wieder herunterkommen sah.

Er amüsierte sich.

Er holte eine alte Holzpfeife aus dem Schrank und füllte sie mit Kräutern. Er riss ein Streichholz an. Das Kraut fing Feuer. Es brannte einen Moment, dann erloschen die kleinen Flammen. Die Zweiglein im Pfeifenkopf schnurrten zusammen.

Er zeigte aufs Sofa. Ich legte mich hin. Auf der Decke lagen Brotkrümel und der Rest eines Vandâme-Biskuits noch im Papier.

»Zieh mal, dann geht's dir besser.«

Der Pfeifenkopf war warm. Es roch nach verbrannter Vanille.

»Ich gehe vielleicht nach Caen«, sagte ich.

Er schüttelte den Kopf.

»Rauch, wir reden später.«

Ich nahm einen Zug, dann noch einen. Ich war diesen Tabak nicht gewöhnt, musste husten. Raphaël steckte seine Streichhölzer wieder in die Tasche.

»Was würdest du in Caen machen?«

»Arbeiten. Da ist jemand, ich glaube, er ist in mich verliebt. Ich könnte ihn lieben …«

Er zog ungläubig die Brauen hoch.

»Einen Tag oder zwei, ja … Und dann?«

»Dann weiß ich auch nicht.«

Es schwankte immer noch.

Ich sah ihn an. Seine Finger waren trocken, weiß vom Lehm. Das Licht der Halogenlampe warf unsere Schatten an die Wand.

»Du hast die ganze Nacht gearbeitet … Ich habe dich gehört, du bist herumgelaufen.«

»Ich kann eh nicht schlafen, da kann ich genauso gut arbeiten.«

»Warum kannst du nicht schlafen?«

»Schläfst du?«

Ich machte die Augen zu.

Er ließ mich einen Moment in Ruhe, dann setzte er sich neben mich.

»Woran denkst du?«

»Früher hatte ich ein Haus, da, wo ich geboren bin … Ein Haus in einem richtigen Dorf.«

»Und was ist mit deinem Haus passiert?«

»Nichts … Jeden Herbst organisieren sie in den Hügeln ein

Autorennen. Das ist ein Höllenlärm, sag ich dir. Sie zerstören auch die alten Mauern, bauen Zonen, sagen, das sei gut für das Geschäft ...«

Raphaël nickte.

»Guten Geschmack kann man nicht erfinden.«

Ich lächelte.

Er legte einen Finger auf meine Lippen.

»Du bist jetzt still.«

Er hätte die Hand auf meinen Bauch legen können, wenn er gewollt hätte, ich hätte mich nicht gewehrt.

»Ich hätte mich nicht gewehrt, weißt du.«

»Warum sagst du das?«

»Nur so.«

Ich war nicht mehr Frau. Nicht Mutter. Ich konnte mich nicht erinnern, Tochter gewesen zu sein. Noch weniger Schwester. Unfähig, Ehefrau zu sein. Unfähig, jemandem zu gehören. Von einem Mann oder einer Geschichte abzuhängen. Männer hatten mich geliebt, ich hatte immer die geliebt, die mich nicht liebten.

Bis zu dir.

»Ich liebe dich, Raphaël ...«

»Ich liebe dich auch, Prinzessin.«

»Aber wir werden nie miteinander schlafen, du und ich?«

Er sah mich amüsiert an.

»Nie, Prinzessin.«

Ich nahm noch einen Zug. Er legte Musik auf. Nach einer Weile hatte ich das Gefühl, dass es in meinem Kopf schneite. Es schneite, und die Sonne schien durch die Flocken. Eine Sonne pro Flocke. Schon lange hatte ich keinen Schnee mehr gesehen. Es gefiel mir.

»Vom Gipfel des Nez de Voidries kann man bei klarem Wetter die englischen Inseln sehen ...«

»Sei still.«

Er holte eine Decke aus dem Schrank und breitete sie über mir aus.

Hinter meinen Lidern strahlten weiter die Schneesonnen.

»Wenn es schneit, das wird schön …«, hörte ich mich murmeln.

Lili sagte, die Esel würden den ganzen Sommer bleiben und eines Tages unangekündigt wieder fortgehen.

Esel wie Vögel.

Wie das Kind, das Nan geliebt hatte und das fortgegangen war.

Es war Vollmond. Ich konnte nicht schlafen. Ich ging nach draußen. Das Meer war so hell wie am Tag. Ich lief am Strand entlang.

Ich hatte meine Tage. Seit einiger Zeit hatte ich meine Tage nicht mehr gehabt. Seit Monaten. Und nun hatte ich meine Tage. Seltsamerweise schenkte mir dieses Blut, das aus mir floss, Ruhe. Ich setzte mich auf einen Stein. Ich sah es in den Sand fließen. Sich ausbreiten.

Dieses Blut, das zurückkehrte, war das Dich-Vergessen, ich war nicht sicher, ob ich das wollte.

Dein Gesicht, dein Geruch, alles war in mich eingegangen, von deiner Haut in meine Poren. Wenn ich schwitze, dann immer noch mit deinem Schweiß. Wenn ich weine, dann mit deinen Tränen. Und wenn ich begehre?

Ich zog mich aus, tauchte ins Wasser ein – mit der schwarzen Nacht, dem Mond und dessen Glanz.

Das Wasser war kalt.

Niemand konnte wissen, dass ich hier war.

Dass jemand hier war.

Nicht einmal die Schiffe, die mit ihren Lichtern vorüberzogen. Ich schwamm. Eine Welle Salzwasser schwappte mir in den Mund. Ich spuckte sie aus. Ich hätte es schlucken können. Und noch mehr schlucken, bis ich dir gefolgt wäre. Man hätte mich nicht wiedergefunden. Oder erst nach sehr langer Zeit, ein unkenntlicher Körper, eine Handvoll Knochen. Ein paar Kleidungsstücke.

Die Stille der *Griffue*. Seit einiger Zeit empfing ich nicht mal Radio.

Seit Tagen war die Katze tot, aber die Kater blieben am Rand des Grabes sitzen. Théo sagte, dass sie dort schliefen und dass einer dem anderen nicht den Platz überlassen wollte.

Er rief sie. Brachte ihnen Futter, damit sie nicht verhungerten.

Er stellte den Teller zwischen sie und das Grab. Die Kater rührten das Fressen nicht an. Sie schnupperten nicht mal daran. Tagelang.

»Selbst um die Trauerzeit streiten sie sich.«

»Man müsste sie dort wegholen ...«

»Das würde nichts nützen.«

»Man könnte sie einsperren«, sagte ich. »Nur für eine Weile. Sie voneinander trennen. In Venedig sperrt man Katzen in die Keller, damit sie die Ratten töten.«

Théo wandte sich ab.

»Wir sind hier nicht in Venedig.«

Er ging zum Haus, wich den Näpfen aus. Sein Bein zitterte. Seit seinem Sturz war sein Körper noch zerbrechlicher.

»Ich habe Ihnen Brot, Milch und Schinken mitgebracht. Und Suppe. Lili sagt, Sie sollen sie auf dem Gasherd warm machen.«

Er klammerte sich an das Eisengeländer und ging die Stufen hoch. Zwischendurch blieb er stehen, um Luft zu holen und zum Himmel zu sehen.

Er schaute zum Leuchtturm. Lange. Ich folgte seinem Blick.

»Haben Sie ihn ausgeschaltet?«, fragte ich, und ich sah, wie sich seine Hand am Geländer verkrampfte. Langsam wandte er sich von mir ab, das Gesicht im Schatten. Schließlich zeigte er zum Hof, zum Tor und sagte: »Ich halte Sie nicht zurück.« Dann öffnete er die Tür und verschwand im Haus. Ich folgte ihm, legte den Beutel auf den Tisch.

Wenn ich gehen würde, würde ich nicht wiederkommen.

Er hatte mir den Rücken zugewandt und kontrollierte das Feuer im Ofen. Ich setzte mich an den Tisch.

»Die Nester in Jobourg werden weniger«, sagte ich.

Er hob die gusseiserne Platte hoch und warf einen Kloben hinein. Dann stopfte er das Loch mit Zeitungspapier voll und zündete ein Streichholz an. Er wartete, bis sich das Feuer ausbreitete.

»Weniger Nester und weniger Küken in den Nestern. Sie pflanzen sich woanders fort«, sagte er und rührte mit einem Schürhaken im Feuer.

Ein anderes Team hatte Kormorane vor Cherbourg entdeckt. Sie waren von La Hague gekommen und hatten in den Ruinen der Forts Zuflucht und Schutz vor den Strömungen gefunden.

Ich erzählte ihm davon, sehr ausführlich.

Als ich fertig war, drehte er sich zu mir um.

»Woher wollen Sie wissen, dass es die Kormorane von La Hague sind?«

»Wir wissen es nicht. Nur bei denen, die beringt sind. Aber das sind nicht alle.«

»Das wäre aber nötig.«

»Wir haben es vor.«

Der Kloben brannte.

Er legte die Platte wieder auf ihren Platz und schob die Katzen beiseite, die sich um ihn versammelt hatten. Er füllte ihre Näpfe. Dann zog er seine Jacke aus und hängte sie an die Garderobe. Er schlüpfte in seinen Bademantel, die Wolle war abgetragen, er band ihn mit einem Gürtel zu.

Wenn er sich bewegte, hörte ich seine Sohlen über die Dielen schlurfen.

»Beim letzten Mal haben Sie mir von den Fischfangzonen erzählt.«

»Darüber wissen wir auch nichts Genaues. Die Kormorane fischen da, wo sie Lust haben, je nach Wind oder Laune.«

»Konnten Sie ihnen folgen?«

»In Jobourg ist es unmöglich, es gibt zu viele Strömungen, man weiß nie, wo sie wieder auftauchen. Aber in Écalgrain schon.«

Théo nickte.

»Was gibt es sonst?«

»Sie haben Arbeit für mich in Caen.«

Er rieb seine Hände über dem Ofen. Das Zimmer war nicht kalt, aber die Luft war feucht.

Der Beutel lag auf dem Tisch. Er rührte ihn nicht an, würdigte ihn keines Blickes.

»Der Schinken muss in den Kühlschrank«, sagte ich.

Er zuckte die Schultern.

Er ging zum Fenster.

»Haben Sie gesehen, dass sich hier jemand rumtreibt?«

Er trat beiseite, damit ich es sehen konnte. Außer den Schatten der Katzen sah ich nichts.

»Es ist nicht das erste Mal. Auch gestern und an den Abenden davor.«

Er setzte sich auf seinen Platz am Tisch.

»Er glaubt, ich sehe ihn nicht.«

Er hob den Kopf, und unsere Blicke kreuzten sich. Ein paar Sekunden lang dachte ich an den Leuchtturm in jener Nacht, und er dachte dasselbe.

»Théo …«

Ich musste die Frage nicht wiederholen. Er hatte verstanden. Seine Lippen schlossen sich. Ich glaube, er wollte lächeln. Es war ein kurzes Zögern zwischen Lachen und Grimasse, schließlich brummte er.

»Gehen Sie …«

Mit ganz leiser Stimme, dann wiederholte er es.

Ich stand auf und schob den Stuhl zurück.

Ich ging zur Tür.

Ich hatte die Hand auf der Klinke. Sie war eisig, oder war es meine Haut?

Ich hörte seine Stimme.

»Manchmal wurde ich nachts vom harten Schlag der Vögel geweckt, die gegen die Scheiben des Leuchtturms prallten.«

Seine Worte waren gefangen in dieser Stimme aus der Tiefe seiner Kehle.

»Wunderbare Vögel … Sie warfen sich geblendet ins Licht.«

Ich drehte mich um.

Théo saß da. Er sah mich an.

»Sie hätten es auch getan. Sie hätten den Leuchtturm auch ausgeschaltet«, sagte er.

Ich setzte mich wieder hin.

Keine Katze regte sich. Es herrschte eine seltsame Stille im Zimmer. Wie nach einem lauten Schrei. Die Erwartung des Echos.

Théo leerte sein Glas. Er kratzte mit der Spitze seines Messers über den Tisch.

»Ich weiß noch, wann ich es zum ersten Mal gemacht habe.«

Er lächelte kurz.

»Ich habe das Licht ein paar Minuten ausgeschaltet … Dann wurde es zu einer Gewohnheit. Ich habe es gemacht, wenn ich allein war. Sobald ich wieder einschaltete, knallten die nächsten an das Glas.«

Die Messerspitze hinterließ Spuren im Holz des Tisches. Ich hörte, wie sich die Klinge hineinbohrte.

»Ich sah die Vögel nicht, die ich rettete, nur die, die gegen das Glas prallten.«

Er blickte mich an.

»Es waren Doppelfenster. Ich sah die Körper, die Federn, das Blut. Diese Bilder sah ich, aber ich hatte keinen Ton.«

Er versuchte noch einmal zu lächeln.

»Es war wie in einem Stummfilm. Die Vögel wurden vom Licht angezogen, geblendet. Sie flogen in den Tod. Sie tauchten aus der Nacht auf, schlugen mit den Flügeln, suchten einen Raum. Wenn sie Glück hatten, prallten sie gegen das Glas, ohne etwas zu begreifen.«

Théo verstummte. Er stand auf, um sein Glas an der Spüle zu füllen.

Er schaute nach dem Feuer. Ich hörte die Uhr ticken.

»Ich weiß noch, wie an jenem Abend der erste Vogel gegen das Glas geprallt ist … Am Abend des Unglücks. Es war eine Gans, sie war mit den anderen geflogen.«

Er sah nicht mehr mich an, sondern starrte an die Wand hinter mir, auf einen Punkt direkt hinter meiner Schulter.

»Ich habe die Scheinwerfer ausgeschaltet. Nicht lange …«

Er bewegte den Kopf, als wollte er sich aus dem Griff dieses Bildes, dieser hartnäckigen Erinnerung befreien. Seine Augen blieben an die Wand geheftet.

»Die Zeit auf dem Meer will nicht vergehen …«

Er sagte es und strich sich mit der Hand übers Gesicht, über die neuen Spuren, die das Geständnis geprägt hatte.

»Jetzt prallen die Vögel weiter gegen das Glas, aber es ist niemand mehr dort, um es zu bemerken.«

Er trank einen Schluck Wasser.

»Die Fahrrinnen sind schmal ... Manchmal berühren sie fast die Felsen ... Man muss sich auskennen. In jener Nacht war das Wetter gar nicht so schlecht. Ich konnte nicht wissen, dass dieses Segelboot vorbeifahren würde.«

Er sah zur Tür, als wäre da jemand.

Da war niemand, nur die Erinnerung.

»Kapitän Gweener hat die Suche geleitet. Ein paar Stunden danach haben Sie den Körper eines Mannes gefunden. Die Frau wurde am nächsten Tag an Land gebracht, die Strömung hatte sie an den Strand gespült.«

Er drehte sein Glas zwischen den Händen. Ich sah das Meer in seinen Augen, das Segelboot, ich sah alles, was er gesehen hatte, es quoll aus ihm heraus.

Ein Geständnis, mit leiser Stimme.

»Das hätten Sie Lambert sagen müssen. Ihm gehört diese Wahrheit, ihm steht sie zu.«

Er verzog das Gesicht. Das weiße Kätzchen lief mit wiegendem Schritt durchs Zimmer und legte sich auf den Pullover zwischen den Füßen des Ofens.

Er wartete, bis es sich niedergelassen und die Vorderfüße unter den Bauch gezogen hatte.

»Ich war noch ein Jahr auf dem Leuchtturm. Ich habe das Licht nie mehr ausgeschaltet. Nachts, wenn die Vögel gegen die Scheibe knallten, sah ich ihnen zu. Ich habe niemals den Blick gesenkt. Nie den Kopf abgewandt. Ich zwang mich hinzusehen, bis zum Ende ... Die zerplatzenden Körper ... Ich hatte das Gefühl, bezahlen zu müssen. In diesem letzten Jahr sind viele gestorben.«

»Warum haben Sie nicht die Wahrheit gesagt?«

Er lachte höhnisch.

»Natürlich aus Feigheit.«

»Lambert hat daran gedacht herzukommen, um Sie zu töten.«

»Ich habe ihn lange erwartet. Eines Tages ist er gekommen, ein paar Jahre nach dem Unfall, er hat über den Zaun mit mir gesprochen. Ich dachte, er würde in der Nacht wiederkommen und mich töten. In jener Nacht bin ich lange wach geblieben.«

»Hätten Sie sich verteidigt?«

Er schüttelte den Kopf.

»Ich hatte die Tür offen gelassen. Die Mutter war mit Lili oben, sie schliefen. Ich habe ihn erwartet.«

Er schaute eine Weile auf seine Hände. Er sagte nichts mehr.

Zehnmal ging ich am Haus vorbei. In der Küche brannte Licht. Ich traute mich nicht hinein, vielleicht weil es Nacht war. Oder wegen dem, was ich ihm zu sagen hatte.

Dann öffnete ich das Gartentor und schaute durchs Fenster. Ich sah ihn vor dem Kamin sitzen und ins Feuer blicken. Er trug einen dicken Pullover aus heller Wolle.

Ich sah ihn an, und begriff, dass ich nicht anders konnte, als hineinzugehen.

Dass ich es tun musste.

Weil ich gewollt hätte, dass er es für mich tut.

Ich öffnete die Tür.

Er schaute kaum auf. Nur das Licht der Flammen erhellte das Zimmer. Ich sah seine Hände in diesem Schein, sein Gesicht. Ein Lächeln glitt über seine Lippen, ich hätte nicht sagen können, ob es Freude war oder Traurigkeit, eher eine Mischung aus beidem, aber vielleicht war es auch etwas anderes, Undefinierbares.

Ich schloss die Tür hinter mir.

Es war warm im Zimmer.

Ich zog meine Jacke aus, holte mir einen Stuhl und setzte mich neben ihn.

Auf dem Fußboden stand eine Flasche Schnaps, dicht neben

seinen Füßen. Er beugte sich vor, füllte sein Glas und reichte es mir.

Ich nahm das Glas in die Hand.

Er wusste, dass ich von dort kam. Die Gestalt, die Théo gesehen hatte, das war er gewesen.

Ich trank einen großen Schluck, der mir den Magen umdrehte. Die Augen verbrannt, in Tränen ertränkt. Ich wartete, bis es verging, und starrte in die Flammen. Er hatte es nicht eilig, ich auch nicht. Ich trank noch einen Schluck. Meine Augen gewöhnten sich daran, der Alkohol tat mir gut.

Ich wiederholte alles, was mir Théo gesagt hatte, alles, die Nacht, das Meer, das Licht, ich erzählte ihm vom Tod der Vögel.

Ich erzählte von den anderen Nächten. Die Vögel, die aus der Nacht auftauchten, aus ihr entsprangen.

Er nahm mir das Glas aus den Händen, füllte es wieder. Wir tranken.

Es war ein starker Schnaps, ich merkte, wie ich schwitzte.

Ich hielt mich an das, was mir Théo gesagt hatte. Nur daran.

»In der Nacht des Unglücks sah er einen Vogelschwarm ankommen, Gänse, ein wunderbarer Zug. Zu Dutzenden prallten sie gegen das Glas.«

Ich erzählte ihm vom Licht des Leuchtturms, das sich in den Augen der Vögel spiegelte, von dem Mitleid, das ihn erfasst hatte, weil er sie mit solchem Vertrauen näher kommen sah.

»Er hat gesagt, dass in dieser Nacht niemand auf dem Meer hätte sein dürfen. Er hat auch gesagt, dass es für ihn einfach unmöglich war, all diese Vögel sterben zu sehen.«

»Und eine ganze Familie, die stirbt, wie ist das für ihn?«

Ich antwortete nicht. Ich wartete, dass er sich beruhigte, dann fuhr ich fort.

»Zehn, fünfzehn sind an jenem Abend ans Glas geknallt.«

Lambert stand auf. Er lief hinter mir auf und ab.

»Théo hat hinter dem Fenster gestanden und den Aufprall gespürt. Wenn er die Augen aufmachte, sah er das Blut.«

Ich hörte das Schnapsglas an der Wand zerspringen. Ich sah ihn an. Seine Hand an seinem Schenkel, sie zitterte.

»In welchem Moment hat er sich gesagt, dass er den Leuchtturm ausschalten wird; Pech für irgendwelche Boote?«

»Ich weiß nicht, ob er sich das gesagt hat.«

Ich legte Holz ins Feuer. Ich kniete einen Moment vor dem Kamin und starrte in die Flammen.

»Théo hat mitbekommen, dass etwas passiert war, als er die Sirenen hörte. Er hat die Lichter am Hafen gesehen, die weit geöffneten Tore und das Boot, das herausgefahren kam. Als das Boot die Unglücksstelle erreicht hatte, war niemand mehr im Segelboot. Sie haben auf dem Meer gesucht. Es war Nacht. Sie hatten Lampen, aber der Seegang war stark.«

»Sie haben nicht gründlich genug gesucht …«

»Théo sagt, dass sie nicht besser suchen konnten.«

Lambert schüttelte den Kopf.

Ich trank mein Glas aus.

Er hatte diese Wahrheit hören wollen. Ich hatte alles gesagt. Mehr zu erzählen, hätte bedeutet, mit der Erinnerung zu tricksen, anzuklagen oder zu vergeben. Das wollte ich nicht. Ebenso wenig wie eine Erinnerung erfinden.

Das war seine Geschichte.

»Meinen Bruder hat das Meer behalten. Es hat sich seinen Anteil genommen, so sagen sie hier!«

»Ja, so sagen sie …«

»Und das stört Sie nicht?«

Er ging zur Tür und nach draußen. Ich dachte, er würde wegfahren, aber er blieb im Garten stehen. Es war kalt. Es war dunkel. Seine Hände umklammerten die Arme wie Stricke. Die Tür stand weit offen. Nachtinsekten tranken den Tau. Ich hörte sie.

Lambert zündete sich eine Zigarette an.

»Es war früh am Morgen, als sie gekommen sind … Ich schlief noch. Ehe sie losfuhren, hatte meine Mutter gesagt, dass ich schon ins Bett gehen solle, falls sie spät zurückkommen würden …«

Er drehte sich zu mir um.

»Als sie gestorben sind, habe ich geschlafen.«

Ich sah sein Gesicht nicht, nur seine Augen.

»Ich bin aufgewacht, weil ich Stimmen in der Küche gehört hatte, ich dachte, es sei mein Vater. Ich bin runtergegangen. Da standen zwei Feuerwehrleute und der Bürgermeister … Ich habe sie angesehen. Ich glaube, ich habe sofort verstanden. Ich habe mich umgedreht, ich wollte wieder ins Bett, mich unter meiner Decke verkriechen, nicht hören, was sie mir zu sagen hatten …«

Er senkte den Kopf und starrte auf den Boden zwischen seinen Füßen.

»Ich habe mich geschämt, geschämt, weil ich nicht mit ihnen gefahren war. Weil ich nicht mit ihnen gestorben war.«

Er hob den Kopf.

»Zur Beisetzung kam das ganze Dorf. Sie haben Blumen ins Meer geworfen. Lili hat geweint. Alle haben geweint. Ganz am Ende habe ich jemanden sagen hören, dass vielleicht wieder der Leuchtturm ausgeschaltet war.«

Er lächelte mich an.

Er gab mir seine Zigarette, wir rauchten sie und zündeten eine neue an.

»Paul … Das Meer hat ihn behalten. Er hat keine Erde, keinen Ort … Das ist am schwersten zu akzeptieren.«

Er wandte sich ab, heftig, als wollte er den Himmel als Zeugen anrufen.

»Seit vierzig Jahren bin ich wütend auf das Meer, wütend auf diesen alten Verrückten! Seit vierzig Jahren!«

Er ging ins Haus und kam mit seiner Jacke wieder heraus, die Autoschlüssel in der Hand.

»Ich will das alles von ihm selbst hören.«

Er fuhr los.

Ich ging zurück ins Haus, warf Holzscheite ins Feuer und zog einen Sessel heran, streckte die Beine aus und wartete, dass er zurückkommen würde.

Als ich aufwachte, war das Feuer erloschen. Es war Nacht. Lambert war immer noch nicht da. Ich hatte keine Ahnung, wie spät es sein mochte, sicher Mitternacht, vielleicht später. Ich machte mir Kaffee, wartete und ging schließlich zur *Griffue* hinunter.

In meinem Zimmer sah ich aus dem Fenster auf den dunklen Hügel. Der Himmel war schwarz.

In Théos Haus brannte kein Licht mehr.

Am nächsten Morgen wachte ich viel später auf als üblich. Ich hatte Mühe gehabt einzuschlafen. Ich sah die Wellen, das Meer, es pochte in meinen Augen, und dann fragte ich mich, was Lambert bei Théo gemacht hatte. Mehrmals hatte ich daran gedacht aufzustehen und nachzusehen. Schließlich war ich eingeschlafen, in der Morgendämmerung. Ein Schlaf ohne Träume.

Mein Gesicht im Spiegel sah aus, als hätte man mich zusammengeschlagen.

Ich trank einen sehr heißen und sehr starken Kaffee.

Théo erwartete mich am Gartentor. Er sprach nicht von Lambert. Kein Wort über seinen Besuch. Er sprach weder von den Vögeln noch von der Steilküste.

Ich vermutete, dass Lambert gar nicht da gewesen war. Dass er auf dem Weg in seinem Auto sitzen geblieben war und Théos Schatten in der Küche beobachtet hatte. Dort geblieben war, bis das Licht ausging. Danach war er wohl weggefahren.

Das dachte ich, während ich Théo ansah.

Irgendetwas war anders als sonst. Seine Augen wichen mir aus.

»Angeblich geht es Florelle derzeit nicht gut.«

Das sagte er, genau diese Worte.

»Angeblich läuft sie wieder am Strand herum und hält Reden.«

Seine Hände zitterten.

»Ich würde sie gern sehen. Können Sie ihr das sagen, wenn Sie vorbeigehen, dass ich sie sehen will?«

»Ich sage es ihr.«

Weiter sagte er nichts.

»Alles in Ordnung, Théo?«, fragte ich.

Er lächelte seltsam und drehte sich um, ohne zu antworten, ging die Treppe zur Haustür hoch und verschwand im Haus.

Nan saß auf einem Stuhl am Fenster, sie bestickte den dunklen Stoff eines Leichentuchs. Die Tür war nicht abgeschlossen.

So hatte Raphaël sie dargestellt, als Totennäherin, eine gebeugte Frauengestalt unter dem wirren Schopf einer Verrückten.

Es war das erste Mal, dass ich ihr Haus betrat. Das Zimmer, in dem sie lebte, grenzte an die großen, leeren Säle der *Zuflucht*. Ich blieb an der Tür stehen.

»Nan?«

Sie sah von ihrer Handarbeit auf. In ihrem Schoß lagen eine große Schere und eine Stoffkugel, in der viele Nadeln mit bunten Köpfen steckten.

»Théo will Sie sehen«, sagte ich.

Sie gab ein leises Grunzen von sich, wie ein Tier, das sich gestört fühlt, und nahm ihre Arbeit wieder auf. Ich ging zu ihr. Die Nadel bohrte sich in den Stoff, ich hörte, wie sich der Faden spannte, und den ruhigen Atem der Alten. Das Rascheln des Leichentuchs, als sie die Seiten auf ihren Schenkeln zusammenraffte.

Sie stickte mit kleinen, engen Stichen. Eine Blechdose mit farbigen Spulen stand auf dem Fensterbrett. Der Stoff des Leichentuchs glänzte im Licht.

Nan stickte die Buchstaben eines Namens.

»Das ist meiner, mein Totenmantel«, sagte sie und zeigte auf den Stoff.

Auf dem grauen Stoff der gestickte Name, Florelle.

Sie hatte nicht Nan gestickt.

Nan war der Name, den ihr die Lebenden gegeben hatten.

Der Stoff war kalt.

»Graublau ist die Farbe des Meeres an den Tagen, an denen das Meer die Menschen mitnimmt.«

Sie sah mir tief in die Augen, ihr Blick war unangenehm, er durchbohrte mich, ohne mich zu sehen.

»Was will er denn, der Théo?«

»Keine Ahnung … Sie sehen.«

Ein Bild hing über dem Kamin. In blaugrünen Tönen, verklärt stellte es die *Zuflucht* im Sommer dar. Auf einem Regal standen eine große Pendeluhr und dutzende Kinderfotos. Manche lehnten einfach an der Wand. Einige waren größer als die anderen, weitere waren dahinter, sie sah man nicht.

»Sind das alle Kinder aus der *Zuflucht*?«

Sie antwortete nicht. Die Fotos waren schmutzig, mit Fingerabdrücken und Spuren von Ruß bedeckt.

»Haben Sie sie aufgenommen?«

»Ich.«

Sie raffte den Stoff zusammen und legte ihn über die Rückenlehne des Stuhls. Dann stand sie auf und ging zu den Fotos.

»Manche schreiben mir noch, zum Geburtstag oder zu Weihnachten … Die, aus denen nichts geworden ist, schreiben mir nicht.«

Sie nahm ein Foto in die Hand, ein einzelnes Kind, das im Hof stand, die Arme leicht gespreizt. Es trug bauschige Shorts.

»Das war der Sohn von Schaustellern. Er hat immer gelacht. Sein Vater hatte einen Bären, er führte ihn an einer Schnur durch die Dörfer. Ihren Wohnwagen hatten sie auf einer Wiese bei Jobourg stehen. Nach ein paar Tagen sind sie weitergefahren, aber ihren Jungen haben sie vergessen. Als sie es gemerkt haben, war es zu spät, sie waren schon zu weit weg. Sie haben ihn erst im darauffolgenden Jahr wieder abgeholt.«

Sie suchte nach weiteren Fotos.

»Ich erinnere mich an alle Gesichter.«

Sie zeigte mir ein anderes Foto mit gezahntem Rand.

»Der da ist sechs Jahre bei uns geblieben. Wir haben versucht, ihn unterzubringen, niemand wollte ihn! Dabei sah er aus wie ein Engel … Aber in seinem Innern herrschte das Grauen. Am Ende habe ich zu Ursula gesagt, dass er irgendwann jemanden umbringen wird! Es hat fünfzehn Jahre gedauert, aber er hat es getan.«

Sie zog ein anderes Foto heran, ein kleines Mädchen mit einem Teddy, den sie an einer Pfote zog. Niedrige Stirn, Blick von unten.

»Das war vielleicht ein Pechvogel … Immer nass, Regen, Tränen, Pisse … Und so schmutzig! Sie verseuchte das ganze Zimmer mit ihren Flöhen, obwohl wir ihr die Haare geschoren hatten.«

Sie stellte das Foto wieder hin.

»Ein Unglück, dieses Mädchen …«

Sie drehte den Kopf und sah mich mit geradem, sehr direktem Blick an.

»Warum kommt er nicht, der Théo?«

»Der Arzt will nicht, dass er rausgeht.«

Sie lachte merkwürdig.

»Seit wann hört Théo auf Ärzte?«

Sie wandte sich von den Fotos ab.

An der Wand stand ein Schrank aus Nussholz. Sie drehte den Schlüssel und machte eine der großen Türen auf.

»Ich habe die Namen von allen Kindern in meine Kleider gestickt.«

Sie zeigte es mir. Auf Kleiderbügeln hingen bestimmt fünfzig schwere, schwarze Kleider, alle gleich. Es waren die Kleider, in denen sie den Unwettern trotzte. Sie streckte die Hand aus, holte ein Kleid heraus und trug es zum Tisch, ins Licht.

Sie nahm meine Hand, ich spürte in dem dicken Stoff die Wölbung des Fadens, die grau auf den schwarzen Grund des Kleides geschriebenen Namen.

Namen. Wörter.

Ihre Augen waren wenige Zentimeter von den Buchstaben entfernt. Es gab ganze Sätze. Der Stoff roch muffig. Sie holte andere Kleider hervor.

Im Schrank schaukelten die leeren Bügel. Es war das Dasein einer Überlebenden, das sie auf ihren Kleidern festgehalten hatte.

»Ich habe alles aufgeschrieben, die ganze Geschichte.«

Ich wusste nicht, von welcher Geschichte sie sprach. War es ihre Liebe zu Théo oder die Geschichte dieser Kinder? Ich zählte mehr als fünfzig Fotos, aber manche waren hinter anderen versteckt oder so klein, dass man sie kaum sah. Und auf einigen Fotos waren mehrere Kinder.

»Und dieses Kind, das Sie so geliebt haben?«

Sie runzelte die Stirn.

»Michel?«

»Michel, ja.«

Sie lächelte und suchte zwischen den Kleidern. Fieberhaft. Sie zeigte mir auf dem Stoff die Fadeninschrift. *Heute ist Michel acht Jahre alt.* Es gab noch andere Sätze. Sie las sie vor. *Michel hatte die ganze Nacht Fieber. Wir mussten den Arzt rufen.* Sätze auf anderen Kleidern. *Michel geht aufs Gymnasium*, Worte mit großen, unregelmäßigen Stichen genäht. *Seit zwei Jahren ist Michel fort.*

Nan hob den Kopf.

»Ist Michel zurückgekommen?«

»Das habe ich nicht gesagt.«

Mit einer heftigen Bewegung raffte sie die Kleider zusammen und warf sie in den Schrank. Sie schob sie mit der Hand zusammen, ohne sie aufzuhängen, dann schloss sie die Tür ab. Sie ging zu den Fotos zurück, wühlte darin. Ihre Hände waren aufgeregt, ihr Gesicht nervös. Einige Fotos fielen zu Boden. Das Glas eines Rahmens zerbrach. Schließlich fand sie, was sie suchte, das Foto eines Kindes, das sie an sich presste, beide Hände darüber verschränkt.

»Michel …«

Sie wiederholte den Namen und fing an zu lachen.

»Das Meer hat ihn mir gegeben!«, das sagte sie.

Das Foto wurde zum Teil von ihren Händen verdeckt. Nur die untere Hälfte war zu sehen. Die Beine des Kindes, die Füße in einem Paar Schnürstiefel, neben denen ein kleiner Holzzug stand, der durch eine Schnur mit der Hand verbunden war.

Nan wiegte das Foto. Sie lachte immer weiter. Ich versuchte, mit ihr zu sprechen, aber sie hörte mich nicht. Ich hob die Fotos auf, die zu Boden gefallen waren. Das Glas des Rahmens. Ich suchte einen Mülleimer, um die Scherben wegzuwerfen. Ich fand keinen. Also behielt ich das Glas in der Hand und stellte den Rahmen an seinen Platz zurück.

»Ich gehe dann mal …«, sagte ich.

Dieser Rahmen ohne Glas … Ich sah das Foto an, das kleine Poloshirt mit den Booten … Das Lächeln des Kindes. Ich hatte dieses Gesicht schon irgendwo gesehen, es brauchte nur ein bisschen Zeit. Das Gesicht, das Poloshirt, das Engelslächeln …

Es war das Medaillon, das Lambert auf das Grab gelegt hatte. Es war verschwunden. Lambert hatte geglaubt, Max hätte es gestohlen.

Was machte dieses Foto hier?

Nan hatte noch immer beide Hände über dem Herz verschränkt, darin das Foto, das sie wiegte.

Sie hatte schon Spielzeug gestohlen. Warum stahl sie ein Kinderfoto, wo sie so viele andere hatte?

Sie ging zum Fenster.

Ich sah ihren Rücken, den schweren Zopf. Ahnte ihre gefalteten Hände. Sie summte vor sich hin, als wäre sie allein.

»Vergessen Sie nicht, bei Théo vorbeizugehen.«

Sie antwortete nicht.

Ich sah sie noch einmal an, ehe ich hinausging, dann steckte ich das kleine Medaillon in die Tasche und machte die Tür hinter mir zu.

Die Esel hatten sich etwas weiter unten in einer Gasse neben dem Waschhaus versammelt. Sie fraßen, was Kinder für sie vor die Tür gelegt hatten.

Es heißt hier, dass derjenige, der einen Esel fesselt, aus Einsamkeit stirbt.

Ich lief den Pfad am Meer entlang. Die Glasscherben in der Hand, das Foto in der Tasche. Ich kannte diesen Pfad auswendig. Unter meinen Füßen der oft heimtückische Felsen, die rutschige, allzu fette Erde, der weiche Moosteppich. Ich hatte das Meer in den Augen. Dieses Strahlen des Lichts. Ich setzte mich auf einen Stein und holte das Foto aus der Tasche. Das Kind hatte die Augen weit geöffnet.

Wollte Nan ihrer großen Sammlung vielleicht noch ein weiteres Gesicht hinzufügen, als sie das Foto stahl? Auf diese Weise ein weiteres Kind in ein Haus holen, das niemanden mehr aufnahm, als sollte die Geschichte der *Zuflucht* noch weitergehen? War es das?

Ich hatte das Foto eingesteckt, ohne recht zu wissen, ob ich es Lambert geben oder ohne etwas zu sagen auf das Grab legen sollte.

Ich lief auf dem Pfad bis zum Strand von Écalgrain. Eine Schlange war zwischen zwei Steinen krepiert. Eine lange Kolonne von Ameisen verwertete sie geduldig.

Ein Seidenreiher verschwand vor mir im Meer und tauchte kurz darauf mit einem kleinen silberfarbenen Fisch im Schnabel wieder auf.

Morgane war am Strand, mit einem Mann. Sie spazierten zusammen, eng aneinandergeschmiegt. Sie stolperten übereinander, so fest hielten sie sich.

Morgane trug ihren rosa Wollpullover. Ich wusste nicht, wer der Mann war. Ich hatte ihn noch nie gesehen. Sie küssten sich.

Ich beobachtete sie durch das Fernglas. Ein Kuss, mit offenem Mund und ohne Zurückhaltung, und schon suchten sich ihre Hände wieder, gierig verlangten sie mehr. Sie standen vor dem Meer. Sie knieten sich hin. Küssten sich weiter. Unverhohlen.

Max war auch da, er kauerte im Schatten, als wäre es ihm unmöglich, woanders zu sein. Worte sprudelten aus ihm heraus.

»Ich bin immer da, wo es Morgane gibt.«

Er bewegte kaum die Lippen. Er kratzte sich mit den Nägeln die Wangen. Ein unangenehmes Knirschen.

»Das Innen von ihren Schenkeln, das ist wie Samt, man könnte denken … Schnee, wenn der Schnee grad gefallen ist.«

Er lief mit großen Schritten in Richtung Weg, ich dachte, er würde verschwinden. Aber er kam wieder zurück.

»Morgane riecht nach Kreide. Wenn sie sich wäscht, rinnt das Wasser über ihren Rücken, das macht Sonnenspuren wie der Schneckenschleim auf dem Rücken der Steine.«

Er sagte es sehr schnell, als wollte er es loswerden. Er kniete sich auch hin, er grub in der roten Erde, einer feuchten Erde, die er mit seinen langen Fingern aufwühlte. Er rieb seine Lippen mit dieser Erde ein. Er wimmerte.

Ich hätte es ihm gern gleichgetan, wäre gern dazu imstande gewesen. Ich presste die Hände zusammen, spürte die Glasscherben an meiner Handfläche.

»Du musst aufstehen.«

Meine Hände bluteten.

Seine Augen.

»Eines Tages reiße ich die Männer aus Morganes Bauch …
Morgane wird mir gehören. Eines Tages … Nicht mehr lange.«

Er stand auf. Wich zurück. Er konnte es nicht begreifen.

»Eines Tages, wenn sie es sieht, muss sie wohl …«

Ich warf die Glasscherben in das Loch, das er gegraben hatte.

»Wir müssen gehen«, sagte ich.

Ich berührte seine Hand.

»Barschwetter«, sagte ich.

Er sah mich an, dann den Himmel. Seine schwere Lippe.

»Gar kein Wetter«, sagte er.

Er drehte sich nochmal zur Steilküste um, dorthin, wo Morgane verschwunden war.

»Komm schon Max, wir gehen.«

Er hatte Recht, es war kein Barschwetter. Es war gar kein Wetter
für irgendwas. Ich ließ ihn bei seinem Boot und ging ins Dorf
hinauf. Lambert war nicht da. Die Tür war abgesperrt, die Fensterläden geschlossen.

War er bei Théo gewesen?

Das Schild *Zu verkaufen* hing immer noch am Zaun.

Der Himmel war weiß, mit dunkleren Schlieren über dem
Meer. Schlieren, die immer schwärzer wurden. Das würde ein
Regenwetter geben.

Am nächsten Tag ließ Max die Schmetterlinge frei. Alle Schmetterlinge, die er für Morgane gesammelt hatte.

Hoch oben über dem Meer auf einer Wiese öffnete er den Käfig und ließ sie fliegen.

Später sollte ich die Leute aus dem Zentrum an der Steilküste treffen. Als ich dort ankam, hatten sie schon angefangen, Eier aus den Nestern zu nehmen. Sie hatten mehrere gesammelt, aus verschiedenen Nestern, und sie durch Attrappen ersetzt. Ich beobachtete das Verhalten der Vögel. Ich nahm mir Zeit dafür. Die Vögel schrien, die, denen man die Eier wegnahm, aber auch die anderen. Am Strand stieg das Meer, große Wellen mit weißen Schaumkronen. Die Möwen flogen haarscharf an der Steilküste vorbei. Die Hände der Männer in Reichweite ihrer Nester machten sie wütend. Zwei Kormorane, denen man ein Ei weggenommen hatte, waren davongeflogen. Ich stoppte sechzehn Minuten, bis der erste zurückkam. Er nahm seinen Platz ein. Das Ei war durch eine Attrappe ersetzt worden. Er hatte nichts bemerkt. Ich zählte weitere neun Minuten, ehe er weiterbrütete.

Der zweite kam drei Minuten nach dem ersten.

Ich füllte meine Tabellen aus. Der Wind blies. Ich hatte spezielle Klammern, um die Blätter festzuhalten.

Nach weiteren fünfundzwanzig Minuten kam wieder ein Vogel, mit irrem Blick und offenem Schnabel. Er fing an, erst auf dem Rand und dann im Inneren seines Nestes herumzulaufen. Er verwüstete alles. Die Eier, die noch im Nest gelegen hatten, fielen auf den Strand.

Erst danach beruhigte er sich wieder, stellte sich auf einen Felsvorsprung in der Nähe und fing an, sein Gefieder zu putzen.

Die Leute vom Zentrum hatten ihre Arbeit beendet und fuhren weg. Ich blieb noch ein bisschen, wartete, dass auf dem Felsen wieder Ruhe einkehrte.

Ein Albinospatz setzte sich dicht neben mich. Ich gab ihm ein paar Kekskrümel. Es war der erste Albino, den ich sah. Ich hätte ihn zeichnen müssen, aber ich hatte keine Lust.

Lambert war immer noch nicht zurück. Das Haus war nun schon seit Tagen verschlossen. Ich war morgens daran vorbeigegangen und auch auf dem Rückweg von der Steilküste.

Morgane wusste nicht, wo er war. Monsieur Anselme auch nicht. Nicht mal Lili wusste irgendwas. Als ich sie fragte, zuckte sie bloß die Schultern.

Ich beschloss, Théo zu besuchen.

Er las gerade Zeitung. Als ich hereinkam, stand er nicht auf, sondern zeigte mit dem Finger auf einen Artikel.

In der Nacht hatte ein wilder Hund eine Ziege angegriffen. Er hatte sie in ein Zollhäuschen gezerrt. Die Küstenwache fand das Tier später am Wegesrand, nur noch der Kopf war übrig geblieben.

Er schlug mit der Hand auf die Zeitung.

»Verdammte Töle!«

Ich zog die Jacke aus.

Das Zimmer war klein, der Ofen bullerte, es war immer zu warm hier.

Théo sprach weiter von der Ziege, von allen Ziegen, die auf der Heide gefressen wurden. Er sprach davon, um nicht von Lambert reden zu müssen. Von dem Besuch, den Lambert ihm sicher abgestattet hatte. Ich sah mich um, als könnte ich noch eine Spur von ihm entdecken. Théo sprach immer weiter. Ich war sicher, dass er auch an Lambert dachte.

Irgendwann schlug er die Zeitung zu, kreuzte die Hände darüber und senkte den Kopf.

»Lambert war neulich abends bei Ihnen, oder?«

Er nickte.

»Was ist passiert?«

»Was soll schon passiert sein? Er wollte, dass ich ihm von der Nacht erzähle, ich habe ihm gesagt, was ich Ihnen gesagt habe, mehr nicht.«

Théo brummte noch ein paar Worte, dann faltete er die Zeitung zusammen und strich die Falten glatt.

»Er ist gekommen, wir haben geredet, er ist gegangen.«

»Wo ist er hingegangen?«

»Woher soll ich das wissen! Ich hatte Sie gebeten, bei Florelle vorbeizugehen, waren Sie bei ihr?«

Ich zögerte, ehe ich ihm antwortete.

»Ich habe ihr gesagt, dass Sie sie sehen wollen, aber ich weiß nicht, ob sie kommen wird.«

»Wie ging es ihr?«

»Als ich zu ihr kam, war sie gerade dabei zu nähen.«

»Und als Sie gegangen sind?«

Ich sah Théo an.

»Da hatte sie ein Foto an sich gepresst und wiegte es. Es war das Foto von Michel.«

Er zuckte nicht mit der Wimper. Er schwieg einfach nur einen Moment, dann nickte er.

»Es tut mir leid, dass es so gelaufen ist, dass diese Menschen wegen ein paar Vögeln sterben mussten. Ich hätte mir gewünscht, dass er glaubt, das Meer, nur das Meer sei verantwortlich, das wäre leichter für ihn gewesen.«

Er hatte das Thema gewechselt, war zu Lambert zurückgekehrt, als wollte er anderen, noch schwierigeren Worten entgehen.

»Ist es denn leichter, dem Meer zu zürnen?«, fragte ich.

»Ja ... Man verzeiht dem Meer leichter als den Menschen ... Ich habe ihm alles gesagt, was damals in jener Nacht passiert ist ... Er wollte es so. Irgendwann ist er rausgegangen und hat sich auf die Stufen gesetzt, zwischen die Näpfe. Ich dachte, er wäre gegangen. Er hat geraucht. Dann ist er zurückgekommen. Er wollte, dass ich es ihm nochmal erzähle, von Anfang an, alles ... Er hat dieselben Fragen gestellt.«

Er hob ratlos die Hand.

»Ich weiß nicht, wo er hingefahren ist.«

Er versuchte ein Lächeln. Er war müde. Das düstere Gesicht eines Menschen, der schlecht geschlafen hatte oder nicht genug. Waren es die Gewissensbisse? Sicher verstärkte meine Anwesenheit seine Müdigkeit noch. Lambert hatte die Wahrheit hören müssen. Hatte Théo ihm auch deshalb erzählt, was geschehen war, um dieses elende Geheimnis nicht mit ins Grab nehmen zu müssen? Weshalb hatte Nan das Medaillon gestohlen? Ich wollte ihn danach fragen, aber dann dachte ich, dass es wohl nicht so wichtig sei.

Die Katze fing an zu schnurren.

Théo stand auf. Er ging zum Schreibtisch, hob Papiere hoch und legte sie dann wieder zurück, er suchte etwas in diesem hoffnungslosen Durcheinander.

»Manchmal hat Florelle die Nacht bei mir auf dem Leuchtturm verbracht ...«

Das sagte er.

Übereinandergestellte Holzkästen dienten als Regal. Darin standen ein paar Bücher, deren blauer Einband an alte Schulbücher erinnerte. Ganz oben auf den Kisten waren staubige Nippes und ein altes Transistorradio. Ein anderes, moderneres Radio stand auf dem Fensterbrett.

»Ein Fischer brachte sie herüber, wenn er nachts hinausfuhr und die See ruhig war. Er mochte uns gern … Morgens holte er sie auf dem Rückweg wieder ab.«

Er fand, was er gesucht hatte.

»In diesen Nächten schlief Ursula in der *Zuflucht*.« Das sagte er und legte ein Blatt Papier auf den Tisch. DIN A4. Zusammengefaltet.

»Geben Sie ihm das …«

Er verließ das Zimmer. Ich hörte ihn durch den Flur gehen, dann war es still. Ich wusste nicht, wo er hingegangen war. Vielleicht auf den Dachboden, zur Dachluke, von wo aus er das Meer, den Leuchtturm und das Haus von Nan sehen konnte.

Ich faltete das Blatt auseinander. Es war ein maschinengeschriebenes Dokument mit dem Stempel des Hafenamts in der oberen linken Ecke.

Ich las es.

Bericht über den Untergang der Sphyrène *im Sektor Cap de la Hague am 19. Oktober 1967.*

Ort des Unglücks: Raz Blanchard
Art des Schiffes: Segelboot
Nationalität: französisch
Insassen: drei
Gerettete Personen: null

Verfasst von Hafenkapitän Christian Gweener

Am 19. Oktober um 23.07 Uhr empfängt das Semaphor von La Hague ein SOS von einem Segelboot, das auf einen Felsen vor dem Gezeitenstrom Raz Blanchard gefahren ist. Man signalisiert uns drei Personen an Bord. Der Wind kommt aus West. Um 23.30 Uhr sticht das Rettungsboot in See. Schlechte Sicht. Schwere See mit Ebbenströmung.

Um 23.40 Uhr erreichen wir das Gebiet drei Meilen nordöstlich von La Hague. Um 23.55 Uhr entdecken wir das Segelboot La Sphyrène. Fock und Großsegel sind zerrissen. Wir nähern uns mit Mühe. Es ist niemand an Bord. Westwind Stärke 7, Böen. Das Segelboot treibt rasch ab, getrieben vom Wind und von der Ebbe. Wir konzentrieren unsere Suche auf diesen Bereich und dann weiter westlich. Um 0.30 Uhr wird der Körper eines Insassen des Segelboots gefunden. Es handelt sich um einen Mann, ca. 40 Jahre alt, leblos. Das Schlauchboot bringt ihn nach Goury. Wir bleiben vor Ort und versuchen, die beiden anderen Personen zu finden. Das Meer ist immer noch bewegt, starker Wind und mittlere Sicht. Nach mehrstündiger vergeblicher Suche beschließen wir umzukehren. Wir können das Segelboot ins Schlepptau nehmen, aber auf halber Strecke füllt es sich mit Wasser und sinkt immer tiefer. Wir müssen das Tau kappen. Eine Viertelstunde später verschwindet das Segelboot im Meer. Um 4.10 Uhr gehen wir erschöpft von der langen Suche an Land.

Das Rettungsboot wird um 4.30 Uhr im Schuppen abgestellt.

Ein zweiter lebloser Körper, der einer Frau, wird am nächsten Morgen am Strand von Écalgrain gefunden.

Bis heute bleibt die dritte Person vermisst.

Raphaël hatte die Skulptur einer Gestalt angefangen, die der Bachstelze ähnlich sah.

»Was hältst du davon?«, fragte er und zog mich ins Atelier.

Der Körper war schmächtig, die Beine unverhältnismäßig lang. Die Bachstelze in ihrem Cape. Raphaël hatte mit den Daumen den Bauch ausgehöhlt, ihn zu einer Leere gemacht. Die Kraft, die von diesem Bauch ausging, ließ alles andere in den Hintergrund treten – den Kopf, die Arme …

Er setzte sich aufs Sofa und zog die Knie an.

»Du sagst ja gar nichts?«

»Nein.«

Er lächelte.

»Dann ist es nicht so schlecht …«

Er steckte sich eine Zigarette zwischen die Lippen. Alles, was er brauchte, um eine Skulptur zu schaffen, lag auf dem Fußboden herum, Holz, Gerüste … Er warf nichts weg, er liebte diese Unordnung, er sagte, die Holzreste seien die Spuren seiner Arbeit.

»Ich nenne sie *Die Hungerleiderin*.«

Ich ließ mich neben ihn fallen. Er sah mich an.

»Wenn ich dich so ansehe, mit deinen Augen, denke ich mir,

dass ich dich auch mal darstellen müsste. Man könnte denken, du bist hergeschwommen!«

»Auf dem Floß«, korrigierte ich ihn, »mit zwei Rudern.«

Mein Nacken brannte.

»Auf die Ruder kommt es an, vor allem, wenn du zwei hast«, sagte ich und legte die Hand ins Genick.

»Was passiert, wenn du nur eins hast?«

»Dann fährst du im Kreis, Raph, immer im Kreis.«

Er rieb die Hände aneinander und legte sie an meinen Nacken.

»Du bist verspannt«, sagte er.

Er massierte mich, ein regelmäßiges Hin und Her. Ich versuchte zu widerstehen, aber schließlich schloss ich die Augen. Ich dachte an dich. Dein Lächeln kam zurück. Du hattest gesagt, wir trennen uns an einem ungeraden Tag, aus Spaß hattest du das gesagt …

»Deine Muskeln sind steinhart.«

»Sei still …«

»Hattest du einen Unfall?«

»Wenn man so will.«

»Was heißt das, wenn man so will?«

»Zwei Monate bei den Verrückten rumgehangen.«

»Als Pflegerin?«

»Nein, als Patientin.«

Er hörte auf zu massieren.

»Du redest Scheiß.«

»Nein.«

»Verrückte? Die echten?«

»Die echten, ja.«

»Zwangsjacke?«

»Chemisch, die Zwangsjacke. Mach weiter …«

Ein Nerv war irgendwo eingeklemmt, das blockierte meinen

Nacken. Der Schmerz lief meinen Arm hinunter bis in die Fingerspitzen, es brannte wie Feuer. Nachts wachte ich davon auf.

»Und, hast du Gratispillen bekommen, damit du schwebst?«

»Gratispillen … Einen Riesenhaufen sogar.«

»Was hat das mit deinem Nacken zu tun?«

»Keine Ahnung, aber seitdem tut er weh.«

Er massierte weiter, ohne etwas zu sagen.

»Du machst das gut«, lobte ich ihn.

Darüber lachte er. Er zog meinen Kragen wieder zurecht, legte sich hin, verschränkte beide Hände unter dem Kopf und sah mich an. Dann streckte er eine Hand aus.

»Komm her!«, sagte er. Er unterstrich es mit einer Kopfbewegung.

»Los …«

Ich legte mich neben ihn, fünf Zentimeter zwischen seinem Körper und meinem. Sein Arm legte sich um mich.

»Relax …«

Es gab keinen Abstand mehr. Mein Kopf war an seinem Hals. Ich hörte sein Herz schlagen. Vielleicht war es auch meins.

»Raphaël?«

»Mmm?«

»Du bist aber nicht verliebt in mich, oder?«

Ich spürte, wie er lächelte.

»Nein. Und du?«

»Ich auch nicht.«

Er legte die Lippen auf meine Stirn.

»Dann ist ja alles gut. Kein Grund, dich aufzuregen.«

Monsieur Anselme hatte ein paar Tage in Paris verbracht. Als ich bei Lili ankam, erwartete er mich mit einem Buch über Prévert.

»Mit größter Vorsicht zu behandeln …«

Ich blätterte etwas darin, aber ich war mit den Gedanken woanders. Er zeigte mir Briefe, Fotos, eine Prévert gewidmete Zeichnung von Picasso, eine Postkarte von Miró, Prévert mit Janine, Prévert mit André Breton, Prévert in Saint-Paul-de-Vence.

Er langweilte mich. Plötzlich spürte ich es so deutlich. Ich sah mich mit diesem alternden, besessenen Mann am Tisch sitzen.

»Das erste Mal habe ich ihn in der Colombe d'Or getroffen … Am selben Tag ist er vollständig angezogen in ein Wasserbecken eingetaucht, das auf der Terrasse stand.«

»Eine Schale, Monsieur Anselme … Sonst sagen Sie immer Schale.«

Ich ärgerte mich, weil ich so böse war. Ich wandte den Kopf ab. Lamberts Haus war immer noch verschlossen. Sein Auto stand weder vor dem Haus noch am Hafen. Das Gestrüpp war aus dem Garten verschwunden, aber Max sagte, auf der Rückseite sei noch viel zu tun.

Das Schild *Zu verkaufen* hing immer noch am Zaun.

»Eine Schale, ja, Sie haben Recht … Sie müssen mich in Omonville besuchen kommen. Ich zeige Ihnen das Haus im Val, das Haus, wo Prévert sein Leben beenden wollte. Der Ort wird Ihnen gefallen, ganz sicher!«

Er drehte sich zu Lili um, bestellte zwei Gläser Schnaps aus einer Flasche ohne Etikett. Er drehte sein Glas zwischen den Händen. Es war ein klarer Schnaps, der angenehm nach Pflaume schmeckte. Er trank einen Schluck.

»Das Gesöff ist stark«, sagte er und schnappte nach Luft, »aber manchmal brauchen wir so was.«

Er sah mich an.

»Langweile ich Sie? Meine Tochter sagt mir auch manchmal, dass ich langweilig bin.«

Er klappte das Buch zu und legte es an den Tischrand.

»Was beschäftigt Sie heute so sehr?«

»Wussten Sie, dass Théo Nan geliebt hat?«

Er sah mich überrascht an.

»Natürlich wusste ich das. Alle hier wissen es.«

»Und dass sie manchmal zu ihm fuhr, wenn er im Leuchtturm war?«

Er zeigte auf Lili und die Mutter.

»Solche Sachen hat man sich erzählt, aber … Hier ist wohl nicht der beste Ort, um sich darüber zu unterhalten.«

Er drückte die Hände aneinander, die Lippen gegen die Finger. Sein amüsiertes Lächeln. Er neigte sich zu mir.

»Wissen Sie, die Liebe … Wie kommt es, dass sie einen packt, einfach so, auf den ersten Blick, ohne dass man sich je zuvor gesehen hat? Manche Begegnungen kommen zustande, andere entgehen uns, wir sind so unaufmerksam … Manchmal treffen wir jemanden, wir wechseln nur ein paar Worte, und wir wissen, dass wir etwas Wichtiges miteinander erleben werden. Aber es reicht eine Kleinigkeit, damit dieses Wichtige nicht geschieht und jeder seinen Weg weitergeht. Wenn die beiden sich geliebt haben …«

Er sagte es ganz leise und warf dabei einen raschen Blick zu Lili.

»Théo bekommt Briefe«, sagte ich.

»Was für Briefe?«

»Ich weiß nicht. Er hat sehr viele … Umschläge, alle in derselben Schrift, mit violetter Tinte.«

»Und was steht drin?«

»Ich habe sie nicht gelesen. Sie kommen aus einem Kloster in der Nähe von Grenoble.«

»Ich habe nie davon gehört, dass Théo Verwandte bei den Mönchen hat.«

Er lehnte sich wieder zurück.

»Wir könnten uns bei Lili erkundigen, aber irgendwas sagt mir, dass es nicht das Sinnvollste wäre, sie über ihren Vater auszufragen.«

Er überlegte einen Moment.

»Sie gehen doch bei Théo ein und aus. Das Einfachste wäre, ihn zu fragen. Oder Sie entwenden unauffällig einen dieser Briefe, lesen ihn und legen ihn an seinen Platz zurück.«

»Das kann ich nicht.«

»Na gut, dann reden wir von etwas anderem … Versprechen Sie mir, dass Sie mich in Omonville besuchen kommen? Wir könnten uns für morgen verabreden. Nein, morgen ist Freitag, da kommen meine Kinder … Sie brauchen frische Luft. Wobei sie freitags erst am Abend da sind. Wenn Sie am frühen Nachmittag kommen, könnte es klappen … Oder Montag, Montag sind sie wieder weg.«

»Monsieur Anselme?«

»Ja?«

Ich sah ihn an.

»Sie haben mir doch erzählt, dass Nan ein Kind adoptiert hat und dass dieses Kind Michel hieß.«

»Das stimmt.«

»Wie hieß es mit Nachnamen?«

Er sah mich mit großen Augen an.

»Das weiß ich nicht! Ich bin auch nicht sicher, ob ich es überhaupt einmal gewusst habe.«

Er überlegte kurz.

»Wenn es Sie wirklich interessiert, könnte ich Ursula danach fragen.«

»Sagt Ihnen Lepage etwas?«

»Lepage? … Nein, ich glaube nicht.«

»Und Däumling?«

»Däumling! Teufel nochmal, was soll das denn jetzt? Entschuldigen Sie … Nein, Däumling sagt mir nichts. Vielleicht könnten Sie mich aufklären?«

»Morgen besichtigen wir das Haus von Prévert, und Sie finden für mich den Familiennamen dieses Jungen heraus.«

Ich ging auf dem Pfad am Meer nach Omonville. Monsieur Anselme hatte mir sein Haus beschrieben, den Garten, den kleinen Holzzaun davor. Ich hatte keine Mühe, es zu erkennen. Als ich ankam, stand er auf einer Stehleiter, er schnitt die welken Rosen von einem großen Strauch, der an der Hauswand wuchs.

»Das ist ein Pierre de Ronsard!«, sagte er und stieg von seiner Leiter.

Er band seine Schürze ab.

»Sind Sie zu Fuß gekommen?«

»Ja.«

Er rieb sich die Hände.

»Ich habe Ihnen Orangeade gemacht, ein Rezept meiner Großmutter!« Er eilte ins Haus und kam mit einer Karaffe zurück. Wir tranken ein Glas und sprachen über den Garten. An der Wand blühten üppige Irisbüsche. Margeriten. Ein großer Jasmin.

Er tauschte die Gartenstiefel gegen ein Paar cremefarbener Mokassins aus und steckte ein Seidentüchlein in die Anzugjacke.

»Gehen wir?«

Er nahm meinen Arm, so stolz, als würde man uns sehen, beobachten, ausspionieren.

»Überall gibt es Schatten, hinter jeder Tür, jedem Vorhang, erzählen Sie mir nicht, dass Sie nichts bemerkt haben. Sie zum Beispiel, Sie können sich gar nicht vorstellen, was man sich alles über Sie erzählt … Darüber, dass Sie neulich mit diesem Lambert im Gasthof gegessen haben. Es genügt ein einziger Augenzeuge! Ich verstehe übrigens nicht, was Sie an ihm finden, er ist schlecht gekleidet, schlecht frisiert, und die Jacke, die er trägt, ist ziemlich unförmig. Außerdem ist sein Auftreten sehr gewöhnlich.«

Er sah mich an.

»Ist er eigentlich wieder aufgetaucht?«

»Nein, immer noch nicht.«

Der Friedhof, auf dem Prévert lag, war ganz in der Nähe. Wir hatten vor, dort Halt zu machen und dann bis zum Haus in Val weiterzugehen.

Monsieur Anselme lächelte.

»Es ist wirklich schön, dass Sie da sind.«

Er machte Pläne für einen anderen Ausflug. Er wollte, dass wir nach Cherbourg fahren, um Apfeltarte zu kaufen.

»Place de la Fontaine Nummer fünf! Prévert fuhr extra deshalb jeden Mittwoch hin! Mit seinem karierten Hut auf dem Kopf. Die Bäckersfrau wusste nicht, wer er war. Als er gestorben ist, hat sie ihn im Fernsehen wiedererkannt. In den Abendnachrichten. Das ist doch mein Mittwochskunde!, hat sie gesagt.«

Er sah mich an.

»Wir fahren hin, ja?«

»Ich weiß nicht.« Das konnte ihm seine Laune nicht verderben.

»Wenn Sie nicht mitkommen, fahre ich allein und bringe Tarte mit.«

Es war ein schöner Sonnentag. Die Leute waren in ihren Gärten, saßen auf der Schwelle. Die Wäsche trocknete auf den Leinen.

Ich war mit den Gedanken woanders, er merkte es, denn er bat mich, ihm zu erzählen, was mich beschäftige.

Ich berichtete ihm alles, das Foto bei Lili, das bei Nan aufgetauchte Medaillon, die Wahrheit über den Untergang des Bootes. Er hörte aufmerksam zu.

»Und seit drei Tagen ist Lambert verschwunden, seit seinem Streit mit Théo.«

Er dachte darüber nach.

»Jemand hat mir erzählt, er würde bei der Irin in La Rogue wohnen.«

»Ja, aber ich weiß nicht, ob er noch dort ist.«

»Warum rufen Sie ihn nicht an?«

Und dann sagte er noch: »Der Tod der Peracks ist also die unvorhersehbare Folge einer Tat der Liebe, der Leidenschaft eines Leuchtturmwärters für seine Vögel.«

Er wiederholte es: »… die unvorhersehbare Folge …«

Über Michel wusste er allerdings nichts. Dazu musste er erst noch mit Ursula sprechen.

Wir gingen zum Friedhof. Préverts Grab war nah am Zaun – ein hoher Stein, auf dem kleine Kiesel vom Strand lagen. Die Kiesel bildeten eine instabile Pyramide, die unter ihrem eigenen Gewicht zusammenzubrechen drohte. Monsieur Anselme streichelte den Stein.

»Erst nach ihrem Tod gehören diese großen Männer irgendwie uns, finden Sie nicht? Man kann sie ohne großartige Formalitäten besuchen.«

Er legte die Rose hin, die er von seinem Pierre de Ronsard abgeschnitten hatte.

»Er selbst hat diesen Ort ausgewählt, neben den Mülltonnen, er wusste es, aber es war ihm egal.«

Neben Préverts lagen die Gräber von Janine und Minette. Und dahinter, im Schatten einer Mauer, das seines Freundes Trauner.

»Er ist im April gestorben, am Ostermontag. Schon zwei Tage vorher haben die Journalisten ihre Zelte vor seinem Haus aufgeschlagen. Janine hat sehr geweint. Sie hat ihren Blumenstrauß auf den Sarg geworfen. Der Strauß war so schön! Wir haben alle Blumen hineingeworfen.«

Efeu bedeckte den Boden. Ich wühlte in meinen Taschen, holte einen kleinen, glatten, roten Stein heraus und legte ihn zu den anderen.

Monsieur Anselme nahm meinen Arm. Sein Schritt neben meinem. Wir setzten unseren Weg fort. Große Blumen wuchsen zwischen dem Gestrüpp, riesige Fuchsien breiteten ihre Blüten sogar über die Sträucher aus. Die Blumen strebten zum Licht. Wenn sie nicht durch das Gesträuch drangen, wuchsen sie am Boden entlang.

»Interessiert Sie dieses Kind, weil es ausgesetzt wurde? Oder weil Nan es adoptiert hat? … Antworten Sie nicht. Fassen wir lieber zusammen. Sie haben dieses Kind auf einem Foto bei Lili gesehen, Lili hat das Foto dann verschwinden lassen. Dasselbe Kind hat Lambert im Hof von Théo gesehen, wo es ein Kalb am Strick hielt. Richtig?«

»Richtig. Aber es ist nicht sicher, dass es dasselbe Kind war.«

»Nicht sicher, aber Sie glauben, dass es dasselbe ist. Und das Kind, das Nan adoptiert hat, ist weggegangen. Und Sie würden gern wissen weshalb.«

Ein Kind, das unter einem Torbogen geboren wurde, da, wo man während der Pestepidemien die Toten stapelte. Wie kann man das ertragen und überleben?

»Ich glaube, die Person, die Théo die Briefe schreibt, ist dieses Kind.«

Er rieb sich die Hände.

»Wenn wir beweisen können, dass der Nachname dieses Kindes Lepage ist, könnten wir daraus schlussfolgern, dass die Person, die Théo schreibt, und das Kind, das Nan adoptiert hat, ein und derselbe sind.«

»Ja.«

Vor uns lag das Haus von Prévert, zwischen Bäumen, von einem Garten umgeben. Wir stützten uns auf den Zaun und blickten auf eine üppige Vegetation, auf Rosenstöcke, blühende Sonnenblumen, Pflanzen mit riesigen Blättern und unaussprechlichen Namen. Ein kleiner Bach floss durch den Garten und unter der kleinen Brücke vor der Haustür.

»Die Pflanzen, die Sie da hinter den hohen Wedeln sehen, das ist Gynerium … Und das da ist Gunnera.«

Ein gepflasterter Weg führte zum Haus. Wir gingen an der Hauswand entlang. Monsieur Anselme überlegte.

Plötzlich sah er mich an.

»Wenn es dieselbe Person ist, muss man noch herausfinden, warum Théo Nan nicht sagt, wo sich derjenige befindet, den sie sucht.«

Er überlegte wieder und sah dabei das Haus an.

»Dass Lili das Foto weggenommen hat, kann man noch verstehen … Wenn es das von Nan adoptierte Kind war. Aber Sie haben Recht, irgendwas ist komisch an dieser Geschichte.«

Ich hatte immer noch das Medaillon in der Tasche. Ich zeigte es ihm.

»Das ist Paul Perack, der Bruder von Lambert. Nan hat sein Foto gestohlen.«

»Armes Kind. Sie sagen, Nan hat das Foto gestohlen?«

Er gab es mir zurück.

»Macht Ihnen der Tod Angst?

»Nicht der Tod … Aber die Vorstellung, alt zu werden. Hässlich und schmutzig zu werden, nicht mehr allein gehen zu können, ja, das macht mir Angst.«

Ich steckte das Foto wieder in die Tasche. Ich wollte es Lambert so bald wie möglich geben, auch den Bericht vom Bootsunglück.

»Man kann alt werden, sage ich Ihnen, so alt, dass nicht mal mehr die Hunde sich von einem streicheln lassen.«

Monsieur Anselme nickte.

»So gesehen, in der Tat …«

Ich entdeckte Lamberts Schal auf der Bank in seinem Garten. Er hatte ihn wohl dort liegen lassen. Er war zwischen Bank und Hauswand gerutscht. Die Wolle war feucht geworden. Sie roch nach Erde. Sie roch nach Wasser und Sonne. Sie roch nach Lambert und seinem Schweiß. Ein paar Haare hingen in der Wolle. Ich legte den Schal auf die Bank zurück und ging ums Haus herum. Max hatte Recht, der Garten war überwuchert, da war noch viel zu tun.

Zwei Tage vergingen. Der Schal lag immer noch auf der Bank. Am dritten Tag packte ihn der Wind und drückte ihn an die Wand. Die Sonne trocknete ihn. Ich hob ihn auf. Band ihn mir um den Hals.

In der nächsten Nacht regnete es.

Ich erinnere mich an diese Nacht. Die erste Nacht, in der ich aufgehört habe, an dich zu denken.

Weil es ihn gab.

Diese erste Nacht, in der ich von ihm geträumt habe. In der ich mich in einem Traum mit einem anderen verloren habe.

Du hattest gesagt, vergiss mich. Du hast mich schwören lassen, dass ich wieder lieben würde. Mein Mund, im Innern von deinem. Man muss vergessen, das hast du gesagt, *vergessen* oder *mich vergessen*, ich weiß es nicht mehr. Du hast es gesagt, ohne deine Lippen von meinen zu lösen, du hast es in mir versenkt, du musst ohne mich leben, schwöre es mir …

Ich habe es geschworen.

Mit gekreuzten Fingern. Hinter deinem Rücken. Du hast noch gestanden. So groß. Ich habe die Hand auf deine Schulter gelegt.

Wie kann ich lieben nach dir?

Am Morgen war der Strand mit dunklen Algen übersät.

»Wer ist dieser Kerl?«, fragte ich Lili und meinte einen merkwürdigen Mann, der mich auf der Terrasse beiseitegeschubst hatte, als ich angekommen war.

»Ein Hurensohn«, antwortete sie und sortierte dabei weiter ihre Flaschen im Regal.

Sie legte beide Hände flach auf den Tresen.

»Ohne Quatsch, das ist wirklich ein Hurensohn.«

Mehr bekam ich nicht aus ihr heraus.

Es war Sonntag. Die Jugendlichen saßen auf der Terrasse. Sie wollten, dass Lili ein Tischfußballgerät kauft. Es gab keinen Platz dafür, oder man hätte Tische rauswerfen müssen. Oder die Jukebox. Oder die Küche verkleinern, aber die Küche war Lilis Privatbereich, sie wollte nicht, dass man sie anrührte.

»Geht zur Messe, dann habt ihr was zu tun«, sagte sie, als sie sie so untätig herumsitzen sah. »Oder macht was Soziales!«

Darüber lachten die Jugendlichen. Schließlich gingen sie.

Lili drehte sich zu mir um, als suchte sie meine Zustimmung.

»Alte Leute gibt's hier genug, sie warten doch nur darauf, dass man sie ab und zu besucht.«

Ich sah durchs Fenster.

»Ist er immer noch nicht wiedergekommen?«, fragte ich und zeigte auf Lamberts Haus.

Lili hob den Kopf.

»Nicht gesehen.«

»Hat er dir nichts gesagt?«

»Was soll er mir denn gesagt haben?«

Ich ließ den Vorhang los.

»Weißt du, wohin er gefahren ist?«

»Ich weiß, was ich sehe«, sagte sie, »und ich sehe, dass die Fensterläden zu sind. Ansonsten lebt er sein Leben.«

Ich bemerkte, dass sie ein anderes Foto angepinnt hatte, um das zu ersetzen, auf dem man sie mit dem kleinen Michel sah.

»Wo hast du das Foto hingetan, das vorher dort hing?«

Sie warf einen Blick zur Wand.

»In eine Kiste zu den anderen, warum?«

»Ich würde es gern nochmal sehen.«

Sie zuckte die Schultern.

»Ich muss es suchen.«

Ich bestand nicht darauf.

Dem Ton ihrer Stimme nach war ich sicher, dass sie es nicht suchen würde.

»Théo ist seltsam im Moment«, sagte ich.

»Er war immer seltsam!«

»Ich glaube, es geht ihm nicht sehr gut.«

Sie tauchte die Hände ins Spülbecken. Die sauberen Gläser stellte sie kopfüber auf ein Handtuch. Ein Glas stieß an den Rand des Beckens und zersprang. Sie fluchte. Dabei war es nicht das erste Mal, dass ihr ein Glas kaputt ging.

»Habt ihr euch heute alle vorgenommen, mich fertigzumachen?«

Sie stand eine Weile schimpfend hinter ihrem Tresen.

»Was willst du eigentlich von mir?«, fragte sie plötzlich und sah mich an.

»Nichts …«

»Deine Augen, das ist nicht nichts!«

Ich senkte den Kopf.

»Ist es wegen meinem Vater, wirfst du mir irgendwas vor, dass ich mich nicht genug kümmere?«

»Das wollte ich nicht sagen …«

»Dann sag es nicht, sag gar nichts. Trink deinen Kaffee, füll deine Kästchen aus und dann geh!«

Ich legte die Zeitung zusammen. Sammelte meine Sachen ein.

»Wenn er tot ist, wirst du weinen.«

»Ich werde nicht weinen. Keine Träne, hörst du!«

Sie richtete sich auf, die Müllschippe in der Hand.

»Er hat mir das Leben schwer gemacht und ihr auch, das kannst du dir nicht vorstellen!«

»Das ist lange her.«

»Dass es lange her ist, ändert nichts.«

Sie drehte sich zu ihrer Mutter um.

»Sie hat alles erduldet … Alles! Damit er nicht weggeht. Und ich bin mit einem Vater aufgewachsen, der abends rausgeschlichen ist, um mit einer anderen zu schlafen. Soll ich dir erzählen, wie mein Weihnachten abgelaufen ist? Alle hier wissen es. Meine Mutter hat so viel geweint, das reicht für ihr Leben und für meins auch. Und es macht mich verrückt, dass sie heute noch bereit ist, zu ihm zurückzugehen.«

»Aber schließlich ist sie doch weggegangen«, sagte ich.

»Schließlich, ja, aber sie hat lange gebraucht.«

In der Tiefe ihres Sessels jammerte die Mutter.

»Warum schreit ihr?«

»Wir schreien nicht!«

»Ihr redet vom Alten! Was hat er gemacht, der Alte?«

»Er hat nichts gemacht«, sagte Lili.

Die Mutter schüttelte den Kopf. Ihr kamen die Tränen. Sie mergelten ihr Gesicht aus, die Haut schwoll an, und unter ihren Augen bildeten sich violette Wülste.

Ich sah sie an. Unter der Lampe, so völlig reglos, glich sie einer Toten, die noch atmet.

Die Jugendlichen ließen ihre Mopeds aufheulen. Sie warteten darauf, alt genug für ein Auto zu sein, um weiter weg zu fahren, nach Cherbourg oder Valognes.

Es war jeden Sonntag das Gleiche: Die Nachbarn schimpften über die Mopeds, es waren dieselben, die auch über die Alten schimpften, die zum Pinkeln rauskamen. Die eigentlich über alles schimpften.

Am nächsten Tag war Schule, die Jugendlichen verschwunden, unter der Woche heulte kein Motor.

Raphaël hatte sich im Atelier eingeschlossen und den roten Stein vor die Tür gelegt. Er arbeitete und hörte Callas.

Es war erst später Nachmittag. Noch war es hell. Ich legte mich hin und zog mir die Decke über die Augen. Ich wollte kein Licht mehr sehen. Ich drückte das Kopfkissen auf meinen Bauch. Die Musik kam durch die Dielen und wiegte mich in den Schlaf.

Als ich aufwachte, war es dunkel. Im Atelier brannte noch Licht. Das Licht kam durch die Spalten und zeichnete feine Strahlen an die Decke.

Ich drückte das Gesicht ans Fenster. Das Meer war ruhig.

Es war noch sehr früh am Morgen. Der Hund der Bachstelze wartete auf der Steinschwelle vor dem Haus. Die Stalltür ging zur Straße raus, und ich hörte die Kühe. Ich machte die Tür auf. Die Köpfe drehten sich zu mir. Es war dämmrig, fast dunkel. Es roch nach Stroh und nach der Milch, die aus den Eutern tropfte. Schwere Ketten lagen um die Hälse der Kühe. Ketten, die an die Wände klirrten. Ich legte die Hand auf die weichen Bäuche, die warmen Hälse. In den Krippen war Heu, in den Eimern Mehl.

Der Vater der Bachstelze stand bei den Kälbern. Zwischen Licht und Schatten. Näher am Licht. Eine Forke in der Hand. Er war sicher schon da gewesen, als ich hereingekommen war. Er sah mich an. Sein Lächeln war irgendwie brutal.

Er stach die Forke in ein Bund Heu.

»Man soll sich nicht in den Ställen rumtreiben«, sagte er.

Er wiederholte es mit dumpfer Stimme.

»Soll man nicht.«

Ich nahm Raphaëls Auto und fuhr zur Irin. Ich hatte Pauls Foto dabei und den Bericht vom Untergang. Ich parkte auf dem Hof, vor dem Eingang.

Betty lag wie beim ersten Mal auf ihrem Sofa vor dem Fernseher.

Sie stand nicht auf.

Sie sagte mir, dass Lambert schon vor mehreren Tagen abgereist sei. Er sei am Dienstag spätabends zurückgekommen, hätte seine Sachen geholt und sich auf den Weg gemacht.

»Hat er Ihnen nicht gesagt, wo er hinwollte?«

»Nein. Ich habe ihn auch nicht danach gefragt.«

»Wie war er?«

»Wie meinen Sie das? Nicht strahlender als sonst, auch nicht gesprächiger. Er war er selbst, sagt man das nicht so?«

»Doch, das sagt man so. Wenn Sie ihn sehen, könnten Sie ihm sagen, dass ich ihm ein Foto geben möchte?«

»Ich sage es ihm.«

Sie drehte sich wieder zum Fernseher und starrte auf den Vorspann eines Films, der gerade anfing. Sie achtete nicht mehr auf mich.

Ich hätte mich hinsetzen und mir mit ihr den Film ansehen können, aber ich fuhr weiter nach Cherbourg.

Zum Bahnhof.

Die Züge, die hier ankamen, fuhren nicht mehr weiter – Gleise, die kurz vor dem Meer enden. Ich dachte daran, eine Fahrkarte zu kaufen und woandershin zu fahren. Von hier war jedes Woanders möglich. Sogar ohne Fahrkarte. Wenn ich kontrolliert würde, würde ich einen Zuschlag zahlen müssen. Es wäre egal.

Eine Frau wartete auf die Ankunft eines Zuges, hingelümmelt auf einer Bank, Taschen um sich herum.

Es war windig. Wolken ballten sich zusammen. Schließlich verließ ich den Bahnhof wieder und landete in einer trostlosen Gasse in einem dunklen Viertel. Im Café zeigte der Wirt auf den Aushang über dem Tresen: *Hier wird nicht geraucht!*

Ich rauchte trotzdem. Er regte sich nicht auf. Es war auch niemand da, nur er und ich. Im Fernseher lief ein Fußballspiel.

Die Toiletten befanden sich ganz hinten im Raum. In der Tür war ein Loch. Wenn man von draußen das Auge randrückte, konnte man sehen, was drinnen passierte. Man konnte auch von drinnen nach draußen blicken.

»Haben Sie das Loch gemacht?«

»Welches Loch?«

Ich zeigte es ihm. Er zuckte die Schultern, wischte weiter die Tische ab und sah sich das Spiel an.

Auf dem Rückweg ging ich an der Konditorei Place de la Fontaine 5 vorbei und kaufte die Apfeltarte, von der mir Monsieur Anselme erzählt hatte.

Morgane saß in der Küche, wo sie gerade eine Brautkrone vollendete. Es war ein prächtiges Diadem, das sie aus unechten Diamanten gesteckt hatte.

Es war schön. Es glitzerte.

Die Ratte schlief zu einer Kugel zusammengerollt in der Kiste zwischen den Perlen. Als ich ihren Bauch berührte, drehte sie sich auf den Rücken und streckte alle viere von sich. Ich streichelte sie weiter.

Morgane sah mich an.

»Ist er immer noch nicht zurückgekommen?«

»Nein.«

»Er hätte sich verabschieden können.«

»Hätte er, ja.«

Sie setzte ihre Arbeit fort.

»Ich bin sicher, dass er zurückkommt.«

Wir sprachen über ihn, über die Liebe, das Verlangen. Wir sprachen über ihn und über die Männer, die Morgane geliebt hatte. Raphaël hörte uns zu. Er kam und trank am Fenster im Stehen ein Bier.

»Wo bist du heute gewesen, Prinzessin?«

Ich zeigte ihm die Kuchenschachtel, die Tarte darin.

Er kam zum Tisch.

»Lambert ist weg«, sagte Morgane, die Nase in ihren Perlen.

Er sah mich mit hochgezogenen Brauen an, nahm meine Hand und roch an ihr.

»Trotzdem riechst du nach Mann …«

Morgane knotete den Faden ihrer Krone zusammen, kontrollierte das Ganze und setzte sich die Krone auf den Kopf.

Sie war wundervoll.

Sie schob die Kiste an den Tischrand.

»Erzähl!«

»Es gibt nichts zu erzählen …«

»Wer war es?«

»Keine Ahnung, ein Typ in einem Café.«

»Du pennst mit irgendwem!«

»Ich habe mit niemandem geschlafen.«

Raphaël setzte sich neben Morgane. Ich sah sie beide an. Ihre Hände, ihre Haut … Sie waren Geschwister, und sie liebten sich. Ich wusste nicht wie. Ich wusste nicht, ob sie sich berührten. Ich hatte Raphaëls Hand oft an Morganes Nacken liegen sehen. Ihre besondere Art, sich anzulächeln, sich anzusehen.

»Wer ist der Kerl, der dich so durcheinanderbringt?«

»Es gibt keinen Kerl.«

»Das ist das Problem!«

Ich wandte den Kopf ab.

»Ich sage doch, es gibt keinen Kerl.«

Sie runzelte die Stirn.

»Du musst vögeln, danach geht's dir besser.«

»Ich will nicht, dass es mir besser geht.«

Sie streckte mir ihre Zigarette hin.

»Dann zieh wenigstens mal.«

Ich sah nach draußen.

Durch das Fenster sah man das Meer.

Wir aßen die Tarte.

Raphaël rief Max. Er sagte ihm, dass es Tarte gebe, aber Max war dabei, Planken für sein Boot zu sägen. Er wollte nicht kommen. Die Bachstelze stand neben ihm, beide Füße in Satteltaschen. Diese Taschen hatte ihr Max gegeben, als er die seines alten Fahrrads ausgetauscht hatte. Auch die Bachstelze wollte nicht kommen.

Wir legten zwei Stück beiseite.

Morgane nahm ihre Ratte und machte die Kiste zu. Wir unterhielten uns weiter über Lambert.

Morgane fragte sich, was er mit dem ganzen Geld machen würde, wenn er sein Haus verkauft hätte.

Wir sprachen vom Tod seiner Eltern und vom Verschwinden seines Bruders.

Dann kam die Kleine zu uns. Sie setzte sich auf einen Stuhl und fing an, ein Stück Schorf abzureißen, das sich von ihrem Knie löste.

»Das gibt eine Narbe«, sagte ich irgendwann.

Es war ihr egal. Sie zog vorsichtig, bis sie den Schorf abgelöst hatte.

Max stieß kurz danach zu uns.

»Ich bin gesteinigt!«, sagte er.

»Was verstehst du darunter, Max? Gesteinigt bedeutet, dass man Steine auf jemanden wirft.«

Er biss in sein Stück Tarte.

»Ich bin anders gesteinigt … Ohne Steine.«

»Ohne Steine?«

»Ja … Gesteinigt … Versteinert eben!«

»Dann sag doch versteinert, das ist einfacher.«

Die Kleine beobachtete Max. Er interessierte sie. Seine Bewegungen, dieses wunderbare Boot.

»Versteinert ist weniger stark auf der Skala«, sagte er.

Ich lächelte.

»Du hast Recht. Du bist gesteinigt. Warum eigentlich nicht?«
Und als ich ihn fragte, warum er so gesteinigt sei, wusste er es
nicht mehr. Er sagte, er habe es vergessen.

Am Abend heftete sich weißer Nebel an die Bootsmasten.
Vom Hafen war das Geisterklirren der Ketten zu hören, die die
Boote hielten.

Ein schwarzes Boot glitt über das Wasser, entfernte sich in
Richtung Fahrrinne. Ein Mann stand aufrecht vorn im Bug.
Ein Nachtfischer. Er trug einen weiten, schwarzen Mantel, der
wie ein Umhang aussah. Die Barke schien über das Wasser zu
schweben.

Ich hörte das Plätschern der Ruder und dachte an die, die
das Meer genommen und nicht mehr zurückgegeben hatte. Ich
dachte an die Körper, die Gefangene des Wassers blieben.

Hin- und hergeworfen. Auf und ab. Endlose Albträume. Ich
dachte an Lamberts kleinen Bruder.

La Hague ist voller Legenden, ein Ort voller Aberglauben.
Man sagt, manche Verschwundenen kehrten nachts zurück,
außerstande, sich vom Land zu lösen. Sich davon zu trennen.

Ich ging am Kai entlang. Die Möwen hatten sich auf der Mole
versammelt. Einige schliefen schon, den Schnabel unter die
Flügel gesteckt. Der Nebel verschluckte das Geräusch meiner
Schritte, meines eigenen Atems.

In der Ferne der Glockenturm der Kirche.

In Vollmondnächten kann man angeblich einen Mann sehen,
der auf einem großen Pferd über die Heide reitet. Die Frauen
träumen davon, ihn zu treffen. Sie gehen nachts hinaus, entfernen sich von den Häusern. Sie folgen einem der schmalen Pfade,
die sich in der Heide verlieren. Am Morgen kehren sie zurück,
niemand kann sagen, was sie getan haben.

Plötzlich ein schriller Schrei, dann Stille.

Ein Kaninchen rannte vor mir auf dem Weg davon. Ich lief in dieser Nacht, wie ich in den ersten Nächten gelaufen war, als ich Abstand von dir bekommen wollte. Ich war gelaufen, bis mein Körper erschöpft war. Auch als er erschöpft gewesen war, war ich noch weitergelaufen.

Das hatte ich getan.

Und nun auch in dieser Nacht.

Ich schlief schlecht, verfing mich in meinen Laken. Oder in meinen Träumen.

Ich kämpfte.

Am nächsten Morgen traf ich Raphaël auf der kleinen Bank im Flur. Kippen lagen auf der Erde, andere hatte er an der Bank ausgedrückt.

»Du wirst noch alles abfackeln«, sagte ich.

Er hob den Kopf. Er hatte getrunken. Oder etwas geraucht. Oder beides auf einmal. Wenn es nicht die ungeheure Müdigkeit war, die ihn nach den Stunden der Arbeit überfallen hatte.

Ich sammelte die Kippen ein und warf sie weg.

»Es ist kalt, du solltest nicht hier sitzen bleiben.«

Er antwortete nicht.

Er zeigte auf das Atelier, die Tür stand offen.

»Sieh es dir an.«

Ich ging hinein. Der Geruch überraschte mich, es stank nach Raubtier, ich hatte das Gefühl, in eine Höhle einzudringen.

Zeichenblätter bedeckten den Boden, von der Tür aus sahen sie weiß aus, als ich näher heranging, verdunkelte sich das Weiß, und ich sah, dass sie alle mit Zeichnungen bedeckt waren. Sie lagen überall. Einige Zeichnungen waren unter anderen versteckt. Ich holte sie hervor. Sie lagen auf dem Tisch, auch auf den Stufen, manche hatte Raphaël auf Knien gezeichnet. Ein Alter auf einem Sockel, in totenähnlicher Starre. Halbnackte Seelen, in

Lumpen gehüllt, bereit zu ertrinken und doch gerettet. Wie verschont. Alles in Schwarz, Grau, wie aufgelöst. Hier und da klebte Staub an den Kohlezeichnungen, man sah die Spuren.

Ich ging von einer Skizze zur anderen.

Überall die gleichen zarten Schultern. Die verrenkten Glieder. Ein paar wenige Landschaften.

Ich zählte mehr als hundert Zeichnungen.

»Genau einhundertsiebzehn …«

Raphaël stand an der Wand, vor der Tür, wie festgeklebt, mit leerem Blick.

»Warum hast du so viele gemacht?«

»Ich weiß nicht. Einfach so.«

Er hob die Hand, sie war schwer. Es sah aus, als würden seine Augen bluten.

»Hermann kommt sie holen, er nimmt auch die Skulpturen mit, die da sind …«

Ich hielt ein paar Zeichnungen ins Licht. Es hatte nur wenige Tage und Nächte gebraucht, um sie zu erschaffen, aber was es darauf zu sehen gab, würde niemand ertragen können.

»Niemand wird es dir verzeihen.«

»Einige werden es verstehen!«

»Ja, natürlich, einige.«

Ringsum rauschte die seltsame Menge aus Gips, Bettler mit schwarzen Schatten und Frauen, deren hohle Bäuche sich wie rohes Fleisch ausbreiteten, gewundene Glieder, unvollkommene, unproportionierte Körper.

Ein Gemetzel, dieses Wort kam mir in den Sinn. Ich sagte es ihm: »Das ist ein wahres Gemetzel.« Er lächelte.

Er sortierte die Zeichnungen, die, die er Hermann geben würde; die anderen, die unerträglichen, legte er beiseite.

Als Morgane zu uns stieß, ging sie auf sein unendlich erschöpftes Gesicht zu. Sie sah ihn an, ganz nah. Sie schien seinen Atem zu atmen. Sie hatte Angst um ihn. Und war doch so stolz.

Sie flüsterte ihm etwas zu, dann löste sie sich von ihm.

Sie kam zu mir und zog mich zum Ofen, damit ich mich neben sie auf das alte Sofa setzte.

Sie wirkte traurig. Etwas war in den letzten Tagen mit ihr passiert.

»Was ist los mit dir?«, fragte ich.

Sie zögerte. Sie zog die Beine unter sich, ohne zu antworten. Raphaël sortierte weiter seine Bilder.

Morgane legte den Kopf an meine Schulter und betrachtete ihren Bruder.

»Was läuft da zwischen Lambert und dir?«

»Gar nichts. Wir sind uns begegnet ...«

»Das ist nicht nichts«, sagte sie.

»Es ist nicht der richtige Zeitpunkt, später, an einem anderen Ort, vielleicht ...«

Sie sagte, dass sie gern jemandem begegnen würde, keine zufällige Begegnung, sondern eine für ihr Leben unverzichtbare.

Eine Begegnung, die sie aus der Bahn werfen würde, ganz und gar.

Ich erzählte ihr von dir.

Ganz leise, ich murmelte fast.

Worte brauchen Zeit.

Irgendwann hob Raphaël den Kopf, er sah uns an.

Als ich fertig erzählt hatte, nahm Morgane meine Hand und legte sie an ihr Gesicht.

»Du musst jetzt vögeln ... Und wenn du ohne Liebe vögelst, aber du musst vögeln.«

Sie flüsterte es mir zu, in mein Ohr, ohne Raphaël aus den Augen zu lassen. Ich spürte die Wärme ihres Atems auf meiner Haut.

Draußen war gerade Niedrigwasser, das Meer ganz ruhig. Reglos der Moment, wenn der Strand nackt daliegt. Schlammgeruch stieg zwischen den Steinen auf, ein säuerlicher Gestank. Auf dem feuchten Sand waren Spuren von Pfoten. Modernde Algen.

Als ich zu Lili ging, sah ich den Audi, er stand vor dem Haus. Das Gartentor war halb offen.

Ich zögerte einen Moment, dann trat ich ein. Lambert stand vor dem Kamin, mit Holz in der Hand, er war gerade dabei, Feuer zu machen. Er drehte sich um. Er sagte nichts. Er lächelte nicht.

Er legte das Holz in die Flammen und richtete sich auf. Wir sahen uns an.

Ich war ihm böse, weil er einfach so weggefahren war, ohne ein Wort zu sagen.

»Sie sind wiedergekommen ...«

Das sagte ich. Mit erstickter Stimme. Wie erstorben.

Er kam zu mir.

»Verzeihen Sie mir.«

Ich hätte ihn schlagen mögen. Mit den Fäusten. Gewalt gegen ihn anwenden. Ich wandte mich ab. Ich erstickte. Ich sah zur Tür.

»Verzeihen Sie mir«, wiederholte er, aber ich schüttelte den Kopf.

Ich konnte nicht.

»Verzeihen Sie mir.«

Er wiederholte es ein drittes Mal. Er drückte mich an sich, seine Hand wie ein Schraubstock hinter meinem Kopf. Er zwang mich, ihn anzusehen, dann bewegte er die Hand, es war nur eine Bewegung seiner Finger, er legte sie um den Schal.

»Der gehört mir ...«

Ich löste mich von ihm. Unendlich langsam. Erst den einen Arm, dann den anderen, schließlich den Oberkörper und dann ganz und gar. Ich band den Schal ab.

»Nicht, was Sie denken.«

Er lächelte.

»Ich denke gar nichts.«

Er ging zum Feuer zurück und legte ein weiteres Holzscheit auf. Er zog eine Zigarettenschachtel aus der Tasche, zerriss das Papier und zündete sich eine Zigarette an.

»Ich wollte weg. Ich bin bis Saint-Lô gekommen. Ich bin gelaufen.«

Das sagte er.

Laufen ... ich wusste, was das war. Man läuft nicht acht Tage.

»Was gibt es in Saint-Lô?«

»Nichts. Eben darum bin ich nach Hause gefahren.«

Er zog an seiner Zigarette.

»Ich musste über das alles nachdenken.«

Er setzte sich an den Kamin, die Hände zu den Flammen ausgestreckt.

Ich setzte mich neben ihn. Blickte wie er ins Feuer. Ich spürte noch die Kraft seiner Hand in meinem Nacken. Ich hatte Lust, ihn zu fragen, warum er zurückgekommen war.

»Was ist bei Théo geschehen?«

»Nichts ... Wir haben geredet.«

»Sie haben geredet ... Und direkt danach sind Sie wegge-fahren, mitten in der Nacht.«

»Mitten in der Nacht, ja.«

Seine Stimme klang eigenartig.

»Ich weiß noch, wie mich meine Mutter gefragt hat, ob ich noch einen kleinen Bruder haben wolle. Wir saßen genau hier, vor dem Kamin ... Ich war dreizehn, hatte meine Gewohn-heiten. Ich habe Ja gesagt, um ihr eine Freude zu machen.«

Er verstummte.

Ich steckte die Hand in die Tasche, holte das Foto seines Bru-ders hervor und hielt es ihm hin.

Er nahm es in die Hand.

»Sie haben es wiedergefunden ... Wo war es?«

»Bei Nan. Zwischen anderen Kinderfotos. Sie dürfen ihr nicht böse sein.«

»Ich bin ihr nicht böse ... Wissen Sie, warum sie das getan hat?«

Ich sagte, dass ich es nicht wisse.

Er schaute weiter das Foto an.

»Er hat immer meine Finger genommen und mit ihnen ge-spielt. Ich mochte seine Haare.«

Ich hörte zu, wie er von seinem Bruder sprach, mein Gesicht in seinem Schal. Mein Atem legte sich auf die Wollfäden. Die Wolle wurde feucht. Ich sog ihren Geruch ein.

»In meinen Träumen bin ich so oft ertrunken, ich ertrinke immer noch.«

Er deutete ein Lächeln an, dann verschloss sich sein Gesicht. Lange blieb er so sitzen, vornübergebeugt, das Foto in den Hän-den.

Ich gab ihm den Bericht vom Unglückstag, den sorgfältig gefalteten DIN A4-Bogen. Er las ihn. Als er fertig war, faltete er ihn wieder zusammen und schob ihn unter das Foto.

»Wissen Sie, weshalb ich zurückgekommen bin?«

Er drehte das Foto und das Blatt Papier in den Händen.

»Irgendetwas stimmt noch nicht ... Ich weiß nicht was, aber irgendwas ist da ...«

Er wandte den Kopf ab, der Blick plötzlich undurchdringlich. Als machte es ihm Angst da zu sein und noch mehr zu erfahren.

»Ich war Polizist, um solche Dinge herauszufinden.«

Er sagte nichts mehr.

Ich blieb noch einen Moment sitzen, dann stand ich auf.

Er starrte ins Feuer.

Ich sah ihn noch einmal durchs Fenster an, er hatte sich immer noch nicht gerührt. Dieselbe sorgenvolle Stirn.

Ich ging zur *Griffue* hinunter. Er hatte mich an sich gedrückt. Für einen Moment war es da gewesen, dieses Verlangen nach Berührung.

Diese Kraft in seinen Händen. Man umarmt auch Steine, wenn man nichts mehr hat, ich hatte es erlebt.

Ich wollte nicht an ihn denken.

Als ich bei der *Griffue* ankam, stand der Bronzegießer mit seinem Lieferwagen da. Es tat mir gut, jemanden zu sehen. Er brachte zwei in Bronze gegossene Skulpturen, den *Sitzenden Denker* und die *Herumirrende aus den Slums*. Sie stellten die Skulpturen ins Atelier.

Hermann war auch da. Extra gekommen. Es war das erste Mal, dass ich ihn traf. Die Bronzen waren grandios. Er ging um sie herum. Es waren nicht die ersten Skulpturen, die Raphaël hatte gießen lassen, aber es waren die größten.

Hermann sagte, er würde die Skulpturen Ende der Woche abholen. Die Zeichnungen nahm er gleich mit.

Ich ging dicht an das ausgemergelte Gesicht der *Herumir-* *renden* heran, eine Schwester im Elend, ihr offenes Geschlecht, ihre Zerrissenheit. Diese Schamlosigkeit … Wie konnte Raphaël es wagen? Ich wusste nicht, woraus er seine Kraft schöpfte, aus welcher dunklen Quelle das Bedürfnis entsprang, immer tiefer zu graben. Ohne Zugeständnis. Ich hätte gern so zu leben vermocht, wie er seine Skulpturen schuf. Bis aufs Blut, unter die Haut.

Wagen, was ich war.

Sie fuhren alle weg, der Gießer, Hermann. Ich blieb allein im Atelier, legte meine Hände auf die Hände der *Herumirrenden*, deren eingefallene Wangen und leere Lippen mich an die Leere meines eigenen Bauches erinnerten.

An meine Nächte.

Ohne dich.

Meine leeren Nächte.

Diese Frau hatte ihr totes Kind in den Armen gehalten. Sie war mit ihm herumgelaufen. Sie hatte es genährt, bis jemand es ihr entriss. Ein Fetzen. Ein Arm. Wie man dich mir entrissen hatte. Was war mir von dir geblieben? Am Ende hatte ich nicht mehr weinen können. Sie hatten mich schlafen lassen. Stunden. Tage. Eines sonnigen Morgens haben sie die Tür aufgemacht und gesagt, es gehe mir besser.

Ich habe nach dir verlangt. Auf Knien betend, ich, die an nichts glaubte. Sie hatten mich wieder einsperren müssen. Bis du zur Stille wurdest. Ein ewiger Schatten unter meiner Haut.

Ich hob langsam den Kopf. Die *Herumirrende* vor mir schien mich anzulächeln. Sicher waren es die Lichtreflexe in den Falten des Gesichts. Wohin war sie gegangen, nachdem man ihr das Kind genommen hatte? Hatte sie wieder lieben können?

Tränen flossen über meine Wangen. Ich wusste nicht, dass ich weinte.

Trotzdem weinte ich, so salzige Tränen, dass mir übel wurde.

Max saß an ein Holzkreuz gelehnt in der Sonne und ruhte sich aus. Mit dem Finger folgte er den Schatten der Vögel auf den Steinen. Er sah mich kommen.

»Die Wurzeln müssen die richtige Atmung kennen«, sagte er und zeigte auf die Erde, die er unter den Blumen aufgewühlt hatte.

Die Erde der Toten. Wie viele Nächte war ich mit ihrem Geschmack im Mund aufgewacht. Wo waren meine Freunde? Mein Telefon? Es lag irgendwo in einer Tasche, seit Monaten ausgeschaltet. Ich müsste ein paar von ihnen anrufen.

Max zog mich am Ärmel.

»Raphaël sagt, dass es irgendwann keine Sonne mehr gibt, man wacht auf, es ist Morgen, dann ist es Mittag, und es wird Nacht sein.«

Er spuckte auf den Boden.

»Er sagt, dass die Blumen sterben werden.«

Er zog ein Stück Brot aus der Tiefe seiner Tasche und fing an, daran zu knabbern.

»Glaubst du, dass an einem Tag, wenn mein Schiff aufs Meer hinausfährt, Morganes Liebe für mich leben wird?«

Er starrte mich an, der Kopf geneigt, der Blick schräg.

»Raphaël sagt, dass die Sache nicht möglich ist, aber Raphaël ist nicht Morgane, und er hat nicht jedes Wissen.«

Er wartete darauf, dass ich antwortete. Mit den Zähnen kratzte er immer noch an der harten Kruste des Brotes. Er konnte lange so kratzen.

»Ich weiß auch nicht alles, Max. Aber ich glaube, dass das, was du willst, nicht möglich ist.«

Er nickte. Einen Moment lang waren seine Augen weiß, als wären sie ins Innere seines Schädels gerichtet. Ich wusste, dass er Medikamente nahm, um seine Absencen zu unterdrücken.

Ich legte die Hand auf seinen Arm.

»Max?«

Er brauchte Zeit, um wieder zu sich zu kommen. Schließlich rieb er sich die Augen, steckte seine Sachen in die Tasche und zog mich in die Kirche. Er wollte mir zwei Stiche zeigen, den der Vendémiaire und den des U-Bootes, das sie versenkt hatte. Er erzählte mir schon seit einigen Tagen von diesem Unglück, das 1912 geschehen war. Das Kreuz der Vendémiaire stand neben der *Griffue* – eine Erinnerung an die Seeleute, die an jenem Tag umgekommen waren. Max kannte die Geschichte auswendig.

Während wir in der Kirche waren, war Nan gekommen. Wir sahen sie beim Rausgehen. Sie kniete auf dem großen quadratischen Grab und entfernte die welken Blüten aus den Begonientöpfen. Das tat sie jeden Tag, seit sie sieben Jahre alt war. Über Tote gebeugt war sie herangewachsen, alt geworden. Wo war das Kind, das sie aufgenommen hatte?

Max beobachtete sie.

Woran dachte er?

Was wusste er von dem Kind, das von ihr weggegangen war?

Ich hob ein paar Kieselsteine auf und ließ sie von einer Hand in die andere gleiten.

»Erinnerst du dich daran, dass du mir von deinem Freund erzählt hast …«

Er lächelte und nickte lebhaft.

»Und erinnerst du dich an den Tag, an dem er weggegangen ist?«

»Ja … Max war sehr traurig.«

»Und er, war er auch traurig?«

»Ich weiß nicht. Er ist gegangen.«

»Hat er dir gesagt, warum er geht?«

»Nein. Er ist gegangen.«

Nan säuberte immer noch den Stein, sie achtete nicht auf uns.

»Hatte dein Freund noch andere Freunde?«

»Nein, er war der Freund von Max.«

Er runzelte die Stirn, als würde ihm plötzlich etwas einfallen.

»Einmal hat er geweint. Danach ist er gegangen.«

Ich sah ihn an.

»Warum hat er geweint?«

Er folgte immer noch mit den Augen jeder Bewegung von Nan, der Langsamkeit ihrer Schritte.

»Wer hat deinen Freund zum Weinen gebracht?«

»Lili.«

»Lili? Weißt du warum?«

Er schüttelte den Kopf.

Er zeigte mit dem Finger auf Nan.

»Sie hat die Auflösung von ihren Haaren gemacht, dabei ist kein Schiffsuntergangstag.«

Ich sah hin und bemerkte, dass Nans Haare offen flatterten wie an Sturmtagen.

Nachdem ich den Friedhof verlassen hatte, sah ich sie, Lambert und Lili, sie saßen im Hinterhof des Bistros.

Ich wusste nicht, was sie besprachen. Es sah so aus, als würden sie sich streiten. Sie standen noch einen Moment draußen, dann ging Lambert.

Monsieur Anselme hielt neben mir an und kurbelte die Scheibe herunter.

»Ich habe sehr wenig Zeit, aber ich wollte Ihnen Bescheid geben ... Meine Freundin Ursula kommt am Samstag zum Tee zu mir. Wollen Sie sich zu uns gesellen? Ursula ist eine hervorragende Bäckerin, sie bringt immer köstlichen Kuchen mit.«

Er lächelte mir mit einem Augenzwinkern zu.

»Wir könnten uns am frühen Nachmittag treffen. Sie würde Ihnen von der *Zuflucht* erzählen. Nun, was halten Sie davon?«

Ich sagte, dass ich einverstanden sei. Bei schönem Wetter würde ich zu Fuß am Meer entlang gehen.

Er fuhr ein paar Meter, dann hielt er wieder an.

»Was interessiert Sie eigentlich so an der Geschichte von dieser *Zuflucht*? Das ist doch nur ein altes Gebäude! Und diese Kinder, inwiefern ist ihr Schicksal ...«

Ich versuchte ein Lächeln, das genauso strahlend sein sollte wie seins.

»Ich bin wie sie ... Eltern unbekannt.«

Ich hätte es gern leichter, herzlicher gesagt, aber die Worte fielen bleischwer aus meinem Mund. Ich merkte, dass ich rot wurde.

Monsieur Anselme legte die Hand auf meinen Arm.

»Sie müssen sich nicht ...«

Was wollte er sagen? Dass ich mich nicht schämen müsse? Natürlich nicht. Wer würde sich deshalb schämen?

Die Mutter schob ihr Gesicht durch die Streifen des Plastikvorhangs. Sie sah mich hereinkommen und spielte mit den Fingern an den Streifen herum. Sie waren klebrig. Mit all dem imprägniert, was in Form von Dampf aus der Küche kam.

Mit schweren Lidern trat sie auf mich zu. Ihre Tasche trug sie in der Hand.

Ich setzte mich an den Tisch.

Sie nahm auf dem Stuhl gegenüber Platz, senkte die Augen und rieb sanft die Hände aneinander. Sie wartete. Ohne etwas zu sagen.

Lili war noch im Hof. Hinten im Garten. Nach ihrem Streit mit Lambert hatte wohl auch sie das Bedürfnis zu laufen.

»Was wollen Sie?«, fragte ich die Mutter.

Sie antwortete nicht.

Ich erzählte ihr vom Gehöft, ein wenig von Théo, und dann vom Hof, vom Haus. Sie richtete sich langsam auf. Lauschte aufmerksam jedem Wort. Sie machte kein Geräusch, nicht mal mit den Zähnen. Ich beschrieb ihr unsere Gespräche am Küchentisch und Théos Schritt, wenn er mich bis zum Weg begleitete. Ich erzählte ihr nichts vom Dachfenster, auch nicht von dem Umweg, den ich gemacht hatte, um bei Nan vorbeizugehen.

Sie öffnete ihre Tasche und holte das Hochzeitsfoto heraus. Sie zeigte es mir, als wäre es das erste Mal.

Und ich sah es an, als hätte sie es mir noch nie gezeigt.

Sie weinte ein bisschen. Dickflüssige Tränen, die schwerfällig herunterperlten. Am Ende waren ihre Augen wie große Seen.

Ich fand das schön.

Sie holte ein anderes Foto heraus und schob es mir hin. Es war das Bild, das Lili von der Wand genommen hatte.

Ich hatte gerade Zeit, einen Blick darauf zu werfen, dann hörten wir die Küchentür aufgehen und heftig zuschlagen.

Kurzes Stühlescharren. Die Mutter steckte das Foto wieder

ein. Lili war zurück. Ich sah sie von hinten zwischen den Streifen des Vorhangs, etwas stärker gebeugt als üblich.

Es war selten, dass man sie so sah.

Dann bemerkte sie uns.

»Was heckt ihr beiden da aus?«, fragte sie und ging hinter den Tresen.

Wir antworteten nicht.

Die Mutter nahm wieder ihren Platz ein.

Lili holte die Post und warf sie auf den Tisch neben die Kataloge. Sie würde sie später durchsehen. Dann polierte sie die Gläser, obwohl sie schon sauber waren. Sie putzte auch den Tresen.

Sie wartete auf die Gäste. Sie hätte sich gewünscht, dass es voll gewesen wäre.

Sie sagte es. »Was treiben sie denn, kommen sie heute nicht?«

Ein Sammler aus Dinard war ins Atelier gekommen, er hatte zwei Bronzefiguren gekauft, den *Christus am Kreuz* und einen *Bettler*. Er hatte gesagt, dass er den *Bettler* in seinen Garten stellen werde.

Raphaël hatte schon einige Bronzeskulpturen verkauft, aber Exemplare von dieser Größe, das war das erste Mal. Und dann gleich zwei davon!

Mit dem Geld würde er andere Skulpturen gießen lassen. *Die Flehenden*, das war sein Traum. Seit Monaten thronten sie im Atelier, drei Frauen, durch ihre Bäuche miteinander verbunden, die offenen Hände erhoben, die Oberkörper aufgerichtet. Ihre asketischen Gesichter jedes Inhalts entleert. Sie flehten. Raphaël hatte sie gefesselt, die nackten Füße im Sockel versenkt, als wollte er sie aus einem dunklen Grund noch zurückhalten.

Raphaëls Hand strich über den Gips.

»Ich muss sie nur noch signieren.«

Er zog einen Nagel aus der Tasche und suchte eine unauffällige Stelle unten am Sockel.

Schließlich spuckte er auf die Nagelspitze und kratzte den ersten Buchstaben ein, das R von Raphaël. R. Delmate. Er pustete den Staub weg. Die Gravur wurde sichtbar.

Es war das erste Mal, dass ich ihn signieren sah. Er erklärte mir, dass manche Künstler die Bronze direkt signieren würden, mit einer Bohrmaschine, mit einem Gerät, das dem Zahnarztbohrer glich. Doch er mochte das nicht.

Ich sah bis zum letzten Buchstaben seines Nachnamens zu.

»Was ist das für ein Gefühl, deinen Namen in deine Arbeit zu gravieren?«, fragte ich, als er fertig war.

»Ich scheiß auf meinen Namen!«

Er schrieb das Datum, Monat, Jahr, dann rieb er mit der Hand darüber.

»Man muss es machen. Und ich suche immer die unauffälligste Stelle.«

Er stand auf.

»Wenn ich die *Tugend* verkauft habe, lasse ich die *Totennäherin* gießen.«

Er senkte den Kopf.

Sein Auto stand im Hof, der offene Kofferraum war voll mit Decken und Kartonstücken. Er rief Max, gemeinsam luden sie die Gipsfiguren ein.

Dann ging Max zu seinem Boot zurück. Er versah den Rumpf mit einer letzten Farbschicht, ein sehr dunkles Grün, fast schwarz.

»Du solltest eine Atemschutzmaske tragen«, sagte ich.

Alle sagten es ihm.

Raphaël auch.

Er tat es nicht.

Am späten Nachmittag sahen wir Max in die Küche kommen, er hielt sich den Kopf mit beiden Händen. Morgane löste zwei Tabletten in einem Glas Wasser auf.

»Wir haben dir gesagt, du sollst eine Maske tragen …«

Sie rührte mit einem Löffel um, der Wasserwirbel riss die festen Teilchen mit.

»Trink!«, sagte sie, weil er sie ansah, anstatt zu trinken, und die Aspirinteilchen schon wieder auf den Boden des Glases sanken.

Sie musste nochmal umrühren.

»Jetzt trinkst du aber.«

Am nächsten Tag strich Max den Rumpf zu Ende. Er musste nur noch die Kabinentür lackieren und die Buchstaben von *La Marie-Salope* nachziehen. Wenn er damit fertig war, würde er in See stechen können.

Er weinte fast vor Freude. Er hatte den Motor und alle Gerätschaften auf dem Boot überprüfen lassen. Ein offizielles Dokument bestätigte, dass die *Marie-Salope* wirklich aufs Meer hinausfahren und der Strömung trotzen konnte.

Er trug das Dokument immer bei sich.

Bei der Farbe, mit der er den Namen nachzeichnen wollte, zögerte er noch. Er wollte eine Farbe, die zum Meer passte.

Er fragte mich, welche Farbe das Meer habe, und ich sagte ihm, dass das Meer manchmal blau sei. Sehr oft sei es auch braun. Aber es komme auch vor, dass es schwarz oder metallisch sei oder die Farbe des Himmels annehme, und dann wisse man nicht mehr genau, was seine Farbe sei.

Max beschloss, die Buchstaben grün zu schreiben, weil Grün zu allen Farben passte, die ich genannt hatte, auch zu den undefinierbaren Farben des Himmels.

Er fragte uns nach unserer Meinung. Raphaël gab ihm eine Farbtube und einen Pinsel, und Max zeichnete die Buchstaben nach, ohne zu zittern.

Am selben Tag, vielleicht auch am nächsten, wurde die Bachstelze acht Jahre alt. Raphaël schenkte ihr eine große Kiste mit Bleistiften, Filzstiften und Pastellkreide. Als sie das sah, blieb sie lange mit der offenen Kiste auf dem Schoß sitzen, ohne etwas anzurühren.

Nach einer Weile machte sie den ersten Filzstift auf und roch an der Mine. Sie malte ein paar Striche auf das helle Holz der Bank, auch ein paar auf ihren Handrücken. Dann kippte sie die Kiste aus und steckte alles in ihre Taschen, die Stifte, den Radiergummi, die Kreide. Sie drückte das Heft an sich, das auch in der Kiste gelegen hatte, umarmte Raphaël und ging, ohne zu sagen wohin.

Am nächsten Tag war die Kleine wieder da, im Flur. Von irgendwoher gekommen, in diesem viel zu großen Mantel, dessen Taschen nun ihren Schatz bargen.

Mit zerzausten Haaren, ein Arm am Körper herabhängend, fing sie an, auf die Mauer zu zeichnen. Ein schwarzer Strich, wie ein Ariadnefaden, eine dunkle Wellenlinie, die die Kleine um das Türschloss herum und nach draußen zog, wo sie das Weiß des Fensterladens teilte. Als die Kleine den Pastellstift wechselte, wurde das Schwarz braun. Die kleinen Papierhüllen, die um die Kreidestäbchen gewickelt waren, blieben im Gebüsch an den Dornen hängen.

Der Abdruck ihrer Schuhe in der lockeren Erde.

Kleine glänzende Gräser wuchsen entlang der Mauer, herzförmige Pflanzen, deren Blätter von einer feinen Schicht Gift bedeckt waren. Überall unter den Blättern lag totes Getier, Fliegen, Bienen, Schmetterlinge. Zu Dutzenden lagen sie da, zusammengekrümmt, wo der Tod sie überrascht hatte. Einige waren schon verwest. Niemand hatte mir je den Namen dieser Pflanze sagen können, aber ich wusste, dass sie aus dem Humus dieser Verendeten die Energie schöpfte, um ihre Wurzeln zu stärken.

Die Bachstelze zeichnete auch auf den Bootsrumpf. Herzför-

mige Blumen und Sonnen. Ich fragte mich, was Max sagen würde, wenn er die Zeichnung sah.

Und auch, was mit der Zeichnung passieren würde, wenn das
Boot aufs Meer hinausfuhr. Die Kleine hatte die Filzstifte beim
Boot liegen lassen, Buntstifte mit abgebrochenen Minen, ein
paar Kappen, auch die leere Kiste mit der Plastikeinlage.

Eines Morgens dann war alles verschwunden.

Am Sonnabend fuhr ich nach Omonville. Es regnete. Ich stellte Raphaëls Auto auf dem Parkplatz neben der Kirche ab. Monsieur Anselme erwartete mich mit Ursula, sie saßen unter dem Glasdach.

Er freute sich, mich zu sehen. Er nahm meine Hand.

»Wir haben Sie erwartet.«

Ursula hatte sehr kurzes Haar, tiefschwarz. Leuchtende Augen. Sie drückte mich liebevoll an sich und ließ mich neben sich Platz nehmen.

Monsieur Anselme goss Orangeade in die Gläser und schnitt drei Stück Kuchen ab. Im Teig waren Feigen, offenbar kandiert.

»Schmeckt es Ihnen?«

Zarte Körner knackten zwischen meinen Zähnen. Ich lächelte. Es war köstlich. Während wir aßen, sprachen wir vom Garten und vom friedlichen Leben in Omonville, das ein so spezielles Klima hat, dass hier keine Pflanze je zu erfrieren scheint. Dieses Dorf glich einer Oase des Friedens, weit genug vom Toben des Meeres entfernt und nah genug, um seine Energie zu empfangen.

Ursula blieb zurückhaltend.

Monsieur Anselme lächelte.

Ursula erzählte ein wenig, wie es früher in Omonville gewesen war, und auch von der *Zuflucht*. Sie sprach davon, wie die Kinder gelebt hatten.

»Wissen Sie, das war eine besondere Zeit, die Dinge waren einfacher als heute.«

Sie trug einen großen Ring mit einem riesigen Stein am Finger, den sie drehte, wenn sie sprach.

Sie sah uns an, Monsieur Anselme und mich.

»Ich habe niemals jemanden Kinder so sehr lieben sehen, wie Nan sie liebte. Man hat sie viel kritisiert, aber die *Zuflucht* ist allein ihr zu verdanken. Sie hat dafür gekämpft. Die Kinder kamen zu uns, eins elender als das andere. Mit den wenigen Mitteln, die sie zur Verfügung hatte, hat sie ihnen ein Nest gebaut.«

»Und Théo?«

»Théo, mal kam er, mal kam er nicht … Er musste den Leuchtturm hüten. Und außerdem war die Mutter nicht gerade einfach. Sie mochte es nicht, dass er in die *Zuflucht* kam.«

»Das muss man verstehen«, sagte ich.

»Warum? Das ist doch verdammte Kirchenmoral, wohlfeile Anständigkeit! Es gab abscheulichen Klatsch über Nan. Gibt es immer noch. Man darf nicht darauf hören. Sie hätten beide ordentliche Arbeit geleistet, wenn man sie in Ruhe gelassen hätte.«

Sie sagte es sehr heftig. Danach wollte sie nicht mehr über Théo sprechen.

Aber ich ließ nicht locker.

»Warum hat er nicht alles hingeschmissen, wenn er sie so geliebt hat?«

Sie lächelte kurz.

»Man hätte ihnen das Leben zur Hölle gemacht, deswegen! Die Mutter stammte aus dem Dorf, ihre Familie lebt seit Jahrhunderten dort. Nan trägt das Kreuz ihrer Familie, sie näht die Leichentücher. Sie lebt zwischen zwei Welten, manche behaupten sogar, sie habe den bösen Blick …«

Ursula strich sich mit der Hand durchs Haar.

Monsieur Anselme sagte gar nichts. Er hatte seinen Stuhl ein Stück vom Tisch abgerückt und hörte uns zu.

»Nan wusste, dass sie keine Kinder bekommen würde, und als dann Michel kam, wie soll ich es Ihnen erklären … Dieser Junge war wie eine Larve, es war unmöglich, ihn aufzupäppeln! Man konnte ihm noch so viel zu essen geben, die besten Sachen … Sobald man seine Hand losließ, rannte er zum Meer. Wer weiß warum! Am Ende haben wir ihn laufen lassen. Ich fand ihn immer am selben Ort, er saß auf einem Stein. Ich weiß nicht, ob er traurig war, wenn ich ihn holte. Ich bin mir auch nicht sicher, was er getan hätte, wenn ich nicht gekommen wäre.«

Sie rieb eine Haarsträhne zwischen den Fingern.

»In einem Winter hat es fürchterlich geschneit, die Fenster waren vereist. Die Kleinsten machten ins Bett, und die nassen Laken wurden steif.«

Sie erzählte von dem schrecklichen Winter, vom Essen, das knapp geworden war, von warmen Suppen und kalten Zimmern. Von dem Geruch nach gekochtem Kohl, der überall in den Fluren gehangen hatte, als wären die Wände damit imprägniert gewesen.

»Erinnern Sie sich daran, wann Michel in die *Zuflucht* gekommen ist?«

Sie schüttelte den Kopf.

»Nein. Ich hatte gerade meine Jüngste geboren. Als ich die Arbeit dann wieder aufgenommen habe, war er schon seit einer Woche da, vielleicht auch zwei.«

Sie überlegte. Während sie erzählte, kamen stückweise die Erinnerungen zurück.

»Als ich ihn zum ersten Mal gesehen habe, saß er im Hof in der Sonne. Wir wussten nichts von ihm, nur, dass man ihn in Rouen auf einem Haufen Lumpen gefunden hatte. Wir kannten nicht einmal seinen Namen …«

Sie trank einen Schluck Orangeade und stellte das Glas hin.

Ich sah sie an.

»Es heißt, Nan habe Spielsachen aus dem Haus der Familie Perack gestohlen …«

Sie lachte böse, versuchte es aber nicht zu leugnen. Sie hätte auch schweigen können.

Stattdessen sah sie mich an, sehr direkt.

»Na und? Was ist schlimm daran? Wem nutzten diese Spielsachen denn noch? Die Kinder mussten mit etwas spielen.«

»Warum hat sie sie nachts geholt?«

»Hier macht man alles nachts, so ist es eben. Waren Sie je in der *Zuflucht*?«

»Ja.«

Sie sah uns an, Monsieur Anselme und mich.

»Warum suchen Sie dieses Kind eigentlich?«

»Ich suche es nicht …«

Auch ich hatte Heime kennengelernt. Und alle glichen sie der *Zuflucht*, rochen nach feuchter Wäsche und schmutzigen Windeln. Es war das erstickend enge Zusammenleben gewesen, das mich so einsam gemacht hatte.

»Es ist nur, weil ich auch so geboren bin … Ohne Eltern, mit niemanden.«

Das sagte ich. Sie sah mich an, und ich versuchte zu lächeln. Sie nickte. Wir schwiegen. Sie verstand.

Sie erzählte weiter.

»Nan hatte ihm ein Zimmer neben ihrem eingerichtet, in ihrem Haus, aber er schlief lieber bei den anderen. Manchmal stand er nachts auf und ging barfuß in den Schlafraum.«

Monsieur Anselme füllte erneut unsere Gläser.

Ich hörte Ursula zu. Mir gefiel ihre präzise Art zu erzählen, als wollte sie uns etwas sehen lassen. Die zarte Gestalt des Kindes, das dicht an der Wand durch die Flure ging, die Füße im Staub, Nans traurige Augen, wenn sie morgens das Bett leer vorfand. Die Tür, die er aufmachen musste.

»Max war sein Freund, ja?«

Ursula nickte.

»Ja ... Vor allem als sie klein waren, aber auch später, als Michel in die Mittelschule gegangen ist, haben sie noch Kontakt gehalten.«

»Und Sie wissen nicht, wohin er dann gegangen ist?«

»Nein. Er verschwand ein paar Wochen nach seinem siebzehnten Geburtstag.«

Sie drehte den Ring an ihrem Finger.

»Er ist sicher nach Rouen gegangen ... Und dann woandershin. Er hat wohl seine Familie gesucht, zumindest haben wir das gedacht. Es gab nicht viele Orte, an denen er suchen konnte.«

Sie legte ihre Hände aneinander.

»Ich war ihm böse ... Nicht, weil er gegangen war, nein, das konnte ich verstehen, aber dass er uns so zurückgelassen hat, ohne sich je zu melden.«

Ihre Stimme zitterte. Man spürte ihre Erregung.

»Das ist jetzt mehr als zwanzig Jahre her ... Nan hat seine Sachen in einer kleinen Schachtel aufbewahrt, das, was er anhatte, als man ihn gefunden hatte ... Als ich das letzte Mal bei ihr war, hat sie sie mir noch gezeigt.«

Sie sah mich lange an.

Sie sagte, dass diese Kinder schwerer zu verstehen seien als die anderen, sie kämen, wie sie gingen, man wisse nicht, warum und woher sie kämen. Man müsse sie einfach aufnehmen.

Haben diese Kinder mehr Angst als die anderen? Ich hatte einen Kloß im Hals. Ich konnte nicht mehr sprechen. Monsieur Anselme legte die Hand auf den Arm seiner Freundin.

»Und Théo, wie verstand er sich mit dem Jungen?«

»Gut. Sehr gut sogar. Obwohl er adoptiert war, war er doch Nans Sohn ... Es gab etwas sehr Starkes, das sie verband. Wenn Théo nicht auf dem Leuchtturm war, verbrachte Michel die Tage bei ihm auf dem Gehöft. Das Haus durfte er nicht betreten, aber in die Ställe ging er.«

Sie wandte den Kopf ab und sah nach draußen, ihre Augen ruhten einen Moment lang auf den Blumen, die in dichten Büschen vor der Glaswand wuchsen.

»Man kann sagen, was man will, aber er hätte mit Nan Kinder haben sollen.«

Sie wandte sich uns wieder zu.

»Als Michel weggegangen ist, wurde alles anders. Nan interessierte sich nicht mehr für die Kinder. Sie hat sie in Familien unterbringen lassen, alle, eins nach dem anderen. Wie sich die Betten leerten, es zerriss einem das Herz ... Eines Morgens, nachdem der Letzte gegangen war, hat sie die Fensterläden der *Zuflucht* geschlossen.«

»Und Sie?«

»Ich ...«

Es hatte wieder zu regnen begonnen, dicke Tropfen fielen auf das Dach der Veranda. Ursula sah auf die Uhr. Es war schon spät. Wir hatten lange geredet.

Wir standen alle drei gleichzeitig auf.

Ihr Auto hatte sie ganz in der Nähe geparkt. Ich begleitete sie dorthin. Als sie schon am Steuer saß, fragte ich sie, ob sie sich an den Nachnamen des Kindes erinnere.

Sie sah mich an, sie brauchte nicht nachzudenken, sicher wusste sie, dass ich ihr diese Frage stellen würde. Sie war darauf vorbereitet.

»Er hieß Lepage, Michel Lepage.«

Ich blickte dem Auto hinterher. Der Regen fiel auf meinen Rücken. Ich hatte das Gefühl, alles sei gut.

Ich hatte also nicht umsonst nachgefragt. Die Briefe, die Théo erhielt, waren tatsächlich von dem Kind, das Nan aufgenommen hatte. Ein Kind, das erwachsen geworden war. Wie alt mochte er sein? Vierzig?

Max war auch eine Zuflucht für Michel gewesen.

Wie du meine warst. Die ganze Zeit, die ich dich gekannt habe. Geliebt.

Ich folgte der Bewegung der Scheibenwischer. Durch die Frontscheibe sah ich aufs Meer hinaus. Ich fuhr nicht los, auch nicht, als es aufhörte zu regnen.

Die Briefe, die ich bei Théo gesehen hatte, waren von einem Kloster abgeschickt worden. War Michel Mönch geworden? Er schrieb an Théo, und trotzdem schien Nan nicht zu wissen, wo er war.

Ich fuhr ins Dorf.

Die Straße war gesperrt. Überall klebten Plakate an den Türen, die für den Abend ein Fest ankündigten. Ich ließ Raphaëls Auto an der Straße vor dem Waschhaus stehen.

Seit Tagen wartete das Schaf, den Blick auf den Boden gerichtet, in einem kleinen Gatter auf den Tod. Als sie es auf den Platz führten, kam ich gerade an. Ich sah die Kinder, die sich an die Hauswand pressten. Die Hunde heulten.

Sie töteten es. Eine Stunde später trocknete seine Haut über dem Zaun, und abends drehte Max den Spieß. Er hatte die Woche damit verbracht, die Kirchenfenster zu putzen, aber weil es dunkel war, konnte man es nicht erkennen. Man hätte die Lichter in der Kirche anzünden müssen.

Eine kleine Gruppe von Musikern stand auf einem Podest. Die Kinder tanzten. Auch einige Paare. Die Bachstelze stand mit zwei anderen Mädchen abseits, sie zeigten sich, was sie in den Taschen hatten. Ich spazierte zwischen Leuten herum, die ich nicht kannte. Ich berührte sie fast. Sie unterhielten sich. Sie hatten eine gemeinsame Geschichte.

Als ich zur *Griffue* hinuntergehen wollte, verließ Lambert gerade sein Haus. Er schlich an der Tanzfläche entlang und verschwand einen Moment hinter den Tänzern. Er lief auch an mir vorbei, berührte mich fast. Doch sein Blick ging in eine andere Richtung. Er sah mich nicht.

Ich hätte eine Bewegung machen können, er hätte sich umgedreht. Vielleicht. Aber ich presste mich noch fester an die Wand.

Ich gehöre zu den Leuten, die man nicht sieht. Nicht hübsch genug. Sicher auch nicht hässlich genug. Irgendwas dazwischen. Schon als ich jung war, tanzten auf den Überraschungspartys immer die anderen.

Er lief ein zweites Mal an mir vorbei.

Ich kaufte ein Tombola-Los und eine Waffel mit Puderzucker. Das Los steckte ich in die Tasche. Und dann kam er. Von der Seite.

»Sind Sie schon lange da?«

Ich antwortete, dass ich gerade erst gekommen sei. Er berichtete mir, dass er das Glas im Rahmen erneuert und das Foto wieder auf das Grab gelegt habe.

Er kaufte sich auch eine Waffel, weil ihm meine Appetit machte. Morgane war auf der Tanzfläche, sie tanzte mit einem Jungen. Sie trug ein schwarzes Shirt, die Schultern trotz der Kälte nackt, die Ratte kauerte in ihrem Nacken.

Ich sah sie an.

Lambert sah sie auch an.

»Menschen, die einander begehren, werden immer schöner. Das macht Lust zu begehren, nur um so schön zu sein wie sie.«

Das sagte er.

Er aß weiter seine Waffel. Irgendwann fragte er mich, ob ich mit ihm tanzen wolle, es war fast niemand mehr auf der Tanzfläche. Ich sagte, dass ich nicht gern tanzte, und er sagte, er auch nicht, aber das sei schließlich ein Tanzfest.

Daraufhin aß er seine Waffel auf, nahm meinen Arm und zog mich auf die Tanzfläche. Er drückte mich an sich.

»Lili wusste es …«, flüsterte er mir ins Ohr.

»Was wusste sie?«

»Von ihrem Vater, dass er den Leuchtturm ausgeschaltet hat.«

Ich spürte seine Hände auf meinem Rücken. Ich wusste nicht, wohin ich meine legen sollte.

»Entspannen Sie sich, alle sehen uns zu.«

Er sagte es, ohne den Blick von der Tanzfläche zu heben. Er tanzte gut, ich war sicher, dass er gelogen hatte, als er sagte, er würde nicht gern tanzen. Andere Paare gesellten sich zu uns.

»Haben Sie sich deswegen gestritten?«, fragte ich.

»Haben Sie uns gesehen?«

»Von der Straße aus, ja.«

Morgane hörte auf zu tanzen und verschwand mit dem Burschen in einer Gasse. Sie winkte mir kurz zu.

Alle Mädchen um uns herum waren schön. Sie hatten sich Kreppblumen ins Haar gesteckt.

»Kennen Sie die Geschichte von den beiden roten Fischen, die gemeinsam in einem Glas im Kreis schwimmen?«

Ich schüttelte den Kopf.

»Nun, sie drehen sich und drehen sich ... Und nach einer Weile hält der eine an und fragt den anderen: Was machst du eigentlich am Sonntag?«

Darüber musste er lachen.

Im ersten Moment fand ich es blöd, aber dann lachte ich auch. Ich war immer noch in seinen Armen. Um uns herum suchten die Jungen die Mädchen, und die Mädchen erwarteten die Jungen. Burschen von sechzehn Jahren drückten sich an fünfzehnjährige Gören, und sie schworen einander, sich ein Leben lang zu lieben. Sie schworen es mit geschlossenen Augen.

Ich beneidete sie.

Die Musik verstummte.

Wir verließen die Tanzfläche. Lambert zündete sich eine Zigarette an.

»Ich gehe nach Hause«, sagte ich.

Er hielt mich am Arm fest.

»Ich habe Ihnen doch gesagt, dass irgendwas nicht stimmt. Als ich zum letzten Mal hier getanzt habe, war ich dreizehn, es war im Sommer.«

»Und was stimmt daran nicht?«

»Nein, das meine ich nicht. Aber in jenem Sommer trug meine Mutter ein weißes Kleid, und mein Vater tanzte mit ihr. Ich erinnere mich an das Kleid meiner Mutter, aber nicht an ihr Gesicht. Ich habe ihre Stimme vergessen … Manchmal träume ich nachts von ihr und sehe sie vor mir. Ich sehe sie, wie sie früher war, als würde der Tod nicht existieren.«

Ich blieb neben ihm stehen. Er rauchte und beobachtete ein Paar, das sich küsste.

»Da, wo ich früher gearbeitet habe, gab es eine junge Frau, die immer Ja gesagt hat, wenn man sie um einen Kuss bat. Das war gut.«

Das sagte er. Nachdem er von seiner Mutter gesprochen hatte.

Die Musik hörte wieder auf, alle erstarrten plötzlich auf der Tanzfläche. Jemand verlangte Ruhe, weil die Ziehung der Tombolagewinne stattfinden sollte. Der Pfarrer gewann das Schaffell. Das war der Hauptgewinn. Er stieg auf das Podest, um es sich zu holen, und sagte, er würde es vor sein Bett legen.

Es gab noch andere Gewinne.

Ich gewann eine handgestrickte Weste. Aber ich holte sie nicht ab. Ich behielt das zerknitterte Los in der Hand. Sie riefen die Nummer mehrmals ins Mikrofon und musterten aufmerksam die Leute in der Menge. Dann riefen sie den nächsten Gewinn aus. Die Weste blieb auf dem Podest liegen. Ich spreizte die Finger. Das Los fiel auf die Erde.

Lambert beugte sich zu mir.

»Nicole hieß das Mädchen, das mich geküsst hat. Nicht sonderlich hübsch der Name, finden Sie nicht? Sie selbst war auch nicht sehr hübsch, deshalb passte der Name gut zu ihr.«

Er sagte es und stellte den Fuß auf mein Los.

Die Musik fing wieder an zu spielen. Kinder rannten an uns vorbei. Es waren viele Leute da, zu viele plötzlich.

Er zeigte auf sein Haus.

»Von der Dachluke da oben sieht man das Meer.«

Das sagte er. Von der Dachluke da oben.

Wir sahen uns an. Fünf Minuten später waren wir in seinem Garten und schlüpften ins Haus. Wir machten nicht einmal Licht.

Die Tür, die nach oben führte, knarrte. Lambert ging vor. Ich folgte ihm. Man konnte nichts sehen. Wir stießen mit den Füßen gegen die Stufen. Darüber mussten wir lachen.

Wir lachten leise.

Es war lustig, so hochzusteigen, ohne etwas zu sehen. Die Geräusche von draußen drangen durch die Wände, Knaller, so laut, als würde man sie im Hof unter dem Fenster zünden.

Im Zimmer stieß er gegen etwas und fluchte. Er tastete sich weiter und drückte das Dachfenster auf. Von draußen fiel Licht auf sein Gesicht. Ich sagte: »Bei Théo gibt es auch so eine Dachluke.« Die Luft war feucht. Wir beugten uns vor und sahen auf der Straße direkt unter uns die Tänzer und Musiker, und in der Ferne das Meer.

Das Licht des Leuchtturms.

Wieder die Tänzer.

Wir fühlten uns wohl. Weit oben. Die Versuchung war groß sich einzubilden, hier könnte man zufriedener sein oder freier als woanders. Auch stärker.

»Wissen Sie, dieser Mann, den Nan sucht ...«

»Später ...«

»Nein, jetzt.«

Er trat zurück. Sah mich an.

»Jetzt? ... Na gut.«

Er setzte sich irgendwo im Raum hin. Ein Bettgestell knarrte. Ich blieb neben der Luke stehen.

»Dieser Mann, ich weiß, wo er ist.«

Ich erzählte ihm von meinem Gespräch mit Ursula. Von der *Zuflucht*, von den Briefen, die Théo aus dem Kloster erhielt. Von dem Kind, das weggegangen war, ohne dass jemand wusste weshalb.

Ich sprach, ohne ihn zu sehen. Irgendwann nahm ich kurz den roten Schein einer Flamme wahr, als er sich eine Zigarette anzündete.

Ich wartete darauf, dass er etwas sagte, aber er sagte nichts.

Auch ich schwieg.

Schließlich stand er auf und schloss das Fenster. Ich hörte das Geräusch, den kleinen Eisenhaken und das Rascheln seiner Jacke.

Wir saßen wieder im Dunkeln. Unsere Augen hatten sich daran gewöhnt. Wir konnten die Umrisse unserer Gesichter erkennen, ein bisschen.

Er blieb einen Moment reglos neben mir stehen, dann sagte er: »Ich glaube, dass uns diese Geschichte nichts angeht.«

Weiter sagte er nichts.

Er begleitete mich zur Tür.

Inzwischen gab es keine Musik mehr. Keine Tänzer. Die Leute liefen alle in Richtung Hafen, um das Feuerwerk zu bewundern, das über dem Meer abgeschossen werden sollte. Wir blieben auf der Schwelle stehen und sahen die Leute vorbeigehen.

»Kommen Sie nicht mit?«

Er schüttelte den Kopf.

Er wollte sich schlafen legen, in einem der Zimmer, in neuer Bettwäsche, die er in Cherbourg gekauft hatte.

Als ich am Zaun war, rief er mich zurück.

»Dieses Foto, von dem Sie gesprochen haben, das im Bistro

angepinnt war, Sie haben doch gesagt, dass Lili es für Sie raussuchen wollte.«

»Ja.«

»Aber sie hat es nicht getan?«

Ich sah ihn an.

»Nein«, antwortete ich. »Es ist in der Handtasche der Mutter.«

»Haben Sie nicht versucht, es an sich zu nehmen?«

»Nein. Warum hätte ich das tun sollen?«

Er nickte, und ich ging in Richtung Hafen.

Ich folgte den Leuten, die die Straße entlangliefen. Die meisten waren mit Familie, mit Kindern da. Eine kleine laute, glückliche Menge.

Ich blieb am Bauernhof stehen, um nicht zwischen sie zu geraten. Vor der Stalltür lag ein krankes Schaf. Der Vater der Bachstelze hatte es von den anderen getrennt. Seit zwei Tagen war es mit einem Strick an einem Haken festgebunden. Die Katzen schlichen um das Schaf herum.

Die Sau mied es, weil es nach Tod roch. Das mochte sie nicht.

Um Mitternacht schossen sie das Feuerwerk ab. Junge Leute in ihren Booten warfen Blumen aufs Wasser. Die Wellen bewegten die Blumen. Scheinwerfer strahlten sie an. Es war eine milde Nacht.

Ich wusste nicht, ob ich mich wohlfühlte.

Ich fühlte mich allein.

Eine Weile hielt ich mich am Hafen auf, dann ging ich nach Hause. Noch spät in der Nacht hörte ich das Akkordeon, die Tanzmusik auf dem Platz hatte wieder eingesetzt, und ich sagte mir, dass Lambert bestimmt nicht schlafen konnte.

La Hague, ein paar Stunden vor dem Regen. Gewitterwetter. Meine Haut ahnt den Geruch des Schwefels. Sie spürt die Blitze kommen, Stunden, bevor sie zu sehen sind.

Ich stand spät auf, unfähig, mich vom wohligen Bett loszureißen.

Max war am Unterstand, bei seinem Boot. Er würde das Meer nehmen, hatte er gesagt. Es war nur noch eine Frage von Tagen.

»Bringst du mich dann zum Leuchtturm?«, fragte ich ihn und beugte mich aus dem Fenster.

Er schaute hoch.

»Die Strömungen haben die Gefährlichkeit von Klingen. Niemand fährt dorthin.«

»Gab es nicht doch Leute, die früher hingefahren sind?«

Er kratzte sich das Kinn und starrte zum Leuchtturm. Die Strömungen waren schwarz, wie ausgespien von der Nacht.

»Muss Raphaël fragen.«

Als ich zu ihm kam, räumte er gerade das Werkzeug auf, mit gesenktem Kopf.

»Ich frage immer alles Raphaël.«

Ich bedrängte ihn nicht weiter.

Ich ging an den Strand. Ein kleiner Vogel mit gelbem Schnabel pickte Sandflöhe.

Der einsame Abdruck meiner Sohlen.

Mein lächerlicher Schatten auf der Straße.

Morgane kam mir entgegen.

»Warum gehst du nicht weg von hier?«, fragte sie irgendwann.

Ich zögerte.

»Es geht mir gut hier … Die paar Quadratkilometer reichen mir.«

Ich log. Sie reichten mir nicht. Sie reichten mir nicht mehr.

»Und du?«

»Ich gehe niemals ohne Raphaël.«

»Der Mann, mit dem du auf dem Fest warst, wer war das?«

»Er kommt aus Beaumont. Da läuft nichts.«

Wir liefen am Kai zurück. Das Meer stieg. Wir hörten das Wasser plätschern.

»Der Typ, für den ich arbeite, sagt, wenn ich will, kann ich mir irgendwann ein Moped kaufen und in seiner Boutique in Cherbourg Kleider verkaufen.«

»Hast du einen Führerschein?«

»Nein, aber ich kann fahren.«

Ich sah sie an. Der Wind blies ihr das Haar ins Gesicht. Eine kleine Speichelblase hing an ihrer Lippe. Sie war schön. Ich war überhaupt nicht eifersüchtig. Unter anderen Umständen wäre mir ihre Jugend sicher unerträglich gewesen.

»Warum siehst du mich so an?«

»Du bist schön.«

»Ich werde alt«, sagte sie und verzog das Gesicht.

»Von wegen!«

»Ich werd dreißig, kannst du dir das vorstellen?«

Darüber musste ich lachen. Sie sah an sich herunter.

»Ich müsste trotzdem ein bisschen abnehmen … Meinst du nicht?«

»Ich weiß nicht.«

»Ich auch nicht, eben, und solange ich es nicht weiß …«

»Es wird regnen«, sagte ich.

Sie schaute zum Leuchtturm. Schließlich gingen wir durch den Garten ins Haus.

Sie holte die Ratte aus der Jackentasche und setzte sie aufs Sofa.

»Es wird nicht regnen.«

»Aber der Himmel ist so grau.«

»Grau heißt nicht Regen.«

Sie setzte sich an den Tisch, kontrollierte ihre letzte Krone und verbesserte hier und da noch ein paar Stellen. Sie hatte keine Lust zu arbeiten. Sie sagte es: »Ich hab die Nase voll von dem Job!«

Sie stellte sich ans Fenster.

Die Ratte kletterte auf den Tisch und legte sich in die Schachtel. Ich nahm eine Perle heraus. Die Ratte bleckte die Zähne.

»Jetzt regnet's«, sagte Morgane.

Sie drehte sich zu mir um.

»Du warst gestern mit ihm zusammen …«

»Ja.«

Sie griff nach ihrer Krone.

»Was habt ihr gemacht?«

»Nichts.«

Sie biss einen Faden durch, fädelte mehrere Perlen hintereinander auf und verknotete die Fäden. Haarsträhnen hingen ihr ins Gesicht. Sie schob sie nach hinten, aber die Strähnen waren widerspenstig, sie fielen wieder nach vorn. Ich sah sie gern an, ihre Hände in den Perlen.

Dann legte sie das Diadem weg, senkte die Augen und betrachtete ihre Hände. Ihre Nägel mit der roten Haut.

»Manchmal sag ich mir, dass ich hier weg muss.«

Ihre Augen füllten sich mit Tränen, waren einen Moment überschwemmt, dann liefen die Tränen. Sie wischte sie mit dem Ärmel weg. Sie waren ganz plötzlich gekommen. Auch auf dem Tisch waren Tränen.

Sie wollte alles mit einem Lächeln auslöschen.

»Ohne ihn kann ich überhaupt nichts machen.«

Was konnte ich ihr antworten? Ich wollte die Hand auf ihre legen, aber sie zog sie weg. Sie wollte nicht, dass ich sie berührte. Die meisten glauben, dass man ohne den anderen nichts mehr machen kann. Und dann geht der andere, und man entdeckt, dass man eine Menge Sachen machen kann, die man sich nicht vorgestellt hätte. Andere Sachen, aber es wird nie mehr so sein wie vorher. Ich versuchte, ihr das alles zu erklären – dass man trotzdem weitermachen konnte.

Sie schniefte.

Ich sprach von dir.

Die Erinnerung an dich ist wie eine Nadel, die tief in meinem Fleisch steckt. Manchmal vergesse ich dich. Und dann genügt eine Bewegung, eine falsche Regung, und der Schmerz kommt zurück, heftig.

Manchmal ist der Schmerz auch nicht da, und dann suche ich ihn. Ich finde ihn, ich wecke dich auf.

Der vertraute Schmerz.

Man tröstet sich auch mit Tränen.

Morgane trocknete sich die Augen. Sie lächelte mühsam.

Plötzlich ging die Tür auf, es war die kleine Bachstelze. Sie hatte Regen abbekommen. Im Flur hatte sie Raphaëls Pullover gefunden und ihn angezogen. Der Pullover war ihr viel zu groß. Er ging ihr bis zu den Waden. Ihr Kopf war im Kragen versteckt. Sie kam von einem Fuß auf den anderen schwankend auf uns zu und streckte die Arme aus. Ich hörte ihren Atem durch die Maschen.

Morgane holte ein Paket Kekse aus dem Schrank und rief Raphaël zu uns. Er wollte nicht von seiner Arbeit sprechen, wollte uns nichts darüber sagen, was er gerade machte.

Er legte die Hand auf den Kopf der Bachstelze und fragte: »Was machst du denn in meinem Pullover?«

Er sagte uns, dass in zwei Tagen ein Journalist der Zeitschrift *Beaux-Arts* vorbeikommen würde, um sich seine Werke anzusehen.

Am Nachmittag ließen sie Max' Boot zu Wasser. Es schwankte, als es das Wasser berührte. Wir hatten Angst.

Und dann schwamm es.

Ein Boot zu Wasser lassen, das passiert nicht jeden Tag, deshalb kamen die Leute aus dem Dorf, um zuzusehen. Nicht alle kannten wir.

Der Wirt hatte Krabben gegrillt. Lili brachte Sandwiches. Sie schenkte in Plastikgläsern Sekt aus. Sie hatte die Haarfarbe gewechselt, ein etwas zu rotes Rot, im Nacken waren noch Farbspuren.

Wir standen alle am Kai und stießen auf guten Wind für die *Marie-Salope* an.

Morgane machte ein Foto von Max mit den Fischern und dann noch eins von ihm auf dem Deck seines Bootes. Die neue Farbe glänzte in der Sonne.

Lambert war auch da.

Er suchte einen Mülleimer, einen Abfallsack, irgendwas, um sein Glas wegzuwerfen. Als er nichts fand, behielt er es in der Hand.

Er kam zu mir.

Wir sahen uns nicht an. Wir sahen zu dem Boot, zu Max aufs Meer. Auch die Mutter war da, sie war im Auto hergekommen.

Sie konnte sich nicht entscheiden, ob sie sitzen oder stehen wollte. Sie riss die Augen auf, schließlich sah sie das Meer nicht oft.

Lili schenkte Glühwein aus. Orangenstücke schwammen darin. Und Zitronenscheiben. Sie füllte unsere Gläser, meins und danach das von Lambert.

Lambert hielt sie am Arm fest.

»Da hing ein Foto bei dir an der Wand.«

Sie hob den Kopf.

»Wovon sprichst du?«

»Du hast es abgenommen. Ich würde es gern sehen.«

Lili sah ihn fast brutal an. Und dann mich.

Ich wandte den Kopf ab. Senkte die Lider.

Die Mutter stand daneben. Es sah so aus, als lächelte sie, aber es war nur das Licht.

Lambert und ich gingen mit dem Wein zu den Booten.

Max dankte allen für die *Nachsichtigkeit* und noch für andere Dinge.

Schließlich fanden wir einen Papierkorb und warfen unsere Gläser weg.

Ehe er fortging, sagte Lambert: »Ich glaube, ich habe jemanden für das Haus.«

Am Abend verstrich ich den Rest von meinem Hopper-Grün an der Zimmertür. Ich ließ das Fenster offen, damit der Geruch abziehen konnte.

Ich ging nach draußen. Es war niemand auf dem Weg. Nur ein Webervogel, der die Heide beobachtete.

Ich setzte mich hin, bis der Raum mich verschluckte und zu einem mineralischen Wesen machte, das die Welt ansah.

Der Journalist, der einen Artikel über Raphaël schreiben wollte, kam am nächsten Tag um zehn. Er hatte mehrere Nummern
des *Beaux-Arts*-Magazins mitgebracht, um sie ihm zu zeigen.

Raphaël kochte Kaffee und stellte Kekse auf den Tisch. Er
wollte Morgane und mich während des Gesprächs dabeihaben.
Wir blätterten in den Zeitschriften. Die Ratte lag in ihrer Kiste. Der Journalist fragte Raphaël, ob es für ihn wichtig sei, an
einem Ort wie La Hague zu arbeiten. Raphaël antwortete, er
wisse es nicht. Er könnte sicher woanders arbeiten, aber er sei
gern hier.

Er goss Kaffee ein, gab der Ratte einen Kekskrümel. Er sagte,
wenn er keine Skulpturen machen würde, würde er sich schrecklich langweilen und sicher etwas anderes tun. Im Garten arbeiten oder angeln. Oder wie Morgane Kronen für die Toten basteln.

Der Journalist nickte. Er stellte andere Fragen, und Raphaël
beantwortete sie. Wenn er etwas nicht wusste, sagte er, dass er
es nicht wisse.

Der Journalist hakte nie nach. Er trank seinen Kaffee. Morgane und ich hatten Zeit, alle Zeitschriften durchzublättern.

Dann warf der Journalist einen Blick auf die Uhr. Er wollte das Atelier besichtigen und ein paar Fotos schießen. Ra-

phaël sank auf seinem Stuhl zusammen. Es war ein schwieriger Moment für ihn, der Moment, in dem er sein Werk zeigen musste.

»Wir gehen gleich«, sagte er mit dumpfer Stimme.

Er nahm sich noch Kaffee.

Schließlich stand er auf und ging in den Flur. Der Stein lag vor der Tür. Er erklärte nicht, warum er dort lag.

Er öffnete die Tür und trat zur Seite. Der Journalist erstarrte.

Das war immer so, wer das Atelier betrat, war sprachlos.

Mir war es auch so ergangen beim ersten Mal. Reglos, mit dem Bedürfnis zu fliehen.

Raphaël machte eine Handbewegung, die alles beinhaltete, was er sagen wollte.

Der Journalist ging zu den Skulpturen. In dem Licht, das durch die Fenster hereinkam, wirkte deren Patina noch röter. Sie flimmerte fast. Er ging nah an die Bäuche heran, wagte es aber nicht, sie zu berühren. Zerbrochene Glieder lagen in den Kisten, Köpfe mit zum Schrei aufgerissenen Mündern.

Raphaël ließ ihn gewähren. Er setzte sich an seinen Tisch.

Die Bronze nahm das Licht auf und absorbierte es. Es verging sehr viel Zeit. Schließlich holte der Journalist seinen Fotoapparat heraus und machte Aufnahmen von den Bronzeskulpturen *Die Stille*, *Die Flehenden* und *Die sitzenden Frauen*. Auch einige Skulpturen ohne Titel lichtete er ab.

Er machte ein Foto von der Signatur am Sockel, dann ging er zu Raphaël.

»Ich würde gern ein Foto von Ihren Händen machen.«

Eine Großaufnahme mit einem Stück des Gitters, an dem Raphaëls Finger spielten. Er machte auch zwei Porträtaufnahmen von ihm.

»Sie bekommen eine Doppelseite, dafür sorge ich.«

Raphaël antwortete nicht.

Bevor der Journalist das Atelier verließ, drehte er sich noch einmal um.

»Eine Doppelseite in der *Beaux-Arts*, das ist wirklich gut!«

Das kranke Schaf war gestorben. Als ich vorbeikam, lag es noch an seinem Platz, aber das Halsband war verschwunden. Der Kopf war auf die Seite gefallen. Sein Bauch war aufgeschnitten, und drei Katzen zerrissen die Innereien. Seine weit geöffneten Augen schienen noch auf den Hof zu starren.

Ein erster Schauer ging über dem glatten Meer nieder, dann begann es zu regnen. Die Bachstelze kam mit ihrem Hund und der ganzen Herde den Weg hoch. Es war fast dunkel auf der Straße. Nur der schwache Lichtstrahl der Laterne durchdrang den Regen.

Die Sau erwartete die Herde im Schutz der großen Kastanie auf dem Hof.

Lili hatte einmal erzählt, Männer hätten sich an den Ästen dieses Baums aufgehängt. Die Frauen würden ihn daher meiden. An windigen Tagen könne man Klagen hören, aber niemand wüsste zu sagen, ob sie vom Baum oder woandersher kamen.

Ich machte bei Théo Halt. Ich musste mehrmals klopfen, ehe er die Tür öffnete.

Er sah mich kaum an.

»Was ist mit Ihrem Bein? Haben Sie Schmerzen?«

Er winkte ab.

Ich erzählte ihm, dass ich einen Turmfalken und einen Wiesenpieper gesehen hatte. Ich zeigte ihm auch die Zeichnungen in meinem Heft, beschrieb ihm den Ort.

»An dem Ort, den Sie meinen, haben die Druiden Menhire aufgestellt. Sie haben dort auch Kinder geopfert.«

Er sagte es mit dumpfer Stimme, während er sich aufrichtete. Das weiße Kätzchen lag auf dem Bett. Es streckte sich.

»Ermüde ich Sie?«, fragte ich, weil ich merkte, dass er nicht so war wie sonst.

Er nickte.

»Ich glaube, ich bin schon sehr lange müde.«

In der nächsten Nacht träumte ich von Ketten und Türen. Ich hörte Schlüssel klirren. Das war der Wind draußen, die Taue der Boote, die knarrten.

Ich wachte schweißnass auf.

Der Umschlag kam in der folgenden Woche. Ein großer brauner Umschlag, den der Briefträger auf den Tisch legte. Raphaël rief uns.

Er war aus starkem Papier, frankiert mit drei Briefmarken, eine Hommage an Vauban. Darin die Zeitschrift, auf dem Hochglanzcover ein Foto der Fondation Maeght.

Morgane war ganz aus dem Häuschen.

»Machst du sie jetzt auf oder nicht?«

Er blätterte die Zeitschrift von hinten nach vorne durch.

Es war nichts drin.

Morgane wurde wütend.

»Warum sollte er dir die Zeitschrift schicken, wenn du nicht drin bist?«

Sie riss sie ihm aus den Händen.

»Er hat gesagt, eine Doppelseite! Eine Doppelseite muss man doch sehen!«

Sie fing auch am Ende an. Sie blätterte, aber langsamer. Die Ratte war aus ihrer Kiste gekommen und stand auf den Hinterpfoten vor ihr.

Morgane durchsuchte alles, bis zum kleinsten Artikel.

»Verdammt, will der uns auf den Arm nehmen?«

Sie wollte gerade wieder von vorne beginnen, als sie plötzlich mit offenem Mund erstarrte, da stand es, in Großbuchstaben geschrieben: EIN BILDHAUER AN DER HÖLLENPFORTE. Darunter der Artikel, die Fotos, und auf der nächsten Seite ging es weiter.

Wir sahen uns an. Es war nicht eine, es waren zwei Doppelseiten. Das war unglaublich! Wir drückten uns aneinander, Schulter an Schulter, die Zeitschrift aufgeschlagen zwischen uns. Erst sahen wir uns die Fotos an, dann lasen wir den Artikel, die ersten Worte: *Das ist die Arbeit von Raphaël, die besessene Pein eines Mannes, der mit Kraft und Talent seine Furche zieht.*

Morgane schlug mit den Händen auf den Tisch. Sie drückte ihren Bruder an sich, küsste ihn.

Sie zitterte.

Sie las laut weiter.

Überall die gleiche Botschaft, das authentische Testament.

Sie wiederholte es … *Das authentische Testament.*

Raphaël hob den Kopf.

Morgane lachte.

»Wie oft verkauft sich so eine Zeitschrift?«

Wir wussten es nicht.

Sie las weiter.

Am Ende standen ein paar Worte über *Die Totennäherin:*

… die Apotheose in diesem alten Gesicht, das für sich allein die unendliche Anteilnahme des Künstlers für das Elend seiner Zeitgenossen ausdrückt.

»Das ist gut, Raphaël, ist das nicht gut?«

Raphaël nickte. Er deutete ein Lächeln an.

»Jetzt musst du wohl ein Telefon installieren lassen!«, sagte ich lachend.

Ich war glücklich für ihn.

Wir lasen den Artikel noch einmal. Die Ratte rannte zwischen

unseren Gläsern herum. Wir lachten noch, als Lambert hereinkam. Er sah uns an.

»Ich habe Licht gesehen …«, sagte er.

Morgane schwenkte die Zeitschrift.

»Sieh dir das an!«

Wir machten Platz für ihn, ließen ihn lesen. Seine Augen auf
dem Papier. Er las alles aufmerksam. Er nahm sich Zeit. Als er
fertig war, schlug er die Zeitschrift zu und sah Raphaël an.

»Jetzt musst du wohl ein Telefon einrichten lassen.«

Wir lachten alle los, und Morgane erklärte ihm weshalb.

Nan starb am Tag darauf. Ein Muschelsammler hatte ihren Leichnam morgens am Strand gefunden. Er erzählte, er habe etwas Dunkles auf dem Sand gesehen. Er sei näher herangegangen, habe gedacht, es sei eine gestrandete Robbe ... Zu dieser Jahreszeit tauchten manchmal welche hier auf, sie kamen aus Schottland oder von der irischen Küste.

Es war keine Robbe. Es war eine Frau. Die Polizei sagte, Nan sei im Boot zur Insel Bas gefahren. Sie sei gerudert, wie sie es so oft getan hatte. Arme Verrückte ... Einmal zu viel. Sie war manchmal dorthin gefahren, vor dieser Insel waren die Ihren gestorben. Sie hatte oft das Bedürfnis verspürt, über dieses Wasser zu rudern.

In Lilis Café, überall, auf den Straßen, hinter den Vorhängen, alle sprachen nur davon. Eine Tote in einem Dorf mit so wenigen Seelen.

Die Mutter saß an ihrem Tisch und hörte zu. Sie hatte es noch nicht verstanden. Niemand hatte es ihr erklärt.

Sie hatte es nur gespürt.

»Wer ist gestorben?«, fragte sie, die Hand auf der Tischfläche.

Nicht laut genug, um gehört zu werden.

»Was ist los?«, fragte sie, weil sie genau spürte, dass etwas geschehen war, dass etwas anders war als sonst.

Die Adern an ihren Schläfen waren von fast violetter Haut bedeckt. Darunter pulsierte das Blut. War es der Hass, der ihrem Blut diese geradezu brutale Farbe gab? Oder das Vergnügen zu verstehen, dass es die andere war, von der alle sprachen, die Tote?

»Sie ist endlich krepiert!«, zischte Lili.

Die Mutter packte sie beim Kleid. Sie wollte, dass Lili es wiederholte. Ich hörte ihre Nägel über den Stoff kratzen, schlechtes Nylon.

Lili wich zurück, schüttelte die Hand ab.

»Ist es nicht das, was du wolltest?«

»Wer ist krepiert?«, fragte sie, Jammern in der Stimme. Entsetzen in den Augen.

»Die Alte! Bist du nicht zufrieden?«

Die Mutter fing an zu weinen.

»Der Alte …«, murmelte sie.

»Was, der Alte? Nicht er ist gestorben! *Die* Alte, habe ich gesagt.«

Der eine oder der andere, wenn der Tod zuschlägt, zuckt man zusammen.

Die Mutter weinte ihre Angst heraus.

»Musst schon wissen, was du willst!«, sagte Lili.

Sie brachte ihr ein Glas Wasser und Tabletten. Sie stellte alles auf den Tisch und wartete daneben, die Arme verschränkt. Die Mutter streckte die Hand aus, sie zitterte, die Finger waren unsicher, sie schaffte es trotzdem, die Tabletten in den Mund zu stecken. Sie schluckte sie.

Théo kannte den Atem des Meeres. Er sagte: »Ich bin aufgewacht und habe gespürt, dass das Meer jemanden geholt hat.«

Dass sie es war, Florelle.

Er sagte, dass er es gewusst hatte, bevor die Autos an der Küste standen, bevor der Arzt, die Polizei, die Nachbarn und auch noch andere gekommen waren.

Das Boot wurde ein paar Stunden später gefunden, ebenfalls von den Wellen an Land getragen. Als hätte das Meer beschlossen, diese Geschichte ein für alle Mal zu beenden.

Die Polizei errechnete den Zeitpunkt des Todes. Sie sprachen vom *Körper*, nicht von der alten Nan, sie sagten auch nicht Florelle.

Sie vermuteten, dass es Mitternacht gewesen sein müsse, vielleicht auch etwas später. Théo sagte, dass es kurz vor zehn gewesen sei. Mehr sagte er nicht.

Er wandte sich ab.

Ich hörte einen Vogel in einem Baum hinter mir schreien. Die Esel in der Ferne. Ich folgte ihren Spuren. Meine Sohlen im Schlamm.

Die Abdrücke der Hufe.

Wieder Gerüche, undefinierbare.

Frauen aus dem Dorf hatten sich auf der Bank vor Nans Haus versammelt. Der Bank, auf der sie sich die Croissants hatte schmecken lassen. Die Frauen sagten nichts zu mir, kaum ein Kopfnicken, als ich an ihnen vorbeiging. Ich machte die Tür auf.

In La Hague ist es üblich, von den Toten Abschied zu nehmen, indem man sie ein letztes Mal besucht.

Bei Nan roch es muffig, wie in Häusern, die man schon lange nicht mehr gelüftet hat, aus Angst vor Kälte oder bösen Passanten. Nan lag in einem schwarzen Kleid auf ihrem Bett.

Die Frauen hatten sich um ihren Körper gekümmert. Sie hatten sie gewaschen, gekämmt und ihr das letzte Kleid angezogen.

Sie hatten auch Kaffee gekocht, er stand auf der Wärmplatte der Kaffeemaschine, für die Besucher. Daneben Tassen, kopfüber auf einem karierten Handtuch.

Ich sah Nan an, das Gesicht schon entstellt. Was hatte sie getrieben, dorthin zu rudern?

Ich berührte mit den Fingerspitzen den Stoff des Kleides. Die mit kleinen, engen Stichen erzählte Geschichte. Das Schwarz des Fadens kaum glänzender als das des Stoffes. Nicht zu entziffernde Stickereien. Eine Alte, die näht, das hatte ich oft gedacht, wenn ich sie vorgebeugt hinter ihrem Fenster hatte sitzen sehen. Eine Alte, die stopft. Eine Verrückte.

Zwischen ihren auf dem Bauch gefalteten Händen steckte das Holzkreuz, mit dem sie so oft das Meer angefleht hatte, ihr ihre Toten zurückzugeben.

Das Meer hatte ihr nichts zurückgegeben, im Gegenteil, es hatte sie genommen, auch sie.

Ihr Haar war sorgsam gebürstet, es wirkte noch weißer, als hätte das Meer auch das genommen, den strahlenden Glanz.

Angeblich wachsen die Haare noch lange nach dem Tod weiter.

Das Leichentuch lag auf dem Stuhl. Auf dem Fensterbrett war alles so, wie Nan es verlassen hatte, der Nähkasten, ihr Tuch auf der Stuhllehne, eine große Schere. Die Pantoffeln neben der Eingangstür. Die Bürste auf dem Tisch. Ein alter Regenschirm. Die Fotos auf dem Regal über dem Kamin. Das Brot, ein Handtuch an einem Nagel, ein Teller in der Spüle. Ein Messer, ein Glas. Alles wie erstarrt. Würde sich jemand darum kümmern, die Kommoden, die Schränke zu öffnen, alles auszuräumen, was dort angehäuft war? Welche von den Frauen?

Oder würde man gar alles so lassen, bis es von der Zeit mumifiziert, unter dem Staub begraben wäre?

Der Kopf der Toten ruhte auf dem weißen Kissen. Sein Abdruck würde bleiben, wenn Nan nicht mehr da sein würde. Wie lange dauert es, bis so ein Abdruck verschwindet? Wie viele Tage?

Die Gegenstände überleben uns. Sie warten darauf, dass eine Hand sie ergreift, sie mitnimmt, um weiterzuleben.

Ursula kam, als ich noch im Haus war. Sie wechselte draußen ein paar Worte mit den Alten.

Sie war nicht erstaunt, mich hier zu treffen.

»Man soll nicht so lange allein mit einer Toten versauern«, sagte sie und trat zum Bett, »das soll man nicht.«

»Ich versauere nicht …«

Darüber musste sie lachen.

Ein Lachen am Totenbett.

»Aus Ihren Augen spricht die Qual, das ist nicht gut.«

Sie nahm mich am Arm und führte mich in die Küche.

»Die Alten haben gesagt, dass Sie schon seit fast einer Stunde hier sind.«

Sie stellte zwei Tassen auf den Tisch.

»Wir trinken einen Kaffee, dann gehen Sie.«

Sie füllte die Tassen.

Etwas Kaffee tropfte auf die Tischdecke.

Ich trank. Beim zweiten Schluck drehte mir der Geschmack den Magen um. Dazu der widerliche, unklare Geruch, der des Kaffees und der andere, der vom Körper der Toten aufstieg. Der Geruch, den man einatmen musste.

Ursula nahm meine Hand.

»Geht's?«

Ich nickte.

Auf dem Tisch stand ein Korb mit Äpfeln. Eine Zeitung war aufgeschlagen.

Ursula sah sich um.

»Ich war schon sehr lange nicht mehr hier.«

Sie ging zu Nan.

»In deinem Alter steigt man nicht mehr ins Boot, früher oder später musste es so enden.«

Sie wandte sich ab. Mit Tränen in den Augen. Ihr Blick glitt über mich, über das Zimmer.

Sie zeigte auf die Fotos.

»Man müsste diese Kinder alle wiederfinden. Ihnen sagen …«

Mit dem Finger streichelte sie ein paar Gesichter.

»Viele würden nicht kommen, aber ich bin sicher, dass einige den Weg auf sich nehmen würden.«

Sie nahm wahllos ein paar Fotos, versuchte, sich an die Namen zu erinnern.

»Kaum waren die Kinder angekommen, hat Nan sie dort draußen vor die Tür gesetzt und ein Foto gemacht. Sie hat immer gesagt, dass das Licht ihnen schöne Gesichter gibt. Dann hat sie die Fotos über ihren Betten an die Wand geheftet. Den

Kleinen gefiel es gut. Alle waren sie Waisenkinder, ohne Eltern, so ein Gesicht, sogar das eigene, machte sie weniger einsam.«

Es verstrichen eine Minute oder zwei, in denen sie nichts sagte.

»Wenn sie weggegangen sind, hat Nan das Foto behalten.«

Sie sah sich die Bilder an, ging von einem zum anderen.

»Das war er, der kleine Michel …«

Sie hielt mir das Foto hin. Es war das, was Nan so heftig an sich gepresst hatte, als ich gekommen war, um ihr zu sagen, dass Théo sie erwartete. Ich erkannte die kleinen Schnürstiefel, den Holzzug an der Schnur.

Das Kind mit den blonden Locken. Der klare Blick. Plötzlich kam mir der säuerliche Geschmack des Kaffees hoch. Mir wurde übel.

Ich trat ans Fenster, die Hand vor dem Mund. Ich machte es auf. Ich atmete, um mich nicht übergeben zu müssen. Ich atmete.

Ursula war besorgt.

»Stimmt etwas nicht?«

Ich sagte, es sei alles in Ordnung. Mit beiden Händen aufgestützt. Kalter Schweiß brach mir aus. Ich schloss die Augen und wartete, dass es vorbeiging.

Ich hatte immer noch das Foto in der Hand.

Dieses Kind, es war dasselbe Gesicht, dieselben Locken, derselbe Blick und dasselbe Poloshirt mit den drei kleinen Booten. Ich drehte das Foto um, auf der Rückseite stand ein Datum: *November 1967.*

Lamberts Eltern waren im Oktober jenen Jahres umgekommen.

Ich lehnte mich an die Wand. Dieses Kind, das war Paul, Lamberts kleiner Bruder. Ich sah Ursula an. Sie stand neben der Toten. Vorgebeugt. Sie hatte ihre Hand genommen, schien mit ihr zu sprechen.

Ich wartete.

Als sie sich aufrichtete, zeigte ich ihr das Foto.

»Sind Sie sicher, dass dieses Kind Michel ist?«

Sie sah mich an.

Sie nickte und sagte, sie sei sicher.

»Warum fragen Sie?«

»Nur so …«

Ich steckte das Foto in die Tasche und ging hinaus. Die Alten sahen mich an, als ich an ihnen vorbeikam.

Draußen, auf der Leine, flatterten die Laken im Wind.

Ich musste Lambert treffen, aber als ich ins Dorf kam, war das Haus verschlossen. Er war nicht da.

Ich ging ins Café, um auf ihn zu warten. Sein Bruder war womöglich am Leben. Nan hatte ihn großgezogen, hatte ihn bei sich aufwachsen lassen. Wie konnte ich ihm das sagen? Durch das Fenster sah ich seine Haustür.

Die Kleine war da, sie malte ihre Buchstaben. Lili fegte unter den Tischen. Der Besen stieß irgendwo an. Die Mutter saß tief in ihrem Sessel, ihr Kopf zitterte vor Aufregung, wie verloren, nun, da Nan tot war. Nan, die andere, die Rivalin.

Sie wusste es, aber was hatte sie verstanden? War Nan durch einen Unfall gestorben, oder hatte sie sich forttragen lassen? Alle sagten, sie sei oft mit dem Boot hinausgefahren. Ich holte das Foto aus der Tasche. Und wenn ich mich täuschte? Plötzlich fing ich an zu zweifeln. Das Kind trug zwar das gleiche Poloshirt, aber es konnte doch auch Zufall sein. Und diese verwirrende Ähnlichkeit.

Die Kleine drückte zu stark mit dem Stift auf. Die Buchstaben schrieben auf die folgende Seite durch. Wenn sie einen Fehler machte, radierte sie. Auch das zu stark, der Radiergummi rieb ein Loch in das Blatt. Sie sammelte die kleinen Krümel auf, die ausfaserten, und steckte sie in die Tasche.

»Warum radierst du auch das weg, was richtig ist?«

Ich strich mit dem Finger über die radierte Stelle. Sie runzelte die Stirn.

»Radieren lernen ist wichtig«, sagte ich.

Ich warf einen Blick auf die Straße. Ich zog meinen Stuhl zu ihr. Zeigte es ihr.

Die Mutter fing an, nach Théo zu rufen. Sie schrie. Lili sagte, daran sei ihr Gebiss schuld, sie würde weniger laut schreien, wenn sie es nicht trüge.

»Du darfst nur das wegradieren, was falsch ist«, versuchte ich der Kleinen zu erklären, sie hörte nicht zu.

Dann kam Max, er brachte ein Kaninchen mit. Er hatte gewildert.

Es war für Lili.

Seit Jahren wilderte er. Von dem Geld, das sie ihm dafür gab, kaufte er Kanister mit Benzin, um den Tank seines Bootes zu füllen. Er kaufte auch Schnur für seine Angeln und Büchsen mit Ködern. Er bewahrte sein ganzes Geld in einer kleinen Metallbüchse irgendwo in einem Schrank von Lili auf.

»Hast du Lambert gesehen?«

Er nickte.

»Er ist in Aurigny.«

»Was macht er da?«

Er zuckte die Schultern.

Er ging zu der Kleinen, beugte sich vor, um zu sehen, was sie geschrieben hatte, dieses Heft mit den geheimnisvollen Strichen.

Er sah ihr immer mit unendlichem Neid beim Schreiben zu.

»Ich werde das Loch für das Vergraben des Körpers machen«, sagte er.

Er sprach nicht laut. Er wollte nicht, dass die Mutter ihn hörte.

Die Kleine malte weiter ihre Buchstaben.

Max warf einen letzten Blick auf das Heft, dann holte er seine Geldkassette. Er setzte sich ganz allein an einen Tisch. Er konnte kaum seinen Namen schreiben, aber er konnte zählen. Mit der Zunge zwischen den Zähnen machte er seine Berechnungen, notierte sie mit einem grauen, kaum drei Zentimeter langen Bleistift. Er hielt ihn mit den Fingerspitzen.

Lili kam zu mir.

»Du siehst gar nicht gut aus heute …«

Sie hatte Blut an den Händen, das Blut des Kaninchens.

»Du solltest was unternehmen, nach Cherbourg fahren …«

Sie ging hinter den Tresen, um das Blut abzuwaschen.

»In Cherbourg gibt es Kinos, Lokale, in denen man tanzen kann … Ich würde sofort hinfahren und feiern, wenn ich nicht das verdammte Bistro hätte.«

»Und Morgane, kann sie nicht mal einspringen?«

»Morgane? Das geht für eine Stunde gut, aber dann verwandelt sie es in ein Freudenhaus!«

Lili hatte zum Mittag Schmorbraten gemacht.

»Ein Schmorbraten braucht Zeit, fast einen ganzen Vormittag auf kleiner Flamme«, sagte sie.

Im Saal roch es nach Karotte, Fleisch und Soße.

Sie füllte eine Plastikdose für Théo.

»Kannst du's ihm bringen?«

Sie sprach nicht von Nan. Sie sagte kein Wort dazu. Und trotzdem war Nan da, überall, in jedem Gedanken.

Sie stellte den Beutel auf den Tisch und lehnte sich ans Fenster.

Das Schild *Zu verkaufen* hing nicht mehr am Zaun. Auch darüber sprach sie nicht.

»Ich bin nach Cherbourg gefahren, hab einen Möwenschiss abbekommen. Ich musste zurück und mir im *Prisunic* eine Bluse kaufen, aber die ist mir zu klein. Ich musste mich reinpressen … Dafür haben sie zehn Euro verlangt! Zehn Euro für eine Synthetikbluse. Die Verkäuferin hat mich kaum beachtet.«

Der Briefträger betrat das Bistro. Er trug niedrige Schnürstiefel. Er hinterließ Schlammspuren auf dem Parkett. Lili schimpfte. Sie ging hinter den Tresen, machte einen Lappen nass und beseitigte die Spuren.

Gleich danach kam Monsieur Anselme.

»Ich habe Sie gesucht«, sagte er, als er mich sah.

Er putzte die Füße lange auf dem Fußabtreter ab. Dann zog er einen Stuhl heran.

»Nan ist tot …«

Das sagte er, kaum dass er saß. Er legte seinen Schal ab.

»Ursula hat mich angerufen, um es mir mitzuteilen. Sie hat mir auch gesagt, dass sie Sie dort gesehen hat, bei der Toten, und dass Sie irgendwie … Wie hat sie gesagt … kopflos waren, das war das Wort, das sie benutzt hat.«

Wir sprachen über Nan.

Lili wischte weiter den Boden. Monsieur Anselme warf ihr kurze Blicke zu, er wollte ihre Aufmerksamkeit auf sich lenken, um zu bestellen.

»Ich bin bei Ihnen vorbeigegangen … Ihrem Freund, dem Bildhauer, geht es im Moment nicht gut. Er wollte nicht, dass ich hochgehe und an Ihrer Tür klopfe. Er hatte eine Art Stein in den Weg gelegt.«

Er drehte sich wieder nach Lili um, doch sie beachtete ihn immer noch nicht.

»Er hat gesagt, dass die bloße Anwesenheit dieses Steins mich am Vorbeigehen hindern müsse. Er hat mich gemustert wie einen Vagabund.«

»Vagabunden mustern nicht.«

»Irren Sie sich nicht, manche tun es!«

Er sah mich an.

»Ist noch etwas passiert? Was ist los?«

Er legte seine Hand auf meine.

»Sie wirken … abwesend. Es kann doch nicht der Tod einer alten Frau sein, der Sie so traurig macht?«

Ich war nicht traurig, ich fing nur an zu verstehen, dass Lamberts Bruder nicht im Meer verschwunden war.

Wusste Théo von dem Geheimnis?

Monsieur Anselme drehte sich um, endlich konnte er Lilis Blick auf sich ziehen.

Er bestellte einen Weißwein, schön frisch.

Lili warf den Wischlappen neben den Tisch. Der nasse Stoff knallte wie eine Ohrfeige. Monsieur Anselme beugte sich zu mir, sprach mit leiser Stimme, über den Tisch hinweg.

»Täuscht der Eindruck, oder ist die Stimmung hier ziemlich gespannt?«

Wir sprachen weiter von Nan.

Ich vertraute ihm nicht an, was ich verstanden zu haben glaubte. Aber hatte ich es denn richtig verstanden?

Monsieur Anselme wartete immer noch auf seinen Wein, als Théo die Tür aufstieß.

Ihn hier zu sehen, löste eine ungewohnte Stille aus. Lili machte ihm wie üblich einen Kaffee. Sie fragte ihn nichts. Kein Wort über Nan.

Er wirkte müde. Gealtert.

Lili stellte die Tasse auf die Untertasse, die Untertasse auf den Tresen.

Die Mutter spürte den Alten. Sie hob den Kopf. Als sie begriff, dass er wirklich da war, packte sie ihre Tasche. Théo achtete nicht auf sie. Er trank seinen Kaffee. Bis sie aufgestanden und den ganzen Weg vom Tisch bis zu ihm gegangen war, hatte er die Tasse schon wieder abgestellt.

Sonst trank er seinen Kaffee, nahm seinen Proviantbeutel und ging.

Diesmal trank er seinen Kaffee, aber den Beutel würdigte er mit keinem Blick. Er machte auch keine Anstalten zu gehen. Seine Hand lag auf dem Tresen. Monsieur Anselme und ich schauten uns an. Ich sah seine Hand. Lili sah sie auch. Die Mutter kam mit ihrer Gehhilfe, die Tasche an den Bauch gepresst, sie war fast neben ihm. Théo drehte weder den Kopf noch sagte er etwas zu ihr.

Er verlangte nur eine Telefonkarte. Das sagte er.

Lili rührte sich nicht, als hätte sie nicht verstanden, also wiederholte er es, den gleichen Satzfetzen, den gleichen Wunsch, sehr nachdrücklich. Schließlich zog Lili das Schubfach auf und holte eine Karte hervor, die sie ihrem Vater hinschob, wie sie ihm die Tasse hingeschoben hatte.

Théo legte einen Schein neben die Tasse. Er nahm die Karte und steckte sie in die Tasche.

Als er sich umdrehte, stand die Mutter da, die Hand ausgestreckt, sie zitterte, ein Flehen, diese alten Augen, die offene Tasche, die sich langsam vor ihr leerte, weil sie sie schief hielt.

Théo blieb stehen. Er schaute sie an. Ich sah seinen Blick nicht, aber ich sah das Gesicht der Mutter. Die ausgestreckte Hand sank herab. Das Foto rutschte aus der Tasche, das, auf dem man sie beide nebeneinander auf der Türschwelle sah, man hätte sie für glücklich halten können, wenn man die Geschichte nicht gekannt hätte.

Théo schaute das Foto an.

Die Mutter stand reglos da, die Füße wie erstarrt.

Max hob das Grab für Nan aus, wie er es für alle anderen Toten getan hatte. Es gab nicht viele Lebende im Dorf, deshalb gab es auch nicht viele Tote. Übers Jahr aber doch ein paar. In einem Monat großer Kälte auch mal mehrere hintereinander.

Manchmal grub Max monatelang kein einziges Grab. Wenn es regnete, verwandelte sich die Erde in Schlamm, es war eine schmutzige Arbeit.

An dem Tag, als er für Nan grub, schien die Sonne. Ein Erdviereck auf der Südseite, vom Wind geschützt. Er hatte die Jacke ausgezogen. Die Erde, die er aushob, war dunkel, fast schwarz.

»Die Grabung muss wunderbar sein und so nah wie möglich bei den Ihren.«

Das sagte er zu mir und zeigte auf das Loch. Die Totenglocke läutete. Sie würde mehrmals läuten an diesem Tag, und auch am nächsten.

Ich lief zwischen den Gräbern umher. Ging an dem der Familie Perack vorbei.

Lambert hatte das Foto seines Bruders in einen neuen Rahmen gesteckt und den Rahmen auf den Grabstein gelegt. Ein neuer Blumenstrauß lag auch dabei. Ich holte das

Foto hervor, das in meiner Tasche war. Das Lächeln, die Augen. Die beiden Gesichter waren identisch. Es war dasselbe Kind.

Ich lauerte auf die Ankunft der Fähre aus Aurigny, aber Lambert war nicht an Bord. Es war seine zweite Nacht auf der Insel.

Ich war in meinem Zimmer. Ich ging zum Waschbecken und sah mein Gesicht an. Ich ließ Wasser laufen. In einer Schale lag ein Stück Seife. Es war ein kleines, weißes Stück Seife, rechteckig, pH-neutral. Es lag in keiner speziellen Seifenschale, etwas Wasser stand darin. Die Seife war aufgeweicht. Als ich sie nahm, blieb sie in meiner Hand kleben. Unmöglich, sie loszuwerden.

So fand mich Morgane.

»Hast du ein Problem?«, fragte sie.

Ich zeigte ihr die Seife.

»Sieht aus wie ein ertrunkener Vogel.«

»Ein ertrunkener Vogel?«

Sie sah mir in die Augen, ins Innere, wie man durch ein Fenster sieht, hinter dem es zu dunkel ist.

»Das wird schon ...«, sagte sie.

Sie nahm die Seife, warf sie in die Spüle und wischte meine Hand mit dem Handtuch ab. Sie wühlte in meinen Sachen.

Schließlich ließ sie sich aufs Bett fallen.

»Wer ist das?«, fragte sie, als sie das Foto sah.

»Ein Foto ... Ich habe es von Nan mitgenommen.«

»Klaust du etwa bei den Toten?«

»Ich habe es nicht geklaut ... Ich wollte nur ... eine Erinnerung.«

Sie sah sich das Foto genauer an.

»Wer ist dieses Bürschlein? Eins von denen, die sie aufgenommen hat?«

»Eins von denen, ja.«

»Ich mag Kinder nicht besonders. Manche sind nett, wirst du mir jetzt sagen, aber es ist mehr grundsätzlich, dass ich sie nicht mag. Warum wolltest du eine Erinnerung?«

»Ich weiß nicht.«

Sie legte das Foto aufs Bett zurück.

»Gab es nichts ... Persönlicheres?«

»Nichts, nein.«

Sie sah mich an.

»Was hast du?«

Ich schüttelte den Kopf.

»Ich habe nichts.«

Die ersten Töne der Totenglocke erklangen, traurig und langsam, vom Nebel erstickt.

Es standen schon ein paar Leute am Straßenrand. Als der Zug vorbeikam, schloss ich mich ihm an. Ein Leichenzug ohne Familie. Wir waren nicht sehr viele und nicht sehr traurig.

Vom Haus zum Friedhof mussten wir nur den Hügel hinauflaufen. Wir verließen La Roche. Irgendjemand neben mir sagte: »Ich hatte Angst, es würde regnen.«

Das Auto nahm die Straße, die bei Théo vorbeiführte. Es fuhr langsam. Es hätte auch anders fahren können, am Hafen vorbei oder um La Roche herum, aber sie hatten beschlossen, diese Strecke zu nehmen, sicher weil Nan sie so oft gegangen war, und auch, weil es die Straße war, die bei Théo vorbeiführte.

Vor seinem Gartentor bremste das Auto. Es hielt nicht an, aber es wurde so langsam, dass man hätte denken können, es habe angehalten. Ich sah Théos Schatten hinter dem Fenster. Reglos. Ein Schatten wie ein Stein.

Das Auto wartete, eine Minute, vielleicht zwei, aber Théo kam nicht heraus. Die alte Nan ging. Sie verließ ihn. Seine Florelle.

Das Auto setzte seinen Weg fort.

Der Pfarrer wartete unter dem Kirchenportal, aufrecht in seiner Soutane. Der Gedanke an diesen Tod im Boot gefiel ihm nicht. Das Missfallen war auf seinem Gesicht zu lesen. Diese Ungeduld im Blick.

Wir versammelten uns am Tor. Leute kamen aus den Häusern und gesellten sich zu uns, kleine stumme Grüppchen.

Wer sprach, flüsterte. Als der Sarg kam, verstummten selbst die Geschwätzigsten. Der Tod setzte sich durch.

Während wir alle versammelt da standen, hielt ein Taxi. Die Leute drehten sich um. Dann kamen noch andere Autos. Ursula traf ein. Sie sah mich und winkte mir zu. Sie kam über die Straße.

»Alle, die hier sind, haben sich früher keinen Deut um sie geschert, man möchte fast meinen, der Mensch hat kein Gedächtnis!«

Sie zeigte mit dem Kinn auf eine Gruppe Frauen.

Die Männer trugen den Sarg zum Kirchenportal, und der Pfarrer trat zur Seite. Er las seine Messe, hastige Gebete. Er sprach von den Toten, die Nan wiedersehen würde, Tote, die nun ein zweites Mal starben, weil niemand mehr da sein würde, um sich ihrer zu erinnern, wie Nan sich ihrer erinnert hatte. Er sprach von der Sünde, vom Bösen in jedem von uns. Er sprach auch von Vergebung. Seine Stimme hallte. Alle hörten ihm zu, die Köpfe gesenkt.

Ich hielt nach Lili Ausschau. Sie war nicht gekommen.

Während der ganzen Messe blieb Max draußen, abseits, mit seinem Spaten und den zu schmutzigen Stiefeln.

Als wir aus der Kirche traten, richteten sich alle Augen auf das Bistro. Die Zungen lösten sich. Lili hatte alle anderen beerdigt, sprang es von den Lippen. Hier beerdigt man auch, wen man nicht mag.

Der Tod, wie ein Waffenstillstand.

Der Pfarrer ging voran, prüfte den Zustand des Grablochs.

Der Mann, der aus dem Taxi gestiegen war, lief in einem langen Mantel an mir vorbei.

Die Männer ließen den Sarg in die Grube gleiten. Ich hörte das Holz an der Erde kratzen. Das Geräusch der Stricke.

Sie zogen die Stricke heraus.

Nan blieb unten, allein.

Allein in der Erde, mit ihrem Geheimnis.

Eine geduldige Reihe formte sich. Der Pfarrer schaute auf die Uhr und ließ Eile erkennen, er bückte sich, nahm eine Handvoll Erde und warf sie in das Grab. Das war das Beispiel, dem alle folgten. Zögernde Blicke. Es gab ein paar Blumen, ein Strauß Flieder, Iris in einem Topf. Nicht viele. Der Mann mit dem langen Mantel warf auch etwas Erde hinein. Plötzlich ging ein Murmeln durch die Menge. Ein Rauschen, wie ein Flügelschlag.

Und dann mit einem Mal nichts mehr, die Stille war zurückgekehrt. Ich drehte mich um.

Die Mutter war da, nah am Zaun, noch weit weg von uns, sie ging mühsam vorwärts, den Körper schwer auf die Gehhilfe gestützt. Die Metallfüße versanken im Kies. Sie schleppte sich mehr, als dass sie ging. Alle sahen sie an. Niemand rührte sich, um ihr zu helfen. Schließlich blieb sie neben einem Kreuz stehen, etwas abseits. Sie sah von weitem auf das Grabloch, das dunkle Klaffen, den Sarg, den man in der Tiefe ahnte, schon im Dunkeln, in der Kälte. Für das Vergnügen, das zu sehen, hatte sie all die Anstrengung auf sich genommen.

Ihre Brust hob sich heftig. Man hörte die Lungen pfeifen.

Jemand sagte: »Gleich krepiert sie.«

Alle warteten darauf, dass sie krepierte oder dass sie ging. Der Pfarrer schob die Hände in die Ärmel.

Die Mutter sammelte ihre Kräfte, wie ein Tier, das verenden wird, die Hände umklammerten wieder die Stange ihrer Gehhilfe, mit gesenkter Stirn lief sie weiter. Alle traten beiseite, um sie vorbeizulassen. Sie lächelte. Nicht wirklich verrückt, nur voller Hass, sie ging weiter, bis sie vor dem Grabloch stand.

Es gab Gemurmel, als sie sich vorbeugte. Eine Alte in Schwarz, schwitzend. Ein Weib, das das andere begraben kommt, die Rivalin.

Nicht die Ältere, aber die schon Gestorbene.

Die Mutter beugte sich weiter vor, es sah aus, als würde sie umkippen, eine Frau rief *Achtung!*

Die Mutter wich nicht zurück.

Der Wind drückte ihr Kleid an ihre Schenkel. Sie stand vor dem Grab, mit diesem Lächeln auf den Lippen, einem Lächeln, das ihre Zähne entblößte, und plötzlich richtete sie sich auf, beide Hände zitterten, aber umklammerten fest die Haltegriffe, und dann spuckte sie aus.

Jemand sagte es: »Sie hat ausgespuckt!«

Ein Raunen ging durch die Menge.

Die Glocken läuteten. Erst die von Auderville, ein paar Töne, und gleich darauf die von Saint-Germain. Die Glocken von Auderville waren tiefer und langsamer als die von Saint-Germain.

Ich machte die Tür auf.

Théo schlief nicht. Er starrte auf die Wand.

Die Katzen lagen da, als wäre es Nacht. Oder als würden sie über ihn wachen.

Sein Körper war zusammengesunken, ein Arm lag auf dem Tisch.

»Sie müssen Licht machen«, sagte ich.

Er hatte seine Wollmütze bis zu den Augen gezogen. Seine Wangen waren eingefallen. Nans Tod hatte ihn ausgetrocknet.

Er hatte sein Feuer sterben lassen. Vielleicht wollte er auch sich sterben lassen. Ich warf zusammengeknülltes Zeitungspapier und ein Scheit in den Ofen. Ich suchte Streichhölzer. Für jeden Handgriff brauchte ich viel Zeit. Das weiße Kätzchen schlief zusammengerollt in einer Bettmulde. Als es das Feuer aufflammen hörte, öffnete es die Augen.

Es war noch Kaffee in einem Topf. Ich wärmte zwei Tassen auf und stellte eine vor Théo hin.

Dann zog ich einen Stuhl heran und setzte mich.

Er sah mich an. Mit roten Augen. Tränenverquollen.

»Wie war es …?«

Was konnte ich ihm sagen? Ich hatte das schwarze Loch vor mir gesehen. Das Loch, in der Sonne und dennoch schwarz.

Ich erzählte von den Leuten, den Leuten in der Kirche und den Leuten draußen. Ich sagte nichts von der Anwesenheit der Mutter, auch nichts über Lilis Abwesenheit. Ich schob ihm die Tasse hin.

»Es gab Blumen«, sagte ich.

Ich nahm meine Tasse. Führte sie an die Lippen. Das aufgewärmte Gebräu war ungenießbar. Ich trank es trotzdem.

»Max sagt, das Grab hat einen guten Platz, er wird Iris darauf pflanzen.«

Er sah mich an. Es zerfraß ihn, das Bedürfnis, sich wehzutun, sich fertigzumachen. Ich senkte den Kopf. Ich wollte von etwas anderem sprechen. Sein Blick hinderte mich daran. Wie eine Besessenheit, dieses Bedürfnis, weiter am anderen festzuhalten.

Der andere. Auch wenn er begraben ist, möchte man mit ihm gehen. Als ich dich zum letzten Mal gesehen habe, dein letzter Morgen, in dem Zimmer, in dem du kein Licht mehr gesehen hast, habe ich dich lange angeschaut. Der Arzt hatte gesagt, dass du nicht mehr zurückkommen würdest. Ich hatte es nicht verstanden. Er hatte es mir erklärt. Es war ein alter Arzt gewesen. Er hatte mich dich ansehen lassen.

Ich zeigte auf den Kaffee.

»Trinken Sie …«

Er trank. Er konnte nicht schlucken. Er ballte die Fäuste.

»Dieses verdammte Boot! Ich wusste, dass man es hätte verbrennen müssen.«

Zwei Tränen rollten über seine Wangen. Es waren dicke Tränen, schwer und rund.

»Man verbrennt keine Boote …«

Ich wollte mit ihm über Michel sprechen, aber ich hatte keinen Mut mehr.

Ich wandte die Augen ab.

»Ich gehe dann mal.«

Raphaël hatte *Die Tugend* an einen Sammler aus Saint-Malo verkauft.

»*Die Tugend*, verstehst du?«

Die Bronze sollte im Laufe der Woche geliefert werden. Er zog mich in die hinterste Ecke des Ateliers, um sie mir zu zeigen. *Die Totennäherin* neben ihr schien zu warten.

»Die werde ich auch gießen lassen.«

»Wenn du sie gießen lässt, kannst du sie nicht mehr verkaufen. Sie wird zu schön sein.«

»Ich lasse sie gießen, verkaufe sie und mache neue!«

Er zog mich zu anderen Skulpturen. Er wollte an seiner Idee des großen Seiltänzers arbeiten. Morgane hörte ihm zu. Sie hatte sich ein Tuch um die Stirn gebunden. Sie sah ihren Bruder an, als gelangte sie zu einer Einsicht. Einer Einsicht, die sie nicht gesucht hatte und der sie sich doch unterwerfen musste.

Sie drehte sich zu mir um.

»Ich habe Lambert gesehen, er war am Hafen … Kam gerade aus Aurigny zurück. Ich glaube, er hat dich gesucht.«

Ich antwortete nicht.

Sie fragte nicht nach.

Sie schwieg lange.

»Dieser Mann ... Dein Mann ... Du kannst nicht dein Leben lang ...«

»Sei still.«

Sie schwieg. Einen Moment, nicht lange.

»Weißt du was? ... Es sind deine Klamotten. Mit solchen Klamotten kannst du keinen Mann finden.«

»Ich habe nie gesagt, dass ich einen finden will.«

Sie zuckte die Schultern.

»Deine Brüste sieht man unter diesen Pullovern gar nicht. Ich kann dir Oberteile borgen, die etwas mehr ... Stimmt's, Raphaël, findest du nicht, dass sie unmöglich rumläuft?«

»Lass sie in Ruhe ...«

Sie schnalzte mit der Zunge.

»Weißt du, wenn ich du wäre ...«

»Du bist nicht ich.«

Sie lächelte.

»Stimmt, aber wenn ich du wäre ...«

Ich ging am Bauernhof vorbei. Ich sah den Vater der Kleinen, der Dung in die Schubkarre lud. Die Schubkarre war schwer. Er schob sie und leerte sie auf einen großen Haufen in der Mitte des Hofes. Die Sau folgte ihm.

Eins seiner Kinder spielte mit ihr. Auf der Weide standen die Kühe mit den Hufen im Schlamm. Irgendwann hob der Vater den Kopf. Er sah mich an. Sein Blick störte mich nicht.

Der Junge krabbelte weiter zwischen den Beinen der Sau herum. Es war ein Kind mit leeren Augen und langsamen Bewegungen. Er kletterte auf ihren Rücken und ließ sich auf der anderen Seite herunterrutschen.

Ein Junge, der aufwuchs wie eine Katze.

Der Audi stand etwas weiter oben an der Straße. Ich dachte,

ich würde Lambert in seinem Haus vorfinden. Die Tür stand offen.

Ich rief.

Ich ging hinein.

Das Feuer brannte. Ich wartete vor dem Kamin auf ihn, in einem der tiefen Sessel. Ich schlief wohl ein, denn als ich die Augen öffnete, saß er am Tisch und sah mich an.

»Sie haben einen Schlaf ...«

Weil ich einfach so eingenickt war oder weil er mit mir gesprochen hatte, ohne dass ich es gehört hatte?

»War es schön in Aurigny?«, fragte ich.

»Woher wissen Sie das?«

»Hier weiß man alles.«

Er holte sich eine Zigarette aus der Jackentasche. Nahm seine Streichhölzer. Er zog einen Stuhl heran und setzte sich neben mich.

»Es war okay, ja.«

Er zog die Schuhe aus, die Füße auf dem Steinfußboden. Er zündete seine Zigarette an.

»Ich wollte Dorade essen, aber es gab keine.«

»Sind Sie deswegen zwei Tage dort geblieben?«

»Nein.«

Er erzählte mir von Aurigny, sagte, dass seine Eltern oft dort hingefahren waren. Dass sie dort Freunde hatten.

Er sah mich an.

»Dorade essen ... Haben Sie Appetit?«

Ich schüttelte den Kopf.

»Ich muss Ihnen etwas sagen.«

Er machte eine Handbewegung.

»Später ...«

»Nein, nicht später.«

Er warf seine Zigarette ins Feuer.

»Doch, später.«

Er legte den Nacken gegen die Stuhllehne, streckte die Beine aus und schloss die Augen.

»Ich hätte gern eine Zigarette.«

Er zeigte mit der Hand auf seine Jacke.

Ich stand auf. Ging zur Jacke. Berührte das Leder. Holte die Schachtel hervor.

In derselben Tasche war ein Foto. Ich hielt es ins Licht. Es war das Foto, das lange bei Lili gehangen hatte, das Schwarz-Weiß-Foto, auf dem Lili und ihre Eltern waren, dahinter der kleine Michel.

Das Foto war in der Tasche der Mutter gewesen. Ich wusste nicht, was er getan hatte, um es zu bekommen. Auch nicht, warum er es getan hatte.

Ich steckte es wieder zurück.

Lambert hatte die Augen immer noch geschlossen. Es sah aus, als würde er schlafen. Vielleicht tat er nur so.

Ich ging vor die Tür, um zu rauchen. Nebel lag über Aurigny und auch über dem Meer. Zwischen der Insel und dem Leuchtturm. Die Sonne schob sich zwischen die Wolken, ein paar Strahlen erreichten die Wasseroberfläche, man sah sie auch auf den Feldern, an den Stämmen einiger Bäume schimmernd. Überall wiegte sich das hohe Gras in roten Tönen. Für einen Augenblick konnte man meinen, der Farn am steileren Hang des Hügels stehe in Flammen.

Und dann siegte die Dunkelheit. Mit einer Regung erbrach der Himmel in der Ferne einen Schwall schwarzer Tinte über dem Horizont, und die Sonne verschwand.

Lambert schlief eine Stunde, dann wachte er auf.

»Habe ich Ihnen Doraden versprochen, oder das geträumt?«

»Sie haben es nicht geträumt.«

Er stand auf.

»Warten Sie hier auf mich?«

Er kam eine Viertelstunde später mit zwei wundervollen Doraden wieder.

»Bleiben Sie sitzen.«

Er briet sie mit Kräutern. Ich hörte die Butter in der Pfanne brutzeln.

Irgendwann drehte er den Kopf, sah mich über die Schulter an.

»Sie wollten mir etwas sagen?«

»Nein, nichts … Nichts Wichtiges.«

Er nickte.

Er schob den Bratenwender unter den Fisch, hob ihn vorsichtig hoch und drehte ihn um. Er gab Zitronensaft dazu.

Er briet die Fische weiter, ohne sie aus den Augen zu lassen, dann drehte er das Feuer aus.

Er ließ die Doraden auf die Teller gleiten. Er sagte, dass Max sie gefangen habe. Mit der Messerspitze schnitt er die Bäuche auf und nahm die Gräten heraus.

»Beim nächsten Mal lade ich Sie ein«, sagte ich.

Er zog eine Braue hoch.

»Kochen Sie?«

Ich schüttelte den Kopf.

»… aber im Gasthof schmeckt es gut.«

»Der Gasthof ist zwangsläufig weniger gut als zu Hause.«

Zwangsläufig, dachte ich.

Er kratzte die Zitronen mit den Zähnen aus, bis auf die Haut. Davon bekam ich einen sauren Geschmack im Mund. Schließlich stand er auf und ging zu seiner Jacke, holte das Foto heraus und legte es vor mich auf den Tisch.

Er zeigte mit dem Finger darauf.

»Erkennen Sie das Foto? Es ist das, was bei Lili gehangen hat. Und das da ist der Junge, den Nan adoptiert hat. Dieser Michel, mit dem sie mich verwechselt hat.«

Ich sah ihn an. Was hatte er begriffen?

Er begann, seine Dorade zu essen.

»Mögen Sie nicht?«, fragte er, weil ich meine nicht anrührte.

»Doch …«

»Was ist los?«

Ich zögerte mit der Antwort.

Er sah mich an. Ich wandte den Kopf ab.

Ich weiß nicht, was er ahnte, aber er musste allein bis auf den Grund dieser Wahrheit gelangen. Wie ich es getan hatte.

Wie weit war er?

Hatte er mit Nan gesprochen?

Jetzt war Nan tot, mit wem konnte er nun reden?

Er zeigte auf die Dorade.

»Sie müssen sie essen, ehe sie kalt ist.«

Als ich ihn verließ, war der Nebel aufgerissen. Das Wetter wandte sich dem Licht zu. Und dann verschwand das Licht. Vielleicht machte mich gerade das hier verrückt, das Fehlen von Licht. Dunkelheit lange vor und lange nach der Nacht.

Und die grenzenlose Weite des Meeres.

Hermann kam *Die Tugend* abholen. Er nahm auch zwei andere kleine Gipsstatuen mit, die Raphaël *Einsamkeit* getauft hatte. Hermann wollte eine Ausstellung in Paris organisieren, die Skulpturen und die Zeichnungen zusammen zeigen.

Seit einiger Zeit schlief Raphaël nur wenig, ein paar Stunden pro Nacht. Manchmal legte er sich nachmittags hin. Die schlaflosen Nächte erschöpften ihn. Das Leben draußen bedeutete ihm nichts mehr. Das Atelier war sein Lebensraum geworden. Und es war, als zählte allein noch dieses Leben.

Morgane litt darunter. Ich hörte sie mehrmals streiten. Als ich eines Morgens nach unten kam, weinte Morgane.

Raphaël war im Atelier, er stand vor einem der *Denker*, sie starrten einander an. Als ich sie sah, fragte ich mich, wer wohl wen betrachtete.

Raphaëls Gesicht war gezeichnet von der Müdigkeit. Er sagte, selbst wenn er schlafe, arbeite er an seinen Skulpturen. Der Gips sei in seinem Schlaf gefangen.

»Rue de Seine, stell dir vor! Ich werde in der Rue de Seine ausstellen …«

Er war glücklich.

Er wollte sich sofort wieder an die Arbeit machen, mit neuen Ideen beginnen.

»Ich fange an zu verstehen …«

Er plante einen Engel mit angefressenen Flügeln. Ein Wesen aus Stein, das gleichzeitig ewig und vergänglich wäre.

»Ich suche ihn schon so lange … Ich glaube, ich nähere mich ihm allmählich.«

Und dann war da noch die Idee mit dem Seiltänzer. Er sagte, alle anderen Skulpturen seien entstanden, um zu dieser einen zu gelangen.

Er brachte die Gipsfigur der *Näherin* nach Valognes. Er nahm auch einen kleinen *Seiltänzer* mit.

Die Tür zum Atelier blieb weit offen. Der Stein davor fehlte. Während seiner Abwesenheit war das Atelier ein nackter, stummer Tempel.

Ich ging hinein und wanderte zwischen den Schatten der versteinerten Gestalten umher, deren ausgetrocknete Schöße sich schamlos vor mir öffneten. Die Gesichter waren anonym, aber trotzdem meinte ich sie zu kennen. Ich ging nahe an sie heran. Ohne Angst. Raphaëls Skulpturen waren meine Schwestern, es waren meine Flehenden.

Die Stille im Atelier war zum Schneiden.

Auf dem Fußboden, dort, wo die *Näherin* gestanden hatte, sah man noch Gipsspuren. Der Abdruck des Sockels. Raphaëls Pullover.

Unverhofft stand Max im Atelier.

»Hast du vielleicht Raphaël in der Umkreisung gesehen?«

»In der was?«

»In der Umkreisung.«

»In der Umgebung, Max! In der Umgebung. Er ist beim Gießer, er hat die *Näherin* mitgenommen. Er hatte es dir gesagt. Er hat auf dich gewartet. Du hattest ihm versprochen mitzufahren.«

Max sah sich um.

Er rieb sich mit der Hand die Stirn.

»Hast du ein Problem?«, fragte ich.

Er wusste es nicht. Raphaël wusste immer, wann es Probleme gab und wann nicht.

»Es ist wegen dem Benzin, ich habe nicht genug für das Boot!«, erklärte er schließlich.

Er machte drei Schritte zur Tür.

»Der Kapitän sagt, ich habe genug, um aufs Meer zu fahren, aber nicht zum Zurückkommen, er lässt mich nicht losfahren, wenn ich nicht das Benzin für die Rückfahrt habe.«

»Er hat Recht.«

»Er hat den Schlüssel für das Boot genommen!«

Er nickte mehrmals.

»Das hat er gemacht, damit ich den Anlass für den Motor nicht betätige.«

»Und was soll Raphaël da machen?«

»Raphaël ist der gut Begründete auf der Welt.«

»Der gut Begründete auf der Welt?«

Darüber musste ich lachen.

»Wie viel Liter brauchst du?«

Auch das wusste er nicht. Der Kapitän hatte ein Zeichen auf die Benzinuhr gemalt, und bis dahin musste Max den Tank füllen.

»Das ist eine Schaumnacht!«, sagte er und zeigte aufs Meer. »In Schaumnächten gibt es Heringshaie!«

Ich holte einen Geldschein aus der Tasche, aber Geld war nicht das, was er wollte.

Schließlich ging er. Er lief ins Dorf. Mit einem Eimer und Flaschen wanderte er von Haus zu Haus und bat um Benzin für sein Boot. Er versprach Fisch als Bezahlung und die Zähne des Hais. Er versprach alles. Einige gossen ein paar Liter direkt in seinen Eimer. Andere gaben ihm nichts.

Max stank.

Lili wollte nicht, dass er das Bistro betrat. Sie wollte auch nicht, dass er aufs Meer fuhr.

Sie gab ihm draußen zu essen.

Max rannte durch die Gassen und klopfte an alle Türen. Abends hatte die Benzinuhr endlich den nötigen Stand erreicht.

Der Gießer brachte die *Näherin* am nächsten Vormittag zurück. Sie war in ein Laken gehüllt. Sie brauchten lange, um sie vom Wagen zu heben und ins Atelier zu tragen.

Sie stellten sie auf ihren Sockel. Ich war da, als sie das Laken abnahmen. Die dunkle Patina vibrierte im Licht. Sobald sich das Licht änderte, wechselte die Patina zu graubraun, fast rot. Es genügte eine Wolke hinter dem großen Fenster zum Meer.

Jetzt, wo sie da war, schien es auf einmal unmöglich, sich von ihr zu trennen.

Als Hermann kam, verschärfte sich die Situation, Raphaël wollte seine Skulptur nicht mehr verkaufen. Hermann brauchte sie aber für die Ausstellungsplakate.

»Deine *Näherin* wird das Prunkstück der Ausstellung!«

Alles hatte er bereits geplant.

Nur das nicht.

»Ohne die *Näherin* wird es keine Ausstellung geben!«, sagte er und ging türenknallend davon.

Am Abend rief Hermann im Gasthof an und verlangte Raphaël. Es dauerte eine Weile, bis der Gastwirt ihn geholt hatte. Später mussten sie von der Telefonzelle aus weitertelefonieren, weil der Gastwirt vom endlosen Gespräch die Nase voll hatte. Sie redeten, bis Raphaël nachgab. *Die Totennäherin* sollte in Paris ausgestellt und verkauft werden, falls sie jemand wollte.

»Das ist meine erste Ausstellung, ich muss das Beste zeigen, was ich habe. Wenn ich sie verkaufe, kann ich andere davon gießen lassen.«

Morgane explodierte.

»Du bist kein Anfänger! Er hat dich nicht so zu behandeln!«

Sie schleuderte eine Zeitschrift durchs Zimmer.

»Ich begreif nicht, wieso du so einfach nachgibst!«

Raphaël hob die Zeitschrift auf. Seit seine Entscheidung getroffen war, wirkte er sehr ruhig, fast gleichgültig.

»Das Entscheidende ist doch, dass es *Die Totennäherin* gibt.«

Er lächelte.

»Ich trage andere in mir.«

»Es wird niemals eine andere *Näherin* geben!«

Sie stritten eine Weile so weiter, Morgane beruhigte sich nicht.

Feuchte Luft stieg vom Boden auf. Von einigen Skulpturen, die schon lange im Atelier standen, löste sich der Gips, man musste nur mit dem Finger darüberstreichen. Die Skulpturen waren bedroht. Raphaël wusste es. Sie würden alle Schaden nehmen, wenn er sie nicht bald gießen ließ.

Er streichelte mit der Hand das Gesicht seiner Schwester, streichelte diese unmöglich zu besänftigende Wut.

»So schlimm ist das alles nicht.«

Morgane wich zurück, wie von der Hand verbrannt.

»Komm her …«

Er zog sie an sich, hielt sie fest.

»Du bist schön, wenn du dich aufregst.«

Er redete lange auf sie ein, eine Hand in ihrem Haar, so wie man ein kleines Kind beruhigt.

Max fuhr am frühen Morgen los, ich hörte den Motor starten. Bis ich am Kai war, hatte das Boot schon den Hafen verlassen. Er fuhr noch in ruhigem Gewässer, aber er bewegte sich bereits auf die Strömung zu. Ich rannte zur Mole, ich winkte. Ich wusste nicht, ob er mich sah. Er blickte aufs Meer, stolz, er war ein Seemann, kein großer Seemann, aber ein Mann auf seinem Boot. Er fuhr auf den Raz Blanchard zu, er würde ihn zum ersten Mal durchqueren. Diese Strömung, die wie eine Mauer war.

Es war wie eine Taufe. Die Wellen erwarteten ihn und schlugen gegen den Schiffsrumpf. Sie hoben den Bug mit immer neuen Angriffen. Unter dem Boot bildeten sich schwarze Wasserlöcher, es brodelte heftig. Die *Marie-Salope* schwankte.

Max hielt das Ruder fest in der Hand, er fuhr geradewegs hinaus, das Boot wurde vom Licht aufgesogen, es war nur noch ein Punkt, kaum weißer als die Wellenkämme. Auch wenn ich die Augen zusammenkniff, wusste ich nicht mehr, ob er es war oder der Schaum oder ob sich meine Augen verschleierten, weil ich ins Licht starrte.

Mit angezogenen Knien setzte ich mich hin, das Kinn auf den Armen. Ich starrte auf den Punkt im Meer, an dem Max verschwunden war.

Er war nicht aufs Geratewohl gefahren. Die Fischer hatten ihm erklärt, wo er Heringshaie finden würde. Um sie anzulocken, brauchte er Glück. So würde er seinen ersten Hai finden und dann die Umgebung absuchen. Manchmal würde er gerade am richtigen Ort sein, aber die Haie würden nicht da sein. Dann wäre es wieder umgekehrt. Und eines Tages würden sie beide am selben Ort sein, und Max würde seinen Heringshai fangen.

Morgane setzte sich neben mich. Sie warf Steinchen ins Wasser, die von Welle zu Welle sprangen.

»Einmal, als er gerade in der Strömung war, dachte ich, er würde kentern …«

Sie warf den nächsten Stein.

»Glaubst du, er fängt seinen Hai?«

»Man muss ihm vertrauen. Es ist sein großer Traum, und Menschen, die Träume haben, droht keine Gefahr.«

»Und die, die keine haben, welche Gefahr droht denen?«

»Ich weiß nicht … Aber für sie ist es weniger leicht.«

Sie warf noch einen Stein, weiter als den letzten. Er sprang nicht. Er glitt über das Wasser und verschwand.

Einen Moment lang starrte sie auf die Stelle im Wasser, an der ihr Stein untergegangen war.

»Eigentlich kommt Max schon ganz gut klar«, sagte sie schließlich.

Ich nickte.

»Ganz gut, ja.«

Als Max am Abend wiederkam, hatte er nur ein paar kleine Fische gefangen.

Vom Heringshai erzählte er, er habe ihn am Haken gehabt, aber die Angelschnur sei gerissen.

Hermann hatte die *Näherin* mitgenommen. Sie war nicht mehr im Atelier, wir schlichen um ihren Platz herum, gerade so, als würde sie noch dastehen.

Raphaël hatte sich wieder an die Arbeit gemacht, noch verbissener als sonst, er arbeitete an einer großen Gipsfigur im Entwurfsstadium. Er machte etwas, das ich nicht kannte, das ich niemals erwartet hätte, das mich überwältigte. Eine Skulptur, die nicht flehte.

Es war ein großer gehender Mann, der Körper auf einen dünnen Stock gestützt. Er schien einen Hang hinaufzusteigen, einen Hügel oder Berg?

Das Licht von draußen ergoss sich durchs Fenster. Auf dem Fußboden, vor dem Gehenden, durchbrach ein Brunnen aus weißem Licht den Schatten, zeichnete die eckigen Umrisse des Fensters nach. Der Schatten erschien im Kontrast dazu blau.

Kalt.

Diese Skulptur, noch nicht mehr als eine Andeutung, war aus dem Abschied von der *Näherin* geboren worden.

Aus dieser Abwesenheit.

Nach einer mehrstündigen Pause begann der Wind wieder zu wehen. Die Äste kratzten an den Fenstern, stimmten mit ihren

Klagen in die lebhaften Gebete der *Flehenden* ein. Eine Scheibe im Atelier war in ganzer Länge gesprungen, die Meeresbrise drang herein, ein dünner Strom von eisigem Wind, der den Staub aufwirbelte.

Raphaël kniete, er betrachtete seinen Gehenden. Den platten Gipsschatten vor ihm auf dem Boden.

»Es sieht aus, als folge er seinem Schatten.«

Er richtete sich auf, wischte die Hände an seiner Hose ab.

»Ich nenne ihn den *Folger*.«

Der Folger setzte sich durch, fügte sich mit Macht der vielköpfigen Menge hinzu, die das Atelier bevölkerte.

Als Morgane kam, drückte sie sich an mich und schlang ihre Arme um meinen Hals. Sie roch nach Seife, Parfüm, einer Creme auf Lehmbasis, die sie in ihre Haare rieb, wenn sie sie gewaschen hatte.

»Woran denkst du?«, flüsterte sie mir ins Ohr.

»An die Zeit, die verstreicht.«

»Und?«

»Es ist eine Sauerei mit der Zeit.«

Sie deutete ein schwaches Lächeln an und legte den Kopf an meine Schulter. Ein Tuch aus dünnem Stoff war um ihr Handgelenk gebunden, durchsichtige Seide, die aus ihrer Haut gewebt zu sein schien.

»Langweilst du dich nicht?«, fragte sie mich.

Sie lächelte nicht mehr.

Wir sprachen über Männer. Wir sprachen über Lambert. Auch über dieses Hundeleben.

Wir sprachen vom Süden und von der Sonne.

Ich wäre froh gewesen, wenn ich über dich hätte sprechen können. Über dein Leben, deinen Tod.

Ich schob einen Finger unter den Seidenstoff.

Der Schatten des Gehenden breitete sich immer noch auf dem

Fußboden aus. Auch andere Schatten. Andere Hände. Überall der mächtige Abdruck der Sockel.

Vor uns thronte weiterhin majestätisch inmitten des plötzlich mit Licht gesättigten Raums die Erinnerung an die *Totennäherin*.

In der folgenden Nacht schlief ich wenig. Ich schlief schlecht. Es kam mir so vor, als hörte ich Schritte im Flur. Als ich die Tür öffnete, blickte ich auf die grauen und kalten Stufen. Es war niemand da. Ich beendete die Nacht auf dem Fußboden, an der Heizung. In eine Decke gewickelt, auf das Bett schauend.

Am Morgen sah ich mein Gesicht im schartigen Spiegel. Den Raum hinter mir, die Umrisse des leeren Betts.

Die Sau hatte ihr Gatter verlassen, sie war auf dem Parkplatz und wühlte mit dem Rüssel in den Mülltonnen des Gasthofs. Sie hatte Kartoffelschalen und alte Möhren gefunden. Niemand wunderte sich über diese Sau am Kai, die sich vollfraß, während sie die Boote ablegen sah.

Ich verbrachte den Tag an der Steilküste.

Als ich zurückkam, sah ich sofort, dass Morgane auf meine Heimkehr gelauert hatte. Sie stürzte mir entgegen. Sie umarmte mich. Sie lachte, ihre Lippen an meinem Hals. Ich verstand den Grund ihrer Freude nicht. Ich fragte, was mir ihr los sei.

»Ich fahre!«, antwortete sie.

Zwischen ihrem Lachen diese zwei Worte: Ich fahre.

»Was heißt das, du fährst?«

»Nach Paris! Das hat sich so ergeben, im Gespräch, Hermann sucht jemanden für seine Galerie.«

»Aber … Das kannst du doch gar nicht!«

»Scheiß drauf, ich werd's lernen! Er braucht ein Mädchen … Er sucht schon seit zwei Monaten. Er sagt, es sei ein Job für mich.«

Sie griff nach ihrer Tasche, wühlte darin herum und hielt mir eine Fahrkarte von Cherbourg nach Paris vor die Nase.

»Saint-Lazare, so heißt der Bahnhof, wenn man dort an-
kommt … Stell dir vor, ich werde in Paris wohnen!«

»Aber wo genau? Paris ist groß!«

»In einer kleinen Wohnung über der Galerie. Dusche, Bett, alles da, nicht groß, aber gut gelegen. Das Fenster zu einer Gasse
mit echtem Pariser Pflaster.«

»Na wenn es echtes Pariser Pflaster gibt!«

Ich ärgerte mich über meine Antwort. Ich sagte es ihr und
entschuldigte mich.

Es war ihr egal. Sie ließ sich aufs Sofa fallen, konnte aber nicht
sitzen bleiben und sprang sofort wieder auf.

Ich sah sie an.

Sie würde also weggehen.

Sie würde es wagen.

»Und Raphaël, was sagt er dazu?«

»Er sagt nichts. Er freut sich für mich. Ich werde in der Nähe
einer Metro-Station wohnen. Hermann nimmt mich einen Monat auf Probe. Wenn es läuft, bleibe ich da.«

»Und wenn es nicht läuft?«

»Es wird laufen!«

Sie holte die Ratte aus ihrer Kiste und tanzte mit ihr. Sie sang,
Fetzen von Liedern, deren Text sie kaum konnte, ich erkannte
Les Filles de Pigalle, *Revoir Paris* …

Plötzlich blieb sie stehen.

»Und meine Ratte?«

Sie sah ihr Tier an.

»In Paris mögen sie bestimmt keine Ratten … Außerdem
werde ich wohl wegen der Arbeit die meiste Zeit nicht in der
Wohnung sein … Und sie ist an diese Umgebung hier gewöhnt …«

Sie sah mich an.

»Worauf willst du hinaus?«, fragte ich.

»Auf gar nichts … Ich hab nur gedacht, du könntest vielleicht …«

Ich wehrte mit der Hand ab.

»Frag Raphaël!«

»Raphaël! Für den zählt im Moment nur seine Arbeit. Er lässt sie krepieren …«

Sie hob den Kopf und sah mich mit großen, flehenden Augen an.

Ich betrachtete das Tier.

»Du kannst sie doch freilassen. Ratten sind schließlich daran gewöhnt, bei den Booten zu leben.«

Sie zuckte die Schultern.

Die Ratte hatte ihre Erregung gespürt, die Wärme ihrer Haut, den Schweiß. Sie krabbelte auf Morgane herum, auf ihren Armen, ihrem Hals. Sie suchte einen Ort, um sich zu verstecken, schließlich schlüpfte sie in den Ausschnitt ihrer Bluse, die kleinen rosa Pfoten an den dünnen Stoff geklammert.

»Wann fährst du?«, fragte ich.

»In drei Tagen.«

»Montag!«

»Ja, Montag. Ganz früh. Kannst du mit uns zum Bahnhof fahren? Ich habe Raphaël gesagt, dass du bestimmt mitkommst.«

Sie zog mich an sich, drückte mich.

»Du kommst mich in Paris besuchen, versprichst du mir das?«

Dann nahm sie meine Hand, trat etwas zurück und betrachtete mich von Kopf bis Fuß.

»Ich geb dir Klamotten.«

»Ich brauche keine Klamotten!«

Sie zog mich in ihr Schlafzimmer.

Bevor wir es betraten, fragte sie wieder:

»Und wegen der Ratte überlegst du nochmal, okay?«

»Ich habe mich entschieden.«

Sie öffnete die Tür. In ihrer Hektik machte sie eine falsche Bewegung. Ihre Kette zerriss. Die Perlen rollten in alle Richtungen auf dem Fußboden weg. Wir sammelten sie auf und legten sie in eine Schachtel. Dann zog sie die Schubladen auf, wühlte in ihren Sachen und holte für mich alles heraus, was sie nicht mehr wollte.

»Die hier schenke ich dir, sie wird dir stehen!«

Es war eine Bluse, durch deren durchsichtige Ärmel man die Haut schimmern sah. Sie drückte sie mir in die Hand.

»Diese Knöpfe braucht man nicht zuzumachen«, sagte sie und zeigte mir die oberen beiden Druckknöpfe.

Sie warf auch T-Shirts aufs Bett.

»Aus der Zeit, als ich noch schlank war …«

Ein Pullover, ein paar Tücher.

Sie schenkte mir ihren dicken gestreiften Pullover. So ein Pullover in Paris, sagte sie, das geht nicht!

Sie gab mir Wollstrumpfhosen, ein paar T-Shirts. Sie ließ mich versprechen, sie zu tragen.

Ich versprach es. Ich musste es schwören. Alles, was sie mir geben wollte, legte sie mir in die Arme.

»Du bist schön«, sagte ich.

»Stehst du auf Frauen?«

Ich lachte.

»Nein, nur auf Männer.«

Sie lachte auch.

Ich hatte ihre Haare im Mund.

»Worauf wartest du dann noch?«

»Ich warte auf gar nichts.«

»Wir warten alle!«

»Ich nicht.«

Sie sah mir tief in die Augen.

»Wenn man nicht mehr wartet, stirbt man!«
Das sagte sie.
Sie ging zu einem anderen Schrank, riss die Tür auf.
»Und was frisst deine Ratte?«, fragte ich schließlich.

Morgane packte zwei Koffer. Was sie nicht wollte, ließ sie in den Schubladen.

Als Max erfuhr, dass Morgane wegfahren würde, lief er ans Ende der Mole und weinte.

Sie gab ihm die Perlen, alle Perlen der zerrissenen Kette. Er würde sie reparieren und sie ihr in einem Umschlag nach Paris schicken können, Raphaël hatte die Adresse darauf geschrieben.

Sie schenkte ihm ihren großen Schal.

Er wollte auch die Ratte übernehmen.

»Ich kümmere mich drum«, sagte er. Morgane sah zögernd auf seine Hand.

Schließlich fand er eine Holzkiste und legte einen alten Wollpullover hinein. Er kam damit wieder und erklärte, dass Ratten gerne auf Booten wohnten.

Morgane sah die Kiste an, dann sagte sie: »Warum eigentlich nicht …« Sie war noch nicht ganz überzeugt.

Er ließ sich alles erklären mit dem Futter. Dann ging er auf die Mole zurück, aber weniger weit als beim ersten Mal, und weinte wieder.

Morgane gab ihm ihre Pyjamajacke, mit ihrem Geruch, der noch darin war, ihre Träume, ihr Schweiß.

Max drückte die Jacke an sich. Er sah sie an, seine Schläfen waren rot.

Das Pferd stand auf der Weide. Morgane brachte ihm zu trinken. Die Hände ausgestreckt, zur Schale geformt.

Sie lächelte gequält, die Finger in der Mähne.

Ihre Hände in seinem Mund.

»Ich habe noch nie so eine weiche Zunge gespürt …«

Tief in ihr diese Mischung aus Lachen und Weinen.

»Geht sie wirklich weg?«, fragte Max.

»Sie geht, ja.«

»Wann kommt sie wieder?«

»Ich weiß nicht …«

»Wann kommst du wieder?«, fragte er und klammerte sich an ihren Arm.

»Ich weiß nicht, Max.«

Sie antwortete ihm mit heiserer Stimme. Sie hatte noch nie so mit Max gesprochen, er wich zurück.

Er schaute zur Mole, aber er ging nicht mehr hin.

Sie sah sich um, sie wollte ihm noch etwas geben, außer der Ratte und der Pyjamajacke.

Schließlich ging sie ins Haus und kam mit dem Wörterbuch wieder.

»Hier, für dich.«

Sie zwang ihn, es zu nehmen, denn er wollte nicht. Er traute sich nicht.

»Hier, ich schenk's dir. Für Regentage auf deinem Boot.«

Er fasste das Wörterbuch an, dann nahm er es und drückte es an sich.

»Alle Wörter der uferlosen Sprache?«, stammelte er.

Morgane lächelte.

»Wenn ich wiederkomme, bringe ich dir ein anderes mit, in dem noch mehr Wörter stehen.«

»Gibt es immer noch mehr Wörter?«
Sie nickte.
»Immer, ja.«

Wir brachen kurz vor acht auf. Morgane setzte sich auf die Rückbank. Sie wollte es so.

Wir fuhren am Meer entlang, durch Saint-Germain und Port-Racine. Raphaël saß am Steuer. Die Koffer waren im Kofferraum verstaut. Morgane schaute aufs Meer, das Gesicht an der Scheibe. Ich sah ihr Profil im Rückspiegel. Ihre plattgedrückten Lippen, und wie sie auf das Meer starrte, als wollte sie es mitnehmen.

»Es sieht so aus, als wolltest du es mitnehmen«, sagte ich.

Sie nickte.

Deswegen wollte sie allein hinten sitzen. Raphaël fuhr langsam. Der Zug ging um neun, wir hatten Zeit. Ich glaube, er wollte nicht zu früh am Bahnhof ankommen.

Er musste etwas herumsuchen, ehe er einen Parkplatz fand. In der Bahnhofshalle holte er aus einem Automaten Getränke und zwei in Plastik gewickelte Sandwiches. Morgane war schon zum Bahnsteig vorgegangen. Sie winkte uns heftig, weil der Zug schon da war und wir nicht schnell genug kamen.

Raphaël sah sie an, wie sie das Meer angesehen hatte. Mit derselben Eindringlichkeit. Ich glaube, er wollte, dass sie fuhr. Dass es zu Ende war.

»Alles in Ordnung?«, fragte ich.

»Ich werd dran krepieren.«

Er versuchte zu lächeln. Er ging zu ihr. Ihre Koffer standen schon auf dem Trittbrett, ein junger Mann hatte ihr geholfen. Eine Stimme kündigte über Lautsprecher die Abfahrt des Zuges an, er würde in Valognes, Carentan, Bayeux, Caen, Lisieux und schließlich Paris halten.

Morgane sah uns an, der junge Mann hinter ihr schob die Koffer weiter und brachte sie ins Abteil. Sie drehte sich um, der junge Mann lachte über etwas, das sie zu ihm gesagt hatte.

Dann stieg sie wieder aus, um uns zu umarmen, Raphaël und mich. Ich liebe dich, das sagte sie, ich liebe dich über alles! Ich lächelte. Ich liebe dich hatte sie auch zum Pferd gesagt. Und zu ihrer Ratte. Sie lachte. Es waren noch fünf Minuten Zeit, aber in Gedanken war sie schon weg.

Sie sprach von Max und von Lambert, von den Perlenkronen, die sie zurückgelassen hatte.

»Du kannst sie fertigmachen, wenn du willst. Die Anleitung liegt dabei.«

Sie sagte all die Sachen, die man sagt, wenn man weggeht.

»Pass gut auf dich auf, zieh meine T-Shirts an … Kümmere dich ums Pferd!«

Das ließ sie mich versprechen.

»Und schlaf mit Lambert …«

Das versprach ich nicht.

Sie umarmte mich nochmal.

Raphaël verschlang sie mit den Augen. Sie wandte sich ihm zu. Sie hatte Angst, Angst vor dem Moment, wo sie sich voneinander lösen mussten. Seine Hände in ihrem Haar. Ihre geschlossenen Augen.

Ich zog mich zurück.

Sie atmeten einander.

Die Schnürsenkel an ihren weißen Turnschuhen waren offen, der Hosensaum zerrissen, er schleifte auf dem Boden, blieb an den Hacken hängen.

Sie pressten sich aneinander, klammerten sich aneinander. Ich wusste nicht, was sie sich zuflüsterten.

Der Bahnhofsvorsteher lief vorbei, und Morgane löste sich, entfernte sich. Sie hielten sich noch bei den Händen, Morgane war schon im Zug und er auf dem Bahnsteig. Raphaël gab ihr die Tüte mit den Sandwiches und den Getränken.

»Dort gibt es Telefon, du rufst an, wenn du da bist.«

Er sagte noch mehr. »Sei vorsichtig, pass auf dich auf ...«

Schließlich gingen die Türen zu. Vor ihr, zwischen ihnen. Morganes Gesicht, die verzerrten Lippen, weil sie weinte, ihre weißen, an die Scheibe gepressten Hände.

Sie flüsterte Worte, die er nicht mehr hörte. So blieben sie stehen, bis sich der Zug in Bewegung setzte. Leere Blicke, zwei orientierungslose Geschöpfe, die lernen mussten, nicht mehr zusammenzuleben.

Auf dem Rückweg fuhr ich. Es regnete. Die Scheibenwischer quietschten. Raphaël starrte auf die Straße.

Ich stellte das Auto im Hof vor der *Griffue* ab. Morganes Kaffeeschale stand noch auf dem Tisch. Ein runder Schatten auf dem Tischtuch.

Die Stille.

Die Perlenschachtel, eine offene Packung Kekse, ihre geballte Anwesenheit. Ihre Decke zusammengerollt vor dem Fernseher, der Platz der Ratte. Die Wollknäuel, die Nadeln, ein paar Reihen eines gerade angefangenen Pullovers. Die gelben Lederstiefel im Flur. Als sei sie für eine Stunde weg, für einen Tag.

Morgane kam mittags in Paris an. Sie sollte anrufen, sobald sie bei Hermann wäre. Wir warteten. Kurz vor zwölf stellten wir uns neben die Telefonzelle und warteten weiter. Die Sau stand am Kai. An den Hungertagen benahm sie sich wie ein Hund, ernährte sich von dem, was sie fand.

Als das Telefon klingelte, nahm Raphaël ab. Morgane sagte, dass alles in Ordnung sei.

Sie wechselten noch ein paar Worte. Dann verschwand Raphaël in seinem Atelier, und ich schlenderte am Strand entlang.

Der Wind pfeift nur, wenn er auf Widerstand stößt. Auf ein Hindernis. Er pfeift nie über dem Meer. Im freien Raum ist er stumm.

Das hatte mir Lambert gesagt, am Abend des Festes, als wir an der Dachluke lehnten. Er hatte mir vom Wind erzählt, dort, bei ihm. Und vom ständigen Pfeifen in den Bäumen, das ihn weckte und ihn an die Nacht denken ließ.

Ich ging zur Steilküste.

Drei Küken waren in einem Nest an der Bucht von Éclagrain ausgeschlüpft. Die Felsen dort waren fast rot. Ich verbrachte unendlich viel Zeit damit, die Küken anzusehen – ihren maßlosen Appetit, kaum dass sie aus den Eiern gekrochen waren.

Ich hatte keine Lust, sie zu zeichnen.

Ich ging auch nicht bei Théo vorbei.

Seltsam, wie das Meer heute rauscht ...«

Lambert war lautlos herangekommen. Er kam immer so. Ohne dass ich ihn hörte. Sein Jackenärmel an meinem Arm. Ich berührte ihn.

Er hatte sehr leise gesprochen. Manchmal war es unmöglich, an diesem Ort laut zu sein.

Ich sagte ihm, dass Morgane weggefahren war. Er wusste es. Sie hatte sich von ihm verabschiedet. Sie hatten sich unterhalten.

Die Flut stieg. Westlich des Leuchtturms war sie schwärzer. Auf diesem Streifen des Meeres bringen die Haie ihre Kinder zur Welt, ein dunkles Band hinter der Schaumwand, sie behalten sie bei sich, und dann eines Morgens verlassen sie sie.

Ich zeigte ihm, was ich in den Taschen hatte, eine Seeohrenschale, die Max mir gegeben hatte.

»Die Seeohren sterben wegen der Verschmutzung, wegen dem Gift, das die Menschen versprühen, damit der Mais besser wächst.«

Ich sagte ihm, dass auch die Muscheln und Algen sterben.

Er suchte den Geruch im Innern der Schale.

»Sie riecht nach nichts.«

Ich zuckte die Schultern. Er schaute aufs Meer. Hatte er mit

Morgane über seinen Bruder gesprochen? Die Boote kamen zurück. Es war ein guter Tag, die Fischkisten waren voll.

Wir gingen am Kai entlang und sahen zu, wie die Kisten ausgeladen wurden.

»Man sagt, Gott habe den Hummer erschaffen und der Teufel die Krabbe …« Das sagte ich und zeigte auf einen Korb mit Krustentieren, den ein Fischer zum Gasthof trug.

»Deswegen essen Sie also abends bei ihnen?«

»Am Hummertisch, mit Plastikblumen und einer Arcopalvase.«

Er zündete sich eine Zigarette an, den Kopf nach vorn geneigt.

»Die Vase ist nicht aus Arcopal, sondern aus Kristall«, sagte er und blies den Rauch aus.

Er gab mir seine Zigarette.

Es fiel uns schwer, miteinander zu sprechen. Schließlich verließen wir den Hafen und liefen nach La Roche. Zu Nans *Zuflucht*. Als wir daran vorbeikamen, blieb er stehen. Er sah die Fassade an, die geschlossenen Fensterläden.

Was wusste er?

Er sagte nichts.

Wir liefen weiter bis zu den Häusern von La Valette, dann machten wir kehrt. Auf dem Rückweg gingen wir an den Mauern entlang. Wir trafen niemanden.

In einem Garten wuchsen seltsame Pflanzen. Lambert sagte, es seien vielleicht Schmetterlingspflanzen, weil dort so viele Schmetterlinge herumflogen. Er erzählte mir vom Morvan.

Wir liefen den Weg mehrmals auf und ab. Bis der Leuchtturm anging. Jedes Mal kamen wir an der *Zuflucht* vorbei, und jedes Mal warf er einen Blick auf das Gebäude. Es war schon fast dunkel, als er schließlich das Gartentor öffnete.

»Gehen wir rein!«

Das sagte er.

Er lief über den Hof.

Ich folgte ihm.

Er rüttelte an allen Fenstern, bis er das eine fand, durch das man einsteigen konnte.

Er kletterte hinein.

»Warum machen Sie das?«, fragte ich.

Anstatt zu antworten sprang er ins Hausinnere. Dort wartete er auf mich. Er hatte eine Taschenlampe dabei. Mit dem starken Strahl leuchtete er das erste Zimmer aus. Er machte einen Rundgang, wie ich es getan hatte, er ließ sich Zeit. Ich fragte mich, was passieren würde, wenn man uns hier fände.

Es war kalt. Wir durchquerten das Gebäude, bis wir zur Treppe gelangten, der Lampenstrahl leuchtete auf die Stufen, auf die toten Fliegen. In der ersten Etage, im langen Flur, befanden sich die Betten. Er sah sich um. Er entdeckte Dinge, die ich nicht bemerkt hatte, eine alte Tafel, ein paar Schuhe. Ahnte er, dass sein Bruder jahrelang durch diesen Flur gelaufen war, nachts, barfuß, weil er woanders nicht schlafen konnte?

Wir kamen in den Schlafraum. Ich ging zum Fenster und schaute auf den Hof. Ich hatte Nan unten auf der Bank sitzen sehen, ein Croissant essend.

Heute war es dunkel, man konnte nichts erkennen, und Nan war tot.

Ich drehte mich um.

Der kleine Teddy lag auf dem Bett, dort, wo ich ihn hingelegt hatte. Ich ahnte seine dunklen Umrisse. Der Lichtstrahl streifte ihn, doch Lambert sah ihn nicht. Er ging in ein Nebenzimmer. Ich zögerte, dann nahm ich den Teddy in die Hand, im Flur holte ich ihn ein. Ich musste nichts sagen.

Er drehte ihn um, um das Etikett zu lesen, und nickte.

Er gab ihn mir zurück, damit ich ihn wieder auf das Bett legte. Er schien in seinen Gedanken verloren.

»Das will nichts heißen … Auf jeden Fall reicht es nicht als Beweis«, sagte er schließlich.

Wir sahen uns an.

Was ich verstanden hatte, hatte er verstanden.

»Es reicht nicht«, sagte ich.

Als wir die *Zuflucht* wieder verließen, setzten wir uns draußen auf die Stufen. Er zündete sich eine Zigarette an und rauchte sie halb, ohne ein Wort zu sagen.

Er starrte hartnäckig vor sich auf den Boden.

»Ich habe mit Nan gesprochen, am Tag vor ihrem Tod. Ich war am Strand, sie ist zu mir gekommen. In allem, was sie mir gesagt hat, war etwas … Seither denke ich ständig daran …«

»Was war …?«

»Sie wollte mir eine Kette zurückgeben … Eine Kette mit einem Medaillon. Sie hat gesagt, es gehöre mir. Sie sprach mit mir, als würde sie mich kennen.«

»Das hat sie mit allen gemacht.«

»Nein. Nicht so … Sie hat mich gefragt, warum ich weggegangen bin, wo ich die ganze Zeit gewesen bin. Ich habe ihr von Paris erzählt, vom Morvan, und sie hat sich aufgeregt, weil das nicht zu ihrer Geschichte passte.«

Er blies den Rauch weit von sich.

»Waren Sie schon mal da drin?«, fragte er und zeigte auf das noch offene Fenster hinter uns.

»Ja.«

»Warum?«

Ich antwortete nicht.

Er fragte nicht nach.

Er rauchte weiter.

»Irgendetwas kam mir an dieser Sache merkwürdig vor, also

habe ich gemacht, was ich immer mache, wenn ich arbeite, ich habe sie verhört.«

Sein Gesicht verhärtete sich. Seine Augen konzentrierten sich auf einen Punkt, auf einen Gedanken, von dem er um keinen Preis ablassen würde.

»Schließlich hat sie mir von einem Kind erzählt, das man ihr gebracht hatte, schwerkrank, fast tot, und ich habe in ihren Augen gesehen, wie die beiden Geschichten sich vermischt haben. Sie wusste es nicht mehr. Sie hat orientierungslos in die Hände geklatscht, und dann ist sie plötzlich stehen geblieben und hat auf eine Stelle am Strand gestarrt, zwischen den Felsen. Sie hat gesagt: Dort warst du. Dann ist sie gegangen.«

Er zündete sich die nächste Zigarette an. In der Dunkelheit war die Glut ein Lichtpunkt, den man vom Weg aus sehen konnte.

»Nicht ich war es, der dort gewesen ist.«

Er starrte einen Moment auf die Zigarette, die zwischen seinen Fingern verbrannte. Lange sagte er nichts.

Und dann ganz langsam.

»Ich glaube, mein Bruder lebt.«

Er sah mich an, verwirrt, es zu sagen, es aussprechen zu müssen.

»Ich glaube, er hat das Bootsunglück überlebt … Ich glaube, Nan hat ihn aufgenommen.«

Er richtete sich auf.

»Fragen Sie mich nicht warum oder wie, aber ich glaube auch, dass sie ihm die Identität eines anderen gegeben hat.«

Er warf einen Kieselstein weit von sich. Der Stein prallte gegen einen Fensterladen.

»Verdammte Intuition!«

Er schrie es heraus.

»Ich weiß nicht, wie das alles abgelaufen ist, aber ich kriege es raus.«

Er ging zum Fenster zurück.

»Wir gehen nochmal rein.«

Er schaltete wieder seine Lampe ein.

»Es kann nicht sein, dass wir nichts finden ...«

Am Ende des zweiten Saals, zwischen den Gemeinschafts-
räumen und Nans Haus, war eine dicke Tür, ein Durchgang,
der die beiden Gebäude verband. Wir versuchten, sie aufzu-
bekommen, aber sie war abgeschlossen. Lambert sah sich um,
schließlich fand er ein Stück Draht und fing an, im Schloss
herumzustochern. Seltsam, dieses Knirschen im Haus einer
Toten.

»Das können Sie nicht machen …«, sagte ich.

»Sie werden sehen, dass ich das kann«, antwortete er.

Er nahm mehrere Anläufe. Dann musste er die Tür nur noch
aufdrücken.

In der Küche war alles wie an dem Tag, als ich die tote Nan
besucht hatte. Die Tassen, der Kaffeerest in der Kanne, die Zeitung.

Lambert sah sich rasch um, ohne etwas anzurühren. Im ersten
Zimmer stand das Bett, das Kopfkissen noch eingedrückt. Dahinter ein weiteres, kleineres Zimmer, das ich bei meinem Besuch nicht gesehen hatte. Er sah sich gründlich um, dann durchsuchte er alles. Ich wusste nicht, was er finden wollte. Er auch
nicht. Er sagte nur, dass es eine Spur geben müsse, irgendwas!
Es gäbe immer irgendwas.

Er öffnete die Schränke und passte auf, nichts durcheinanderzubringen. Er brachte trotzdem viel durcheinander. Er suchte sehr sorgfältig, während ich mit der Lampe auf seine Hände im Inneren der Schubladen leuchtete. Schließlich fand er ein Register, in das Nan die Namen der Kinder bei ihrer Ankunft eingetragen hatte. Und ihren Weggang. Er setzte sich an den Tisch. Es war ein altes Heft. Er suchte auf den Seiten das Jahr 1967. Am 13. September war ein Kind weggegangen, ein anderes am 6. November. Am 12. Oktober war ein zweijähriger Junge gekommen. Es folgten ein paar Angaben, alle in einer Zeile, in verschiedenen Feldern. Ein Ankunftsdatum, keine Abreise. Am Ende der Zeile ein Name, Michel Lepage.

Das letzte Feld war leer.

»Dieses Kind ist angekommen und nie weggegangen.«

»Natürlich«, sagte ich, »es wurde adoptiert.«

Er nickte.

»Natürlich, ja …«

Er schaute sich die Seite ganz genau an. In die letzte Spalte war etwas eingetragen und dann ausradiert worden. Er hielt das Heft ins Licht, dicht unter die Lampe, aber man konnte trotzdem nichts lesen.

»Paul ist im Oktober 1967 verschwunden, am 19.«

Er las nochmal alles, was in der Spalte stand.

»Dieser Junge ist ein paar Tage zuvor gekommen. Er war ebenso alt wie mein Bruder.«

Er drehte sich zu mir um, sein Blick war hart.

»Ich weiß, so was nennt man Zufall! Aber als Schnüffler lernst du, dem Zufall zu misstrauen. Es gibt Fakten, und die Fakten passen zusammen, oder sie passen nicht. Und hier …«

»Was genau vermuten Sie?«

Er hob die Hand zum Hals.

»Paul hatte ein Medaillon. Das gleiche wie meins. Unsere vier Namen waren darin eingraviert, meine Mutter wollte das …«

Er zeigte mir das Medaillon, das er um den Hals trug, auf der Rückseite die vier Namen.

»Nan hat von einem Medaillon gesprochen, das bei ihr sei und das mir gehöre. Es muss hier irgendwo sein.«

»Wenn Michel es nicht mitgenommen hat.«

»Ja, wenn nicht …«

Er suchte weiter.

Ich erzählte ihm von dem Foto, das ich hier gefunden hatte, zwischen den anderen, das Foto, das Nan so heftig an sich gedrückt hatte.

Das Kind mit dem kleinen Holzzug. Ein vierzig Jahre alter Abzug.

»Es könnte Ihr Bruder sein, kurz nach dem Unglück.«

Ich hatte das Foto in meinem Zimmer gelassen.

»Ich bringe es Ihnen morgen.«

Ich erzählte ihm von den Briefen, die Théo bekam, den Briefen aus dem Kloster. Er hörte mir aufmerksam zu.

»Sollte Paul Mönch geworden sein …«

Ich dachte an Théo. Er musste die Wahrheit über das von Nan adoptierte Kind kennen. Es war unmöglich, dass er nichts wusste.

Lambert durchsuchte weiter das Zimmer, überall, mit demselben hartnäckigen Eifer, er wollte Beweise finden, Spuren seines Bruders in diesem Haus.

Ich ließ ihn allein.

Als ich in der Tür stand, drehte ich mich noch einmal nach ihm um. Ich sah ihn an. Ich freute mich für ihn.

Ich sagte es ihm: »Ich freue mich für Sie.« Er hatte die Tür zum zweiten Zimmer aufgemacht und war schon darin verschwunden.

Er hörte mich nicht.

Es war dunkel, aber noch nicht sehr spät. Bei Théo brannte noch Licht. Ich rannte zur *Griffue*, rannte die Treppe hoch und holte das Foto, das ich von Nan mitgenommen hatte. Dann eilte ich ins Dorf und nahm das Medaillon vom Grab. Die beiden Fotos im Licht einer Laterne. Es war dasselbe Kind, im Abstand von einigen Tagen aufgenommen. Nur der Hintergrund war ein anderer. Auf dem Medaillon sah man die Ecke eines Fensterladens, auf dem Bild eine einfache Tür. Ansonsten dasselbe Gesicht, dasselbe Poloshirt mit kleinen Booten.

Zwischen den beiden Aufnahmen lag das Bootsunglück.

Théo konnte nicht lügen. Er konnte nicht leugnen. Ich schlug den Weg ein, der zu ihm führte.

Als ich bei ihm ankam, sah er fern, in seinen Bademantel gehüllt, von Katzen umgeben.

Ich öffnete die Tür.

Er hob den Kopf. Er zögerte kurz, dann schaltete er den Fernseher aus.

»Sie kommen ziemlich spät heute.«

Ich ging zu ihm. Sah ihn an. Er wirkte einsam, unendlich müde. Ich zog den Stuhl zu ihm heran und setzte mich. Dann nahm ich das Foto aus der Tasche, das ich bei Nan gefunden hatte. Ich legte es langsam vor ihn hin. Er sah mich an und rückte die Brille zurecht.

Er nahm das Foto, hielt es dicht vor seine Augen. Ich hörte, wie seine trockenen Finger über das Papier strichen, hörte seinen leise pfeifenden Atem.

Auf dem Tisch standen ein Ätherfläschchen und Watte. Die Krankenschwester war da gewesen. Théo räumte nicht mehr auf.

»Dieses Foto gehört Ihnen nicht …«

Mehr sagte er nicht, nur das, dann legte er das Bild langsam auf den Tisch.

»Théo, Sie müssen mir sagen …«

»Was *muss* ich Ihnen sagen?«

»Wer ist dieses Kind?«

Er lächelte resigniert.

»Das ist Michel.«

»Das weiß ich.«

»Wenn Sie es wissen, warum fragen Sie mich dann?«

Er sagte es sehr schroff. Es war ein eigenartiger Moment, ich dachte, er würde hinausgehen und mich einfach sitzen lassen. Ich glaube, er hatte Lust, es zu tun.

Ich glaube auch, dass er es nicht machte, weil ihm einfiel, dass Nan tot war und dass das alles überhaupt nicht mehr wichtig war. Ein Schatten glitt über sein Gesicht, ein tiefer Schmerz. Es verging viel Zeit, dann nahm er das Foto wieder in die Hand.

Er schwieg lange, bevor er anfing zu sprechen. Seine Stimme war nicht wiederzuerkennen.

»Diesen kleinen Zug, den er an der Schnur hält, den habe ich ihm gebaut …«

Er sprach von dem Kind, mit bedachten Worten.

»Manchmal, wenn wir ihm gemeinsam zusahen, hatte ich wirklich das Gefühl, Michel ist ihr Kind, ihr Kind und meins.«

»Ihr Kind, mehr als Lili?«

Er dachte darüber nach und sagte schließlich: »Mein Kind, ja, mehr als Lili.«

Er beugte sich nieder und hob das weiße Kätzchen hoch. Er streichelte es nicht, er berührte es nur.

»Er war ein wunderbarer Junge … Er betrachtete die Welt voller Staunen und doch manchmal mit einer gewissen Traurigkeit.«

Seine Hände blieben reglos, schmiegten sich an den weichen Rücken des Kätzchens.

Ich holte das Medaillon hervor und legte es neben das Foto.

Die beiden identischen Gesichter.

»Sie wussten es, nicht wahr?«

Er sah mich an. Seine Augen waren plötzlich außerordentlich klar. Er hätte sagen können, dass mich das alles nichts angehe. Dass ich hier nichts zu suchen hätte, er hätte mir die Tür weisen können und ich wäre gegangen.

Aber er sagte nichts.

Er stand auf und ging zum Fenster. Er schaute hinaus. Seit Nans Tod schien er jeden Kampf aufgegeben zu haben.

»In jener Nacht kam der Wind von Westen.«

Er drehte sich um. Streifte mit dem Blick die Fotos.

»Der Westwind trägt oft die Körper an Land.«

Er nahm die Fotos wieder in die Hand.

»Florelle ist aus dem Haus gegangen, als sie die Sirenen gehört hat. Sie hat die Nacht am Strand verbracht, ist auf und ab gelaufen. Sie hat auf ihre Toten gewartet.«

Er setzte sich wieder an den Tisch. Seine Augen waren dunkel.

»Und als sie dann dieses Kind gefunden hat, am Morgen ...
Es war auf ein kleines Floß gebunden, nicht mal sehr nass ... Sie
hat das Floß zwischen die Felsen geschoben. Ich habe es ein paar
Tage später dort weggeholt.«

Seine Hände legten sich übereinander.

»Er war klein, kaum zwei Jahre alt. Sie hat ihn versteckt, ohne
zu wissen, ob er überleben würde ... Dann, als sie wusste, dass
er es schaffen würde, hat sie ihn weiter versteckt, damit ihn niemand sah.«

»Hat sie niemandem etwas gesagt?«

Er schüttelte den Kopf.

»Für sie war er der, den ihr das Meer zurückgegeben hat, verstehen Sie ... Seit Jahren hatte sie darauf gewartet. Ein leben-
diges Kind im Austausch für alle, die das Meer ihr genommen
hatte.«

»Aber Sie, Sie wussten doch, wer er war? Sie wussten, dass er
einen Bruder hatte?«

»Ja, ich wusste es ... Florelle auch, im Grunde wusste sie es
auch, aber sie verdrängte es lieber.«

Knotige Venen durchzogen seine Hände. Im Lampenlicht sah
das Blut, das hindurchfloss, schwarz aus.

»Sie hat Michel aus den Wellen geborgen.«

»Er heißt Paul.«

»Paul, ja ... Sie hat an nichts anderes gedacht als daran, ihn zu
retten. Danach waren die Dinge so ...«

»Die Dinge ...«

»Sie hat ihn geliebt.«

Ich nahm die Fotos an mich. Lamberts Gesicht legte sich über
die beiden Gesichter.

»Sie haben Lambert und Paul daran gehindert sich zu treffen!
Sie haben den einen des anderen beraubt, obwohl sie schon das
Wichtigste verloren hatten ...«

»Ich habe oft daran gedacht.«

Plötzlich widerte Théo mich an. Dass er dazu imstande gewesen war.

»Und als er wiedergekommen ist, hat er Sie im Hof gesehen ... Sie und dieses Kind, seinen Bruder, und Sie haben ihm nichts gesagt!«

Ich stand auf. Plötzlich fiel mir das Atmen schwer, ich musste an die frische Luft.

Er streckte die Hand aus.

»Gehen Sie nicht ...«

Ich sah ihn an. Entsetzen oder Mitleid. Ich fand mich draußen wieder. Auf den Stufen sitzend, zitternd, gleichgültig für die Kälte wie für die Katzen.

Max sagte, die Mutter des Heringshais verlasse ihre Kleinen nach einem Jahr, und sie wüssten dann nicht mehr, dass sie eine Mutter gehabt hatten. Hatte Paul seine Eltern vergessen? Hatte er eine andere Mutter liebgewonnen? Mir war speiübel. Ich klammerte mich ans Geländer. Den Oberkörper vorgebeugt, die Hände auf dem Bauch.

Théo saß immer noch unter der Lampe, im gelben Licht der nackten Glühbirne. Er hatte sich nicht gerührt. Er hatte auf mich gewartet, als hätte er gewusst, dass ich zurückkommen würde. Sicher hätte er noch Stunden so auf mich gewartet, regungslos, in seinen Wollmantel gehüllt. Mit eingefallenem Gesicht. Das weiße Kätzchen schlief, zu einer Kugel zusammengerollt, auf seinem Schoß.

Ich setzte mich wieder auf meinen Platz.

Wir sagten lange nichts. Unser Schweigen kam mir endlos vor. Dann sah mich Théo an.

»Was wollen Sie wissen?«

»Paul … Sie haben ihm den Namen eines anderen gegeben.«

»Das mussten wir.«

»Wer war Michel Lepage?«

»Ein zweijähriges Kind. Eine Frau hatte ihn Florelle anvertraut, eine Art Zigeunerin, sie wollte ihn nicht mehr, das Kind war schon sehr krank, als sie es ihr gebracht hat. Sie wusste, dass es nicht überleben würde.«

»Ich habe das Register gesehen. Er ist ein paar Tage vor dem Unglück von Nan aufgenommen worden.«

»… und starb ein paar Tage danach an einer Rippenfellentzündung.«

Ich sah ihn an.

»Dieses Kind existierte für niemanden mehr.«

»Und es hatte einen Namen …«

»Es hatte einen Namen, ja … Wir haben ihn hinter dem Haus begraben.«

Belastendes Schweigen folgte, nachdem er das gesagt hatte.

»Jemand hätte kommen und nach ihm fragen können. War diese Frau seine Mutter?«

»Sie hat ihn abgegeben, sie wollte ihn nicht mehr.«

Er legte die Hand flach auf den Tisch.

»Als ich Paul zum ersten Mal gesehen habe, schlief er im Zimmer der ganz Kleinen. Florelle hat zu mir gesagt, dass das Meer ihn ihr zurückgegeben hat. Ich habe nicht gleich verstanden … Erst danach, als sie mich gebeten hat, das Floß vom Strand wegzuholen.«

Eine erstickte Klage entrang sich seiner Brust, fast wie ein Schluchzen.

»Dieser tote Junge, verstehen Sie, wir konnten nichts mehr für ihn tun. Florelle hatte nicht mal die Adresse der Mutter, um sie zu benachrichtigen.«

Er sank in sich zusammen, sein Körper wirkte noch zerbrechlicher. Er spreizte die Hände, als wäre das Kind noch da, vor ihm.

»Florelle hat in einer Nacht sein Leichentuch genäht, er war so klein. Sie hat keinen Namen draufgeschrieben.«

»Sie haben ihn so in die Erde gelegt?«

»In einer kleinen Holzkiste, mit diesem Leichentuch.«

»Man könnte denken, Nan habe ihn getötet … Oder sie habe ihn sterben lassen, um seinen Namen einem anderen zu geben.«

Théo nickte. Er presste die Hände aneinander.

»Daran habe ich auch gedacht.«

Ich starrte auf den Tisch. Ich wollte die Worte festhalten, alles, was er mir gesagt hatte. Ich wollte es für immer bewahren.

»Im Dorf hat niemand je etwas geahnt?«

Er schüttelte den Kopf.

»Die Mutter hat es sehr bald begriffen, als Michel anfing, auf den Hof zu kommen … Sie hat mich damit erpresst. Sie hat gesagt, wenn ich sie verlasse, würde sie zur Polizei gehen, sie würde alles sagen, und man würde Florelle das Kind wegnehmen. Sie hat damit gedroht, dass Florelle ins Gefängnis gehen müsse. Es gab Gerüchte, er sei unser Sohn, von Florelle und mir. Florelle war niemals schwanger gewesen, aber sie trug ja immer so weite Kleider … Sie war eine gute Mutter, wissen Sie …«

»Und Sie, waren Sie ein guter Vater für ihn?«

Er war verwirrt.

»Ich war für niemanden ein guter Vater.«

Das Lächeln verblasste zu einem Schatten, der auch verblasste, bis keine Spur mehr übrig blieb.

Er schloss wieder die Augen.

Ich ließ ihn schlafen. Ich dachte über den Zufall nach, über den Einfluss des Zufalls. Die Wahrheit wäre sicher nie ans Licht gekommen, wenn ich nicht dieses Foto bei Nan gefunden hätte. Paul hätte nur ein anderes T-Shirt tragen müssen, nicht das mit den drei kleinen Booten.

Wusste Ursula davon?

Sicher war auch sie eine Mitwisserin. Ich hörte das Ticken der Pendeluhr, den Atem der Katzen, der sich mit dem raueren von Théo mischte. Dem Stöhnen im Schlaf.

Er schlief vielleicht zehn Minuten. Dann richtete er sich auf und suchte auf dem Tisch nach seiner Brille.

»Habe ich geschlafen?«

»Ein bisschen, ja.«

Er wandte den Kopf zum Fenster. Es war dunkel. Das weiße Kätzchen lag auf seinem Schoß.

Er hob es hoch und setzte es auf das Bett. Unendlich sanft. In wenigen Tagen waren seine Bewegungen die eines Greises geworden.

»Wollen Sie einen Kaffee?«

Er wärmte in einem Eisentopf Kaffee auf. Seine Pantoffeln rutschten über den Boden, schoben Flusen aus Haaren und Staub beiseite.

Sein Schatten an der Mauer, der langsame Schatten seines Arms.

»Lili ist auch dahintergekommen, viel später ... Ich weiß nicht wie ... Ich hab mich so oft mit ihrer Mutter gestritten. Sie hat uns wohl gehört.«

Er goss den Kaffee in die Tassen und stellte sie auf den Tisch.

»Sie hätte ein anderes Kind adoptieren können, an echten Waisenkindern fehlte es sicher nicht.«

Er starrte auf die Tassen, die nebeneinanderstanden.

»Aber dieses hatte ihr das Meer zurückgegeben.«

»Dieses hatte einen Bruder!«, schrie ich und sprang auf.

Ich konnte mich nicht mehr beherrschen. Ich fand alles so widerlich, so gemein.

Er schwieg.

Dann setzte er sich und nahm die Katze wieder auf seinen Schoß.

»Sie lieben diesen Mann, nicht wahr?«

Ich antwortete nicht.

»Sie lieben ihn. Sie lieben ihn, aber Sie wissen es noch nicht.«

Er trank einen Schluck Kaffee und sah mich an.

»Was könnten Sie alles für ihn verschweigen? Bis zu welchem Punkt könnten Sie gehen?«

Er wartete, dass ich antwortete.

Ich dachte an dich.

Ich wäre weit, sehr weit für dich gegangen, wenn ich dich hätte retten können. Vor den Chirurgen habe ich meinen Pullover hochgezogen, schneiden Sie mich auf ... habe ich zu ihnen gesagt. Sie sollten alles nehmen, was nötig war, um dich zu retten. Sie haben gesagt, es würde dich nicht retten.

Ich schaute aus dem Fenster.

»Ich verurteile Sie nicht.«

Er schloss die Augen.

»Ich weiß.«

Wie spät mochte es sein? Diese Nacht war lang, als sollte sie nie enden. Als würde es keinen anderen Morgen geben. Sogar die Katzen spürten, dass diese Nacht nicht wie die anderen war. Sie hatten sich lautlos auf den Stufen vor dem Haus versammelt. Sie kämpften nicht miteinander.

Die Feuchtigkeit der Nacht ließ das Eisengeländer glänzen, auf das sich Théo stützte, wenn er ins Haus ging.

War Lambert noch bei Nan? Vielleicht war er an Théos Haus vorbeigegangen, hatte das Licht gesehen, ohne zu ahnen, dass ich da war. Hatte er noch etwas anderes als das Register gefunden?

Théos Augen waren immer noch geschlossen. Er war eingeschlafen, wie es Katzen machen. Plötzlich. Die Hände über dem Bauch gefaltet.

Auf dem Büfett drehten sich die Zeiger der Uhr.

Ich ging zur *Griffue* zurück. Ich schlief traumlos.

Als ich aufwachte, war mein Kopf leer.

Ich trank Kaffee, bis mir übel war.

Im Zimmer eingeschlossen, im Angesicht des Meeres, wartete ich darauf, dass der Tag anbrach. Ich hörte das Angelusläuten, die drei langsamen, sich wiederholenden Schläge. Ich erinnerte mich an meine Kindheit, an mein Wandern von einem Heim zur nächsten Familie, die ganze Zeit auf der Suche, wartend.

Eines Tages verbrannte ich mein Bett, weil ich leben musste.

Eines anderen Tages war ich dir begegnet, eine unwahrscheinliche Begegnung auf einem Dorfplatz, an einem Morgen. Es war kalt gewesen, es hatte einen Brunnen gegeben, der gefroren war. Du warst da gewesen. Ich hatte dich angesehen.

Ich hatte gewusst, dass du derjenige warst, den ich treffen würde.

Max weckte mich, indem er Steine gegen meinen Fensterladen warf.

Er hatte eine verletzte Möwe in seinem Boot gefunden, deren Zunge von einem Angelhaken gespalten worden war. Ein Stück war abgerissen. Sie konnte sich nicht mehr ernähren, deshalb fing er ihr Fische. Er sprach mit ihr, wie er mit der Ratte sprach. Mit seinem Wörterbuchwortschatz.

Die Möwe hörte ihm zu.

Max sagte, er werde sie zähmen. Das sei einfach, man brauche nur Fisch und Wörter.

Ich wusste nicht, ob sie auf dem Boot bleiben würde.

Raphaëls Auto stand im Hof. Seit Morgane weg war, brachte er es nicht mehr ins Dorf. Es war ihm egal, dass es rostete.

Ich ging zu Fuß hoch ins Dorf. Der Audi stand am Straßenrand. Die Fensterläden waren geschlossen. Lili hatte es die ganze Zeit gewusst. Sie kannte das Geheimnis, wie auch die Mutter es kannte. Sie hatte diese Geschichte benutzt, um ihren Vater zu hassen.

Ich legte die Hand auf die Türklinke. Ich hatte Angst hineinzugehen. Angst vor ihrem Blick, wenn sie meinen sehen würde.

Ich öffnete die Tür. Lambert war da, das Gesicht zerknittert. Lili sah mich an. Sie saß ihm gegenüber. Am selben Tisch. Sonst war niemand da.

Ich hatte meine dicke Regenjacke an. Ich hätte mich am liebsten entschuldigt, da zu sein. Ich sagte es, glaube ich, stammelte. Entschuldigt …

Sonst sagte ich nichts. Ich sah Lambert etwas länger an als sonst und legte die beiden Fotos auf den Tisch.

Lili sah sie. Sie wurde blass.

Hatte sie Lambert geliebt? Eine Liebe aus Lügen und Verschweigen, mit so finsteren Winkeln des Ungesagten, dass man fast die Meute heulen hörte.

Ändern sich die Stimmen mit der Zeit? Man sagt, nur die Augen ändern sich nicht. Aber was ist mit den Augen, die sich schließen? Du hattest gesagt, dass ich nach dir lieben müsse.

Ich sah Lambert an, sein Gesicht, seine Hände.

Lili nahm die Fotos.

»Ich hab sie so oft herumschreien gehört ... Beschimpfungen ohne Ende. Wenn er genug hatte, ist er gegangen, zu ihr. Sie haben mir nie was gesagt, aber irgendwann hab ich's begriffen ...«

Lili stand auf. Sie blieb hinter dem Tisch stehen und sah durch den kleinen Fensterschlitz über dem Vorhang nach draußen.

»Dein Bruder ist oft auf den Hof gekommen ...«

Lambert zuckte zusammen. Lili sprach weiter.

»Er hat die Tiere geliebt, er hat sich immer an sie geschmiegt und sie gestreichelt. Ich hab lange gedacht, er sei ein Junge aus der *Zuflucht*, wie alle anderen ... Ich hab mich nicht um ihn gekümmert. Meine Mutter wollte nicht, dass er ins Haus kommt. Ich glaube, ich habe gehört, dass Nan ihn adoptiert hat, noch bevor ich wusste, was das heißt.«

Lambert hörte ihr zu.

»Hast du niemals Fragen gestellt?«

»Was sollte ich denn fragen? Es war mir egal, für mich war er ein Junge von der Straße, weiter nichts, nur dass dieser nicht wieder wegging wie die anderen ...«

Lambert verkrampfte sich noch mehr.

Ich saß am Tisch, ihm gegenüber. Ich sah sein Gesicht, das Beben seiner Lider, als die Erregung ihn erstarren ließ. Die winzigen Schweißtropfen über seiner Lippe.

Erinnern ist schmerzhaft. Ich spürte, wie die Bilder in ihm aufwallten, die Lili ihm gab, und jedes einzelne ging ihm so nah.

»Irgendwann haben sie sich wieder angeschrien, das war das eine Mal zu viel, da habe ich begriffen, dass er dein Bruder war.«

Lambert wurde blass, ich dachte, er würde hinausrennen und sich übergeben.

»Ich habe sie verflucht.«

Er ballte die Fäuste.

Die Mutter erhob sich aus ihrem Sessel. Eine Hand auf den Tisch gestützt, die andere an der Kehle. Sie kam näher. Sie sahen sich an, die beiden, Mutter und Tochter.

»Und sie, die alles ertragen hat, ohne mit der Wimper zu zucken!«

Lambert stand auf.

»Du hättest mir schreiben, es mir sagen können!«

»Es gab einen Moment, wo ich daran gedacht habe … Ich hatte mir deine Adresse besorgt, von dem Gärtner, der sich um dein Haus kümmerte.«

Sie legte die Fotos zurück, eines neben das andere, rieb sich das Gesicht – die gleiche Geste wie die ihres Vaters.

»Du hast daran gedacht, aber du hast es nicht getan.«

»Ich war fünfundzwanzig … Ich hatte keinen Mann, kein Kind. Wenigstens hatte ich ein Geheimnis. Ich habe gelernt zu schweigen. Meinen Vater habe ich damit halten können. Er wusste es. Er sprach nicht mehr vom Weggehen. Er würde nicht glücklicher sein als wir, das habe ich mir tausendmal gesagt.«

Die Mutter war bei uns angelangt, sie drückte ihren Bauch an den Tisch. Ich atmete ihren Greisinnengeruch ein. Ein Leben voller Schweigen. Lili richtete den Blick auf sie. Es war ein Blick ohne Liebe. Ohne Erbarmen.

»Was, Mutter, es ist nicht gesagt, dass er glücklicher gewesen wäre als wir?«

Ein Sieg ohne Ruhm. So traurig, und gegen wen gewonnen? Die Mutter stammelte. Es war erbärmlich.

Lambert rieb sich die Augen.

»Warum ist er dann weggegangen?«

Lili erstarrte, eine Hand auf dem Tresen. Sie lachte kurz auf.

»Warum geht man? Warum bleibt man? Wer weiß das schon ...«

Ein kurzes Zögern. Ein leerer Blick.

Sie hatte gesprochen, ohne ihn anzusehen.

Sie wandte sich ab.

»Glaubst du, ich habe dich nicht gesehen, wenn du mit deinen Großeltern zum Grab gekommen bist? Dreimal im Jahr. Du bist nie vorbeigekommen und hast guten Tag gesagt. Glaubst du, das war schön für mich?«

Er sah sie an, schockiert von dem, was sie gerade gesagt hatte.

»Wir waren am Meer, haben Blumen reingeworfen! Paul war da, ganz nah, lebendig, spielte vielleicht gerade in deinem gottverdammten Hof, und du wirfst mir vor, dass ich dich nicht begrüßt habe?«

Sie schüttelte den Kopf.

»Damals wusste ich es noch nicht ...«

Er stand auf, folgte ihr hinter den Tresen. Packte ihren Arm.

»Ich glaube dir nicht.«

Sie machte sich los. Sie starrte auf etwas, das vor ihr in der Spüle lag. Lappen oder Gläser. Oder sie starrte ins Nichts.

»Das ist es nicht, was ich dir vorwerfe«, sagte sie.

»Was dann?«

Sie antwortete nicht, er wiederholte es, lauter. Endlich schaute sie auf.

»Einmal bist du zurückgekommen, du warst fast zwanzig. Du warst ganz allein.«

Lambert dachte über das nach, was sie gerade gesagt hatte. Er brauchte einen Moment, um zu verstehen.

»Du hast mit meinem Vater gesprochen.«

»Das hast du mitbekommen?«

Sie hielt seinem Blick stand. Ein paar Sekunden.

»Ich stand hinter dem Fenster, ich habe dich sofort erkannt, habe dich mit meinem Vater sprechen hören, ich hatte das Fenster einen Spalt geöffnet. Du hast nicht mal gefragt, wie es mir geht.«

Er sah sie an, als wollte er etwas begreifen, was ihm entgangen war. Diesen hartnäckigen Groll in Lilis Augen. In ihrer Stimme. Er wandte sich kurz ab und sah ihr dann wieder ins Gesicht.

»Ich hab dich geliebt …«, erklärte sie und zwang sich, darüber zu lachen. »Und ich dachte, du würdest mich auch irgendwann lieben … Ich hab jahrelang auf dich gewartet, und dann hab ich eines Tages begriffen, dass du nicht mehr kommen würdest, also hab ich geheiratet, einen …«

Sie ließ ihren Satz so stehen, unvollendet.

Sie sahen sich einen Moment lang an, er fassungslos. Hatte ihn Lili so sehr geliebt, dass sie sich auch an ihm rächte, wie sie sich an ihrem Vater gerächt hatte, weil er eine andere Frau liebte? Weil er ein anderes Kind geliebt hatte, mehr als sie? Ein Kind, das nicht mal seins war.

»Du hast mich geliebt …«

»Wir haben uns ein paarmal geküsst.«

»Geküsst, ja …«

Er näherte sich ihr.

Sie hatte ihn Blumen aufs Meer werfen lassen, für einen Toten, der nicht dort war. Sie hatte ihn weinen, glauben, warten sehen.

»Der Junge, der an diesem Tag bei deinem Vater war, auf dem Hof, er führte ein Kalb am Strick, erinnerst du dich? … War das mein Bruder? … War er das, los, sag schon!«

»Er war es, aber ich wusste es damals noch nicht.«

»Du wusstest es!«

Sie schüttelte den Kopf.

»Ich habe es erst sehr viel später erfahren.«

Lambert ballte die Fäuste. Ich dachte, er würde sie packen und würgen. Ich glaube, Lili hätte die Schläge hingenommen, sie hätte alles ertragen, ohne sich zu wehren. Aber er schlug auf den Tresen. Ein gewaltiger Faustschlag. Die Gläser vibrierten. Er auch, seine Stimme.

»Und du hast dir gewünscht, dass ich dir guten Tag sagen komme! Dass ich dich heirate womöglich!«

Er packte sie am Arm, nahm ihr Gesicht zwischen die Hände, ein paar Zentimeter vor seinem.

»Du bist wie deine Mutter, nichts als Hass. Und Hass fickt man nicht!«

Ich sah, wie sich Lilis Züge angesichts der Gewalt der Beschimpfung auflösten. Sie musste sich einen Moment mit der Hand am Tresen festhalten. Ihre Lippen zitterten.

Er wandte den Kopf ab. Sie sah ihn immer noch an, auch als er ihr den Rücken zuwandte.

Er machte die Tür auf.

Ich sah ihn über die Straße gehen.

Lili ging in die Küche, ihre zusammengesunkene Gestalt hinter dem Streifenvorhang.

Ich blieb allein mit der Alten, die noch älter geworden war, so hinfällig, knallrot. Unfähig, sich hinzusetzen. Unfähig, sich aufrecht zu halten.

Ich konnte sie nicht anrühren. Ihre Hand nehmen. Ihr helfen, sich zu setzen. Ich holte ein Glas Wasser, stellte es vor sie auf den Tisch. Mehr konnte ich nicht tun.

Mir fiel der Abend nach dem großen Sturm ein, als wir uns alle hier im Bistro versammelt hatten, Lilis Gesicht, als Lambert hereinkam.

Ihr Gesicht hatte sich verhärtet. Was hatte sie empfunden, als sie ihn erkannt hatte? Welche Angst hatte sie gepackt?

Er war nicht abgereist. Er war geblieben. Und dann hatte er sich in dem Haus gleich gegenüber niedergelassen.

»Geht's?«, fragte ich die Mutter und ging zu ihr zurück.

Sie antwortete nicht.

Ihre Wangen hatten jede Farbe verloren, aber sie schien ruhiger zu atmen.

»Ich gehe dann mal.«

Ich trat zur Tür. Ich legte die Hand auf die Klinke. Als ich mich noch einmal umdrehte, stand sie vor mir, sie klebte förmlich an mir.

»Der Alte, er glaubt, ich war's ... Aber ich habe nichts gesagt.«

Sie richtete den Blick auf mich. Ich spürte ihren schweren Atem.

»Ich war es nicht«, wiederholte sie.

Sie schüttelte mehrmals den Kopf, als wollte sie Gespenster verjagen.

Sie umklammerte meinen Arm. Ihre Augen waren nur noch Schlitze. Wie Eidechsenaugen.

»Was waren Sie nicht?«, fragte ich schließlich.

Sie klatschte in die Hände.

»Ich war es nicht … Sie war es, sie hat Michel alles erzählt … Und danach musste ich hierherkommen.«

Sie beendete ihren Satz in einem Speichelfaden. Das Kinn auf dem Hals, die Augen hoffnungslos leer.

Ich schaute auf. Lili stand neben uns. Sie sah uns an. Ich dachte, sie würde das Gesicht ihrer Mutter abwischen kommen, aber sie ging an ihr vorbei, ohne etwas zu tun. Sie lief zum Fenster und starrte lange hinaus.

»Sie hatten sich wieder mal gestritten. Es war nicht das erste Mal, dass er sie zum Weinen gebracht hatte, aber dieses Mal hat er seinen Koffer geholt und gesagt, er gehe weg. Er würde mit Nan leben. Er hat gesagt, dass er glücklich sein wolle, Michel sei erwachsen, wir könnten ihm erzählen, was wir wollten, es sei ihm egal. Er hat auch gesagt, dass man Menschen so lange danach nicht mehr ins Gefängnis stecken würde. Ich habe die Vorstellung nicht ausgehalten, dass er glücklich wird, dass er auch nur ein bisschen glücklich wird.«

Sie lächelte kurz.

»Am nächsten Tag hab ich Michel vor der Schule erwartet. Das Bootsunglück, seine Eltern, ich hab ihm alles erzählt.«

Sie drehte sich um.

»Ich könnte dir erzählen, dass ich es für ihn getan habe, damit er die Wahrheit hört … Aber das stimmt nicht. Ich könnte dir erzählen, dass ich es für Lambert gemacht habe, oder um ihn zu verletzen, da wär schon mehr dran.«

Sie senkte die Augen und sah dann ihre Mutter an.

»Aber ich habe es für sie getan, für alles, was er sie hat erleiden lassen.«

»Wie hat Michel reagiert?«

»Na ja … Er war ohnehin schon sehr … sehr abgeklärt. Ich glaube, für ihn hat's nicht viel geändert, ob er nun verlassen worden oder im Meer verloren gegangen war … Am Abend ist er dann auf dem Hof vorbeigekommen und hat mit meinem Vater gesprochen. Er war jung, gerade mal siebzehn. Ich war dreißig. Er hat nach seinen Eltern gefragt, nach den Umständen des Unfalls … Ein paar Wochen später ist er weggegangen, ohne jemandem Bescheid zu sagen.«

»Ist er deswegen gegangen?«

»Deswegen oder wegen was anderem … Ich glaube, früher oder später wäre er sowieso gegangen …«

Sie machte die Tür auf, weil die Sonne schien. Dann nahm sie den Arm ihrer Mutter und führte sie nach draußen zu einer Bank. Ich sah ihr nach, mit der Last der Alten am Arm. Mehr Tochter als Frau. Hoffnungslos Tochter.

Hatte sie lieben können? Hatte sie Frau sein können? Dieser Drang in ihr zu zerstören, um nicht an ihrem eigenen Schmerz einzugehen.

»Lili?«

Sie drehte den Kopf.

»Du hast ihm vom Unglück erzählt, aber du hast ihm nicht erzählt, dass er einen Bruder hat, stimmt's?«

Sie zögerte ein paar Sekunden, ich spürte den Moment, als sie nicht wusste, was sie mir antworten sollte. Schließlich schüttelte sie den Kopf.

Ich nahm die Fotos, die auf dem Tisch liegen geblieben waren. Diese Stirn, diese kindliche Hartnäckigkeit auf den Lippen. Sah Michel Lambert ähnlich? Zweifellos.

Nan war nicht so verrückt gewesen, sie zu verwechseln. Sie hatte in den Zügen des Älteren das Gesicht des Jüngeren wiedererkannt.

Lambert drehte kaum den Kopf, als ich das Zimmer betrat. Er starrte ins Feuer. Ein erloschenes Feuer. Die graue Asche bildete einen Haufen, in dem ein paar Holzscheite lagen, an denen die Flammen geleckt hatten.

Ich ging zu ihm.

Ich hätte ihn gern berührt, mich an ihn geschmiegt, ihm meine Wärme gegeben. Meine Hand war wenige Zentimeter von seiner Schulter entfernt. Er kam mir plötzlich so fern vor.

»Weiß er, dass es mich gibt?«

Diese Frage stellte er mir. Ohne den Kopf zu wenden.

Ich wusste nicht, was ich ihm antworten sollte.

»Wegen ihm hat Nan hier das Spielzeug gestohlen … Weil es Pauls Spielzeug war … Sie wollte, dass er damit spielte …«

Er sah sich um, als suchte er Nans Anwesenheit, die Spuren ihrer Besuche.

»Als ich ihn an dem Tag auf dem Hof gesehen habe, wo er das Kalb herumführte, habe ich ihn nicht erkannt. Wie lässt sich das erklären?«

»Sie dachten, er sei tot.«

Er fuhr sich mit der Hand durchs Haar.

»Ich dachte, ja. Aber ich hätte ihn erkennen müssen. Ich hätte ihn ansehen müssen! Stattdessen habe ich den Alten angesehen … Was hat sie Ihnen gesagt?«, fragte er und zeigte zur Terrasse.

Ich wiederholte Lilis Worte.

»Glauben Sie, dass mein Bruder hier im Haus war, nachdem er es erfahren hat? Ich hätte das getan, ich wäre gekommen.«

»Davon hat Lili nichts gesagt.«

Er schaute sich wieder um.

»Morgen gehe ich nochmal zu Nan. Kommen Sie mit?«

Er war glücklich.

Müde.

Er hatte Angst.

Aber er war glücklich.

Eine Tochter, die sich an einem Vater rächt. Die sich rächt, weil sie nicht sein Liebling war … Weil es keine Liebe gab. Wohin sie auch schaute. Diese verzweifelte Suche. Ich dachte an Raphaëls Skulpturen, die *Flehenden*.

Ich fragte mich, was er von Lili verstanden hatte, um solche Frauen zu formen. Ob er etwas gespürt hatte oder ob es von woandersher kam. Von einer anderen Geschichte.

Die Geschichten gleichen sich.

Und es gibt immer andere Geschichten. Manchmal genügt ein Nichts, ein Angelusläuten, Menschen begegnen sich, sie sind da, am selben Ort.

Menschen begegnen sich, die sich niemals hätten treffen dürfen. Die sich hätten treffen müssen, sich aber nicht gesehen haben. Die sich treffen und nichts sagen.

Sie sind da.

Théo nahm die Brille ab, rieb seine Augen. Ich war schon lange da, und wir hatten viel geredet.

Lili hatte ihre Mutter zu sich geholt, einige Monate nach Michels Abreise. Sie hatte alles mitgenommen, und die Mutter war ihr gefolgt. Théo war allein im Haus zurückgeblieben.

»Warum sind Sie nicht zu Florelle gezogen? Nichts hielt Sie mehr zurück.«

Er schüttelte langsam den Kopf.

»Es war zu spät ... Ich hatte die erste Katze. Sie hatte sechs Junge bekommen, die Jungen sind gewachsen, dann sind andere Katzen gekommen.«

Er lächelte. Ich glaube, es war das letzte Mal an diesem Tag, dass ich ihn lächeln sah.

Er stand auf.

»Jetzt bin ich alt, das ist alles nicht mehr wichtig.«

Er ging zu der Tür, die in ein fensterloses Zimmer führte. Dort verschwand er. Ich hörte eine andere Tür knarren. Kurz darauf kam er mit einer kleinen Pappschachtel zurück.

Er stellte die Schachtel auf den Tisch. Darin waren alle Briefe, die er aus dem Kloster bekommen hatte. Er setzte sich wieder hin.

»Einige Zeit nach seiner Ankunft hat mir Michel den ersten Brief geschrieben. Ich habe ihm geantwortet. Er hat uns nie verheimlicht, wo er war, aber Florelle wollte es nicht hören. Sie dachte, er würde über das Meer zurückkommen, wie beim ersten Mal.«

Er legte die Hand auf die Schachtel.

»Zwanzig Jahre in Briefen ...«

Er zog einen beliebigen Brief heraus, las ihn und gab ihn mir. Er war vom November des vergangenen Jahres.

Eine klare Schrift, blaue Tinte.

Mein lieber Théo,

hier schneit es.
Der Schnee fällt, verwirbelt vom Wind, und bedeckt die Klostermauern wie Gips. Der Schnee ist sehr wichtig. Er ist nicht so gekommen wie in den letzten Jahren. Für gewöhnlich kommt er, wie das Meer steigt, mit Ebbe und Flut. Er fällt, er schmilzt, er kommt wieder, schmilzt etwas weniger, bedeckt die Landschaft mit immer neuen Schichten. In diesem Jahr war er auf einen Schlag da. Gestern konnte ich spazieren gehen. Es ist immer ein wichtiger Tag, wenn man das erste Mal in den Schnee hinausgehen kann.
Ich hoffe, es geht euch gut, und die Kälte macht sich bei euch nicht allzu sehr bemerkbar.

Ich bete für euch alle,
Michel

Théo faltete den Brief wieder zusammen, steckte ihn in seinen Umschlag und legte ihn dann zurück. Er nahm einen anderen. Die Katzen hinter uns und um uns herum waren eingeschlummert. Ich hörte das regelmäßige Ticken der Uhr.

Ich las einen anderen Brief. Auf manchen Blättern standen nur ein paar Worte.

Ich bin heute sehr früh hinausgegangen. Nur die Tiere waren vor mir auf diesem Weg gelaufen. Es sind viele, die dort vorbeigekommen sind, ihre Spuren mischen sich. Ich erkenne Wildschweine, Rehe oder Hirsche, Hasen, Hunde (die Abdrücke sind riesig, ein Wolf?).

Ich las andere Briefe. Sie sprachen alle vom Kloster inmitten der Berge. Sie sprachen nicht von Gebeten, sondern von der allumfassenden Natur. In einem der ersten Briefe schrieb Michel:

In diesem Kloster, das nur eine Zwischenstation sein sollte, bin ich angekommen, bin ich zu Hause. Ich bleibe hier, wie bezaubert. Welch Glück, durch die Berge zu gehen. Manchmal prallt der Wind dagegen. Und die Sterne, nachts. Abends erzähle ich mir in meinem kleinen Heft alles, was mich erfüllt hat. Alles ist so gegenwärtig. Ich finde keine Worte, um es auszudrücken. Vielleicht eine tiefe Vertrautheit.
Umarme Mutter von mir.

Théo holte ein Foto aus dem Schrank und legte es neben die Briefe.

»Das ist er ... Das ist Michel.«

Die Lampe schien auf das Foto und erhellte das Gesicht eines Mannes, der an einem Tisch saß. Gekleidet in eine hellbraune Kutte mit einer Kapuze auf dem Rücken. Die Hände hatte er vor sich gefaltet, ein Buch lag offen auf dem Tisch. Ein anderes Buch, kleiner als das erste, lag geschlossen daneben. Eine weiße Schale. Der Mann hatte die Augen auf das Buch gesenkt. Das Licht im Raum kam vom Fenster, es fiel auf die Tischplatte, strahlte die Schale an und eine Seite des Gesichts, während die andere im Schatten blieb. Man sah von dem Zimmer nichts anderes als diesen Mann, der am Fenster saß.

»Sie müssen ihn gesehen haben, bei Florelles Beisetzung.«

Ich hob den Kopf und sah Théo an.

Plötzlich tauchte das Bild vor mir auf, ein Mann in Schwarz mit einem langen Mantel. Er war abseits geblieben, ohne mit jemandem zu sprechen. Ein Mann mit ausgezehrtem Gesicht und sehr klaren Augen. Ein Taxi hatte ihn vor dem Tor abgesetzt. Dann war die Mutter gekommen, und ich hatte nicht mehr auf ihn geachtet.

Théo nickte.

»Er ist mit dem Mittagszug gekommen und am Abend wieder gefahren. Nach der Beisetzung war er hier. Zwanzig Jahre hatte ich ihn nicht mehr gesehen. Wir haben miteinander gesprochen. Das Taxi hat gewartet.«

»Woher hat er von Nans Tod gewusst?«

»Ich habe ihn angerufen, und er ist gekommen.«

Ich erinnerte mich. Plötzlich schien sich alles aufzuklären, alles seinen Sinn zu bekommen.

»Der Anruf, das war an dem Tag, als Sie von Lili eine Telefonkarte verlangt haben, ja?«

»Ja, das war an diesem Tag. Florelle war am Vortag gestorben.«

Er drehte den Kopf und schaute zum Fenster. Der Abend brach herein. Der Hof wurde zu einem Schlupfwinkel von Schatten, man sah nur die gelben Augen der Katzen aufblitzen, die vorbeisausten.

»Ich wusste nicht, ob er kommen würde … Wenn man dort anruft, wissen Sie, das ist irgendwie seltsam … Man hinterlässt eine Nachricht, und der Mönch, der am Telefon sitzt, gibt sie weiter.«

»Haben Sie ihm gesagt, dass sein Bruder da ist?«

»Ja. Er weiß, dass er einen Bruder hat, ich habe es ihm schon vor langer Zeit geschrieben.«

»Und er hat niemals versucht, ihn zu treffen?«

»Sie werden sehen, er ist ein außergewöhnlicher Mensch.«

»Sie haben meine Frage nicht beantwortet.«

Er schüttelte den Kopf.

»Michel hat jetzt andere Brüder … Das alles hat für ihn eine andere Bedeutung.«

»Das alles?«

»Das wirkliche Leben …«

»Und Nan?«

Er sah mich an. Seine Worte stiegen tief aus seiner Kehle auf, ich hörte sie kaum.

»Was Nan?«

»Nan, warum suchte sie ihn? Wusste sie nicht, wo er war?«

»Doch, sie wusste es … Aber sie wollte nicht so an ihn denken. Die Vorstellung, dass er sich freiwillig eingeschlossen hatte, auch das Schweigegelübde … Sie hat seine Briefe nie gelesen. Sie wollte, dass er zurückkommt, aber ich wusste genau, dass er nicht zurückkommen würde.«

Er sah das Foto an.

Seine Stimme war ein Flüstern.

»Er spricht nicht, nur ein paar Stunden pro Woche. Er erklärt es in seinen Briefen, Sie werden es lesen, diese Momente, in denen das Wort möglich ist. Er sagt, das seien seltene und kostbare Momente.«

Er klappte die Schachtel zu und schob sie mir hin.

»Ich habe viel aus seinen Briefen gelernt. Sie werden sie lesen, nicht wahr, und sie seinem Bruder geben.«

Ich nahm die Schachtel in die Hände. Das, was ich gelesen hatte, hatte mir Lust gemacht, mehr zu erfahren.

Er nahm die Brille ab, die Gläser waren beschlagen.

»Sein Medaillon, die Sachen, die er anhatte, als sie ihn gefunden hat, der Strick, mit dem er auf dem Floß festgebunden war, das ist alles bei Florelle.«

»Lambert hat danach gesucht, aber er hat nichts gefunden.«

Sein Blick blieb im Leeren.

»Hinter den Kleidern, ganz unten im Schrank.«

Seit Morgane weg war, legte Raphaël den Stein nicht mehr vor die Tür. Man konnte sein Atelier betreten, wann immer man wollte. Er sah mich mit der Schachtel unter dem Arm vorbeigehen und rief mich. Ich sagte, ich sei müde, er antwortete, ich würde nie so müde sein wie er. Er nahm mich am Arm und zog mich zum Tisch. Die Aschenbecher waren voll. Die Papierkörbe quollen über.

Ein kleiner Seiltänzer aus Gips schwebte zwischen diesem ganzen Durcheinander, er hielt das Gleichgewicht auf seinem Seil.

»Morgane hat einen davon verkauft, fast denselben! In Bronze! Hermann will noch mehr davon und auch Skulpturen.«

Ich sah ihn an.

Am Nachmittag hatte man das Telefon installiert. Er zeigte es mir, auch darüber war er sehr glücklich, Morgane würde ihn jeden Abend anrufen können.

Er hatte mit ihr gesprochen. Die Arbeit in der Galerie gefiel ihr, sie hatte eine Freundin gefunden, eine Frau in ihrem Alter, mit der sie ins Kino gehen konnte. Von Männern sprach sie nicht. Sie hatte schon zwei Zeichnungen und eine Bronzeskulptur verkauft.

Sie sagte, ihr Zimmer sei klein, aber sie sei in fünf Minuten an der Seine. Sie hatte den Louvre besucht.

Sie sprach nicht mehr von Rückkehr.

Raphaël erzählte mir das alles wild durcheinander, dann starrte er auf die Pappschachtel.

»Was ist das?«

»Nichts …«

»Wieder deine verdammten Nester!«

Er setzte sich an den Tisch. Die Ärmel seines Pullovers waren zu kurz, ich sah die dicken Adern unter der Haut pulsieren. Er hatte ein Tuch von Morgane um den Hals gebunden.

»Fehlt sie dir?«, fragte ich.

Er versuchte zu lächeln, quälte sich ein Grinsen ab. Sein Haar war grau geworden. Er sagte, das sei der Gips.

Er hob den Kopf.

»Und dir, wie geht es dir?«

Was konnte ich ihm antworten?

»*Le Littoral* bietet mir einen Zweijahresvertrag an.«

»Um was zu tun?«

»Die Küste zwischen hier und Jobourg zu überwachen. Ich müsste auch einen Tag pro Woche nach Caen fahren.«

»Nimmst du an?«

»Ich weiß nicht.«

Er drehte sich um. Sah mich an.

»Wenn du sagst, du weißt es nicht, dann nimmst du an.«

Er zwang sich zu lächeln.

»Wir werden uns also noch eine Weile sehen!«

In der Nacht las ich die Briefe. Ich las und schlief. Dann las ich weiter.

Diese Briefe enthielten einen ganzen Menschen. Worte. Eine Stimme.

Michel hatte nichts mitgenommen, er war tagelang gelaufen. Autos hatten angehalten, aber er war nicht eingestiegen. Er hatte den ganzen Weg zu Fuß gemacht. Er hatte Dörfer durchquert, und Frauen hatten ihm zu essen gegeben. Er hatte auf Bauernhöfen geschlafen, beim Vieh. Er hatte das Kloster im Frühherbst erreicht. Hatte um Gastfreundschaft gebeten.

Heute ist er Mönch eines kontemplativen Ordens.

In einem Brief schrieb er:

Ich schreibe in ein Heft, das ich immer bei mir habe, die Eindrücke, die ich bei meinen Spaziergängen bekomme. Um nicht zu vergessen.

Sonntagnachmittag, es ist gerade 15 Uhr. Es ist schon Zeit, sich zu verkriechen. Die Sonne ist hinter den Gipfeln verschwunden, das Thermometer weit unter null. Ich komme in mein Arbeits- und Schlafzimmer zurück. Mei-

ne Höhle. Gestern habe ich meine Schneeschuhe angezo-
gen und 80 cm Pulverschnee aufgewühlt.
Ich habe an dich gedacht, du kennst solche Schneemen-
gen gar nicht.
Irgendwann musst du hierherkommen.

Ich las alle seine Briefe.

Am Morgen legte ich die Briefe in die Schachtel zurück und lief
hinauf zu Lambert.

Wir gingen zu Nan, gelangten wie beim ersten Mal in das
Haus, kletterten durch das Fenster und liefen den ganzen Flur
entlang bis zur Tür des Wohnhauses. Ohne etwas zu sagen. Lambert öffnete den Schrank.

Die Kleider hingen alle dicht beieinander, er schob sie beiseite. Es roch nach Naphthalin, kleine weiße Kugeln rollten über
den Boden. Der Schrankboden war übersät mit Schuhen und
Plastiktüten, in denen Wollknäuel und Stoffreste lagen.

Ein Pappkarton, von der Größe wie ein Schuhkarton, lag auf
dem Boden. Lambert entdeckte ihn und zog ihn hervor. Er stellte den Karton auf den Tisch. Wir sahen uns einen Moment an,
dann nahm er den Deckel ab.

Da lag das kleine Poloshirt mit den drei Booten. Lambert
nahm es in die Hände. Er drückte es ans Gesicht.

Es war das Shirt, das Paul getragen hatte, als er im Boot
nach Aurigny saß. Dasselbe Shirt, in dem ihn Nan fotografiert hatte. Paul, der inzwischen Michel geworden war. Aus
welchem Grund hatte sie ihm dieses Hemd nochmal angezogen?

Sicher wollte sie das Kind damit beruhigen.

Unter dem Shirt lag eine grüne Leinenhose mit einem auf die
Tasche genähten Piratenwappen. Und vergilbte Zeitungsartikel,

die Fotos waren ausgeblichen, aber der Text noch lesbar. Ganz unten lag das Seil, von dem mir Théo erzählt hatte, mit dem Paul auf das Floß gebunden gewesen war.

Dort fand er auch die Kette und das Medaillon. Lambert zeigte mir die vier auf der Rückseite eingravierten Namen.

Er umklammerte das Medaillon ganz fest.

Ich legte die Hand auf seine Schulter.

»Nan hat ihn geliebt … Sie hat ihn großgezogen.«

Das war das Einzige, was mir zu sagen einfiel.

Er sah mich an.

»Sie war nicht seine Mutter.«

»Er wusste es.«

Ich stellte die Schachtel mit den Briefen auf den Tisch.

Lambert schaute sie an.

»Sie gehören Ihnen. Von Théo …«

Ich ging nach draußen. Hinter der Scheibe sah ich sein Gesicht. Er hatte den ersten Umschlag geöffnet.

Ich lief einmal ums Haus. Ehe ich Nans Grundstück verließ, wollte ich den Platz finden, an dem Théo das Kind begraben hatte. Er hatte mir den Ort beschrieben. Ein prächtiger Fliederstrauß war darauf gewachsen. Als ich die untersten Äste beiseiteschob, sah ich das kleine weiße Kreuz.

Ein totes Kind, dessen Namen nun ein anderer trug. War Michel zu diesem Grab gekommen, um sich zu besinnen, als er seine Geschichte erfahren hatte?

Wie sollte man ihn nennen? Alle Briefe waren mit Michel unterschrieben.

Ich steckte die Hand in die Tasche und holte ein paar glatte Steine heraus, die ich am Strand aufgesammelt hatte. Auch die beiden Seeohrenschalen. Ich legte alles vor das Kreuz auf den Boden und rückte die Zweige, die ich zur Seite geschoben hatte, wieder sorgfältig zurecht.

Ich konnte nicht beten, obwohl ich es in diesem Moment gern getan hätte.

Stattdessen zog ich das Heft aus der Tasche und las die Brieffragmente, die ich im Laufe der Nacht abgeschrieben hatte, Worte, die die Kraft eines Gebetes hatten.

Angelusläuten am Mittag. Dieselbe Glocke, drei Schläge, dreimal wiederholt, dann schlägt eine andere Glocke zwölfmal, zweimal hintereinander. Ein Hund bellt. Es ist Mittag, aber die Sonne steht niedrig über dem Horizont. Hinter mir wirft sie meinen Schatten auf den Kamin.

Als ich ging, saß Lambert immer noch am Tisch. Über die Briefe gebeugt.

Ich lief zur *Griffue* zurück. Am Nachmittag musste ich nach Caen fahren, um meinen Vertrag zu unterschreiben. Raphaël borgte mir sein Auto.

Seit Morgane weg war, schlief Max im Boot bei der Ratte. Wenn der Abend hereinbrach, kam er zu uns, um ein paar Spalten in seinem Wörterbuch zu lesen. Raphaël hatte ihm gesagt, dass er in die Küche kommen könne, wenn er wolle, aber er behielt lieber seine Gewohnheiten von früher bei.

Das Früher, als Morgane noch dagewesen war.

»Ich bin auf der Recherche nach Gedanken«, gestand er uns schließlich.

Er las im Flur, die Knie angezogen. Er blätterte die Seiten um. Manchmal hob er den Kopf und starrte auf die Tür, auf die weiße Klinke. Bei jeder Kleinigkeit fuhr er auf. Diese Kleinigkeit war die Bachstelze, der Wind oder die Äste auf dem Dach. Manchmal suchte er Morgane. Er vergaß, dass sie weg war.

Sobald es ihm wieder einfiel, wurden seine Augen plötzlich

ganz weiß. Manchmal ging er noch bis zum Ende der Mole, um dort mit seinem Kummer allein zu sein.

Er fuhr mit der Flut zum Fischen. Abends oder morgens, einmal sah ich ihn auch nachts hinausfahren. Er fuhr nie weit.

Er erlernte die Geduld der Seeleute.

Er fischte mit der Angel und wartete darauf, dass der Heringshai anbiss. Was er fing, verkaufte er. Von dem Geld kaufte er Benzin, damit fuhr er wieder hinaus.

Ich unterschrieb den Vertrag, eine Verpflichtung für zwei Jahre, ich würde einmal in der Woche ins Zentrum kommen müssen. Jeden Donnerstag. Sie würden mir meine Auslagen erstatten. Ich willigte auch ein, ein paar Stunden an der Universität von Cherbourg zu unterrichten. Zu Semesterbeginn sollte ich anfangen.

Mit dem Vertrag konnte ich in der *Griffue* bleiben. Ich würde mir ein Auto kaufen müssen.

Ich verbrachte eine Nacht in Caen. Abends gingen wir alle zusammen in einem Restaurant in der Stadt essen. Wir unterhielten uns, wir lachten. Sie gaben mir Bücher, damit ich meinen Unterricht vorbereiten konnte.

Ich schlief in einem kleinen Hotel, das sie für mich reserviert hatten.

Am nächsten Morgen fuhr ich zurück.

Auf meinem Tisch fand ich einen Zettel vor: *Kommen Sie vorbei, sobald Sie können.*

Er war von Théo.

Ich wusste nicht, wer den Zettel hingelegt hatte, Max vielleicht. Ich ließ meine Tasche im Flur stehen und lief gleich los. Es war mild, ein feuchter Wind vom offenen Meer brachte Nebel mit. Ich breitete die Arme und die Hände aus. Ich war froh, wieder den Wind von La Hague einzuatmen.

Théo saß an seinem Tisch, das weiße Kätzchen an sich gedrückt. Ich spürte sofort, dass etwas nicht stimmte. Sein Blick, als er den Kopf hob. Aber da war noch etwas anderes.

»Ich habe auf Sie gewartet.«

Er trug die grüne Strickjacke, die er immer anhatte, wenn er ausgehen wollte. Die Jacke wurde mit acht Perlmuttknöpfen geschlossen. Jeder Knopf hatte die Form eines Ankers. Einer war zerbrochen.

Es war nicht normal, dass er so früh am Morgen schon fertig angezogen war.

»Ich war in Caen«, sagte ich.

Er nickte.

Sein Morgenmantel lag auf dem Bett, zusammengelegt. Die Katzen schlummerten daneben. Eine von ihnen, die mit mir hereingekommen war, sprang auf einen Stuhl und begann eine lange und gründliche Toilette. Alles war ruhig, fast so wie immer.

Und trotzdem.

Ich schaute mich um und sah den Koffer an der Wand stehen. Théo folgte meinem Blick.

»Wir haben noch etwas Zeit ...«

Das sagte er.

Er stand auf, kochte Kaffee.

»Wo fahren Sie hin?«, fragte ich.

Er strich mit der Handfläche über den Tisch.

»Ich fahre zu ihm ...«

Er streichelte sanft das schlafende Kätzchen, während er den Kaffee eingoss.

Der Blick, den er auf mich richtete, war ruhig.

»Ich werde in einer Zelle von wenigen Quadratmetern leben, von meinem Fenster aus werde ich die Berge sehen.«

Er trank seinen Kaffee im Stehen, an den Spültisch gelehnt.

»Ich habe noch nie die Berge gesehen ... Der Schnee, das muss etwas ganz Besonderes sein ...«

Er stellte seine Kaffeeschale vorsichtig ab.

»Michel erwartet mich. Wir haben diese Reise bei seinem Besuch besprochen.«

Morgane war auch weggegangen, aber Morgane war jung, und er, er war so alt.

Ich blickte wieder auf den Koffer.

»Sie fahren einfach weg, so plötzlich?«

»Ich werde Ihnen schreiben, und Sie werden mir antworten, und dann kommen Sie uns auch besuchen, Grenoble ist ja schließlich nicht so weit weg ...«

Wäre er gefahren, wenn Nan nicht gestorben wäre? Und Nan, war sie gestorben, damit er endlich fahren konnte? Hatte sie in ihrer Verwirrung verstanden, dass er zu Michel gehen würde, sobald sie nicht mehr da wäre? Dass es ihn danach verlangte, wie es sie danach verlangte, zu ihren Toten zu gehen?

Lamberts Anwesenheit hatte die Gespenster geweckt. Hatte sie auferstehen, heranstürmen lassen, und Nan war ihnen gefolgt.

Théo sah mich an, als verstehe er den ganzen Inhalt meines Schweigens.

»Sicher sah sie im Meer ... oder glaubte zu sehen ... Sie hatte manchmal solche Erscheinungen. Ich hätte sie gern noch mehr geliebt.«

Dieses Bedauern, nie genug geliebt zu haben. Auch Lambert hätte seinen Bruder sicher gern noch mehr beweint.

Dein Fehlen, ich hatte es gespürt. Ich spürte es nicht mehr. Ich hätte es für immer spüren mögen. Dein Fehlen fehlte mir, aber dieses Fehlen warst schon nicht mehr du.

Théo schob langsam seinen Stuhl an den Tisch. Er tat es zum letzten Mal.

Die Kaffeeschalen blieben auf dem Tisch stehen, kaum angerührt.

»Ich gehe noch ein Stück weiter, und dann kommen die letzten Schritte.«

Das sagte er. Er stützte sich auf den Tischrand und sah seine Katzen an, alle, eine nach der anderen. Er gab jeder ihre Zeit. Unendlich lange Blicke.

Mit dem Fuß schob er die Wischtücher an die Wand und legte das Kätzchen auf das Bett. Für einen Moment blieb er so stehen, vorgebeugt, die Hände noch unter seinem Bauch. Dann beugte er sich noch tiefer und legte die Lippen auf die Stirn des Tieres. Das Kätzchen rollte sich zusammen. Ich hörte es schnurren.

Es machte die Augen zu.

Théo zog die Hände weg.

Er öffnete ein Schubfach und holte einen braunen Umschlag hervor. Er sagte, das sei Geld, um die Katzen zu füttern. Es werde eine Weile reichen.

»Ich wollte Max darum bitten, aber Max hat jetzt sein Boot.«

Er legte den Umschlag auf den Tisch.

»Ich schicke jeden Monat eine Überweisung, Sie müssen nur den Briefträger fragen, er weiß Bescheid.«

Er schloss nacheinander alle Knöpfe seiner Strickjacke.

»So fühle ich mich ruhiger … Vielleicht braucht eine mal einen Tierarzt. Außerdem muss man auch heizen, wenn der Winter kalt ist, und aufpassen, dass das Flurfenster immer offen steht, damit sie rein und raus können …«

Er rückte seinen Kragen zurecht.

»Meine Pension wird reichen, dort, wo ich hingehe, brauche ich nichts.«

Er zog seine Pantoffeln aus und seine Stadtschuhe an. Ich sagte die ganze Zeit nichts. Ich brachte kein Wort heraus.

»Der Notar ist informiert. Nach meinem Tod geht das Haus an Lili.«

Ich hörte das Knacken der Pendeluhr, diesen besonderen Moment am Ende jeder Stunde, wenn der große Zeiger zwischen den geheimnisvollen Rastern des Uhrwerks hängen blieb. Wir schwiegen. Bis sich der Zeiger losmachte, gingen zwei Minuten verloren, so, als existierten sie nicht.

Ein Knacken der Zeit, die uns entgangen war, ihm und mir.

Théo strich mit der Hand über die glatte Tischkante, diese Stelle am Holz, die vom Reiben der Ärmel so abgenutzt war, dass sie aussah wie lackiert. Hier und da ein paar Spuren seines Messers.

Théo wandte sich ab. Er stellte seine Pantoffeln nebeneinander an die Eingangstür. Dann zog er die Uhr auf.

»Ab und zu, wenn Sie daran denken ... Man muss nur ein paar Mal drehen.«

Er rückte die Uhr wieder an ihren Platz.

»Wissen Sie, ich glaube, ich werde dort glücklich sein, wenn ich weiß, dass diese Uhr weiter die Zeit anzeigt. Außerdem sind meine Katzen an das Ticken gewöhnt, das ist ein bisschen wie ein Herzschlag, finden Sie nicht?«

Sein Blick glitt über die Möbel, die Spüle, die Papiere auf dem Schreibtisch. Das Messer, das Brot. Er hatte nichts aufgeräumt.

Er sagte, dass es für die Katzen besser sei ...

»Michel sagt, im Winter ist das Kloster von Schnee umgeben und man kann die Wölfe vorbeiziehen sehen.«

Er zog seine dicke Jacke an.

»Glauben Sie an Gott?«, fragte ich.

»An Gott, ich weiß nicht, aber ich glaube an die Güte mancher Menschen …«

Ich sah ihn an.

Hatte er Lili gesagt, dass er ging? Es lag kein Zettel für sie auf dem Tisch. Kein Brief.

Nichts für die Mutter.

»Ich werde mich wohlfühlen, dort, wo ich hingehe.«

»Aber Sie werden das Meer nicht mehr sehen.«

»Weder das Meer noch den Leuchtturm.«

Er wandte sich von mir ab, um aus dem Fenster zu sehen, nach draußen, und dann noch einmal in das Zimmer, in dem er gelebt hatte.

»Lili wird mir ihr Leben lang böse sein, weil ich eine Frau geliebt habe, die nicht ihre Mutter war … Und einen Sohn, der nicht meiner war.«

Er gab mir einen Zettel mit der Adresse des Klosters.

Er sah wieder zum Fenster.

»Ich wär gern so gegangen, wie er es getan hat, zu Fuß, den Weg entlang, alle Zeit haben, um mich zu erinnern, aber meine Beine tragen mich nicht mehr. Ich musste ein schnelleres und bequemeres Mittel wählen.«

Ich drehte mich um. Vor dem Tor stand ein Taxi. Der Chauffeur lehnte an der Autotür und wartete.

»Er wird mich bis dorthin bringen.«

»Wenn ich nicht gekommen wäre, wären Sie losgefahren, und ich hätte die Tür verschlossen vorgefunden?«

Théo legte seine Hand auf meinen Arm, sehr sanft.

»Ich wäre nicht losgefahren. Ich hätte auf Sie gewartet.«

Er ging zur Tür.

»Die Spazierwege sollen dort sehr schön sein, vor allem zu dieser Jahreszeit.«

Er warf einen letzten Blick auf seine Katzen.

»Vielleicht gibt es dort welche, wo ich hingehe … Es gibt immer Katzen in Klöstern, oder?«

Er nahm meinen Arm, wie eben schon einmal.

»Seien Sie nicht traurig …«

Es war kein Kummer in seiner Stimme, kein Bedauern, sondern die ruhige Gewissheit eines Mannes, der sich entschieden hatte zu gehen.

Er nahm seinen Koffer. Das weiße Kätzchen schlief. Théo sah es ein letztes Mal an.

»Sie müssen gut auf das Kleine aufpassen. Ich habe es sehr lieb, die anderen Katzen wissen das, sie werden sich rächen wollen, sicher lassen sie es nicht an die Futternäpfe.«

»Ich verspreche es …«

Er drehte sich um.

»Am Abend bin ich im Kloster.«

Er machte die Tür auf und ging hinaus.

Ich blieb einen Moment sitzen, erst am Tisch, dann draußen auf den Stufen, weil die Sonne herausgekommen war und wärmte.

Mittags aß ich einen Apfel, den ich in einer Kiste gefunden hatte.

Ich kochte Kaffee.

Ich sprach mit den Katzen.

Abends brachte Max seinen ersten Heringshai heim. Ein Fisch von achtzig Kilo, den er auf dem offenen Meer an die Angel bekommen und hinter seinem Boot hergezogen hatte. Ich sah ihn von weitem angefahren kommen, mit den Möwen über dem Boot, die das Blut rochen.

Er nahm seinen Heringshai im Hafenwasser aus. Mit dem Messer und mit der Hand.

Seine Möwe war da, sie saß auf der Kabine. Sie entfernte sich

nie vom Boot. Max hatte Angst um sie. Dass die anderen Möwen sie töten würden, weil sie sich von einem Menschen füttern ließ.

Er riss dem Heringshai die Zähne aus und gab mir einen. Ein
paar Millimeter helles Elfenbein, das noch in einem Stück Knochen steckte.

Lambert war hinter seinem Haus. Er hatte ein großes Feuer gemacht, in das er Äste und Gestrüpp warf, alles, was er ausgerissen hatte und verbrennen wollte. Mit einer Forke schob er die Äste in die Mitte des Feuers. Funken stiegen aus der Glut auf, flogen leicht durch die Dunkelheit davon.

Hier und da sah es aus, als brenne der Schatten der Wiese.

Ich sah ihn einen Moment lang an, ohne dass er mich bemerkte, dann ging ich zu ihm.

»Théo ist weggefahren«, erklärte ich, als bräuchte ich eine Entschuldigung dafür, dass ich da war.

»Ich weiß.«

Er zeigte mit einer Kopfbewegung zur Straße.

»Er ist im Taxi gekommen, hat vor dem Bistro gehalten. Er hat bestimmt fünf Minuten gewartet, ohne auszusteigen.«

»Und Lili? Ist sie nicht rausgekommen?«

»Nein, aber sie hat ihn hinter dem Vorhang gesehen, ich bin sicher, dass sie da war.«

Feuerzungen lösten sich aus der Glut, lange rote und goldene Flammen, die die Schatten peitschten. Die Glut war feucht. Der Rauch, der aus ihr aufstieg, roch scharf.

Er bohrte die Forke in die Erde und zündete sich eine Zigarette an. Mit dem Daumen fuhr er über die tiefe Falte, die sich über seine Stirn zog.

»Wissen Sie, wo er hinfährt?«

»Ich weiß es, ja …«

Er sah mich an. Er hatte die Briefe gelesen. Er verstand. Er schwieg einen Moment und starrte auf den Boden zwischen seinen Füßen, dann griff er wieder nach der Forke. Warf Äste in die Flammen.

Das Feuer brannte. Die warmen Flammen röteten unsere Gesichter. Unsere Hände.

Nach dem nächsten Regen würde die Asche aufgelöst sein, würde sich mit der Erde und dem Wasser vermischt haben.

Er ging einmal ums Feuer, um alles in die Mitte zu schieben, was noch brennen sollte. Die letzten Sträucher. Ein paar alte Bretter. Das Schild *Zu verkaufen*, das lange am Zaun gehangen hatte.

Er ließ seine Forke in der Erde stecken.

»Ich habe einen Bordeaux, einen 95er Cantemerle, haben Sie Lust?«

Ich trank gern mit ihm.

»Ist die neu? Diese Bluse?«, fragte er und zeigte auf meine Bluse.

»Sie gehörte Morgane …«

Darüber musste er lachen.

Wir sprachen über Wein, über Sorten, die es so gab, und über das Vergnügen, sie zu trinken. Wir leerten unsere Gläser und füllten sie neu. Ich wusste nicht, worauf wir tranken, ob auf das Glück oder auf die Verzweiflung, vielleicht auf die geheime Mischung von beidem.

Irgendwann sah er mich an.

»Und wenn es nicht stimmt? Wenn wir uns getäuscht haben? Wenn Théo uns belogen hat?«

Mit Zufällen kannte er sich aus, ein falscher Schritt, eine Unachtsamkeit. Er erzählte mir von Ermittlungen, von Spuren, denen er mit geschlossenen Augen gefolgt war, bis er in einer Sackgasse landete.

Wir tranken weiter.

Er sprach. Er schwieg. Sprach wieder, um dann nach seinem Glas zu greifen.

»Aber die Sachen, die wir gefunden haben, die sind doch Beweis genug, oder?«

Er war sich nicht mehr sicher.

Die Briefe lagen auf dem Tisch, in der Schachtel. Eine dicke gelbe Hummel lag daneben, auf dem Rücken, die Beine in die Luft gestreckt. Sicher war sie schon lange tot. Ich nahm sie in die Hand. Sie war so trocken, dass sie zerfiel, kaum dass ich sie berührt hatte. Ich schloss die Finger nacheinander. Ich wusste nicht, was ich mit diesem Staub anfangen sollte.

»Als er mich zum letzten Mal gesehen hat, war er zwei Jahre alt … In diesem Alter erinnert man sich nicht. Aber ich, ich erinnere mich an ihn. Wie lange braucht man, um dorthin zu fahren?«

»Paris, Lyon … Grenoble. Zehn Stunden?«

Er füllte die Gläser.

»Zehn Stunden, das geht. Ich fahre morgen.«

Wir tranken und sprachen die ganze Geschichte noch einmal durch, von Anfang an, die Fotos, das Spielzeug. Das Floß, auf dem sein Bruder festgebunden war.

Er nahm meine Hand, bog meine Finger auf.

»Warum behalten Sie das?«

Er pustete den Staub weg.

Wir hatten zu viel getrunken. Er, um sich an den Gedanken zu gewöhnen, dass er einen Bruder wiedergefunden hatte.

Ich …

Ich wusste es nicht.

Ich steckte die Hand in die Tasche. Unter kurzen Schnüren ertastete ich Muschelschalen, den Zahn des Heringshais. Ganz unten die glatte Oberfläche von zwei Wahrheitsknochen.

Ich holte sie heraus.

Ich zeigte sie ihm.

Er streckte die Hand aus.

Ich sah seine breite, tiefe Handfläche. Ich hätte mein Gesicht darin vergraben mögen.

Ich legte die Knochen in diese Hand. Er warf die Knochen in die Luft und wünschte sich mit geschlossenen Augen etwas. Die Knochen fielen herunter, beide lagen richtig.

Er lächelte, stand auf.

Er kam zu mir.

»Ich fahre weg, zwei, drei Tage.«

Meine Stirn an seinem Körper, wenige Zentimeter entfernt. Die Wolle seines Pullovers roch nach Feuer.

Ich schlief in einem der Sessel vor dem Kamin ein.

Als ich aufwachte, war er weg. Sein Pullover lag neben mir. Ich kuschelte den Kopf hinein.

Ich schlief weiter.

Ich wachte ein zweites Mal auf, es war dunkel. Die Wahrheitsknochen lagen auf dem Tisch, neben seinen Zigaretten. Den Gläsern. Den Briefen.

Ich fachte das Feuer wieder an.

Ich las ein paar Briefe.

Am Morgen besuchte ich die Katzen und füllte ihre Näpfe. Ich kontrollierte, ob das Fenster immer noch offen stand, und klemmte es mit einem Stein fest, damit der Wind es nicht zudrücken konnte.

Das weiße Kätzchen war nicht da. Ich suchte es überall, auf dem Hof, auf dem Heuboden. Ich rief es.

Ich setzte mich auf die Stufen.

Ich dachte an dich. Ich verlor dich. Entweder hattest du dich entfernt. Oder ich war es. Vor gar nicht langer Zeit hatte ich die Hand auf deine Schulter gelegt. Deine Wärme. Wenn ich die Augen schloss, konnte ich mich noch mühelos an dich schmiegen.

Die Zeit richtet ihr Massaker an. Schleichend. Schon weinte ich nicht mehr.

Ich hörte Lilis Schritte über unseren Köpfen. Das Knacken des Fußbodens. Eine Schranktür quietschte.

Die Mutter saß wieder auf ihrem Stuhl, an ihrem Tisch. Sie steckte den Löffel in eine Buchstabensuppe und starrte auf das, worin sie rührte. Sie kaute und schluckte ohne Begeisterung.

Sie wirkte noch älter, jetzt, wo Nan tot war.

Seit zwei Tagen war Lambert weg. Die Fenster, das Haus, die geschlossenen Fensterläden, der Wegweiser auf der anderen Seite der Straße:

Jobourg 4
Beaumont-Hague über D90 10
Saint-Germain-de-Vaux über D 45 0,7
Omonville-la-Petite 5
Cherbourg 30

Das wusste ich alles auswendig.

»Das ist gar nicht deine Zeit!«, sagte Lili, als sie mich da sitzen sah.

Sie ging hinter den Tresen. Wir sahen uns an. Was sollten wir sagen?

»Was willst du essen?«, fragte sie.

»Ich weiß nicht …«

Was hatte sie gewonnen, als sie Michel die Wahrheit gesagt hatte? Wäre das Leben für sie schwieriger gewesen, wenn Théo zu Nan gezogen wäre?

»Was hältst du von schönen heißen Nudeln?«

»Nudeln?«

Sie zeigte auf den Teller, die Buchstabensuppe.

Ich nickte.

Sie goss eine große Kelle voll in eine Schüssel. Dann kam sie zu mir, die Schüssel zwischen den Händen. Sie sah mich an. Forschend. Warf einen Blick nach draußen, auf die geschlossenen Fensterläden.

Ihr Vater war weggegangen.

Sie hatte jahrelang geschwiegen. Um in Ruhe weiterleben zu können, würde sie weiter schweigen müssen.

»Hast du den Tag an der Steilküste verbracht?«

Das sagte sie.

Sie sprach nicht von Théo. Dabei war es der Tag, an dem ich immer sein Essen mitgenommen hatte, um es ihm zu bringen.

Der Beutel hing am Nagel. Leer.

»Du hast die Augen der Heide«, sagte sie und stellte die Schüssel vor mich.

Die Augen der Heide, die Augen derer, die umherirren.

»Ich habe den ganzen Tag das Meer beobachtet. Das war schön …«, sagte ich schließlich.

Sie sah mich wieder an. Sie brachte es fertig, von Vögeln zu sprechen, um nicht von ihrem Vater sprechen zu müssen.

»Und was hast du gezählt?«

Ich zog das Heft aus der Tasche, langsam, versuchte zu schlucken, mein Mund war plötzlich zu trocken.

Ich schlug das Heft auf.

Zeigte es ihr.

»… 469 Basstölpel, 3 Trauerenten, 71 Flussseeschwalben, 2 Austernfischer, 3 Sturmmöwen und 46 Brandseeschwalben.«

Sie richtete sich auf, das Geschirrtuch in der Hand.

»Die hast du alle gezählt?«

»Alle.«

»Und was sagt dir das?«

Ich klappte das Heft zu.

Ich sah sie an. Ihre Augen waren Schlitze. Die Augen ihres Vaters.

»Dass die Austernfischer selten sind«, sagte ich.

Ich gewöhnte mir an, am späten Nachmittag ein, zwei Stunden bei Lambert zu verbringen. Ich machte Feuer. Ich kochte Kaffee. Ich wartete darauf, dass er zurückkam.

Ich trank seine Flasche Whisky leer.

Michels Briefe lagen immer noch auf dem Tisch. Ich hatte sie alle ein zweites Mal gelesen.

Ich wusste nicht, ob das Haus wirklich verkauft war. Jedenfalls kam niemand mehr, um es zu besichtigen.

Wenn ich ging, ließ ich den Schlüssel im Schloss stecken.

Abends schaute ich bei Théo vorbei, um die Katzen zu füttern. Ich füllte ihre Näpfe. Machte ihnen Feuer. Ich machte auch das Radio an, damit sie ein Geräusch hörten.

Ich zog die Uhr auf und wartete am Tisch sitzend auf den besonderen Moment, in dem der Zeiger hängen blieb. Und wenn der Moment kam, in diesen zwei Minuten angehaltener Zeit, dachte ich an dich.

Manchmal sprang eine Katze auf meinen Schoß, rollte sich zusammen und schlief ein. Ich traute mich nicht mehr, mich zu bewegen. Die Zeit verging.

Das weiße Kätzchen, das Théo so liebte, war noch immer nicht wieder aufgetaucht.

Ein kleines Boot in der Ferne. Max fuhr parallel zur Küste bis zur Spitze von La Loge, zwischen dem Semaphor von Goury und Port-Racine und dann hinaus aufs Meer. Bald war das Boot nur noch ein Lichtpunkt zwischen Himmel und Meer, und schließlich war es gar nicht mehr zu sehen. Die Kleine folgte ihm mit den Augen. Sie wäre gern mit ihm aufs Meer hinausgefahren. Sie starrte ihm so intensiv nach, dass sie sich erbrach. Das war die Krankheit derer, die an Land blieben und die Boote hinausfahren sahen.

Die Krankheit derer, die die anderen leben sahen, derselbe Schmerz. Dieselbe Übelkeit.

»Später, wenn du groß bist, fährst du auch aufs Meer.«

Sie sah mich mit ihren riesigen Augen an. Ihr Mund mit der zerrissenen Lippe.

»Wann ist später?«, fragte sie.

Ich nahm sie bei der Hand.

»Ich weiß nicht. Bald ...«

Ihre Hand war warm, schmiegte sich in meine.

»Bald ist zu weit weg!«, flüsterte sie.

»Die Zeit vergeht schnell.«

Sie rannte weg, floh bis ans Ende der Weiden, gefolgt von ihrem Hund. Ihrem Schatten. Sie legte sich ins Gras, in die Sonne, mit offenem Mund und ausgebreiteten Armen. Sie streifte den Pullover über dem nackten Bauch hoch.

Kinder wachsen schneller im Licht – wie die Pflanzen und die Blumen. Lili hatte das einmal gesagt, aber sie hatte von Mondstrahlen gesprochen.

Mond oder Sonne … Die Kleine hatte sich hingelegt, um ihrer Kindheit zu entkommen und schneller ins Morgen zu gelangen.

Ich folgte dem Boot in der Ferne mit meinem Fernglas. Max am Steuer. Die Möwe auf dem Dach. Sie war immer bei ihm. Er streichelte sie, wie man eine Katze streichelt. Er lehrte sie, Wörter zu sagen. Einfache Wörter. Er behauptete, Möwen könnten sprechen lernen. Andere Fischer bestätigten es.

Max sprach selten von Morgane.

Raphaël hatte ihn mehrmals gerufen, wenn Morgane am Telefon war. Er war gekommen und hatte zugehört. Er hatte fast nichts gesagt. Sein Blick war gleichgültig geworden. Sie nicht zu sehen hatte ihm geholfen, sie weniger zu lieben.

Jetzt rief Raphaël ihn nicht mehr, wenn Morgane anrief.

Die Katzen gewöhnten sich an Théos Abwesenheit. Wenn ich sie begrüßte, kamen sie zu mir, rieben sich an meinen Beinen. Sie fraßen, was ich ihnen in die Näpfe schüttete.

Sie ließen sich streicheln.

Manche schnurrten.

Meistens blieb ich eine Stunde oder zwei.

Ich lüftete das Haus.

Das weiße Kätzchen war immer noch nicht aufgetaucht.

Ich schrieb den ersten Brief an Théo, erzählte ihm, dass alles in Ordnung sei.

Das Telefon klingelte, als ich gerade im Flur stand und nach oben gehen wollte. Draußen war es fast dunkel. Raphaël rief mich. Ich hörte Morgane am anderen Ende lachen. Sie sprach schnell. Sie wirkte glücklich. Sie wollte wissen, wie das Meer aussah. Ich zog den Vorhang auf und sah hinaus zum Leuchtturm.

»Es ist gerade Flut.«

»Und die Farben?«

Der Himmel und das Meer hatten das gleiche Grau, leicht bräunlich, wegen des Windes, der von Osten kam und den Schlamm aufwühlte. Das Heidekraut auf dem Hügel welkte schon.

Ich beschrieb ihr das alles.

»Möwen fliegen über den Strand. Der Leuchtturm ist noch nicht an. Es kann sich nur noch um Minuten handeln.«

»Passt du auf und sagst mir Bescheid, wenn er angeht?«

Ich fixierte den Leuchtturm. Über Aurigny änderte sich das Wetter, bald würde Nebel aufziehen.

Ich erzählte ihr, dass Max zum Angeln rausgefahren war. Dass er eine Möwe gezähmt hatte und dass es der Ratte gutging.

Ich lief nach draußen, damit sie die Möwen hörte. Und auch den Wind.

»Gestern hat Max Delphine im Raz Blanchard schwimmen sehen. Raphaël hat sie auch gesehen.«

»Delphine?«

Morgane konnte es nicht glauben. Sie wollte, dass wir Fotos machten, dass wir sie ihr schickten.

Hinter mir knirschten Schritte.

»Was haben die Delphine gemacht?«, fragte sie.

»Ich weiß nicht … Max hat gesagt, dass es mehr als zehn waren. Sie sind in der Strömung um das Boot herumgeschwommen.«

»Raphaël hat sie auch gesehen und mir nichts erzählt?!«

»Raphaël schert sich nicht um Delphine …«

»Und der Ratte geht es gut?«

»Es geht ihr gut, ja …«

»Und dir, geht's dir gut?«

Die Schritte. Der Ledergeruch der Jacke. Ich spürte ihn, ehe ich ihn sah, ein wilder Herzschlag.

»Ich …«

Er war da, hinter mir, berührte mich fast. Ich spürte seinen Atem in meinem Nacken. Er legte die Arme um mich. Verschränkte sie vor meinem Bauch. Seine Hände. Ich hörte sein Herz an meinem Rücken schlagen.

»Ich habe die Delphine nicht gesehen«, stammelte ich.

Morganes Stimme mischte sich mit dem Rauschen meines Blutes, sie fragte, ob der Leuchtturm an sei. Er war es nicht.

Er legte die Hand auf meinen Bauch. Seine Hand, ganz flach. Und dann auf mein Gesicht. Mein Kopf darin. Meine Lippen an seiner Handfläche, mein ganzer Mund.

Ich atmete in diese Hand.

Die Handfläche, die Lippen an der trockenen Haut. Bis zum Ersticken. Ohne ein Wort. Der Nacken an seiner Schulter.

Ich wartete, dass sich mein Herz beruhigte. Ich brauchte Zeit, und dann gab es diesen unendlich zärtlichen Moment, in dem ich mich wieder bewegen und meine Hand auf seinen Arm legen konnte, und diesen anderen Moment, da ich mich umdrehen und ihn ansehen konnte. Dieser Mann, der mich umarmte, warst nicht du, und dennoch verspürte ich Frieden. Ich schmiegte meinen Kopf an ihn. Vergrub das Gesicht. Die Lippen am Pullover. Diese Wärme unter der Wolle. Meine Hand bewegte sich, sie fand den Weg wieder, jenen Ort, den sie bei dir so gern hatte, zwischen Jacke und Pullover, sie fand ihren Platz und ließ sich dort nieder.

»Sie sind zurückgekommen.«

Er umarmte mich noch fester, und ich konnte endlich die Augen schließen.

Es war dunkel. Das Meer stieg und brandete gegen den Leuchtturm, schwere, kurze Wellen. Es sah nach Gewitter aus. Die Luft
war elektrisiert.

Ich betrachtete mein Gesicht im Spiegel. Die Wunde von
dem Blech war verschwunden, trotzdem zeichnete sich das Mal
noch ab, wenn ich aus der Kälte kam, ein dünner Strich, der verschwand, sobald sich meine Haut erwärmte.

Eine flüchtige Spur.

Ein roter Schatten.

Eine Erinnerung.

Lambert schlief.

Ich sah ihn an.

Und dann verließ ich ihn.

Den Rest der Nacht verbrachte ich auf dem Sofa in Raphaëls
Atelier. Eine Nacht voll undeutlicher Träume, es kam mir vor, als
würde ich nach dir rufen. Ich nahm mir eine Decke. Sie hatte auf
dem Boden gelegen. Sie roch nach Staub, nach Gips.

Dort fand mich Raphaël am Morgen. Er stellte mir keine Fragen. Er machte Kaffee und sagte nur, dass es nach Regen aussehe
und dass ich mich nicht mit einer so schmutzigen Decke hätte
zudecken sollen.

Ich lief über den Strand. Eine Seemöwe saß ganz oben auf

einem Dach und starrte aufs Meer. Als sie mich sah, stieß sie einen lauten Schrei aus, schwang sich mit ausgebreiteten Flügeln in die Luft und flog haarscharf übers Wasser, ganz dicht an mir vorbei. Die Kühe drängten sich am Zaun zusammen, sie hatten die Nacht hier verbracht, sie käuten wieder, die Köpfe zum Dorf gewandt. Dort oben erwachten die Menschen. Die ersten Lichter.

Ich lief bis zum Kreuz. Ein Büschel kleiner Flockenblumen wuchs vor dem Sockel. Sie blühten hier manchmal sogar im Winter.

Es fing an zu regnen. Ein paar Tropfen. Ich sah zum Himmel. Der Regen am Ende des Sommers fällt nie so wie der Herbstregen. Er ist heftiger, verwüstet den Meeressaum, zerstört die Böschung mit der Kraft der Eifersucht.

Die Alten sagten, in diesem Winter würde viel Schnee fallen.

Als ich zur *Griffue* zurückkam, sah ich, dass in meinem Zimmer Licht brannte.

Ich hob einen Stein auf, einen kleinen Kiesel aus schwarzem Granit. An der Seite war ein hellerer Kratzer, ein Abdruck in Form eines Sterns. Langsam schloss ich die Finger darum und steckte ihn in die Tasche.

Lambert blieb eine Woche, dann fuhr er wieder weg. Er kam zehn Tage später zurück. Und fuhr wieder weg.

Jede Reise führte zu Michel. Wenn er wiederkam, erzählte er mir von ihm. Von ihren Begegnungen, nur ein paar Stunden am Tag. Er wäre gern länger dort geblieben, aber die Klosterregeln erlaubten es nicht. Bei seinem letzten Besuch hatte er die Klausur betreten dürfen, jenen innersten Bereich, der den Mönchen vorbehalten war. Ein kurzes Gespräch in einer Zelle ohne Fenster. Sie hatten Wasser getrunken. Ein paar Kekse gegessen.

Sie hatten geredet.

Diese Besuche, auch wenn sie kurz waren, machten ihn glücklich.

Ich wusste jetzt, dass ich andere Hände lieben, einen anderen Körper begehren konnte; mit ihm entdeckte ich sie wieder, die Lust, aber ich wusste auch, dass ich nicht mehr lieben konnte wie vorher.

Die Nächte teilen.

Das hatte mir dein Tod geraubt.

Hatte Lambert es verstanden?

Er sah mich an, wenn ich ihn verließ, aber er versuchte nicht, mich zurückzuhalten.

Mehrmals erzählte er mir von dem Haus, das er im Morvan hatte, eine alte Mühle an einem Bach. Er sagte nichts weiter, nur dass er mir diesen Ort gern zeigen würde.

Oft fuhr er weg.

Das war gut so. Ich lernte, auf ihn zu warten.

Einmal zog er einen Brief aus der Tasche, den er von seinem Bruder erhalten hatte. In diesem Brief sprach Michel lange über Vergebung. Er sagte, Vergebung sei kein Vergessen, man müsse den Weg zurücklegen können, und er zitierte einen Satz von Johannes Paul II.: *Der Mensch, der vergibt, versteht, dass es eine Wahrheit gibt, die größer ist als er.*

An diesem Abend erzählte ich ihm von dir. Wir saßen in seinem Auto. Vor uns das Meer.

In dieser Nacht liebte er mich, danach. Bei ihm. In seinem Zimmer, ein Bett mit weißen Laken. Er liebte mich, wie du es konntest, auf die gleiche absolute Art.

In der Nacht stand ich auf und lehnte mich an die Dachluke. Der Himmel war voller Sterne. Ich dachte, einer dieser Sterne wärest vielleicht du.

Ich lauschte den Geräuschen der Nacht. Dem Rascheln, dem leisen Atmen.

Ich drehte mich um und sah den Mann atmen, der mich eben geliebt hatte.

Ich setzte mich mit dem Rücken an den Heizkörper. Ich nahm das Heft aus meiner Jackentasche, das ich immer bei mir trug. Ich blätterte es durch, alle Zeichnungen, bis zu den Seiten dahinter, den letzten, den weißen Seiten. Dann fing ich an, unsere Geschichte aufzuschreiben.

Am nächsten Tag sagte Lambert, er werde wieder zu seinem Bruder fahren, und wenn ich wolle, könne ich ihn begleiten. Es war Ende September. Die schönen Tage waren vorbei. Der Wind blies aus Westen, er brachte Feuchtigkeit, Nebelfetzen vom Meer. Schaumflocken, die er von den Wellen riss und bis zu meinem Fenster hinauftrug. Selbst an den Sonnentagen war es kalt.

Wir fuhren sehr früh am Morgen los. Als wir Auderville verließen, regnete es schon. Tropfen klebten an der Scheibe. Wir machten Musik an. Wir sprachen über Michel.

Kurz nach Caen zeigte ich ihm die Landschaft.

»Dort hat Françoise Sagan gewohnt«, sagte ich. Er interessierte sich nicht für Sagan, aber ich erzählte ihm trotzdem von ihrem Gutshaus.

Vor ein paar Jahren war ich mit dir hier gewesen. Wir waren durch den Park gegangen. Die Sagan hatte in einem Sessel gesessen, eingewickelt in eine Decke, obwohl es Sommer war. Sie hatte geschlafen.

Im folgenden Jahr waren wir wieder zu ihrem Gutshaus gefahren, doch sie war gestorben.

Lambert hielt nach Dozulé an, und ich fuhr.

Die Hände am Steuer, dachte ich an Françoise Sagan und an diesen Tag. Gedanken ohne Traurigkeit.

Um zehn Uhr gewann das Licht, aber der Himmel blieb grau. Wir hielten an einem Ort an der Autobahn, der Fleury-en-Bière hieß. Wir tranken einen Kaffee, dann fuhr Lambert wieder.

Das Auto wiegte mich. Seine Stimme. Er erzählte mir von seinem Bruder, von dem Frieden, den er verspürte, seit er ihn wiedergefunden hatte.

Kurz nach Bessey-en-Chaume machten wir Mittagspause. Dann übernahm ich das Steuer.

Irgendwann zeigte mir Lambert in der Ferne Wälder. Er sagte, dort sei der Morvan, hinter dieser Wand aus Bäumen.

Ich schlief ein. Als ich die Augen aufmachte, sah ich die Berge. Wir waren kurz vor Grenoble.

Während ich schlief, hatte mich Lambert mit seiner Jacke zugedeckt. Meine Wärme hatte sich darunter gestaut. Ich sah ihn an. Er lächelte.

Wir verließen die Autobahn.

Wir tranken eine Schokolade, in einer Stadt am Fuß der Berge, ehe die Schluchten begannen. Lambert erklärte mir, dass die Mönche früher zu Fuß von dort aufgebrochen waren, um allein zu ihrem Rückzugsort zu gelangen.

Wir sprachen von Michel, der sehr viel weiter gegangen war. Wir beobachteten einen Bach, der zwischen den Häusern floss.

Später fuhren wir eine sehr enge Straße am Berghang entlang. Rechts davon waren Schluchten, an deren Grund ein Fluss strömte. Wir fuhren durch Tunnel, die in den Fels gebohrt waren. Wasserfälle. Wasser sickerte überall heraus, auf der Straße und auch am Hang. Lambert erzählte mir, dass diese Straße Wüstenstraße heiße. Dass man dort Luchse sehen könne.

Wir trafen niemanden.

Als wir in Saint-Pierre ankamen, war es fast dunkel.

Lambert hatte in einem Hotel im Dorf, dem Hôtel du Nord, zwei Zimmer reserviert.

Er hatte die 4, ich die 16, sie waren nicht auf derselben Etage. Wir aßen in einem kleinen Restaurant eine Spezialität, die uns die Kellnerin empfohlen hatte. Dazu tranken wir eine Flasche guten Wein. Er erzählte mir von den erbärmlichen Ermittlungen, die er hatte führen müssen, als er in Dijon gelebt hatte.

Schmutzige Geschichten. Ich sagte, dass ich schmutzige Geschichten mochte, darüber musste er lachen.

Er erzählte mir auch von der Zeit, als er noch politisch aktiv gewesen war, in der Hoffnung, die Welt verändern zu können.

Dann spazierten wir eng umschlungen durch die Gassen. Es war noch kälter als in La Hague, aber hier wehte kein Wind.

In dieser Nacht ging ich zu ihm. Seine Tür war nicht abgeschlossen. Ich musste sie nur öffnen. Er stand am Fenster. Er sagte nichts. Er hatte mich erwartet.

Am nächsten Tag wachten wir erst spät auf. Wir frühstückten rasch in einem leeren Saal.

Lambert wollte mir eine kleine Kirche zeigen, die Eglise Saint-Hugues. Dort hingen Bilder des Malers Arcabas, ein Kreuzweg, gemalt mit Farben, die aussahen wie Gold.

Wir hielten an, um das eisige Wasser zu berühren, das in einem Bach floss. Wir sahen Forellen.

Dann fuhren wir zum Kloster.

Wir stellten das Auto etwas weiter unten ab. Es war das einzige Fahrzeug auf dem Parkplatz.

Ein Weg führte an Wiesen entlang, er war von sehr alten Bäumen gesäumt, deren gewundene Wurzeln auf der Erde lagen. Das Kloster befand sich am Ende dieses Wegs. Von Bergen umgeben.

Dieser Ort strahlte ein Geheimnis, eine besondere Aura aus, das spürte ich, noch ehe ich das erste Dach gesehen hatte.

Das Kloster tauchte auf, fast unverhofft, eine dicke, in den Boden gerammte Mauer, ringsum ein paar Weiden mit Kühen, Bäumen, blauen Berghängen, Tannen. Wir blieben stehen. Der Ort lag so fern von allem, wie es auch in La Hague manchmal zu spüren war. Aber dieser Ort war heilig. Sogar die Bäume schienen zu beten. Die Steine am Wegrand.

Ich strich mit den Fingern über die dicke Rinde eines Baums. Die Hopi-Indianer sagen, dass es genügt, einen Stein in einem Flussbett zu berühren, damit das ganze Leben des Flusses verändert wird.

Es genügt eine Begegnung.

Lambert nahm meine Hand. Ganz einfach. Er drückte sie, und wir gingen weiter. Ohne etwas zu sagen. Dieser Berg wurde vom Schweigen getragen, er war davon durchdrungen, das geringste Geräusch, das kürzeste Wort wäre wie eine Beleidigung gewesen.

Ich sah die Mauern an. Hinter den Bäumen waren Dächer zu erkennen. Die Menschen, die hier lebten, hatten sich von der Welt zurückgezogen, sie hatten darauf verzichtet, andere Menschen zu sehen. Darauf verzichtet, mit ihnen zu leben.

Ein Leben außerhalb der Zeit.

Für einen Gott.

Wir kamen zum Tor. Dort hing eine Kette, an deren Ende eine schwere Glocke geknotet war. Es war noch zu früh, uns anzukündigen. Also liefen wir weiter den Weg hinauf, der um das Kloster herumführte. Die Luft war frisch, die Sonne strahlte, und die Erde roch gut.

Die Schieferdächer glänzten im Licht. Graue Mauern. Eine Gestalt in der Ferne, an einem Ort, der mir ein Garten zu sein schien. Der Mann lief gebeugt, er trug einen Spaten.

Flüchtige Schatten. Stumme Männer. Ich ahnte ihre unsichtbare Anwesenheit. Ich hätte wie sie sein können. Nach dir hätte ich das tun können, mich hinter Mauern einschließen und nie mehr herauskommen.

Um zwei Uhr standen wir wieder vor dem großen Tor. Michel machte uns auf. Er trug eine lange braune Kutte, die Kapuze auf dem Rücken. Ich sah ihn an, sein Gesicht. Die Menschen, die hier leben, können den anderen nicht ähnlich sein. Sie sind vom Licht erfüllt. Michel erschien mir zeitlos.

Er nahm meine Hände in seine, dann die von Lambert. Er sagte uns, dass er zwei Stunden Zeit habe, bis zur Vespermesse. Wir wechselten ein paar Worte über den langen Weg, den wir zurückgelegt hatten, um hierherzukommen. Er erklärte, die längsten Wege seien oft die notwendigsten. Gehen und meditieren. Er hatte Monate gebraucht, um hierherzukommen. Und Jahre, um zu verstehen, was das wahre Leben war. Er hatte an der Weisheit gerührt. Er war zur Kontemplation gelangt.

Er sagte, dass er eines Tages bis nach Compostela gehen werde.

Über uns strahlte die Sonne auf die Weiden.

Teilte sich die Zeit hier wie anderswo, in Monat und Jahr? Zählte ein Jahr für ihn so viel wie für mich?

Er hatte keine Uhr.

Was bedeuten zwei Jahre, was zehn Jahre für Männer in dieser Zurückgezogenheit? Die Glocken geben der Zeit den Rhythmus, wie die Gezeiten in La Hague.

Er sprach von der Natur, so schön und so stark. Er lächelte wieder. Ein Leuchten aus seinem Innern erhellte sein Gesicht. Nichts schien ihn zu quälen. Und trotzdem war auch das Meer in ihm, das seine Eltern getötet hatte. Er trug es in sich, in stummen Winkeln vergraben. Vergessen. Das Meer. Eine Spur. Vielleicht die Erinnerung an die Kälte.

Erinnerte er sich an Schreie?

An die Strömung?

Sicher trug er in sich das helle Licht des Leuchtturms.

Die beiden Brüder gingen zusammen den Weg entlang, der in den Wald führte. Ich folgte ihnen mit den Augen, zwei Gestalten, dunkel die eine, die andere hell. Sie liefen Seite an Seite und sprachen miteinander.

Ich kehrte zu dem großen Tor zurück. Ich wartete ein paar Minuten, dann öffnete es sich wieder. Théo tauchte auf. Hinter ihm der dichte Schatten eines Portals. Das war alles, was ich vom Innern des Klosters sehen konnte.

Das Tor schloss sich mit einem dumpfen Knall. Sohlen knirschten auf dem Kies.

Théo trug dieselben Sachen wie am Tag seiner Abreise, dieselbe Strickjacke und seine Cordhose, deren Stoff von den Krallen seiner Katzen abgewetzt war.

Wir gingen unter den Bäumen entlang. Kleine Lichtflecken tanzten vor unseren Füßen. Wasser rauschte, eine Quelle oder das Wasser des letzten Regens. Ein paar Pfützen.

Théo ging langsam, eine Hand um den Stock geschlossen. Ich erzählte ihm von seinen Katzen. Und dann von La Hague, von der Kälte, die sich ausbreitete. Ich erzählte ihm von seinem Haus und wieder von seinen Katzen.

Ich sagte ihm nicht, dass das weiße Kätzchen verschwunden war.

Wir gingen bis zum Holzlager. Man hatte lange Baumstämme dorthin geschleppt, die darauf warteten, zersägt und zugeschnitten zu werden, sie waren alle mit zwei weißen Strichen markiert. Im Schlamm gab es tiefe Spuren.

Seit fast drei Monaten war Théo nun hier. Es schien ihm gut zu gehen. Er half bei der Küchenarbeit. Er schälte Gemüse, kochte es. Immer in Wasser. Etwas Salz. Fader Geschmack, einfallslos.

Er sagte mir, dass er sich manchmal nach Lilis Essen sehne. Er lächelte, ich hätte nicht sagen können, ob es ein trauriges Lächeln war, denn er hatte den Kopf den Bergen zugewandt, dorthin, wo die beiden Brüder verschwunden waren.

Er schwieg lange, sein Blick verschleiert.

»Michel ist der einsamste Mensch in diesen Mauern, aber wenn er einmal rauskommt, ist er der geschwätzigste.«

Théo lief leicht gebeugt, mit schwerem Nacken. Seine Beine trugen ihn nicht mehr sehr gut.

Wir setzten uns auf eine Bank in die Sonne. Nebeneinander.

»Fehlt Ihnen das Meer nicht?«

»Jetzt nicht mehr … Aber ich denke oft daran.«

»Langweilen Sie sich nicht?«

»Langweilen? … Es gibt so viel zu tun hier … Allein den Himmel anzusehen wird man niemals müde. Außerdem habe ich einen Freund, einen sehr alten blinden Mönch. Er lebt hinter einem von diesen Fenstern da. Wir plaudern stundenlang.«

»Ich dachte, die Mönche dürften nicht sprechen?«

Er lächelte.

»Natürlich dürfen sie nicht, aber wir machen es trotzdem. Wer kann uns schon hören?«

»Gott?«

»Gott … Wie könnte er uns noch mehr bestrafen, wo er uns schon so alt hat werden lassen …«

»Er kann Sie in die Hölle schicken!«

»Soll er mich schicken …«

Er sagte es belustigt.

Er sprach wieder von Michel und von der tiefen Stille, die innerhalb der Klostermauern herrschte.

»Michel liest viel, er schreibt auch. Er bekommt Post, wissen Sie … Er ist sehr erstaunt darüber, wie die Menschen leben. Er sagt, eines Tag wird wegen all der modernen Erfindungen die Welt explodieren, und der Mensch wird zum Feuerstein zurückkehren.«

Théo hob den Kopf. Er schaute lange auf die Berge, ein Teil davon lag im Schatten und war fast schwarz, während der andere Hang, die Südseite, noch vom Licht erdrückt wurde.

»Er näht die Leichentücher, in denen die Mönche begraben werden. So wie Florelle es gemacht hat.«

Er sprach den Namen aus, Florelle, die zarte Erinnerung, seine Augen wurden feucht.

Tränen, die ihn zurück nach La Hague brachten, zurück zur Brandung.

Ich ließ Zeit verstreichen. War Michel böse auf Théo? Hatten sie darüber gesprochen?

Als ich Théo diese Frage stellte, schüttelte er den Kopf.

»Michel kennt keine Vorwürfe. Er blickt nicht zurück. Das ist nicht seine Art.«

Er sprach noch lange von seinem neuen Leben innerhalb dieser Mauern, denen des Klosters und auch denen der Berge.

Von diesen Mauern, die sie hier die Einfriedung nannten.

»Wissen Sie, dass sehr strenge Gesetze das Leben dieser Berge bestimmen?«

Er erzählte mir von den Tieren, die hier im Schutz der Bäume lebten, unzählige Tiere, Rehe, Luchse, ein paar Wölfe.

Er erzählte mir von den Männern, einsame Seelen auf der

Suche nach dem Absoluten, die der Stille der Berge ihre eigene Stille darboten.

Théo sagte mir, dass ihm die Sonnenuntergänge fehlten, dass es hier wegen der Berge keine gebe.

Ich erzählte ihm von Lili.

Ich sagte ihm, dass es der Mutter gut gehe.

Er hörte mir zu.

Und dann überwältigten ihn die Müdigkeit und die Kälte. Die Bank geriet in den Schatten. Ein Erschauern. Er wollte zurückgehen. Unendlich langsam waren seine Schritte. Ich begleitete ihn bis zum Tor.

Ich sah ihn an.

Er gehörte zu jenen Menschen, die sterben würden, ohne Spuren zu hinterlassen.

Ich versprach ihm wiederzukommen, und er sagte: »Ich weiß, dass Sie wiederkommen.«

Kurz darauf begannen die Glocken des Klosters zu läuten, eine nach der anderen, und dann alle zusammen. Hier maß man die Zeit nach Messen und Gebeten. Die ganze Woche strebte dem Sonntag entgegen. Und alle Wochen strebten einigen besonderen Daten entgegen, je nach Jahreszeit war es Weihnachten oder Ostern.

Und die Leben strebten dem Tod entgegen, der letzten Begegnung.

Ich dachte an dich.

Die Glocken hörten auf, aber ihr Echo setzte sich noch lange fort, wie gefangen zwischen den Bergwänden.

Der Himmel, nackt.

Die Stille.

Die beiden Brüder kamen zurück. Sie waren lange gelaufen. Ich sah sie herankommen, einer neben dem anderen. Michel war etwas größer. Seine Kutte schleifte im Gras.

Es war kurz nach sechzehn Uhr, die Zeit der Vespermesse. Michel machte das Tor auf. Zwei Mönche eilten einen Weg entlang, ihre Sandalen knirschten auf dem Kies. Hinter einem Fenster sah ich einen Schatten.

Michel fragte uns nicht, ob wir wiederkämen. Sicher wusste auch er, dass wir es tun würden.

Einen Augenblick später hörten wir, wie sich der Schlüssel auf der anderen Seite des Tores im Schloss drehte, ein Rascheln von Stoff, dann war es still.

Die Stille legte sich wieder über die Einöde, umfing sie mit ihren Geheimnissen und auch mit der Einsamkeit der Menschen, die sie bewohnten.

Lambert nahm meine Hand. Es war eine breite, warme und vertrauensvolle Hand. Er flüsterte mir etwas unendlich Zärtliches ins Ohr, und wir kehrten zusammen zurück in die Welt der Menschen.

Die französische Originalausgabe erschien 2008 unter dem
Titel »Les déferlantes« bei Éditions du Rouergue.

Verlagsgruppe Random House FSC-DEU-0100
Das für dieses Buch verwendete
FSC®-zertifizierte Papier *Pamo House*
liefert Arctic Paper Mochenwangen GmbH.

2. Auflage
Genehmigte Taschenbuchausgabe Dezember 2011,
btb Verlag in der Verlagsgruppe Random House GmbH, München
Copyright © 2008 by Éditions du Rouergue
Copyright © der deutschsprachigen Ausgabe 2010 by
btb Verlag in der Verlagsgruppe Random House GmbH, München
Umschlaggestaltung: semper smile, München
Umschlagmotiv: © plainpicture / Daniela Podeus
Satz: IBV Satz- und Datentechnik, Berlin
Druck und Einband: CPI – Clausen & Bosse, Leck
MI · Herstellung: BB
Printed in Germany
ISBN 978-3-442-74313-1

www.btb-verlag.de

Besuchen Sie unseren LiteraturBlog www.transatlantik.de